EKERT−ROTHOLZ

WO TRÄNEN VERBOTEN SIND

ALICE M. EKERT-ROTHOLZ

# Wo Tränen verboten sind

ROMAN DER WANDLUNGEN

» Es hat keinen Sinn zu weinen
wo Tränen verboten sind.«
*Spruchweisheit der Hindu*

FACKELVERLAG
BRUGG · STUTTGART · SALZBURG

© Copyright 1956 by Hoffmann und Campe Verlag, Hamburg
Sonderausgabe für den Fackel-Buchklub, Brugg · Stuttgart · Salzburg
Druck nach fotomechanischer Reproduktion: Officina KG, Berlin
Einband: Lüderitz & Bauer, Buchgewerbe GmbH, Berlin 61
Printed in Germany 1971

Für
Geneviève, Haruko und Noboyuki

Alle Gestalten sind frei erfunden und nicht das
Abbild irgendwelcher heute oder früher lebenden Personen.

PROLOG

# Die Blumenbrücke von Shanghai

>*Der Mensch verwelkt wie die Kirschblüten von Kyoto; die kaiserliche Chrysantheme kennt nicht der Zeiten Wandel.«*
>      ASHIHEI HINO »*Blumen und Soldaten*«

ERSTES KAPITEL

# Konsul Wergelands Abendgesellschaft

Konsul Wergelands Abendgesellschaft in Shanghai begann mit einer ehelichen Auseinandersetzung. Es gab vor jeder Gesellschaft eine Auseinandersetzung zwischen dem Konsul und seiner französischen Frau. Die Szene war durch jahrelange Wiederholung zu solcher Vollendung gediehen, daß sie wie die letzte Vorstellung eines Erfolgsstückes ohne Stockungen abrollte. Die Stichworte waren geprobt. Ein Souffleur wurde nicht benötigt, da der Text dem Ehepaar so bekannt war wie die Stadt Shanghai. Vor allem stand von vornherein fest, daß Madame sprach und der Konsul zuhörte ...
Die Szene begann damit, daß Yvonne Wergeland sich zwei Stunden vor dem Empfang der Gäste durch mehrere Türen hindurch erkundigte, wo der Konsul wäre, was er im Augenblick täte und wann er sich endlich umkleiden wolle. Anstatt die Anfragen seiner besorgten Gemahlin freundlich zu beantworten, erkundigte sich der Konsul – ebenfalls durch mehrere Türen hindurch –, ob er in seinem Hause nicht fünf Minuten allein sein könne, ohne einen Polizeibericht über sich vorzulegen. Dies war das Stichwort, das Madame mit Windeseile auf die Bühne brachte. Sie erschien im Privatzimmer des Konsuls – kühl, elegant und innerlich rasend – und musterte ihren Mann aus lebhaften, traumlosen Augen, die zu dicht beieinander standen und Begabung zur Eifersucht verrieten. Yvonnes Eifersucht entsprang weniger einer unüberwindlichen Zuneigung zum Konsul als der ausgeprägten französischen Liebe zum Privatbesitz. Eine kluge Ehefrau bewacht ihren Mann so sorgsam wie ihre Wertpapiere und den Familienschmuck.
Der Konsul lag immer noch empörend behaglich in einem Kimono auf seiner japanischen Matte und hing unkontrollierbaren Gedanken nach. Zu Beginn jeder Szene betrachtete er seine Frau so

erstaunt, als ob er sie zum ersten Male erblicke. Wie war es möglich, daß eine Statue soviel Explosivstoff enthielt? Yvonne wirkte in ihrem Abendkleid aus nachtblauem Brokat, mit dem griechischen Haarknoten und dem reglosen weißen Gesicht tatsächlich wie eine Statue. Nur ihre funkelnden Augen und ihre zu fleischigen Ohrläppchen, die sich im Verlauf der »Szene« fieberhaft röteten, verrieten, daß diese Statue zuviel Innenleben besaß. Madame war eine Furie in Ruhepose.

Yvonne pflegte um so beherrschter zu sprechen, je erregter sie war. Am meisten ärgerten sie die Augen des Konsuls, ironisch-erstaunte, überhelle Augen, die ihr eigenes, unbegreifliches Leben führten und ihr anzeigten, daß Knut Wergeland in Gedanken verreist war. Er entschlüpfte ihren Wortschlingen mit einem leisen, geistesabwesenden Lächeln und ließ ihre Argumente wie leere Austernschalen zu Boden fallen.

Dr. Wergeland hatte Yvonne gegen Ende des Ersten Weltkrieges in der Schweiz kennengelernt, wo sie mit ihrer kranken Mutter zur Erholung weilte. Sie hatte seine Neugierde schon am ersten Abend im Speisesaal erregt. In Norwegen hatte er niemals ein solches Mädchen getroffen. Trotz ihrer Jugend war Mademoiselle Clermont ungewöhnlich gewandt, sehr elegant und hatte eine stolze Haltung. Sie schien geschaffen, ein Konsularkorps zu beherrschen. Knut hatte Yvonne einige Wochen mit spekulierender Neugier beobachtet und sie dann Hals über Kopf geheiratet. Er sei ein sehr annehmbarer Bewerber, fand die Familie Clermont in Paris: Miterbe einer bekannten norwegischen Werft, eine glänzende Erscheinung und ein Mann in einer gehobenen sozialen Position. Yvonne war für eine solche Heirat erzogen worden. Sie hätte einem Ideal entsprochen, wenn Dr. Wergeland auch noch Franzose gewesen wäre, aber wo fand man alles auf der Welt beisammen?

Die Ehe war beruflich ein Volltreffer geworden. Ein dekoratives, liebenswürdiges Paar mit vielseitigen Interessen und einem Privateinkommen wird im Konsulardienst hochgeschätzt. Das Privatleben war eine einzige lange Enttäuschung, ein Bankrott wegen Gegensätzlichkeit der Temperamente, den weder guter Wille noch tiefere Zuneigung hätte aufhalten können. Yvonne war eine gesellige Natur; der Konsul dagegen betrachtete die gesellschaftlichen Verpflichtungen, die sein Beruf mit sich brachte, im geheimen als drückende Last. Er war ein Einsiedler, dem das

künstliche und oberflächliche Treiben der Gesandtschaftskreise von Jahr zu Jahr mehr zuwider wurde und der eine stille Stunde mit seinen Kunstsammlungen jeder anderen Unterhaltung vorzog. Für eine Frau hatte der Konsul im Grunde wenig Verwendung. Selbst eine, die besser als Yvonne zu ihm gepaßt hätte, wäre zur Einsamkeit verurteilt gewesen. Sobald Knut Wergeland seine spekulative Vorfreude gegen die Gewißheit der Erfüllung eintauschte, interessierte ihn eine Frau nicht länger. Sie beflügelte seine Phantasie nicht mehr; sie war ein erdgebundenes Wesen mit allerhand Eigenheiten, Forderungen und Schwächen. Daß der Konsul ein Romantiker war, hatte die Familie Clermont nicht ahnen können. Von dieser Krankheit waren französische Männer längst geheilt, wenn sie Ehen schlossen und Familien gründeten. Sie waren Realisten; selbst ihre Träume waren bedeutend logischer als die Träume nordischer Sonderlinge... Daß Frauen bei näherer Bekanntschaft weder geheimnisvoll noch unerreichbar sind, wußte jeder Franzose aus Instinkt und Erfahrung schon lange vor seiner Eheschließung. Es war einfach gegen jede Vernunft, solche Eigenschaften von einer lebensklugen und sparsamen Ehefrau zu verlangen.
So war es gekommen, daß der Konsul Yvonne gegenüber abwechselnd Gereiztheit und Hochachtung empfand. Er war keineswegs blind gegen ihre Vorzüge: Sie war amüsant und doch solide, hausfraulich und dabei gepflegt und elegant. In manchen Augenblicken tat es ihm aufrichtig leid, daß Yvonne an ihn geraten war. Sie hätte einen Professor von der Sorbonne verdient, den ihre Argumente, ihre Kochkunst und ihr Chic zweifellos bezaubert hätten. Im Fernen Osten betrat eine Französin die Küche des Hauses nicht ungestraft, sie erhielt dort den Schock ihres Lebens; und der in seinem Reich bespitzelte Koch verlor soviel »Gesicht«, daß nur eine Gehaltserhöhung ihn danach auf seinem Posten verharren ließ. *Mon Dieu*... dieser Geruch in der Küche, dieser Schmutz und diese zynische Verschwendung der Lebensmittel! Man konnte den Verstand verlieren. – Glücklicherweise hatte Yvonne soviel Verstand, daß etwas mehr oder weniger ihrer Umgebung nicht auffiel. Der Konsul hörte sowieso ihren Ausführungen meist nur mit halbem Ohre zu. In Shanghai hörte kein Mann zu, wenn die eigene Frau etwas sagte. Er ging lieber zum Rennen oder zum Tanztee oder rannte hinter den Chinesinnen und Kunsthändlern her. Mit diesen Herrschaften zeigte sich auch Kon-

sul Wergeland von seiner besten Seite. Er konnte mit den Chinesinnen schweigen und mit den Kunsthändlern reden. Beim Erwerb einer Porzellanvase wachte der Konsul auf; bei einer Lackdose wurde er beredt; und bei einem Wandbild mit etwas Bambus und einer Ente im Teich gab er keinem beredsamen Franzosen etwas nach. Er war tatsächlich ein Kunstkenner; er hatte das notwendige Interesse für die bedeutsame Einzelheit.

Wann immer der Konsul seiner Frau während einer Szene zuhörte, dachte er zwangsläufig an seine Schwester Helene. Der Kontrast zwischen den beiden Frauen war zu amüsant! Helene Wergeland war das einzige weibliche Wesen, das den Konsul niemals enttäuscht hatte. Diese hochgewachsene Frau, die das alte Familienhaus in Trondheim mit ihren Schützlingen aus den Fabrik- und Hafenvierteln der Stadt bewohnte, war ihm innerlich verwandt. Allerdings fehlte ihr die Politur, die ihm das Leben in der Fremde gegeben hatte. Wenn ihr die Geduld riß, sagte das wortkarge Fräulein Wergeland den Leuten ihre ungeschminkte Meinung ins Gesicht. Aber Helenes mürrische Großmut, ihre Schweigsamkeit und selbst ihre herzhafte Grobheit gaben dem Konsul während seiner seltenen Ferien in der Heimat jene Ruhe, nach der seine Natur gebieterisch verlangte. Übrigens hatte Fräulein Wergeland ihren jüngeren Bruder ausdrücklich vor der Heirat mit Yvonne Clermont gewarnt; und nicht nur, weil sie ihren Lieblingsbruder ungern an eine andere Frau abgab. Sie kannte eben seine Neigungen, seinen norwegischen Hang zur Träumerei und seine geringe Eignung zur Ehe. Auch Fräulein Wergeland besaß wenig Talent zur Ehe, aber sie hatte auch nicht geheiratet. Und wann hätte sie auch Zeit dazu finden sollen? Vormittags arbeitete sie mit ihrem Bruder Olaf im Büro der Wergeland-Werft, und der Rest des Tages gehörte ihren Schützlingen in Trondheim und Umgebung. Aber vor allem hatte Fräulein Wergeland geargwöhnt, daß Ehemänner gelegentlich Ratschläge geben, die sie gern befolgt sehen. Helene war eine sehr selbständige Dame; Ratschläge gab sie selbst. Für Yvonne hatte sie keine Verwendung und Yvonne nicht für sie.

Auch Yvonne dachte an Helene. Sollte sie nun, da der Konsul seinen Europa-Urlaub daheim verbringen wollte, bevor er seinen Posten in Bangkok antrat, nochmals diese ungehobelte Tyrannin ertragen? Nie und nimmer! Sie würde mit ihrer Tochter Astrid
– die zwar auch des Konsuls Tochter war, die sie aber während

einer »Szene« stets als »meine Tochter« bezeichnete – sie würde also mit »ihrer Tochter« in Marseille von Bord gehen. Knut konnte sie dann – nach einigen Monaten Skilaufen oder Walfischfang – bei den Clermonts in Paris abholen, wenn es Zeit zur Rückkehr in den Fernen Osten war. Fräulein Wergeland und ihre Manieren waren ein eiserner Bestandteil der »Szene«. Was fiel dieser Helene ein? Ihre Ratschläge, Astrids Erziehung betreffend, waren überflüssig. Yvonne erzog ihre Tochter, wie sie es für richtig hielt. Es folgte ein Vortrag über französische Erziehungsmethoden, der jedem Professor der Psychologie Ehre gemacht hätte, aber der Konsul blieb unbeeindruckt! Er hatte diesen Vortrag seit Astrids Geburt in regelmäßigen Abständen gehört. Astrid war inzwischen sieben Jahre geworden.

Zwei Tage vor Konsul Wergelands Abschiedsgesellschaft in Shanghai war ein Luftpostbrief seiner Schwester in der »Internationalen Konzession« von Shanghai angekommen. Astrid – so schrieb Fräulein Wergeland mit gewohnter Liebenswürdigkeit – sähe auf dem letzten Foto wie ein magerer Hering aus und hätte einen altklugen Ausdruck. Das Kind müsse mindestens ein Jahr lang bei ihr in Trondheim Rahmgrütze und frischen Dorsch mit Buttersauce essen, bei jeder Temperatur im Fjord schwimmen, bis ihm Hören und Sehen verginge, und im Winter mit Tante Helene zum Skilaufen fahren. Nach allem, was Knut schriebe, wäre Shanghai eine abscheuliche Stadt, mochten diese Chinesen sie auch poetisch »Stadt über dem Meere« nennen. Mit der Poesie käme ja noch keine Ordnung und Sauberkeit in die Straßen. Helene persönlich hätte schon von den Fotos genug. Man sehe förmlich, daß die Läden und Waren niemals abgestaubt würden. Das arme Kind hätte ja noch niemals eine saubere Stadt gesehen. Selbst auf dem belebten *Torvet* (Marktplatz) herrsche Hygiene und Ordnung.

Konsul Wergeland hatte laut gelacht, als er diesen Brief las, aber in seinem Lachen war viel liebevolle Nachsicht und der alte Spaß an Fräulein Wergelands aus Naturliebe und gespenstischem Ordnungssinn gemischter Lebenseinstellung. Im übrigen schien seine Schwester anzunehmen, daß Astrid in jedem Falle nach Trondheim kommen würde, denn sie schrieb, sie solle im »blauen Zimmer« wohnen. Fräulein Wergeland wollte Knut und Yvonne im gelben Zimmer unterbringen, das augenblicklich von ihrer entfernten Cousine, der »Witwe aus Aalesund«, belegt war. Diese

Dame, die weder einen Vornamen noch einen Nachnamen zu haben schien, war seit kurzem Fräulein Wergelands Wirtschaftsdame und half ihr bei der Betreuung ihrer Schützlinge. Die »Schneehühner«, wie Helene diese heimatlosen Mädchen nannte, bewohnten die restlichen Zimmer im Ostflügel der »Villa Wergeland«.

Yvonne war empört. Als ihr Redestrom versiegte, erhob sich der Konsul zu seiner beträchtlichen Länge und sagte: »Jetzt ist es genug. Natürlich fährt Astrid mit uns nach Trondheim.« Auf Yvonnes Entgegnung führte er dann aus, er wünsche, daß seine Tochter die Verwandtschaft ihres Vaters, die »Villa Wergeland«, die Werft und das Skigelände von Tröndelag kennenlerne. Wie lange Astrid in Trondheim bleiben würde, könne man in Shanghai nicht im voraus festlegen. Aber in jedem Falle wolle er kein Wort weiter über Helene hören. Sie wäre eine ganz großartige Person.

Nach dieser Redeleistung versank der Konsul in sein gewohntes Schweigen. Er war die Geduld selbst, aber auf seine alte Helene ließ er nichts kommen. Er sah sie vor sich mit ihrem frühzeitig ergrauten Haar, ihren scharfen stahlblauen Augen, ihrer kühnen Nase und ihrem verärgerten Lächeln, wenn die Schneehühner ihr rührende Gaben brachten. Es gab eine stattliche Anzahl von ledigen Müttern in Trondheim und Umgebung, die ohne Fräulein Wergeland in den Fjord gesprungen wären oder sonst irgendeine Dummheit angestellt hätten. Die kopflosen Hühner wagten sich nach dem Malheur ja nicht mehr nach Haus! Sie wurden im Ostflügel des großen Landhauses untergebracht und so lange mit Rahmgrütze, Hygiene und Fräulein Wergelands Ratschlägen traktiert, bis sie sich – mit dem neugeborenen Würmchen im Arm und Babywäsche und einigen Kronen im schäbigen Handkoffer – wieder in den Alltag zurückwagen konnten. Nicht selten gelang es Helene mit Hilfe der »Witwe aus Aalesund«, den Kerl ausfindig zu machen, der die Ingrid oder die Marie ins Unglück gebracht hatte. Die Witwe aus Aalesund war eine Klatschbase und schnüffelte hinter jedem Hering her... Wenn es kein Seemann von einem ausländischen Frachter war, bekam sie allemal heraus, wer das Malheur in einer milden, hellen Nacht verursacht hatte. In diesem Fall setzte sich Fräulein Wergeland in die »Nordlandsbahn« oder fuhr in eine Trondheimer Hafengasse und stieg dem Drückeberger persönlich aufs Dach. Zu der verspäteten

Hochzeit gab es dann in der Villa Wergeland je nach der Jahreszeit gekochten Kabeljau mit zerlassener Butter oder Rebhuhn in Rahmsauce und danach die berühmte Rahmtorte der Witwe aus Aalesund. Dann erst durfte das junge Paar mit einer Kücheneinrichtung, nagelneuen Skiern für die ganze Familie und einer Extraportion von Ratschlägen abziehen. Später besuchten die Drückeberger und die Schneehühner Fräulein Wergeland zu allen möglichen Gelegenheiten. Sie hingen wie die Kletten an dieser wohltätigen und imponierenden Dame und wurden deswegen ausgescholten. Was sollten das Geschwätz und die Geschenke? Der Sverre und die Marie kämen doch mit Gottes Hilfe und aus eigenem Fleiß so nett voran, nicht wahr? Fräulein Wergeland hätte nichts damit zu tun. Aber insgeheim freute sie sich, daß die Marie jetzt wieder über ihr junges ehrliches Gesicht strahlte und so hübsch rund und rotbäckig wie vorher war und der Drückeberger ganz vernarrt in sein winziges Ebenbild zu sein schien. An diese Szenen, die er schon als Knabe in der Villa Wergeland erlebt hatte, mußte der Konsul denken, wenn seine Frau ohne einen Funken Verständnis von seiner Schwester sprach. Helene war und blieb die prächtigste Person auf der Welt, wenn sie auch vielleicht nicht immer die angenehmste war.

Die »Szene« fand häufig in dem japanischen Teezimmer statt, das Dr. Wergeland von seinem Aufenthalt in Tokio mitgebracht hatte. Es war ein fast leerer, mit zartbemalten Schiebetüren versehener Raum. Er enthielt einige niedrige Lacktische, die üblichen Fußmatten, das Teegerät, das *hibachi* (Kohlenbecken) und Kästen und Truhen mit den Kunstschätzen des Hausherrn. In der traditionellen, künstlich erhöhten Nische hing ein erlesenes Wandbild, vor dem eine Porzellanschale mit Blumen aufgestellt war. Die Schale, die Blumen und das Rollbild bildeten eine eigene Landschaft – eine sanfte und raffinierte Illusion, die das ästhetische Gefühl befriedigte und den Geist des Beschauers reinigte. Auch das Licht in dem Teezimmer war durch die Bambusvorhänge vor den Fenstern wie durch Wolken gedämpft. Die Gespräche, die in diesem Raum mit Yvonne stattfanden, störten seine Atmosphäre und hinterließen in Knut Wergeland Müdigkeit und Unlust, die nur durch verdoppelte Stille in der »Stätte der Phantasie«, wie die Japaner ihre Teehütten nennen, behoben werden konnten. In diesem Zimmer gingen manchmal nordische Traumlust und japanische Lebenskunst und Philosophie eine flüchtige Bindung ein, und auch jetzt versuchte der Konsul, hier seine nervöse Spannung vor dem Nahen seiner Gäste zu überwinden. Knut Wergeland war in den Konsulardienst getreten, weil er als Norweger die Sehnsucht nach fremden Welten im Blut hatte, aber von Haus aus war er – wie seine Schwester Helene – ein Eigenbrötler, der seine Heringe gern ohne Zuschauer verzehrte. Nun legte ihm ein ironisches Geschick jahraus, jahrein beträchtliche gesellschaftliche Verpflichtungen auf. Er mußte viele Stunden liebenswürdig lächeln, nach diplomatischem Brauch zweimal nachdenken, bevor er so gut wie nichts sagte, und mit seinen Gästen aus aller Welt angeregt plaudern. Ohne Yvonne hätte er es kaum geschafft. Sie war auf dem internationalen Parkett zu Haus. Der Konsul drückte ihr seinen Dank durch Geschenke aus, die Yvonne »unsere Berufsjuwelen« nannte. Sie besaß wertvollen Familienschmuck und legte die Berufsjuwelen nur zu offiziellen Anlässen an. Ihre Gesellschaften waren geschätzt. Selbst *Fu*, der chinesische Koch, gab widerstrebend zu, daß Madame allerhand von der Küche verstünde. Er nahm Yvonnes Anregungen scheinbar im Halbschlaf entgegen, paßte aber wie ein Luchs auf. Wie jeder Chinese spitzte *Fu* die Ohren, wenn er kostenlos etwas zulernen konnte. Auch *Fu* hatte vor ihr jene Hochachtung, die ihr kein Gerechtdenkender versagte. Aber Yvonne war damit nicht zufrieden. Sie hatte nun einmal von der Ehe etwas anderes erwartet, nämlich die Erfahrung, die ihr Onkel Antoine in Saigon einmal das »Wunder der Intimität« genannt hatte. Es war eine Kraft, die verwandelte und die Menschen aus dem Zustand der fruchtlosen Selbstbespiegelung erlöste. Sie wurden weicher gegen die einsame Menge vor ihren Haustoren und härter gegen sich selbst. Bei Yvonne war, wie bei jeder enttäuschten Frau, in den elf Jahren ihrer Ehe das Gegenteil eingetreten. Sie war zu klug, um nicht zu merken, daß das Selbstmitleid sie immer liebloser machte. Ihre regelmäßigen Andachtsübungen in den Kapellen und Kathedralen des Fernen Ostens hatten wenig hieran geändert. Wenn sie vorm Altar oder im Beichtstuhl kniete, stieg Bitterkeit aus der Tiefe ihrer Seele und beraubte Gebet und Anrufung ihres mystischen Glanzes. Aber alles, was sich im Laufe der Jahre an Enttäuschung und Erinnerung aus liebloser Ehe in ihrem Innern aufgespeichert hatte, offenbarte sich in glitzernden Wortkaskaden in der Szene, die sie ihrem Manne vor jedem Empfang in ihrem Hause zu machen pflegte.

Am 7. Dezember 1925, zwei Stunden bevor »die Wölfe kamen« – so nannte der Konsul heimlich den Anmarsch der Gäste –, fand die Szene vor einem neuen Wandbild im Teezimmer statt.
Das Bild war die Abschiedsgabe des japanischen Generalkonsuls in Shanghai. Gestern war sein Neffe aus Tokio überraschend in Shanghai eingetroffen und war natürlich von Wergelands eingeladen worden. Damit hatte Akiro Matsubara, der zweitälteste Sohn eines Industriebarons in Tokio, in aller Bescheidenheit die sorgfältig geplante Tischordnung über den Haufen geworfen. Wo sollte man den jungen Mann, der nie aus Japan herausgekommen war, placieren? Er war zu jung, um einen Ehrenplatz an der Tafel einzunehmen; aber seine Familie, die zu den Zaibatsu, den die Industrie beherrschenden hochadligen Konzernen gehörte, war zu bedeutend, als daß man ihn mit dem jungen Gemüse aus Europa zusammenwürfeln konnte. Er war bestimmt zu schreckhaft, um neben der glänzenden Yvonne im Essen herumzustochern, und schließlich war er zu japanisch, um neben offenherzigen Amerikanern oder feindselig lächelnden Chinesen zu sitzen. Shanghai war gerade jetzt ein heißes Pflaster. Die Chinesen haßten und belächelten die japanischen »Inselzwerge«, die vor geheimer Eroberungslust zitterten und sich überall häuslich niederließen. Man hätte den jungen Herrn Matsubara natürlich neben Fräulein Borghild Lillesand setzen können. Auch sie war ein Neuling in Shanghai und genauso scheu wie ein Japaner. Das heißt, Fräulein Lillesand war weniger scheu als geistesabwesend. Und auch die jüngsten und schüchternsten Japaner erwarteten in aller Demut die gespannteste Aufmerksamkeit seitens ihrer Gesprächspartner. Sonst witterten sie, daß man den Söhnen Nippons nicht jene Hochachtung zollte, die sie als Angehörige der modernsten, industriebeflissensten Nation des Fernen Ostens beanspruchen durften...
Der Kuckuck hole Herrn Akiro Matsubara – dachte der Konsul nervös. Obwohl sie privat wundervolle Freunde und Gastgeber waren, bildeten die Japaner bei geselligen Anlässen eine Insel. Selbst unter freundschaftlich gesinnten Europäern waren sie niemals wirklich entspannt. In einer Ecke hörten sie unauffällig und angespannt zu, was die Geschäftsleute des Westens und Ostens miteinander bei reichlichem Likörgenuß oder beim Whisky besprachen. Sie selbst sagten so wenig wie möglich. Aber Wochen, Jahre oder Jahrzehnte später handelten sie – ohne Voranmeldung

- auf Grund der emsig gesammelten Informationen. Auch Vergnügungsreisende – wie der junge Baron Matsubara – sammelten Informationen, denn das war eben ihr Vergnügen ... Japaner waren Zuhörer mit einem Zweck.
Während Konsul Wergeland über die Tischordnung nachdachte, erklärte Yvonne, Herr Matsubara könne sehr gut neben Fräulein Lillesand sitzen. Sie wurde von ihrem Manne jedoch dahin orientiert, daß Fräulein Lillesand bereits *seine* Tischdame wäre. Und hier setzte die Szene richtig ein.
»Ist es zu glauben?« fragte Madame. »Dieses Gänschen willst du zu Tisch führen? Ist es eigentlich ein Zufall oder ein Naturgesetz, daß du dir stets die jüngste und albernste Dame aussuchst?«
Da der Konsul nichts antwortete, teilte Yvonne ihm mit, daß ganz Shanghai bereits über seine Arrangements lächle. Der Konsul warf seiner Gattin einen verschleierten Blick zu. »Fräulein Lillesand heitert mich auf«, sagte er schließlich. »Ich finde nichts Merkwürdiges darin.«
Aber Madame fand es höchst merkwürdig. Sie hatte Fräulein Lillesand auf dem Rennplatz beobachtet und auch bei Freunden von Kapitän Lillesand, der seine Schwester Borghild, um ihr einmal etwas ganz anderes zu bieten, nach Shanghai verschleppt hatte. Borghild Lillesand kleidete sich mit einem bemerkenswerten Mangel an modischem Sinn. Sie hatte keine Spur von »Konversation« und *savoir vivre*. Sie war stumpfsinnig wie ein melancholischer nordischer Eisvogel. Mit einem Wort: Mademoiselle Lillesand, Konzertgeigerin aus Oslo, war so erheiternd wie ein Regentag in Norwegen.
»Ich bin die Güte selbst«, bemerkte Madame, »aber bei Mademoiselle Lillesand ziehe ich den Trennungsstrich, mein Lieber! Ich habe *sehr* merkwürdige Sachen über sie gehört. Sie *mußte* Oslo verlassen, ganz kurz nach ihrem ersten Konzert. Ich werde noch erfahren, warum und wieso; die Frau vom amerikanischen Vizekonsul hört leider niemals genau zu, wenn jemand etwas Interessantes erzählt. Es wird Mademoiselle Lillesand nicht das geringste ausmachen, dich zu kompromittieren! *Ihre Karriere* scheint bereits ruiniert zu sein. Ich nehme an, daß sie jetzt deine Karriere ruinieren möchte; aber da hat sie nicht mit *mir* gerechnet! Meinst du, ich habe mich dafür Tag und Nacht bemüht?«
Der Konsul musterte seine tüchtige Frau Gemahlin mit seinen überhellen ironisch-erstaunten Augen.

»Überlasse mir freundlichst die Sorge für meinen Ruf, meine liebe Yvonne«, entgegnete er aufreizend sanft. »Borghild sitzt neben mir, sie spricht kaum französisch oder englisch. Herr Matsubara sitzt neben der Frau des englischen Vizekonsuls; sie kennt Japaner und hört gut zu. Fräulein Lillesand kennt den Fernen Osten nicht.«
»Sie kennt *nichts*, nur ihre Geige. Was in aller Welt findest du nur an diesem farblosen, zerdrückten kleinen Geschöpf?« Yvonne hatte das Talent, jedes weibliche Wesen mit wenigen passenden Adjektiven seiner Reize zu berauben. Borghild Lillesand war tatsächlich farblos, klein und irgendwie von einer Last zerdrückt.
Der Konsul zündete sich eine Zigarette an und betrachtete das neue Wandbild im *Tokonoma* (Alkoven) seines Teezimmers. Ein Schüler des großen Miyamoto Musashi hatte es im Stil des 17. Jahrhunderts gemalt. Ein winziger Vogel saß in Silbernebeln auf einem langen, dünnen Ast, der jeden Augenblick abzubrechen drohte. Darunter hatte der Künstler »Singvogel auf einem toten Zweig« geschrieben. Der Vogel wirkte nicht nur völlig isoliert von dem Rest der Welt, sondern seine Situation und seine Haltung deuteten eine typisch japanische Tugend an: den heroischen, für westliches Empfinden unsinnigen Willen, angesichts eines Todes, der bei einiger Vorsicht zu vermeiden wäre, in ekstatischen Gesang auszubrechen.
»Ich habe dich etwas gefragt!« Yvonne starrte ihren Mann mit ihren dunklen, eng beieinanderliegenden Augen an. Knut war ihr entglitten, wie so oft. Sie griff mit der Hand nach ihrem Herzen. Wieder hatte sie einen schmerzhaften Stich gefühlt.
Der Konsul betrachtete weiter das Wandbild. So war Borghild Lillesand: ein Singvogel auf einem toten Ast. Daß sie weitersang, war in einem tiefen und träumerischen Sinn erheiternd. Hätte der Konsul dies seiner Frau auseinanderzusetzen versucht, sie hätte es nicht verstanden, denn ihr ging jedes Talent zum Träumen ab. Sie beobachtete, analysierte und zog ihre Schlüsse. »Fräulein Lillesand ist nicht gesund«, murmelte der Konsul.
»Ich bin auch nicht gesund, aber trotzdem nicht zerknittert. Warum besucht dieses Mädchen Gesellschaften? Sie muß doch nicht ausgehen. Warum legt sie sich nicht mit einem Heizkissen und zwei Tabletten ins Bett?«
»Es ist nicht diese Art Krankheit.«
Der Konsul blickte auf seine Uhr. Noch eine knappe Stunde, dann

kamen die Wölfe. »Du rauchst zuviel, Yvonne«, murmelte er. »Ein wahres Glück, daß wir auf Urlaub nach Norwegen fahren. Das ist ja wohl abgemacht.«

»Wie kommst du auf diese Idee? Ich bringe meine Tochter in das Pensionat nach Lausanne. Wir haben doch besprochen, daß du mich später in Paris abholst.«

»*Du* hast es besprochen, meine Liebe! Astrid kommt mit mir nach Trondheim. Wenn du dich nicht um sie kümmern willst, werde ich die Amah mitnehmen. Sie kommt später sowieso mit uns nach Bangkok.«

Der alte Streit um das Kind war in vollem Gange. Die Szene hatte ihren Höhepunkt erreicht. Madame war entschlossen, Astrid in das Pensionat zu bringen, wo sie selbst Manieren, Logik und die feine Küche gelernt hatte. In Lausanne würde die Kleine ihr Chinesisch und die paar Brocken Norwegisch vergessen und eine kleine Französin werden. Später sollte Astrid einen korrekten und wohlhabenden Franzosen heiraten. Sie sollte es einmal besser als ihre Mutter haben.

Nach ernstlichem Zureden entschloß sich Yvonne jedoch, vier Wochen mit »ihrer Tochter« bei Fräulein Wergeland zu verbringen. Der Konsul atmete auf. »Aber ich werde dafür sorgen, daß deine Schwester sich nicht wie ein Habicht auf Astrid stürzt«, beschloß Yvonne die Szene. Sie war zufrieden. Der Konsul hatte sich endgültig von seinem Lager erhoben. Es war auch höchste Zeit. Die Wölfe mußten sich bereits in ihren Hotels und Häusern zu diesem Freudenfest umkleiden. Yvonne wollte noch gern über Astrids künftigen Ehemann mit Knut reden, aber er war nicht dazu zu bewegen. »Müssen wir das jetzt auch noch besprechen?« fragte er hochgradig nervös. »Es wird ja noch etwas Zeit vergehen, bis Astrid den Kerl heiratet.«

Er lachte plötzlich laut auf. Der Gedanke an den Zukünftigen seiner blassen siebenjährigen Tochter erheiterte ihn. Yvonne stiftete in Gedanken Ehen mit allen realistischen Einzelheiten: Mietshäuser, Renten, solide Bildung und eine Familie, die sich sehen lassen konnte, spielten dabei eine große Rolle.

Yvonnes Ohrläppchen hatten sich gerötet: Knut machte sich wieder um sie lustig. Dabei mußte man sich doch frühzeitig um Astrids Zukunft kümmern. Wie schnell war ein Mädchen erwachsen! Und wie schnell wurde es eine alte Jungfer wie Fräulein Helene Wergeland!

Yvonne stand noch einen Augenblick in der Tür des Teezimmers. Das Rubinenhalsband und die Ohrringe, die sie von ihrer Großmutter geerbt hatte, gaben ihr einen besonderen Reiz: streng und dunkelbrennend. Ihre Landsleute bezeichneten sie als eine »häßliche Schönheit«. Auf jeden Fall war sie eine Dame; eine *grande dame* sogar, wie man sie selten in der zusammengewürfelten Gesellschaft von Shanghai antraf. Ihre vollen, roten Lippen zogen sich leise und verbittert herab.

»Yvonne«, murmelte der Konsul und strich ihr über das glänzende, dunkle Haar, »wozu streiten wir uns immer herum? Wir sollten versuchen... hm.« Er hustete verlegen. »Es wird alles besser werden, wenn wir in Trondheim sind«, beeilte er sich hinzuzufügen. »Shanghai ist entsetzlich. Manchmal auf der Nanking Road habe ich das Gefühl, als wolle diese Stadt mich am liebsten verschlingen.«

»Rede doch keinen Unsinn! Shanghai ist amüsant. Wir sind sehr glücklich hier.«

»Dann ist es ja gut. Darf ich mich jetzt anziehen?«

»Ich warte seit einer Stunde darauf. Was soll eigentlich in Trondheim besser werden? Du versteckst dich vor mir! Aber ich habe gute Augen und Ohren, mein Lieber! Ich kenne deine Geheimnisse!«

Der Konsul glaubte nicht recht zu hören. *Was* wußte Yvonne? Da stand sie mit ihrem starren Lächeln in ihrem nachtblauen Brokatkleid und reckte ihren Kormoranenhals in dem Rubinenhalsband, als wolle sie Fische schnappen für die leere, traumlose Seele! Dr. Wergeland riß sich zusammen. Seine Nervosität vor Beginn von Abendgesellschaften nahm nachgerade krankhafte Formen an. Hatte Yvonne wirklich Borghild Lillesands beschämendes Geheimnis entdeckt? Hatte jemand geschwatzt? Oder meinte Yvonne etwas anderes, was sich abseits von der Bubbling Well Road und Avenue Foch im Opiumdunst der Chinesenstadt abgespielt hatte? Unsinn! Yvonne wollte ihn irritieren und mit ihren Wortschlingen fangen. Sie konnte nichts wissen. Der Konsul wischte sich den Schweiß von der Stirn. Ihn fröstelte plötzlich trotz des glühenden Kohlenbeckens. Shanghai hatte einen kalten Winter. Alte Männer und chinesische Kinder legten sich still an den Straßenrand und warteten auf den Erfrierungstod, während die Ausländer in dieser größten Hafenstadt des Fernen Ostens auf einem Vulkan tanzten. Vor noch nicht einem Jahr war Sun

Yat-Sen, der Vater der chinesischen Revolution, in Peking an Leberkrebs gestorben. Das Land war von Unruhe zerrissen. Würde General Chiang Kai-shek das Werk der Einigung vollenden können, ohne daß China eine russische Provinz wurde, in der die Ausländer keinen Handel mehr treiben konnten? Alles war ungewiß – bis auf den wachsenden russischen Einfluß und die soziale Not. Der Konsul seufzte. Hier hätte auch Helene nicht helfen können. Es gab zu viele Obdachlose und zu wenig Feuerung in dieser riesigen, verwestlichten, von Russen und Japanern bespitzelten Stadt. – Der Konsul ging stumm in sein Ankleidezimmer, wo der Boy bereits wartete. Das Bad war gerichtet. Es war höchte Zeit zum Umkleiden. Die Wölfe nahten.

\*

Eine halbe Stunde später empfingen Konsul und Madame Wergeland ihre Gäste in der Halle ihres Hauses in dem »Internationalen Settlement«. Es war ihre letzte offizielle Gesellschaft in Shanghai: sie wollten zwar erst im März reisen, aber in einigen Wochen würde die Auktion der unentbehrlichen Haushaltsgegenstände stattfinden. Die Shanghaier Existenz würde in Koffer verpackt werden und die Familie bis zur Abreise ins Cathay Hotel ziehen. Wenn sie in Norwegen ankamen, blühte und grünte gewiß schon das Hardanger-Tal. Shanghai würde versinken; es war keine Stadt, nach der man sich zurücksehnte wie nach dem alten Peking mit seinen feierlichen und träumerischen Palästen und Tempeln oder nach Kyoto im Schmuck der Kirschblüten.
Auch die Shanghaier Bekannten würde man nicht entbehren, dachte der Konsul, während er an der Seite seiner eleganten Frau die Wölfe mit strahlendem Lächeln begrüßte. Wie im japanischen *Kabuki*-Drama erreichten die Hauptpersonen die Bühne von links durch einen schmalen Gang und mußten die große Bühne über diese Blumenbrücke *(hanamichi)* betreten. Im japanischen Drama schritten beständig neue Mitspieler über die Blumenbrücke, und andere verschwanden unerwartet durch eine Falltür von dieser zweiten Bühne. Es gab in Shanghai viele Blumenbrücken, und jede besaß eine Falltür. Auch die Gäste des Konsuls waren Schauspieler; aber er kannte den Text ihrer Rollen nicht genau. Er konnte nur vermuten, welche Gedanken sie hinter ihren Blumenreden verbargen. Vielleicht lag deswegen eine elektrische Span-

nung in der Luft: die Erwartung der doppelbodigen Unterhaltungen, die eine Spezialität von Shanghai waren.
Als man sich nach einer guten Stunde zum Essen an den ovalen Tisch setzte, wußte der Konsul, daß seine Abschiedsgesellschaft ein Erfolg werden würde. Seine Gäste kannten sich gut genug, um nicht zu vertraulich miteinander zu werden, und nicht gut genug, um sich in der Unterhaltung gehenzulassen. Yvonne diskutierte mit einem Mitglied der Banque Industrielle de Chine die rosa, blaue und kubistische Periode von Picasso. Monsieur Vallin verstand genausoviel von moderner Malerei wie von Finanzen und französischen Interessen in China. Es war so einfach, eine gute Gastgeberin zu sein, dachte Yvonne. Sie hatte nur in ihrem Notizbuch mit der Aufschrift »Steckenpferde« geblättert und unter dem Buchstaben »V« vermerkt gefunden, daß man mit Monsieur Vallin über moderne Maler reden müsse, und zwar ausschließlich über solche, die in Paris tonangebend waren... Zu ihrer Linken saß Mr. John Edwards, der erste Manager einer bedeutenden britischen Bauunternehmungs-Gesellschaft. Sein Steckenpferd waren Rennen. Er war der Mann mit den besten Tips und den traurigsten Resultaten auf jedem Rennplatz zwischen Shanghai und Hongkong. Yvonne langweilte sich bei sportlichen Veranstaltungen zu Tode. In ihrem Kopf klingelte eine leise Erinnerungsglocke: Rennplatz! Richtig, dort hatte sie Borghild Lillesand zum ersten Male gesehen und verurteilt. Sie blickte verstohlen zum Kopfende der Tafel in die Richtung des Mädchens und zog die Augenbrauen in die Höhe. Wie konnte eine Frau, selbst wenn sie nichts von Kleidern verstand, ein rotes Kleid zu silberblondem Haar und einem blassen, ungeschminkten Gesicht tragen? Was fand Knut an diesem kleinen, zerdrückten Geschöpf? Hatte er Mitleid mit dem Mädchen? Mit ihr, seiner Frau, hatte er niemals Mitleid...
»Werden Sie nachher für uns spielen?« fragte Konsul Wergeland in diesem Augenblick seine Tischdame.
»Wenn Sie es wünschen...«, murmelte Borghild gehorsam wie ein Kind und strich sich geistesabwesend die wirren blonden Haare aus der Stirn.
Ihre Frisur irritierte Yvonne über alle Maßen. Sie hatte ihren Mann sofort gefragt, ob blonde Frauen eigentlich glaubten, sie brauchten sich nicht zu frisieren. Hielten sie es für geschmackvoll, sich an eine blumengeschmückte Tafel so hinzusetzen, wie sie aus

dem Bett kamen? »Du kannst sie ja fragen ...«, hatte der Konsul vorgeschlagen. Doch Yvonne war ganz im Gegenteil schon jetzt entschlossen, kein Wort mit dieser unordentlichen, zerdrückten Geigerin zu reden.
Borghild Lillesand starrte vor sich hin. Dachte sie an ihr beschämendes Geheimnis? Sie sah aus, als ob sie halb in Trance und halb in intensiver Aufmerksamkeit einer Musik lausche, einem Gesang aus dem hohen Norden, einer süßen und schwermütigen Melodie. Borghilds Unterlippe zog sich in hilflosem Schmerz herab. Sie schreckte auf, als sich ihr anderer Nachbar, der Vorsitzende der chinesischen Handelskammer, mit einer höflichen Anfrage, wie Shanghai ihr gefiele, an sie wandte.
»Oh ... sehr interessant«, murmelte sie in hartem Schul-Englisch.
»Haben Sie den Vogelmarkt schon gesehen?« fragte der einflußreiche Chinese und betrachtete seine merkwürdige Tischnachbarin mit geheimer Sympathie. Ihre Schweigsamkeit gefiel ihm. Sie hätte eine chinesische Tochter sein können. Bei diesem Gedanken verdunkelten sich die schrägen, tiefliegenden Augen von Mr. Hsin Kao-tze. Seitdem seine einzige Tochter ihm davongelaufen war, weil sie den ihr vom Vater ausgesuchten Mann nicht heiraten wollte, hatte Mr. Hsin eigentlich das Wort »Tochter« aus seinem Wörterbuch gestrichen. Eine Tochter war es sowieso nicht wert, daß man ihr einen Gedanken schenkte. Ihr Hirn war zu winzig, um den konfuzianischen Leitsatz der Eltern-Verehrung voll zu erfassen.
Borghild beantwortete Mr. Hsins Fragen nach dem Vogelmarkt nicht. Der Konsul runzelte die Stirn. Yvonne hatte wohl doch recht – wie immer! Dies Mädchen war unmöglich, auch wenn in einer flüchtigen Stunde das Wunder der Intimität zwischen ihm und Borghild aufgeblüht war. Sie verstanden sich ohne Worte – so sollte es sein. »Fräulein Lillesand träumt ...«, erklärte er lächelnd seinem chinesischen Gast. »Eine schlechte Angewohnheit des Nordens.«
»Eine sehr lobenswerte Angewohnheit«, erwiderte Mr. Hsin in tadellosem Englisch. »Wir verlernen leider das Träumen im heutigen Shanghai. Es ist eine Stadt mit einem Maschinen-Herzen geworden. Unser großer Lehrer Chuang-Tse behauptet, daß derjenige, der ein Maschinenherz in seiner Brust hat, seine Unschuld verliert und wankelmütig wird. So ist Shanghai. Eine wankel-

mütige Stadt. Ich finde die Unschuld nur noch auf dem Vogelmarkt.«

Herr Hsin Kao-tze (sein Vorname bedeutet »Hoher Zweck«) neigte den schmalen, langen Kopf über seinen Teller. Er glich selbst einem Vogel. Man nannte ihn in Shanghai den »Kranich«: er hatte einen langen, dürren Kranichhals. Wenn er nicht lächelte, drückte sein Gesicht Unlust und Skepsis aus. Seine vollen Lippen, die in einem seltsamen Gegensatz zu seinem melancholischen, asketischen Pergamentgesicht standen, verrieten Liebe zum Sinnengenuß. Seine kleinen glänzenden Augen hatten einen mild-lauernden Blick. Herr Hsin durchschaute mit diesen Augen sämtliche »Dummkopf-Pläne« seiner Gegner. Er hatte viele Gegner in Shanghai, aber noch mehr Freunde, besonders bei den Konsulaten und ausländischen Handelsfirmen. Für sie war er das Barometer, das die politische Witterung anzeigte. Er wohnte hinter der Bubbling Well Road in einem altmodischen chinesischen Hause mit dicken Mauern und vielen kleinen Pavillons. Konsul Wergeland war manchmal dort gewesen und hatte sich zwischen Vogelkäfigen und chinesischen Vasen von den Wölfen erholt. Herr Hsin hatte Anfälle von Indolenz. In diesen Stunden schmiedete er Pläne und stellte das Telefon ab. Wenn auch seine Tochter ihn verlassen hatte und kein Sohn mehr die Ahnenopfer des Hauses Hsin bringen konnte – es gab immer noch die Singvögel, das erregende Spiel der großen Finanz und die eigenen Pläne für Chinas Zukunft. Herr Hsin kontrollierte unter anderem die *Shun Pao*, die älteste chinesische Tageszeitung, die von »mindestens 150 000 Familien« täglich gelesen wurde. Und wer eine Zeitung in Shanghai kontrollierte, der hatte einen Zipfel der Macht in der Hand. Herr Hsin zeigte sich selten in der Hankow Road, wo sich das Büro der Zeitung befand. Er hatte viele Konferenzen in dem altmodischen Haus hinter der Bubbling Well Road, wo er die Redakteure ermahnte, nicht alles zu drucken, was sie wußten. Nur die Dinge, die man wußte und *nicht* sagte, gaben einem einen Zipfel jener Macht, welche die chinesischen Anhänger Sowjet-Rußlands und die japanischen Inselzwerge in Shanghai so bitter und heftig begehrten.

Herr Hsin warf einen mild-lauernden Blick auf den ihm wohlbekannten japanischen Generalkonsul und danach auf den jungen Herrn Akiro Matsubara, den er noch niemals in Shanghai gesehen hatte. Der junge Mann war höchstens zwanzig Jahre alt, so wie Mr. Hsins Sohn und Erbe heute gewesen wäre. Tin Po (Schutz des Himmels) war im Mai 1925 mit anderen Studenten und Shanghaier Arbeitern in den Aufruhr gegen die Kapitalisten und ausländischen Imperialisten verwickelt gewesen und durch eine Kugel, die einem Wichtigeren bestimmt war, mitten auf der Straße getötet worden. Das war am 30. Mai geschehen, fünf Jahre nach der Flucht der Tochter. Sie hatte jede Spur hinter sich verwischt, sie war so ausgelöscht wie »Schutz des Himmels« ... Herr Hsin war seit dem Tode seines Sohnes noch dürrer und schlauer geworden. Nun hatte er nur seine Vögel und die großen Porzellanvasen aus Zeiten, wo Kinder ihrem Vater blindlings und gläubig gehorcht hatten ... Mr. Hsins Konkubinen zählten nicht, sie konnten ihm auf seinen einsamen Wegen nicht folgen. Sie sollten es auch nicht. Sie waren Zikaden, die mit schriller Stimme die Nacht besangen, um dann zu verstummen.

Was wollte wohl dieser junge Japaner in Shanghai? War er einer jener Vergnügungsreisenden mit einer guten deutschen Kamera, die angeblich romantische Winkel in der Chinesenstadt knipsten und unvermutet im Hafen angetroffen wurden, wo sie verstohlen Anlagen und Befestigungen fotografierten oder skizzierten? Herr Hsin reckte seinen Kranichhals ...

Der junge Baron Matsubara fühlte sich entsetzlich unbehaglich und lächelte daher, als ob er mit guten Freunden ein ehrenwertes Picknick unter blühenden Kirschbäumen abhielte. Am heftigsten irritierte ihn ein holländisches Stilleben. Das Gemälde hing direkt vor seiner Nase an der Mittelwand des langen Speiseraumes. Da er durch seine Schüchternheits-Brille unverwandt den Hummer, die Früchte und – oh Schrecken! – auch noch einige Blumen anstarrte, die friedlich und unpassend auf dem Bilde versammelt waren, fragte ihn seine Nachbarin, die Frau des englischen Vizekonsuls:

»Ist das Bild nicht wunderschön? Es geht doch nichts über die holländischen Stilleben. Sie beruhigen so sehr, finden Sie nicht auch?«

»Ich bin ganz Ihrer Ansicht, Madame«, erwiderte Herr Matsubara in sorgfältigem Missionsschulen-Englisch. Er hatte grenzenloses Mitleid mit dieser Ahnungslosen. Wie war es nur möglich? Ein Mensch, der nur ein Fünkchen Kultur besaß, würde kein Bild mit Eßwaren in einem Speisezimmer dulden. Die ganze Verdauung und der Genuß am heißen Wein gerieten durcheinander, wenn man beim Speisen auch noch gemalte Lebensmittel betrachten mußte. Das Lächeln auf Herrn Matsubaras feingeschnittenem, sensiblem Gesicht, das die Herkunft aus einer Samurai-Familie nicht verleugnete, war völlig verzerrt. Über der Qual, die ihm der Anblick des Stillebens bereitete, vergaß er vorübergehend sogar den unaussprechlichen Schimpf, den Amerika seinem Volke angetan hatte. Vor einem Jahre, am 26. Mai 1924, war im Kongreß das Gesetz zur Beschränkung japanischer Einwanderer in die USA angenommen worden. Damit waren die Japaner, die schließlich von der Sonnengöttin abstammten, auf die gleiche Stufe wie Koreaner, Chinesen und andere »unerwünschte Ausländer« gestellt worden. Akiro hatte vor dem Abendessen einen Amerikaner unter den Gästen des Konsuls entdeckt – er erkannte ihn sofort an der lockeren Haltung und dem unverkennbaren Akzent – und war innerlich zusammengezuckt, während er sich bei der Vorstellung tief und höflich vor Mr. Horace Bailey (Clifford Motors AG) verbeugte. Er hatte die Ausländer so sehr bewundert und so viel in der Missionsschule von ihnen gelernt! Und die Amerikaner hatten bei dem letzten großen Erdbeben im Jahre 1923 Millionen von Dollars zur Linderung der Massennot gesandt. Akiro konnte sich keinen Reim auf diese Widersprüche machen. Er bewunderte, wie viele Studenten in Tokio, die Ausländer immer noch. Man mußte sie durch Weisheit und Großmut beschämen. Das war wahrscheinlich der Weg zu ihren Herzen.

Endlich ging auch dieses Essen zu Ende, und Akiro flüchtete sich mit den anderen Gästen ins Musikzimmer. Dorthin konnte ihm der holländische Hummer nicht folgen. Der junge Baron liebte europäische Musik über alles. Besonders deutsche Musik rührte ihn manchmal zu Tränen. Es war beschämend für einen stolzen Japaner, so leicht zu weinen. Akiro hatte daher auf den Rat seines Onkels, der ein Anhänger des Zen-Buddhismus war, asketische Übungen begonnen, um sich zur Härte und Haltung zu erziehen. Das Leben war eine schwierige Aufgabe voller Pflichten und Vorschriften; nur die Musik und das Plaudern der Geishas brachten Akiro eine gewisse Entspannung. Die machtvolle Gestalt seines Vaters warf einen Schatten über alle Handlungen und Gefühle Akiros. Man mußte ihn verehren – auch das war Pflicht für einen wohlerzogenen Japaner.

In diese Gedankengänge ertönte das Geigensolo einer jungen

Ausländerin mit farblosen Augen und entsetzlich wirren Haaren. Akiro hatte niemals so schön spielen hören und ein so häßliches Mädchen gesehen. Er schloß die schmalen dunklen Augen und gab sich, äußerlich unbewegt und innerlich bebend, der Musik hin. Borghild spielte Grieg. Sie stand einsam zwischen Fremden und schenkte ihnen ein magisches Ton-Bild der Welt. In dieser unvergleichlichen Stunde hatte sie Macht über die Mächtigeren. Sie schien in der Geste des Schenkens zu wachsen. Ihr zartes Gesicht war von einer sanften Röte übergossen, die sie wunderbar belebte. Sie war nicht länger zerknittert und abwesend: in der magischen Verwandlung der Welt verwandelte sie sich selbst; ihr fahles Haar glänzte wie Goldgespinst, und in ihrem sonst so abwesenden, von Schmerz und Lebensangst verschleierten Blick leuchtete etwas wie schöpferische Konzentration. – Die Zuhörer, die allmählich aus dem Gefängnis der Konvention in ihre eigene innere Welt glitten, senkten die Köpfe, damit niemand sehen konnte, wie plötzlich die Maske vor ihren Gesichtern zerbröckelte.

Nur Konsul Wergeland hatte den Kopf nicht gesenkt. Er saß hochaufgerichtet in seinem Sessel und starrte das blutjunge Mädchen an. In diesem zarten scheuen Geschöpf in dem billigen roten Kleid, in diesen verschleierten Augen, in diesen Geigentönen fand der verschwiegene Geist des hohen Nordens Ausdruck. Borghild spielte jene mächtigen und lieblichen Melodien, die er als Knabe mit Helene gehört hatte. Der Konsul war der am gründlichsten Verzauberte; denn diese Musik erzählte von heiterem Beginn in einer frühlingshaften Fjordlandschaft und verschüttetem Leben in fremden Erdenstrichen. Sie ist ein Wassergeist ... Eines Tages reißt sie mich in die Tiefe, wenn ich nicht aufpasse ..., dachte er verschwommen. Ich darf kein Mitleid mit ihr haben. Die Hilflosen sind voller Listen. Sein Gesicht mit den überhellen Augen wurde hart. Yvonne hatte recht ... wie immer!

In diesem Augenblick senkte Borghild Lillesand den Bogen. Und damit gab sie wieder ihre Macht aus der Hand. Konsul Wergeland erhob sich und dankte der jungen Dame in dem schlechtsitzenden Kleid im Namen aller Gäste für die genußreiche halbe Stunde.

*

Astrid hatte die ganze Nacht noch nicht geschlafen. Sie war immer erregt, wenn ihre Eltern eine Abendgesellschaft gaben. Sie war auch gekränkt, daß sie mit Yumei, ihrer Amah (Kinderfrau), oben im Kinderzimmer sitzen mußte, während unten gegessen, getanzt und Musik gemacht wurde. Sie war sehr groß für ihre sieben Jahre und so blaß und dünn, daß Fräulein Wergeland sie mit Recht einen »mageren Hering« genannt hatte. Astrid hätte gern geweint, weil sie von dem Fest im Erdgeschoß ausgeschlossen war, aber dann hätte Yumei sie mit ihrer rauhen, tiefen Stimme ausgelacht. Es kam der jungen chinesischen Kinderfrau urkomisch vor, wenn die kleine Ausländerin weinte. Ein Mädchenkind weinte, wenn es keinen Reis hatte, oder zu lange in der Spinnerei arbeiten mußte, oder vom ehrenwerten Vater geschlagen wurde, weil es kein Sohn war. Yumei war so ein kleines Mädchen gewesen; deswegen hatte sie mit sieben Jahren viel mehr gewußt und fröhlich ertragen als die kleine Missie in dem großen geheizten Haus mit den vollen Reisschüsseln. Yumei hatte nur in einer Hinsicht Mitleid mit Astrid: sie fand sie so häßlich wie den neunköpfigen Vogel, mit dem man Kinder schreckt. Kleine Missie hatte gar keine Farbe, weder im Gesicht noch in den Haaren. Es nützte nichts, ihr rote Haarschleifen in die Zöpfe zu flechten, sie hingen ja doch wie gebleichter Hanf um ihr kleines Teiggesicht. Yumei hatte ihre eigenen Begriffe von Schönheit. Kohlschwarzes, glänzendes Haar, rote Apfelbacken und ein runder, fetter Körper – so sollte ein schönes Kind aussehen! Genau so hatte Yumei trotz der Arbeit in den Spinnereien von Shanghai ausgesehen. Ihre Familie war vor Jahren eines Tages aus einem Hungerdorf aufgebrochen, den großen Fluß entlanggefahren und mit Sack und Pack bei einem Urgroß-Cousin in Shanghais Chinesenstadt erschienen. Drei Tage später arbeiteten sie dann alle in der Spinnerei; aber Yumei war auf dem Dorfe großgeworden und hatte in den ersten Jahren ihres Lebens frische Luft und ungeschälten Reis und manchmal eine Frucht bekommen. Nun war sie fünfzehn Jahre alt und paßte auf »Klein Missie« auf, anstatt viele Stunden in der Fabrik zu arbeiten. Ihre ältere Schwester arbeitete elf und eine halbe Stunde jeden Tag in einer Baumwollmühle und erhielt dafür einen Hungerlohn. Yumei hatte als zehnjähriges Kind ihre ehrenwerte Mutter auch täglich in die Spinnerei begleitet, hatte dort als Lehrling ohne Gehalt für zwei Schüsseln Reis und etwas getrockneten Fisch elf Stunden täglich

»geholfen«. Auf dem Wege zum Arbeitsplatz hatte die Familie zum Frühstück ein oder zwei getrocknete Weizenkuchen gegessen und dann das trockene Zeug in der Fabrik mit heißem Wasser herunterspülen dürfen. Erst abends aßen sie alle zusammen in der Küche heißen Reis, Gemüse oder sogar Fleisch und tranken herrlichen heißen Tee dazu. Yumei hatte alles in der Ordnung gefunden und niemals geweint. »Kleine Missie« machte sie ungeduldig; aber sie tat ihr doch schrecklich leid. Mit ihrem kleinen weißen Bohnenmehlgesicht blickte Astrid aus ihren müden blauen Augen so eifersüchtig und liebehungrig umher, daß Yumei – diese fünfzehnjährige Miniaturmutter – das große dünne Kind immer wieder auf den Schoß nahm, es kräftig umarmte und ihm zuflüsterte, »Missie Astlid« (sie konnte das »r« nicht aussprechen) wäre Yumeis liebste kleine Schwester, wenn sie auch ein fremdes Teufelskind sei. Dann war Astrid zufrieden und vergaß ihren Kummer. Sie wäre so gern eine Chinesin mit glänzenden schwarzen Augen und einer großen fröhlichen Familie gewesen. Yumei nahm sie manchmal heimlich in die Chinesenstadt mit – zum Mondfest oder das letztemal zum Neujahrsfest. »Jüngster Bruder« hatte zwar ein böses Fieber gehabt; aber er hatte durchaus seinen gefüllten Mehlkloß mit dem fremden kleinen Mädchen teilen wollen, und so hatten sie beide unter dem Gelächter der ganzen Familie abwechselnd in den Kloß gebissen. *Maman* wäre wohl vor Entrüstung zersprungen, wenn sie gewußt hätte, wohin Yumei mit ihrer Tochter »Spaziergänge« machte. Yumei hatte Astrid gedroht, der böse Sturmgeist vom Wuliän-Berg würde sie an den Haaren packen und durch die Lüfte schleudern, wenn sie *maman* nur ein Sterbenswörtchen von dem Mehlkloß erzählte. Yumei war abergläubisch und besaß die urchinesische Lust an grausamen Geschichten. Sie erschreckte das sensitive Kind oft viel mehr, als sie ahnte. Aber Yumei war eben alles, was Astrid auf dieser Welt hatte: Schwester, Spielgefährtin, Märchenerzählerin und ein Backofen, der trostreiche, gleichbleibende Wärme ausstrahlte. *Maman* hatte wenig Zeit für Astrid, obwohl sie so besorgt um ihre Zukunft war. Die Zukunft erschien Yvonne so wichtig, daß sie darüber die Gegenwart und das blasse, liebehungrige Kind, das so gern fröhlich und überall »dabei« gewesen wäre, ein wenig vergaß. Astrid war einsam und schloß sich schwer an; sie wollte aber nicht nur überall dabei sein, sondern sogar bevorzugt werden. Auch Papa hatte wenig Zeit für sie. Entweder hatte er Besprechungen, oder er war im Klub oder im japanischen Zimmer, das Astrid nicht betreten durfte. »Papa denkt nach ...«, hatte sie einmal Yumei erklärt und war sehr stolz gewesen. Sie selbst wußte nie, woran sie denken sollte: sie hatte keine Spur Phantasie. Yumei mußte immerfort etwas erzählen, und Astrid hörte dann gierig zu. Wenn sie auch schreckliche Angst vor Yumeis Füchsinnen und Drachengöttern hatte, eine Stimme, die rauh und fröhlich blutrünstige chinesische Märchen erzählte, war viel besser als einfach dazusitzen und nichts zu haben.

So aufgeregt wie bei der heutigen Abschiedsgesellschaft war Astrid selten gewesen. Sie hatte aufgeschnappt, daß eine Geigerin aus Oslo spielen sollte; und plötzlich – nach bangem Warten auf Yumei und einige Leckerbissen von der Tafel – hörte Astrid die ersten Geigentöne. Sie stieg aus dem Bett, stellte sich in ihrem dünnen chinesischen Schlafmantel ans Treppengeländer und lauschte. Sie zitterte vor Kälte und Aufregung – aber sie wußte es nicht. Und dann geschah etwas Unfaßbares. Es ging leise vor sich und war viel schrecklicher als Yumeis Drache mit dem schwarzen Gesicht, dem roten Haar und dem Blutschüssel-Mund. Astrid hörte plötzlich einen Schrei, der aus *mamans* Schlafzimmer kam. Yumei war immer noch unten. Das Geigenspiel hatte längst aufgehört, aber Astrid hatte immer noch wie im Traum am Treppengeländer gelehnt. Sie schlich dem Schrei nach und stand plötzlich in *mamans* Schlafzimmer. Ein Mädchen in einem roten Kleid und mit wirren blonden Haaren, die ihm unordentlich in die Stirn hingen, stand vor dem Toilettentisch und schrie durchdringend, während Papa ihr ein Schmuckstück aus der schlaffen Hand nahm. Aber das Schrecklichste war *maman*, die hochaufgerichtet an der Tür stand. Astrid konnte nicht genau verstehen, was sie sagte, denn *maman* flüsterte wegen der Gäste, und Astrid war eilends ins Badezimmer geschlüpft und blickte zitternd durch den Vorhang. Dann legte Papa plötzlich den Arm um die Fremde und sagte: »Sie sind krank, Borghild. Nein ... Sie sind keine Diebin! Ich werde meiner Frau alles erklären.«

Aber *maman* lachte so schrill wie eine Heldin im chinesischen Theater, das Astrid manchmal heimlich mit Yumei besuchte, wenn sie im Park spazierengehen sollten. Und *maman* trat auf die unfrisierte Fremde zu und hob die Hand, als ob sie sie schlagen wolle. Aber dazu war *maman* viel zu wohlerzogen. Sie sagte nur: »Geben Sie mir Ihre Tasche; ich möchte nachsehen, ob Sie

auch silberne Löffel gestohlen haben!« Papa hielt der Fremden die Hand vor den Mund, damit sie nicht so schrie, wo die Gäste doch unten waren. Und *maman* nahm die Handtasche der Fremden doch nicht und sagte nur mit funkelnden Augen zu Papa, er solle den Arm von den Schultern der Landstreicherin nehmen. »Landstreicherin«, sagte *maman*. Astrid verstand das Wort ganz genau. *Cette vagabonde*. Astrid lernte auf *mamans* Geheiß täglich zwanzig Vokabeln. – Und dann kam Yumei angerast und fragte laut und ungeniert, wo »kleine Missie« wäre; und Astrid hatte schreckliche Angst und lief in Yumeis Arme und versteckte den Kopf an ihrer warmen Brust. *Maman* sagte heiser zu Yumei: »Du bist auf der Stelle entlassen.« Sie sprach chinesisch, Astrid verstand jedes Wort. Aber Papa winkte mit der Hand, und Yumei ging vergnügt mit kleiner Missie ins Kinderzimmer. Yumei erzählte zum Einschlafen Astrid noch eine reichlich schaurige Berggeister-Geschichte und futterte begeistert die Leckerbissen aus der Küche, weil Astrid so zitterte, daß sie nicht einmal Schokoladencreme essen konnte. Sie schrie zweimal in der Nacht. Yumei nahm sie in den Arm, zog ihr ihre eigene wattierte Jacke an, die sie im »bitteren Monat« (12. Monat des Mondjahres) immer trug, und sang ihr mit rauher, fröhlicher Stimme eine Arie vor, die sie beide heimlich im chinesischen Theater gehört hatten. Astrid schlief ein und lächelte ein wenig. Yumei hatte ihr noch schnell zugeflüstert, daß »Missie Astlid« ihr liebstes Schwesterchen wäre. Dabei wußte Astrid genau, daß Yumei schwindelte. Sie hatte bestimmt »Jüngsten Bruder« noch viel lieber, weil er doch ein Mannkind war. Aber es machte Astrid nichts aus. Sie hörte mit sieben Jahren gern eine kleine liebevolle Lüge. Und ein wenig gern mußte Yumei sie ja haben, denn Astrid tat ihr doch so viel zu Gefallen!
Das Kind seufzte im Schlaf. Es war wie ein zarter Klageton aus der Kehle der kleinen chinesischen Vögel, die Mr. Hsin in seinem Hause hinter der Bubbling Well Road um sich versammelte.
Amah Yumei legte sich auf die Schlafmatte vor Astrids Bett. Warum war Madame so böse gewesen? Leider hatte sie die fremde Sprache gesprochen... Madama hatte Yumei schon diverse Male gekündigt; aber Master hate jedesmal beruhigend genickt. Und was der Master bestimmte, geschah in der Welt.

*

Yvonne hatte das Schlafzimmer so plötzlich verlassen, wie sie es betreten hatte. Sie mußte sofort Kapitän Lillesand unauffällig alarmieren, damit er seine Schwester ins Hotel brachte. Mit aller Energie verbannte sie eine quälende Vision aus ihrem Bewußtsein: Knut hatte seinen schützenden Arm um die Landstreicherin gelegt, und Yvonne hatte sein Gesicht in diesem Augenblick beobachtet: Seine überhellen Augen hatten Borghild nicht mit jener ironischen Neugierde betrachtet, mit der er Yvonne anzusehen pflegte – und die meisten –, sondern mit einer Art von zärtlichem Widerwillen. Knut konnte doch unmöglich im Ernst etwas an dieser verkommenen Elster, die glänzende Dinge stahl, finden! Er war zwar ein Träumer, aber ein korrekter Mann. Seine Vorstellungen von Ordnung waren nicht so gespenstisch wie Fräulein Wergelands Visionen von der Welt, wie sie sein sollte, aber auch der Konsul haßte das Chaos. (Vielleicht, weil er wußte, daß es ihn verschlingen konnte, aber davon hatte Yvonne keine Ahnung.)
Sie blieb vor der Tür des Rauchsalons stehen. Sie rang wie eine Ertrinkende nach Atem. Dann richtete sie sich hoch auf und schritt liebenswürdig lächelnd auf Kapitän Lillesand zu. Borghilds Bruder löste sich widerstrebend aus der angeregt plaudernden Männergesellschaft. Er stieg schweigend an Yvonnes Seite die Treppen hinauf. Auch Yvonne sagte – ganz gegen ihre Gewohnheit – kein Wort. Schließlich war der Kapitän aus Oslo ihr Gast.
Im Schlafzimmer hatte seit Yvonnes Verschwinden tiefes Schweigen geherrscht. Der Konsul blickte Borghild nicht an. Sie saß zusammengesunken in einem Frisiersessel und stöhnte. »Aber Borghild, beruhigen Sie sich doch!« murmelte er. Der Konsul fühlte immer noch den merkwürdigen, zärtlichen Widerwillen. Plötzlich erhob sich Borghild und stellte sich dicht vor ihn hin. Sie reichte ihm kaum an die Schulter. Ihr Haar hatte sich gelöst und hing wie Goldfäden leblos auf ihre Schultern herab. Es waren rührende Kinderschultern, zu schmal für die Last, die sie tragen mußten.
»Ich wollte das Armband morgen zurückbringen«, flüsterte sie. »Ich kann nicht dagegen an. Es . . . tut mir leid.«
Ihre Unterlippe hing wie bei einem Kind herab. Sie wirkte zerdrückter und reizloser denn je. Der Konsul strich ihr mit zärtlichem Abscheu das wirre Haar aus der Stirn. »Es ist schon alles in Ordnung«, sagte er geistesabwesend. Wenn doch der Kapitän

endlich käme, dachte er. Warum steht sie so vor mir? Was will sie noch? Ich kann ihr nicht helfen.
Aber während er diese Gedanken dachte und sein zärtlicher Abscheu sich vertiefte, hatte Borghild ihre mageren Arme um seinen Hals geschlungen, wozu sie sich auf die Zehenspitzen stellen mußte. Es war lächerlich, erschütternd, und sehr unkorrekt. Sie legte den Kopf mit den wirren Haaren an seine Brust und flüsterte: »Ich brauche jemand, der mich liebhat, wenn ... es .. über mich ... kommt.« Sie blickte zu ihm auf. Ihre Unterlippe bebte. Eine unmögliche kleine Person. *Une vagabonde* ...
»Lassen Sie den Unsinn, Borghild«, sagte der Konsul rauh und löste sich sanft, aber geschickt aus ihren hilflosen Armen. Keine Minute zu früh! Yvonne und Kapitän Lillesand betraten das Zimmer. »Bitte komm in den Rauchsalon«, sagte Yvonne, »man vermißt dich!«
Sie schenkte der Landstreicherin keinen Blick, als sie sich von ihr und dem Kapitän höflich verabschiedete. Eine entzückende Abendgesellschaft, in der Tat! Aber Skandale gab es nicht in Yvonnes Haus; dafür sorgte sie – mit oder ohne Hilfe des Konsuls.

\*

Im Rauchsalon saßen die Geschäftsleute aus aller Welt zusammen und erholten sich von den Anstrengungen der Konversation mit ihren Tischdamen. Kurz vor dem Aufbruch würden sie alle noch einmal in den Salon zu den Damen zurückgehen, aber im Augenblick hatten sie ihre Ruhe, ihren Whisky und ihren Spaß. Das Geigenspiel war ja nun auch endlich zu Ende, dachte Mr. Horace Bailey. Er war unmusikalisch und stolz darauf. Er war in glänzender Stimmung, wie immer, sobald die Damen verschwunden waren. Er hatte sich neben Mr. Hsin niedergelassen und strahlte Wohlwollen und geschäftliche Kompetenz aus. Mr. Bailey machte eine Informationsreise durch verschiedene Städte Ostasiens. Er wollte sich persönlich überzeugen, wodurch und bis zu welchem Grad man den Absatz der Clifford-Autos noch steigern könne. Die Japaner wollten Asien geschäftlich erobern. Das war sehr unbescheiden von ihnen, dachte Mr. Bailey, während er den jungen Baron Matsubara flüchtig musterte. Zum Glück saß der bescheidene junge Mann im äußersten Winkel des Rauchsalons; so

konnte Mr. Bailey in Ruhe mit dem »Kranich« die geschäftlich-politische Situation besprechen. Er schwor auf Mr. Hsin; ein Freund des Westens!
In Wirklichkeit wünschte Mr. Hsin den Ausländern, die Shanghai wirtschaftlich beherrschten, ein angenehmes Alter in ihren eigenen ehrenwerten Ländern... Auch er hatte Pläne, genau wie die Japaner. Doch sie betrafen weniger Chinas Größe als seine Einigkeit sowie die Abschaffung der ausländischen Verwaltung und der fremden Großhändler und Banken. Dank dem langen Gedächtnis seines Volkes hatte Mr. Hsin nicht vergessen, daß in dem Internationalen Settlement von Shanghai ein weithin sichtbares Schild eines Morgens verkündet hatte: »Chinesen und Hunde dürfen den Park nicht betreten!« Aber noch brauchte Herr Hsin seine ausländischen Geschäftsfreunde. War General Chiang Kai-shek der richtige Mann für China? Jeder war dem alten Herrn Hsin recht, der die ausländische Polizei, die im Mai auf seinen Sohn geschossen hatte, vertrieb. Aber er hatte mehr Geduld als die japanischen Zwerge. Er saß still und wartete. Man mußte vorläufig stillsitzen und den Wolken nachblicken. Es gab eine Zeit, wo man fischen ging, und eine Zeit, wo man die Netze trocknete.
»Ich kaufe Rohmaterialien«, verkündete Herr Hsin nach einer Pause und reckte seinen Hals, als ob die Japaner sich in diesem Augenblick auf diese Kapitalsanlage stürzen wollten. »Es ist die sicherste Anlage, falls die Japaner Shanghai eines Tages schlucken sollten.«
Mr. Bailey lachte dröhnend. »Sie sind ein Pessimist, mein Freund!«
»Man muß immer auf das Schlimmste gefaßt sein und das Beste hoffen«, erwiderte der Chinese gelassen.
In diesem Augenblick setzten sich Monsieur Vallin und der junge Baron Matsubara zu ihnen. Die Unterhaltung verstummte so abrupt, daß der gewandte Franzose sofort eine Brücke bauen mußte, damit das Spiel weitergehen konnte.
»Was wollen Sie in Paris studieren?«, fragte er den jungen Japaner, der dort mehrere Jahre »Europa lernen« sollte.
»Kunst und Literatur; ich begeistere mich dafür.«
Diese ernsthafte Antwort verursachte einen Lachanfall bei Mr. Bailey, der leider zuviel trank, sobald die Frau Gemahlin nicht aufpassen konnte. »Kunst und Literatur...«, gluckste er fröhlich

und schlug dem jungen japanischen Herrn mit der großen roten Hand auf die Schulter. »Ihr seid mir die Richtigen! Warum macht ihr uns immer so ein Theater vor? Soll *ich* Ihnen mal sagen, mein lieber junger Mann, was Sie in Europa studieren wollen? Das gleiche wie alle Ihre Landsleute: Strategie, Taktik, Chemie und wie man schnell und billig Eisenbahnlinien baut und Lokomotiven in die Luft sprengt. – Kunst und Literatur ... hahaha!«
Der junge Herr Matsubara war so erstarrt, daß er nicht einmal die große rote Hand von seiner Schulter abschüttelte. Sie lag auf seinem westlichen Abendanzug wie ein holländischer Hummer. Vor seinen Augen hatte sich ein Nebel gebildet, durch den er nur trübe die Männer aus dem Westen und den chinesischen Kranich wahrnahm. Er war beleidigt worden, und man hatte Nippon vor den Augen der Welt lächerlich gemacht. Dafür gab es keine Vergebung – weder jetzt noch in der Zukunft. Baron Akiro stammte mütterlicherseits von den Samurais ab; ein Vorfahre war Inhaber des kaiserlichen Chrysanthemenordens gewesen. Und hier stand er, am Beginn seines Lebens in der Fremde, beschimpft, bespöttelt und der Kriegslust angeklagt. Dabei hatte Japan seit 1854 die »Politik der Offenen Tür« mit den Westmächten betrieben, und vor drei Jahren hatte man in Tokio die »Weltfriedens-Ausstellung« feierlich eröffnet. Akiro war mit anderen adeligen Studenten in Tokio im Fahrwasser des Liberalismus geschwommen. Was er in Paris außer Kunst und Literatur studieren wollte, ging diesen Krämer aus dem amerikanischen Mittelwesten nichts an. Selbstverständlich zeigte Akiro durch keine Bewegung an, wie tödlich er beleidigt worden war. Er lächelte starr und mit übermenschlicher Anstrengung. »Es wird uns schwer, dem Humor des Westens ganz gerecht zu werden, Sir«, murmelte er und machte eine tiefe, demütige Verbeugung. »Wir wissen, daß wir noch viel zu lernen haben.«
Eine unbehagliche Pause war entstanden. Mr. Bailey blickte verdutzt um sich. Er hustete und sagte gutmütig: »Nichts für ungut, Mister! Meine Frau sagt immer: ›Horace‹, sagt meine Frau immer, ›wenn du doch bloß deine dummen Witze lassen wolltest! Reden ist meistens Blech, merke es dir!‹«
Ein befreiendes Gelächter ertönte, in das Herr Matsubara anscheinend einstimmte. Wenigstens sollten die hohen, hysterisch-schrillen Töne, die er sich mit unmenschlicher Energie entlockte, beifälliges Kichern vortäuschen. Er hielt nicht länger die Augen

gesenkt, sondern blickte den wohlgelaunten Amerikaner mit den riesigen Hummerhänden und dem gesunden, aber indiskreten Menschenverstand unverwandt von der Seite an. In der Stunde der tödlichen Schmach hatte Akiro, der voll guten Willens vom Westen Technik und Poesie hatte lernen wollen, das japanische Röntgenauge entwickelt. Dieser durchdringende, desillusionierte Scharfblick wurde durch den Haß geboren. Es war ein Haß, der durch ein phänomenales Gedächtnis und eine bestimmte japanische Erziehungsregel, nach der Rache etwas Männliches, Edles und eine Pflicht ist, konserviert wurde. Das Rächen einer Beleidigung gehörte zu *giri*, der Pflicht, die jeder Japaner gegen Familie, Staat und den *Tenno* (Himmelssohn: Kaiser von Japan) hat. Während der junge Herr Matsubara an seinem ersten Abend in der Fremde den taktlosen Amerikaner anstarrte, fühlte er zum ersten Male die ganze Stärke seines Konzentrationsvermögens. Auch das war etwas Ur-Japanisches, eine merkwürdige Eigenschaft dieser unerforschlichen Nation: Ein intensiver Schock macht einen Japaner nicht etwa zynisch oder gleichgültig gegen seine Feinde, er gibt ihm erhöhte Vitalität.

Plötzlich war die Abschiedsgesellschaft bei Konsul Wergeland zu Ende. Man hatte noch eine Zeitlang mit den Damen geflirtet, Yvonne Komplimente gemacht und sich bewundernd über das Geigenspiel der kleinen Norwegerin geäußert. Wie schade, daß die junge Künstlerin so erschöpft gewesen war, daß ihr Bruder sie ins Hotel bringen mußte! Das war die Luft von Shanghai, sie wirkte auf manche Besucher wie ein elektrischer Schlag.

Akiro Matsubara von Itoh verbeugte sich steif und sehr tief vor Konsul und Madame Wergeland und drückte in sorgfältigem Englisch sein Entzücken und seinen Dank für die geehrte Abendgesellschaft aus.

»Ich hoffe, Sie haben sich gut unterhalten, Baron«, sagte der Konsul und blickte Akiro aus überhellen Augen freundlich und ein wenig konspiratorisch an. »Leider konnten wir Ihnen keine Festlichkeit im japanischen Stil bieten. Wir beide hätten uns gewiß weit besser dabei unterhalten.«

Der junge Japaner machte eine zweite, noch tiefere Verbeugung.

»Ich hätte meine Zeit nicht nutzbringender anwenden können, Herr Konsul«, murmelte er; »ich bin Ihnen zu großem Dank verpflichtet.«

ZWEITES KAPITEL

# Japanisches Zwischenspiel

Der junge Baron Matsubara nahm sich kein Taxi, um in sein Hotel in Hongkew zu fahren, wo er – entgegen der offiziellen Nachricht, wonach er erst soeben eingetroffen war – bereits seit einigen Monaten unter anderem Namen wohnte. In diesem Distrikt nördlich und östlich vom Soochow Creek, dessen trübes Wasser den Rest des Internationalen Settlements von der chinesischen Fabrik- und Händlerwelt abtrennte, machte der Student aus Tokio auf Anregung aus Regierungskreisen Studien, die nichts mit den schönen Künsten zu tun hatten. Da er nach einem mehrjährigen Aufenthalt in Europa in den Regierungsdienst treten würde, mußte er schon jetzt mit nur zwanzig Jahren Informationen beschaffen, Stimmungen erkunden und Kontakte aufnehmen lernen. Er hatte bereits eine Reihe gelungener Aufnahmen in Shanghais Hafendistrikt, vom Nordbahnhof und den großen industriellen Betrieben gemacht, und er hatte außerdem einen die Seidenindustrie betreffenden Vorschlag nach Tokio gesandt. Falls Shanghai innerhalb der nächsten fünfzehn Jahre von Japan zu seinem eigenen Besten besetzt und neu geordnet werden würde, sollte man in Hongkew die Seidenindustrie monopolisieren, zunächst einmal die Versendung der Kokons in die Fremdenniederlassungen von Shanghai scharf kontrollieren und sie später gänzlich verhindern. Einige japanische Firmen sollten in Hongkew den Export der rohen Seide überwachen. Shanghai war ja seit Jahren das Zentrum des Rohseiden-Exports, in den sich japanische und chinesische Firmen teilten. Baron Akiro hatte heute abend glücklicherweise den mächtigen Mr. Hsin, der einem Kranich ähnelte, persönlich kennengelernt und würde vor seiner Abreise noch Gelegenheit finden, ihm die Schaffung einer chinesisch-japanischen Seidenfabrikation in Hongkew vorzuschlagen. Er hatte trotz seiner grenzenlosen Demütigung aufmerksam der

Unterhaltung zwischen dem Kranich und dem Amerikaner mit den Hummerhänden gelauscht und zu seiner Freude festgestellt, daß Mr. Hsin seinem Geschäftsfreunde aus den USA halbwahre Auskünfte über die Wirtschaftslage in Shanghai gegeben hatte. Die Ausländer südlich vom Soochow Creek brauchten durchaus nicht zu wissen, wie die Reis- und Transportsituation nördlich vom Creek (Nebenfluß) und östlich vom Whangpoo-Fluß war. Herrn Hsins Verhalten war für den jungen Herrn Matsubara eine Offenbarung gewesen. Kluge Chinesen schienen die Ausländer fast ebenso zu hassen wie die Japaner in Shanghai. Vielleicht würden sich die Chinesen im Laufe der Zeit darüber klar werden, daß die fleißigen, zielbewußten Söhne Nippons nicht nur ihre wahren, väterlichen Freunde, sondern außerdem Asiaten waren ... Im übrigen wollte Akiro morgen auch Tokios Anfrage über die Clifford-Motoren, deren Vertreter der Herr mit den Hummerhänden war, beantworten. Sie waren minderwertig; der Verkauf in Shanghai war minimal; man sollte in Tokio ja nicht auf diese neue Firma hereinfallen! Das war Baron Matsubaras Antwort auf Mr. Baileys harmlosen kleinen Scherz. Akiro lächelte befriedigt, während er sich anschickte, in einem Taxi in ein japanisches Restaurant in der Nähe der Kiangse Road zu fahren. Dort befand sich das Kunst- und Antiquitätengeschäft von Norinaga. Herr Norinaga und sein ältester Sohn, die dort japanische und chinesische Kunstgegenstände aus Bronze, Lack, Schildpatt und Elfenbein verkauften, waren nicht nur Agenten einer großen Firma in Tokio, sondern auch freie Mitarbeiter des japanischen Geheimdienstes. Auch wenn man die besten Absichten hatte, war man sehr exponiert in dieser schmutzigen und käuflichen Stadt! Von Herrn Norinaga dem Jüngeren hatte Akiro Matsubara die Adresse eines erstklassigen japanischen Restaurants in der Nähe der Kiangse Road, einige Schritte südlich der Nanking Road, erhalten. Er hatte sich dort ein spätes Souper bestellt; denn Madame Wergelands französisch-chinesisches Essen war, wie zu erwarten, ungenießbar gewesen.
Als Akiro gerade in ein Taxi steigen wollte, weiteten sich seine dunklen Augen vor Schreck: Eine kleine blonde Ausländerin mit wirren Haaren und einem abwesenden Blick rannte schnurstracks in ein Auto hinein. Das heißt: sie wäre hineingerannt, wenn Akiro sie nicht zurückgerissen hätte. Er sprang so eilig zu Hilfe, daß seine Brille in den Straßenschmutz fiel und sofort ein Streit-

objekt für Bettler und Kinder wurde. Herr Tse, geschätztes Mitglied der Shanghaier Bettlergilde – bei Tage Langschläfer und nachts »blinder Bettler« im Internationalen Settlement – trug den Sieg davon.
Akiro hatte aber durch die Brille noch gerade erkennen können, daß die Ausländerin jene junge Dame war, deren geehrtes Geigenspiel auf Konsul Wergelands Abendgesellschaft ihm in die Seele gedrungen war. Was hatte das Mädchen mit den matten Austernaugen nachts auf der Straße zu suchen? Es war gegen allen Verstand und jede Etikette. Sie war doch kein Dunkelmädchen (japanisch: Prostituierte). Herr Matsubara stand vor einem Rätsel. Lief die Gelbhaarige zu ihrem Vergnügen planlos durch diese lasterhafte Stadt? Sie sah nicht besonders vergnügt aus. Hatte sie ihrem Leben wegen eines unbekannten Kummers ein Ende machen wollen? Alle diese Spekulationen schossen Akiro durch den Kopf, während er die zitternde Borghild fest am Arm hielt und nervös nach seiner Ersatzbrille suchte, die sich listig in seinem westlichen Anzug verkrochen hatte.
»Was tun Sie hier um diese Stunde, Mademoiselle?« fragte er endlich scheu und in tadellosem Französisch. »Sind Sie krank? Suchen Sie einen Arzt?«
Borghild blickte den jungen Japaner geistesabwesend an und erwiderte wahrheitsgemäß, sie mache nichts auf der Bubbling Well Road. Dann riß sie plötzlich die Augen weit auf, was Akiro über die Maßen erschreckte, und fragte: »Wer sind Sie?« Akiro schluckte die Beleidigung lächelnd herunter. Mademoiselle hatte ihn doch vor einer Stunde beim Konsul gesehen! Er hatte ihr nach ihrem Spiel ein feierliches Kompliment gemacht, ein japanisches Kompliment, das Respekt, Poesie und Verständnis ausdrückte. Baron Matsubara hatte gemurmelt, daß Mademoiselles geehrtes Spiel in seinem unwürdigen Gemüt jenes unverhoffte Glück erweckt habe, das man in Japan empfinde, wenn man dem Schaum der Wellen eine Nelkenmuschel (*nadeshiko-gai*) entrisse. Die Nelkenmuschel war eine Kostbarkeit: der Traum der Muschelsucher ... Es war eine ziemlich lange Rede gewesen, aber der Dank für solches Geigenspiel durfte nicht kurz und bündig ausgesprochen werden. Das wäre eine entsetzliche Unhöflichkeit gewesen. Akiro hatte mit Freude bemerkt, daß die Geigenspielerin seinem Kompliment in regloser Bewunderung gelauscht hatte. In Wirklichkeit hatte Borghild überhaupt nicht zugehört, sondern

nur darauf gewartet, daß Konsul Wergeland sich endlich zu einem Wort des Dankes aufraffte. Sie hatte ihn angesehen, aber er hatte ihren Blick nicht erwidert. Und diese Enttäuschung hatte sie dann in die Tiefe gerissen. Sie war in Yvonnes Schlafzimmer gegangen, weil sie plötzlich begriffen hatte, daß Konsul Wergeland keine näheren Beziehungen zu ihr wünschte. Im Schlafzimmer hatte ein Armband, das zu Yvonnes Berufsjuwelen gehörte, auf dem Toilettentisch gelegen, und Astrids Amah Yumei war auf Filzsohlen verschwunden. Aber Amah Nummer zwei, die Yvonne mit aufdringlicher Treue umgab, hatte die Fremde vorsichtshalber durch einen Vorhangspalt beobachtet und sofort Konsul Wergeland geholt, als Borghild das Armband eilig in ihren Brokatbeutel steckte und danach erstarrt in den Spiegel blickte, anstatt Reißaus zu nehmen, wie ein vernünftiger chinesischer Dieb es getan hätte. Die Amah hatte klugerweise den Konsul benachrichtigt, statt Madame mit ihrem kranken Herzen aufzuregen. Aber Yvonne hatte ihre Amah mit ihrem Falkenauge erblickt und war ins Schlafzimmer gegangen. Und nun hatte Borghild unter ein Auto rennen wollen, weil sie die Bloßstellung vor Konsul Wergeland nicht ertrug. Er wußte zwar von ihrem Bruder von ihrem dunklen Hange; er wußte auch, daß sie die entwendeten Schmuckstücke nach kurzer Zeit heimlich zurückzubefördern pflegte. Aber was nützte das alles? –
Der junge Herr Matsubara, dessen empfindlicher und ausgehungerter Magen sich mit jeder Minute mehr zusammenzog, fragte Borghild, ob er sie ins Hotel zurückbringen solle. Er mußte seine Frage wiederholen, da die Ausländerin nur ihre Augen wieder aufriß und dann zu weinen begann. Wie außerordentlich unmanierlich! Akiro schämte sich derartig für seine Begleiterin (die auch gerade zwanzig Jahre alt war, aber im Vergleich zu ihm ein Säugling an Lebensart und Erfahrung!), daß er dem Chauffeur eilig zurief, er solle sie in das »Restaurant zur Weißen Chrysantheme« bei der Kiangse Road bringen. Im Unterbewußtsein hoffte er, daß die Stille und Reinlichkeit einer japanischen Gaststätte die fassungslose Ausländerin beruhigen würde. Wie würdevoll gingen doch japanische Selbstmörder vor! Die Öffentlichkeit war bei ihrer letzten Veranstaltung rigoros ausgeschlossen.
Um jeden Preis wollte Baron Akiro sich selbst und der Fremden einen weiteren Aufenthalt auf der Straße ersparen. Es hatte sich nämlich ein immer größerer Kreis von Kindern und Bettlern um

sie gebildet, die alle Teegeld und Anerkennung dafür verlangten, daß sie zusahen und sozusagen mitwirkten... Erstaunlich, wieviel Kinder und Halbwüchsige sich des Nachts in den Straßen von Shanghai herumtrieben! Es war offensichtlich, daß Shanghai sich nicht selbst regieren konnte... Es war auch offensichtlich, daß man die Ausländerin in diesem Zustand nicht allein lassen konnte. Akiro war allerdings wenig erfreut, daß die Götter ihn dazu ausgesucht hatten, diese unbeherrschte junge Person, deren geehrte Geige zum Glück im Cathay Hotel geblieben war, des Nachts zu beaufsichtigen. Um eine zertrümmerte Geige hätte Herr Matsubara wie um Fische getrauert, die man zwar gern aß, aber dennoch ehrlich beweinte, weil sie ihr Leben in einer Lackschale beenden mußten. Das Leben war kompliziert für einen sensitiven Japaner, der neben seinen Verpflichtungen gegen den Kaiser, die Familie, die geehrten Lehrer, den erwählten Beruf, die hohen Ahnen und die eigene Ehre gar zu gern auch noch etwas Spaß und Kunstgenuß gehabt hätte. Der junge Herr Matsubara hatte keineswegs gelogen, als er bei Wergelands Begeisterung für die Künste des Westens geäußert hatte; aber man regelte in Japan Genuß und Begeisterung genauso sorgfältig und streng wie die zentnerschweren Pflichten und die Trauerzeremonien für Menschen, Fische und Geigen.

\*

Die »Weiße Chrysantheme«, wo neugierige Ausländer und heimwehkranke Japaner sorgfältiges Essen, aufmerksame Bedienung und Entspannung durch Stille und Reinlichkeit fanden, war von außen ein unauffälliges Lokal. Erst wenn man die Schuhe im Vestibül abgelegt und den durch Schiebewände von dem Restaurant abgetrennten, von Akiro bestellten Privatraum betreten hatte, begann ein Stück Insel-Japan in Shanghai. Es gab auch noch einen Speiseraum für die Gäste des Westens, der protzig und in unsicherem Geschmack eingerichtet war. Dort konnte man neben japanischen Spezialitäten etwas verzehren, was der japanische Koch für europäisches Essen hielt.
Baron Akiro Matsubara, der seit heute nacht sein Inkognito gelüftet hatte, wurde in den besten Privatraum des Hauses geführt. Borghild ging betäubt mit; sie weinte nicht länger, sondern war wieder einmal geistesabwesend. Sie hatte protestieren wollen, als

sie gebeten wurde, ihre Schuhe auszuziehen, da sie im linken Strumpf ein Loch hatte; aber das paßte ja zu einer Vagabundin, wie Madame Wergeland sie genannt hatte. Borghild war als Kind mit einer Garderobenfrau und ihrer Mutter, die in europäischen Städten Klavierkonzerte gab, von Stadt zu Stadt und Haus zu Haus gezogen. Ihre Mutter war von ihrem Vater geschieden, da Herr Lillesand eine Frau im Hause und warmes Essen auf dem Tisch haben wollte. Er hatte den Sohn behalten und Sigrid die kleine Tochter überlassen. Die Pianistin hatte wenig Zeit und noch weniger Geduld für ihre Tochter. Borghild hatte sich nachts im Hotelzimmer manchmal mit Mamas Schmuck behängt, da er Sternenglanz in die Öde des fremden Zimmers brachte. Als die Karriere der Mutter beendet war – ein Autounfall hatte sie mit einer gelähmten Hand zurückgelassen –, war Sigrid Lillesand mit der zwölfjährigen Tochter nach Oslo zurückgekrochen, zu einem Leben ohne Freude, ohne Musik, ohne Konzert-Säle und ohne den für Borghild so tröstlichen Sternenglanz der Juwelen. Mama hatte sie verkauft, um die Arztrechnungen für die kranke Hand zu bezahlen. Von da an gab es für Borghild nur noch die Geige und den Durst nach dem verlorenen Glanz, unter dem der Hals, die Arme und die Finger immer zu leben begonnen hatten. Es war kalt und düster in der Beamtenwohnung in Oslo. Borghild saß bei Tisch zwischen einem versteinerten Elternpaar. Regierungsrat Lillesand hatte keine Begabung zum Verzeihen. Dabei wünschte er sich nichts sehnlicher, als seiner Frau ihr »böswilliges Verlassen«, wie die Gerichte es genannt hatten, nicht nachzutragen. Sigrid hatte die Schuld auf sich genommen, wozu sie allen Grund hatte. Borghild war noch zu klein gewesen, um sich über die »Onkels« zu wundern, die ihr alle Konfekt schenkten und in jeder Stadt eine andere Sprache sprachen... Leider war Mama auch eine Künstlerin von Rang und eine Vagabundin von Natur. Aber sie hatte eine Garderobenfrau gehabt, die ihr die Löcher im Strumpf zu stopfen pflegte.

Akiro Matsubara bemühte sich, Borghilds zerlöcherten Strumpf zu ignorieren und die Blamage vor der bezaubernd gepflegten Kellnerin zu vergessen, während er Bouillon mit Seetang-Einlage genoß, rohen Fisch kostete und *Tempura* mit seinen Eßstäben aus Lackschälchen fischte. Im Alkoven hing ein farbiger Holzschnitt, der eine Szene auf der Drehbühne der Kabuki-Spieler zeigte. Einige Männer drehten unter der Bühne eine große Kurbel; und

die Kabuki-Spieler in ihren prunkvollen Gewändern agierten oben auf der Bühne so lange, bis sie anderen Spielern und anderen Schicksalen Platz machen mußten... Kein Zweifel, das japanische Kabuki-Schauspiel aus dem 17. Jahrhundert hatte von der Drehbühne viel früher als Europa Gebrauch gemacht. Vielleicht drehten sich daher die Spieler auch im Leben bei jeder neuen Wendung des Dramas gewandter, lautloser und gründlicher...
Borghild war zwar der Seetang in der Kehle steckengeblieben, von wo sie ihn mit den Fingern entfernte, aber im Gegensatz zu den meisten Ausländern aß sie die künstlerisch angerichteten Speisen mit Neugierde und Appetit und handhabte ihre Elfenbeinstäbe mit ungewöhnlichem Geschick. Akiro sah ihr stumm dabei zu und fühlte beim Anblick der schlanken, geschickten Virtuosenhände tiefe Befriedigung.
»Haben Sie öfters japanisch gegessen, Mademoiselle?« fragte er schließlich. »Sie beweisen bemerkenswertes Geschick in der Handhabung der Eßstäbe, wenn ich mir diese Bemerkung in aller Bescheidenheit erlauben darf.«
»Ich hab' beobachtet, wie Sie es machten«, erwiderte Borghild mit kindlicher Einfachheit. »Es schmeckt mir wunderbar. Sie sind sehr gut zu mir, Monsieur!«
Der junge Herr Matsubara verschluckte sich vor Glück. Die Fremde hatte ein Loch im Strumpf und war ein Ausbund an Häßlichkeit, aber sie hatte Akiro und die japanische Küche aus ehrlichem Herzen gelobt. In seinem Innern brach der Haß auf die Menschen des Westens so plötzlich zusammen, wie er entstanden war. (Es blieb nur noch eine ehrenhafte Flamme der Abneigung gegen die Amerikaner zurück; denn irgendwann mußte ein nobler Japaner die Beleidigung rächen. Er *durfte* sie nicht vergessen, weil sie Nippon gegolten hatte.) Dennoch: er hatte nicht umsonst in Tokio Shakespeare bewundert, Beethoven angebetet und die Bilder der französischen Impressionisten schätzen gelernt! Der Westen schenkte den Söhnen der Sonnengöttin doch manchmal ein unerwartetes Glück: groß, strahlend und selten wie *nadeshiko-gai*, die Nelkenmuschel, die man unter Gefahren den Wellen entreißt. Denn ein Risiko blieb der Umgang mit Ausländern. Gerade in diesem Jahr war in Tokio das Gesetz zur Bekämpfung und Kontrolle »gefährlicher Gedanken« verabschiedet worden. Die Chance, gefährliche Gedanken zu hegen, vermehrte sich natürlich tausendfach im Umgang mit dem Westen... Akiro

war sich darüber völlig klar; aber Borghild hatte mit ihrem Lob eine blühende Landschaft der Seele für ihn geschaffen. »Das Mahl ist wertlos, aber der unwürdige Koch versuchte, Ihnen zu dienen, Mademoiselle«, erwiderte der junge Baron Matsubara höflich und zitternd vor Stolz.

*

Spät in der Nacht, als Borghild längst im Cathay Hotel in einen vom heißen Reiswein geförderten tiefen Schlaf gesunken war, las Akiro in seinem Hotel den Brief seines geehrten Onkels aus dem Erziehungsministerium in Tokio. Der Onkel schrieb, Akiros Vater habe einen Unfall erlitten und könne die geehrte Hand noch nicht zum Schreiben gebrauchen. So habe sich denn der Bruder von Baron Jiro entschlossen, seinem Neffen eine wichtige Mitteilung zu machen: Er solle erst nach Korea fahren und später nach Paris. Es würde immer noch Zeit sein, Europa kennenzulernen. Ein Japaner, der Leib und Seele dem Tenno (göttlichen Kaiser) geweiht habe, müsse sich erst einmal in Asien orientieren. Es sei etwas Unverständliches und Skandalöses in Korea passiert. Ein hoher japanischer Beamter, eng mit Akiros Mutter verwandt, sei bei einem von ihm veranstalteten »Freundschafts-Meeting« mit Koreanern ermordet worden. Das sei um so unverständlicher – so schrieb der ehrenwerte Onkel –, weil Nippon das völlig verwahrloste Chosen (japanische Benennung Koreas) zu seinem eigenen Besten im Jahre 1910 annektiert und seitdem zivilisiert, also japanisiert hätte. Kein Versuch sei im Laufe dieser Jahre unterlassen worden, um wenigstens die vermögenden und konservativen Koreaner für die Unterstützung des japanischen Regimes zu gewinnen. Von den Reisbauern habe man nichts erwarten können. Als der Widerstand der Gebildeten sich unterirdisch organisierte, sei man zu sehr kräftigen Bekämpfungsmethoden übergegangen. General Sanuki, der Verwandte von Akiros Mutter, habe seit drei Jahren erfolgreiche »Freundschafts-Meetings« zwischen Koreanern und ihren väterlichen Beschützern aus Nippon organisiert! Und als Dank sei er hinterlistig ermordet worden. Was hätten die Japaner nicht alles für Chosen getan! Genau das, was sie überall zu tun gedächten, sobald sie gewisse Länder zu deren eigenem Wohl besetzt hätten. Nippon brauche zwar Formosas Salz, Reis und Opium, und es brauche Korea als eine Basis für

weitere Expansion und Weltherrschaft in Asien, aber was sei unter japanischer Herrschaft aus diesen Gebieten geworden! Eisenbahnlinien, Hafenanlagen, Landstraßen, technische und militärische Anlagen seien entstanden. Industrielle Expansion und ein höherer Lebensstandard seien »Geschenke«, welche die undankbaren Leute von Chosen offensichtlich nicht genug zu würdigen wüßten.
Akiro ließ die langen Reispapierzettel sinken und schloß die Augen. Überall stieß Nippon auf Widerstand, sogar bei den kleinen asiatischen Brüdern! Und dabei wies es den weniger tüchtigen, fleißigen und ehrgeizigen Völkern doch nur mit Wohlwollen und notwendiger Strenge den »Weg der Götter«. Akiro fühlte sich plötzlich sehr müde: er hatte gar kein Verlangen, nach Korea zu gehen und seine Feinde dort zu zählen. Aber er mußte »die Welt« kennenlernen. Es war seine Pflicht!
Er nahm noch einmal die Blätter aus Reispapier zur Hand und las den Rest des geehrten Handschreibens. Der Onkel hatte mit dem ehrenwerten Vater über Akiros weitere Schritte in Shanghai konferiert, und die Hohe Person wünschte nicht, daß der junge Sohn eine Verbindung mit Mr. Hsin wegen japanisch-chinesischer Fabriken aufnahm. Es war mindestens noch sieben Jahre zu früh dazu. Außerdem fragte die Hohe Person reichlich unverblümt an, ob sein Sohn größenwahnsinnig geworden wäre. Mit einem mächtigen Chinesen nahm ein winziges Insekt wie Akiro keine Fühlung auf. Hatte er noch nicht begriffen, daß er unsichtbar wie das *minomushi* (japanisch: Regenrock-Insekt) Erfahrungen sammeln solle? Das »Nicht-Gesehen-Werden« war die wichtigste Kunst, die ein künftiges Mitglied der japanischen *Kempetai* (militärische Geheimpolizei) zu üben hatte. Der wertlose junge Sohn solle sich also schleunigst eine bessere Tarnkappe zulegen. Auch wünschte die Hohe Person, deren Geist durch den Unfall glücklicherweise nicht gelitten hatte, daß Akiro sich in Korea und später in Paris und London strikt von »gefährlichen Gedanken« zurückhielte und sein Interesse weniger der Kunst und Literatur des Auslands und um so intensiver der westlichen »Militärwissenschaft« zuwende. Er dürfe niemals vergessen, daß die Kempetai, die in den nächsten zwanzig bis dreißig Jahren die wichtigsten Aufgaben in einem von Japan geleiteten Südostasien zu leisten haben würde, ein Zweig des Militärs und nicht der eines blühenden Kirschbaums oder sonst eines lyrischen Gegenstandes wäre. Akiro

würde später – wie seine besten Landsleute – persönlich mit seinem Samurai-Blut für die Sicherheit Nippons haften müssen. Er müsse daher beizeiten, schon während seiner Lehrjahre, einsehen, daß Nippon von Spionen in aller Welt umgeben sei, und daß man keinem Chinesen und keinem Manne des Westens über den Weg trauen dürfe; auch wenn sie – gerade wegen ihrer dunklen Absichten – blumengleiche Reden führen sollten. Vor allem wünsche die Hohe Person, daß Akiro sich in den nächsten fünf Jahren seiner Lehrzeit nur zum Zwecke der Information und nicht zum Zwecke der Liebestätigkeit mit Ausländerinnen abgebe. Die gelbhaarigen »Langnasen-Damen« des Fernen Westens seien sämtlich im Geheimdienst ihrer Länder tätig und wollten den Söhnen Nippons nur ihr Blut und ihre vom Staate gebilligten Gedanken aussaugen. Akiro las den Brief, der noch viele förmliche Gruß-Floskeln enthielt, nicht zu Ende. Er hörte Borghilds Stimme und sah den ehrlichen Ausdruck ihrer Augen; aber was sie gesagt hatte, waren eben doch blumengleiche Reden gewesen. Akiro, so hatte der hochgeehrte Onkel mit Recht geurteilt, war ein winziges, stupides Insekt mit einem winzigen, stupiden Insektengeist. Mit einem Seufzer schlich der junge Herr Matsubara auf seine Schlafmatte.

Zehn Tage später machte Akiro dem Konsul und Madame Wergeland einen Besuch, um für die Abendgesellschaft zu danken. Er brachte nach Landessitte ein Geschenk, das anmutig und sorgsam in ein geblümtes Seidentuch gehüllt war. In Japan verpackte man keine Perlen in Reisstroh. Baron Matsubara wollte Madame einen kostbaren Kimono verehren, wie ihn vornehme Japanerinnen beim *O Cha-no-yu* (erhabene Teezeremonie) trugen. Er wollte mit diesem Geschenk eigentlich dem Konsul eine Freude machen. Er fand ihn wunderbar freundlich und vertrauenerweckend, was immer auch Akiros hochverehrter Onkel im Erziehungsministerium dazu sagen mochte. Konsul Wergeland und Akiro hatten sich zufällig vor einer Woche auf der Bubbling Well Road getroffen und einträchtig und sehr vergnügt in der »Weißen Chrysantheme« zusammen *Sukiyaki* (feine Rindfleischstreifen mit Gemüse) gegessen. Akiro hatte das köstlich duftende Gericht eigenhändig auf einem kleinen Kohlenbecken für seinen fremden und doch vertrauten Ausländer-Freund zubereitet. Sie hatten viel *saké* getrunken; der Konsul hatte sich beinahe so zwanglos und anmutig wie ein Japaner auf seiner Matte niedergelassen. Danach hatte er den jungen Japaner nach Haus mitgenommen. Im »Teezimmer« hatten sie leise und angenehm über japanische Holzschnitte und die Kunst des Kurzgedichtes geplaudert. Konsul Wergeland verdiente es, daß seine geehrte Gattin einen Kimono fürs »Japanische Zimmer« erhielt. Akiro wußte bereits, daß Ausländer einen großen Teil ihrer Zeit zusammen mit ihren Ehefrauen verbrachten, und daß eine Ausländer-Gattin nicht *nach* ihrem Manne Tee trank, sondern mit ihm zusammen. Die Damen schienen keinen besonderen Respekt vor ihrem Gebieter zu haben!

Akiro war auch, zwei Tage nach dem seltsamen Nachtessen mit Borghild, ins Cathay Hotel gewandert, um dort für sie eine Rolle *habutai* (weiße taftähnliche Seide) abzugeben; aber die Gelbhaarige war abgereist und hatte keine Adresse hinterlassen. Auf Akiros Frage, ob Mademoiselle wieder nach Shanghai zurückkäme, hatte der Portier ungeduldig mit den Achseln gezuckt. Akiro war mit der Seide abgezogen und hatte einen Stich der Enttäuschung gespürt. Borghild wollte ihm doch ins japanische Konsulat Nachricht geben, wann sie wieder einmal zusammen *Tempura* essen könnten. Akiro hatte auf ihre Nachricht mit Geduld und Freude gewartet. Und nun war sie ohne eine Zeile abgereist! Wenn sie gelächelt hatte, war sie eigentlich nicht häßlich gewesen. Akiro hätte sie gern in einem Kleid aus der weißen Japanseide gesehen; er war über Borghilds billiges Fähnchen noch entsetzter als Madame Wergeland gewesen. Weniger wegen der Farbe, die Borghilds zartes Gesicht »entfärbt« hatte, als wegen der Qualität der Seide. Die fremde Geigerin hatte kein Ehrgefühl für ihr Land, wenn sie im Ausland solche Stoffe trug. Es kam dem jungen Japaner nicht in den Sinn, daß die meisten Europäer solche Erwägungen gar nicht kannten.

Als Akiro bei Wergelands ankam, machte die Villa einen ausgestorbenen Eindruck. Nirgends brannte Licht, obwohl es schon dämmerte. »Erhabene Tugend«, der Nummer-Eins-Boy, legte Akiros Geschenk nachlässig auf ein Tischchen in der Halle und murmelte, daß niemand zu sprechen wäre. Einen herzzerreißenden Augenblick lang argwöhnte Akiro, daß der Konsul für *ihn* nicht zu sprechen wäre. Er stand bescheiden in der großen Empfangshalle, ohne vom Boy zum Sitzen aufgefordert zu werden. »Erhabene Tugend« riß sich nun einmal kein Bein für die Inselzwerge aus. Schließlich stellte Akiro die naheliegende Frage, die

seinem gewundenen japanischen Geist als letzte einfiel. Er fragte, ob er warten könne, da er Madame das Geschenk gern persönlich überreichen wolle. »*No good*«, erwiderte »Erhabene Tugend«. »Warten *velly* (Pidgin-Englisch, für very) *bad*. Madame wohnt Hospital. Herz *velly bad* ... plopp, plopp, plopp! Master bei Madame. *Velly bad*.«
Akiro bat den Nummer-Eins-Boy, das Geschenk ins Krankenhaus zu bringen. Er selbst reise morgen nach Soochow. Er käme so schnell nicht nach Shanghai zurück. »*Velly good*«, sagte »Erhabene Tugend«, wobei nicht klar wurde, ob er Akiros baldige Abwesenheit von Shanghai oder die Pagoden von Soochow sehr gut fand... Er nahm das Teegeld des Japaners mit mitteltiefer Verbeugung entgegen. Schließlich raffte Akiro sich zum Gehen auf, nachdem er dem Boy seine Adresse in Soochow und in Shanghai umständlich eingeprägt hatte. Nach dem Schock über Madames Krankheit hatte er nur langsam zum Handeln zurückgefunden. Wie sehr, sehr unselig war das alles! Und dazu so wenige Tage vor dem Lichter- und Geschenkfest der Ausländer!
Akiro freute sich nach dem käuflichen Shanghai auf Soochow. Dort herrschte jener chinesische Geist der Weisheit und des Maßhaltens, der Resignation und der Auslöschung der Existenz, der Nippon in verflossenen Jahrhunderten grundlegend beeinflußt hatte. In Soochow war der Buddhismus noch eine lebendige Kraft.
Akiro fühlte sich verlassen und verloren, als er Konsul Wergelands Villa endlich hinter sich ließ. Sein zweiter Onkel, der als japanischer Generalkonsul in Shanghai tätig war, hatte Wichtigeres zu tun, als sich mit dem jungen, stupiden Neffen zu beschäftigen. Akiro wohnte jetzt bei ihm und fand ihn ziemlich furchterregend in seinem Wechsel von melancholischem Ernst mit plötzlicher wilder Heiterkeit. Im Stadium der Heiterkeit funkelten seine geehrten Augen wie die Augen der Schauspieler hinter den Schlitzen der *No*-Masken. Der Generalkonsul war Mitte Vierzig und ausländerfeindlich. Er trug in seinem Hause in Shanghai nur den Kimono, falls er nicht gerade einen Gast aus dem Westen im »Ausländerzimmer« im viktorianischen Stil empfing. Dieser Salon war nicht zu übertreffen in seiner Überladenheit und der Fülle grauenhafter Nippsachen. Nur ein Feind des Westens konnte so viel Scheußlichkeiten ansammeln. Der Generalkonsul war jedoch ernstlich der Meinung, die Ausländer be-

wunderten »ihr« Zimmer. Nach dem Empfang einer Langnase in der Plüschhöhle verfiel Akiros geehrter Onkel jedesmal in eine wilde Heiterkeit, die er nur durch einige kalligraphische Übungen in seinen eigenen, erlesen dekorierten Räumen bändigen konnte.

Der junge Herr Matsubara stand verloren an der Kreuzung der Avenue Foch und einer Seitenstraße, die ein tröstliches Blumenfenster hatte. Er war hierhergefahren, um Madame Wergeland morgen ein Arrangement in die Privatklinik zu senden. Natürlich hatte der Boy, wie alle Chinesen, maßlos übertrieben; es mußte gleich eine gefährliche Krankheit sein, sonst lohnte es sich nicht, sie zu erwähnen! Diese Chinesen ... dachte Akiro. Aber die Blumen für Madame gaben ihm nun eine große und erfreuliche Denkaufgabe; sie sollten auf einem Bett von Moos aus einer flachen, rechteckigen Schale erblühen – stille, poesievolle »Freunde im Leid«. Es durften *nur* Lilien sein; sie waren das Zeichen der Verehrung. Vor dem Lotos meditierte man, was Madame ja sowieso nicht verstand; und kaiserliche Chrysanthemen wären ein unverzeihlicher Formfehler. Das waren Blumen, welche die Söhne Nippons zum Kampfe ermunterten. Sobald es Madame besser gehen würde, wollte der junge Herr Matsubara den Konsul auf ein Wochenende nach Soochow bitten; er war sein bester Freund, und Freunde machten das Leben in der Fremde erträglich. Akiro konnte Borghilds Benehmen verschmerzen, da er ja Konsul Wergeland heimlich zum Freunde hatte ... Bei seiner Begeisterung für den freundlichen, aber gleichgültigen Norweger wirkten der Fanatismus des Japaners, seine Loyalität und seine bodenlose private Vereinsamung zusammen. Es kam immer wieder vor, daß junge, in den Wegen und Gefühlen des Westens unerfahrene Asiaten ihre wenigen ausländischen »Freunde« in tragischer Naivität so verherrlichten, daß sie bereit gewesen wären, ihr Leben für sie zu lassen, und ihnen auf jeden Fall viel zu kostbare Geschenke machten, die Kopfschütteln und verlegenen Dank erregten. So war der Kimono aus dem kaiserlichen Kyoto ein Wertobjekt, das weder Yvonne noch der Konsul auch nur im Traume erwartet hätten. Yvonne hatte keine drei Worte mit dem jungen Baron aus Tokio gewechselt; der Konsul hatte ihn in einer Stunde der Nervosität zum Kuckuck gewünscht, weil er seine Tischordnung umgeworfen hatte, und ihn später mit der geschmeidigen und wohlwollenden Höflichkeit des versierten

westlichen Diplomaten, der die Sitten und Gefühle asiatischer Menschen kennt, bei zufälligen Begegnungen mit natürlicher Freundlichkeit behandelt. Aber er schenkte Akiro keinen weiteren Gedanken, denn er mußte unzählige Menschen der verschiedensten Rassen und Nationen natürlich und freundlich behandeln, wobei die Kunst in der Natürlichkeit lag... Der kostbare Kimono für Yvonne hätte den Konsul nur beschämt.
Aber Knut Wergeland bekam den Kimono aus dem kaiserlichen Kyoto niemals zu Gesicht; denn »Erhabene Tugend« hatte ihn eilends beiseite geschafft, um ihn zu verkaufen. Als der Konsul eine Stunde nach Akiros Besuch die Villa betrat, ließ »Erhabene Tugend« sich durch den Koch entschuldigen: Urgroßtante Lung war schwer erkrankt und versammelte in einem Dorf am Yangtze-Fluß ihre Verwandten um ihr Lager. »Erhabene Tugend« hätte normalerweise niemals einen solchen Streich gewagt; aber Master war jetzt beständig unterwegs: die Auktion sollte stattfinden, sobald Madame wieder gesund war. Der Boy mußte sich sowieso eine neue Stelle suchen, da Master nach Bangkok ging... So versteckte er sich mit dem kostbaren Kleidungsstück in der Chinesenstadt. Nach Masters Abreise wollte er es vorsichtig durch einen Onkel, der den Großonkel eines Kunsthändlers kannte, der Firma Noringa in Kiangse Road anbieten lassen. Das war alles recht einfach und kam in Shanghai häufig vor.
Konsul Wergeland achtete gar nicht auf das, was der Koch, der anstelle von »Erhabene Tugend« servierte, berichtete. Er hatte andere Sorgen als die Urgroßtante seines Boys. Es ging Yvonne nicht gut. Ihre Atembeschwerden hatten sich verschlimmert. Sie hatte sicher zuviel geraucht, sich über Hirngespinste erregt und viel zuviel Besuche empfangen und erwidert. Das würde alles in Trondheim besser werden. Vorher wollte er ihr jedoch noch etwas bekennen, das bisher nur seine Schwester Helene wußte. Es lag ihm schwer auf der Seele, aber jetzt konnte er nicht mit Yvonne darüber sprechen. Der Arzt hatte jede Aufregung verboten.

\*

Der junge Herr Matsubara fand in Soochow keinen Dankbrief des Konsuls für den Kimono vor. Bei seiner Rückkehr nach Shanghai fand er im Konsulat nur ein Kärtchen, vom Tage nach seinem verfehlten Besuch datiert, auf dem der Konsul, auch im

Namen von Madame, den Dank für das Blumenarrangement aussprach. Konsul Wergeland war bereits von Shanghai abgereist. Es war am Vorabend von Akiros kleiner Vergnügungsreise nach Korea.

Den Kimono zu stehlen war einfach gewesen; die Folgen des Diebstahls waren so kompliziert und weittragend wie so viele ungewollte Fehlleistungen zwischen Westen und Osten.

Akiro sah seine Freundschaftsgabe ignoriert oder verachtet. Sie war dem Empfänger kein Wort des Dankes wert gewesen. Noch nie in seinem Leben war der junge Baron Matsubara so tödlich verletzt worden. Mr. Bailey war ja nur eine Stundenbekanntschaft gewesen; es bestand keine Gefahr, daß Akiro ihm wieder begegnete, da er ihm konsequent aus dem Wege gehen würde, so konsequent, wie es nur Asiaten verstehen. Borghild war eine federleichte Enttäuschung: sie stand als Frau zu tief unter dem Manne, um ihn ernstlich verletzen zu können. Der Konsul dagegen war nicht nur ein Mann von Welt, sondern Akiros einziger europäischer Freund, und doch hatte er etwas Unverzeihliches begangen. Dadurch, daß er sich nicht in aller Form für etwas bedankte, was er nie erhalten hatte, erweckte er in Akiros stolzer und empfindlicher Seele jenes gefährliche und unausrottbare Mißtrauen, das eine echte Verständigung zwischen Westen und Osten in unserem Jahrhundert immer wieder verhindert.

So wurde Konsul Wergeland, an den der zukünftige Offizier des japanischen Geheimdienstes und der militärischen Sicherheitspolizei trotz aller Warnungen aus Tokio unverbrüchlich geglaubt hatte, durch einen niemals aufgedeckten Schelmenstreich der letzte Europäer, dem Akiro Vertrauen schenkte. –

Während Konsul Wergeland noch Pläne machte, wohin er mit seiner Frau zur Erholung fahren sollte und wann er ihr endlich sein Geheimnis enthüllen konnte, lag Yvonne schon im Sterben.

DRITTES KAPITEL

# Die Jadeglocke

AM DREIKÖNIGSFEST wehte ein scharfer Wind durch Shanghai und wirbelte Schicksale durcheinander. Kinder wurden geboren; Händler und Wechsler ruhten von den Geschäften aus; die Frommen grüßten mit den Weisen den Stern von Bethlehem, und die Zyniker entzündeten Opiumpfeifen an Stelle von Weihrauch. Viel und wenig geschah in dieser ruhelosen Stadt überm Meer. Der junge Herr Matsubara reiste nach Soochow ab; Mr. Bailey mußte eine Gardinenpredigt seiner Frau wegen seines Alkoholverbrauchs anhören; der chinesische Kranich saß in seinem altmodischen Hause hinter der Bubbling Well Road, wanderte zwischen den Vogelkäfigen umher und musterte grüblerisch ihre kleinen Jadeverzierungen sowie die Vorhänge, die den Vögeln etwas Privatleben sicherten. Dabei dachte er an seine entschwundene Tochter. Es war lächerlich, daß er seine wertvollen Gedanken an eine wertlose weibliche Person verschwendete, aber so war es nun einmal. Seine Tochter hatte mit ihrer hellen Stimme schöner getrillert als sein bester mongolischer Singvogel, dem ein Gesangmeister Unterricht gab.

Dann fuhr Herr Hsin in seinem Buick in die Chinesenstadt zum »Teehaus zum Weidenbaum«; seine jüngste Konkubine saß mit einem Vogel im Käfig vorn beim Chauffeur. Dieser Vogel war ein Dummkopf im Singen. Herr Hsin, der so reich geworden war, weil er unnütze Ausgaben vermied, hatte beschlossen, die teuren Gesangstunden für den Vogel zu sparen: er befahl seiner Konkubine, dem Vogel in seinem mit Schnitzwerk verzierten Käfig im Vogelpavillon des alten, berühmten Teehauses neben einer »Lerche der Hundert Geister« einen Freiplatz zu sichern. Dort konnte er singen lernen, ohne daß es etwas kostete. — In einer Woche wollte Herr Hsin ihn als »Erholungs-Geschenk« zu Madame Wergeland senden, die immer noch im Hospital war.

Viel und wenig geschah am Dreikönigsfeste. Gegen Abend stand der französische Pater, Pierre de Lavalette, von der »Gesellschaft Jesu« in Shanghai am Sterbebett von Yvonne Wergeland und stärkte sie in ihrer Abschiedsstunde mit den Gnadenspenden der Kirche. Im Korridor der Klinik stand Konsul Wergeland und umklammerte Astrids kalte kleine Hand. Yumei hockte mit »Amah-Nummer-Zwei« im Korridor und heulte mit taktvoller Lautlosigkeit. Beide Amahs hatten zweimal die Woche Weihrauchstäbe und Opfergaben für Madame in einen Tempel in der Chinesenstadt gebracht und die Extraausgabe als »Haushaltsanschaffungen« verrechnet. Sie hatten ihr Bestes getan und verstanden nicht, daß Madame trotzdem die Reise in die Geisterwelt antreten mußte.

Im Krankenzimmer brannte nur die Kerze auf dem Nachttisch mit der französischen Spitzendecke. Yvonne hatte mit versagendem Atem ihre Sünden bereut und aus der Hand ihres geistlichen Beraters und Freundes die Letzte Ölung empfangen. Im Scheine der Sterbekerze knieten nun Konsul Wergeland, Astrid, die beiden französischen Nonnen und die Amahs um ihr Bett, während der Priester die Sterbegebete murmelte. Yvonne war bereits in ihrer irdischen Gebrechlichkeit erneuert und ruhte im Geheimnis der göttlichen Versöhnung. Und während Père de Lavalette und die beiden Nonnen noch ein Stoßgebet sprachen, so wie es fromme Seelen in der ganzen Welt beim Hinscheiden einer Freundin tun, und während Konsul Wergeland um Fassung rang und Astrid, die kleinen kalten Hände vor das kleine kalte Gesicht geschlagen, am Sterbelager von Maman kniete, breitete sich die Ruhe des Todes auf dem Gesicht der Ruhelosen aus.

Père de Lavalette schloß sanft Yvonnes Augen und empfahl dem HERRN die Seele seiner Dienerin Yvonne Thérèse, auf daß sie, der Welt abgestorben, IHM lebe. – Dann wandte er sich dem Witwer und der zitternden Astrid zu: die Lebenden brauchten im Angesicht des Todes stets seine Hilfe. Sie waren dann plötzlich wie Kinder vor einem dunklen Tor.

So starb Yvonne Thérèse Wergeland am Dreikönigsfeste einen friedlichen und guten Tod nach einem Leben voller Bemühung an falschen Plätzen. Sie hinterließ ihrem Manne ein Gefühl unbeschreiblicher Leere und fruchtloser Reue, wie sie alle Ehemänner empfinden, die ihren Frauen das Wunder der Intimität vorenthalten haben. Ihrer Tochter Astrid hinterließ Yvonne Werge-

land das düstere Feuer ihrer Eifersucht und ihrer Rubine, ihren untadeligen Geschmack und die gesammelten Schriften der heiligen Theresia von Avila.
Als Konsul Wergeland in sein einsames Haus zurückgekehrt war, schien ihm das Leben einen Augenblick vollkommen stillzustehen. Er schritt rastlos in Yvonnes Schlafzimmer auf und ab. Es war, als ob er seine Frau in diesem Raum seit vielen Jahren zum ersten Male aufsuchte. Vergebliche Suche! Die Fülle eines bisher unbekannten Jammers überfiel ihn, während er so verloren auf Yvonnes Bettrand saß und mechanisch ihr Kopfkissen glättete. Er hatte sich vorhin auf ihr Bett geworfen, und Yvonne haßte diese liederliche Gewohnheit! Er stand schwerfällig auf und zog auch die Damastdecke zurecht. Es war die liebevollste und sinnloseste Handlung in seiner Laufbahn als Ehemann.
In diesem leeren Hause – und in dem leeren Hause, das er in wenigen Monaten in Bangkok beziehen sollte – würde nun niemand mehr Knut Wergeland fragen, wo er wäre, was er täte und wann er sich endlich umkleiden wolle.
Der Konsul setzte sich auf einen niedrigen französischen Hocker und strich sich über die brennenden Augen. Es war zu spät zum Fragen und zum Antworten. Eine zerbrochene Schale hatte vielleicht Aussicht, noch einmal wieder etwas Ganzes zu werden; aber ein einsamer Mann blieb ein einsamer Mann. Er hatte nur noch Pflichten. Er mußte seinen Beruf ausfüllen und seine Tochter ohne Hilfe der Mutter erziehen. Bei diesem Gedanken fiel es Knut Wergeland ein, daß Yvonne sein Geheimnis nun nicht mehr erfahren hatte.

\*

Eine Woche nach der Beerdigung fuhr der Konsul in die Chinesenstadt. Dort hauste in einem der düsteren, engen Steinhäuser der ehrenwerte Pfandleiher und Kunsthändler Herr Pao. Der las die Familiennachrichten der Fremden Teufel nicht und hatte dem Konsul daher noch nach Yvonnes Tod durch seinen Botenjungen Hei Lien (Schwarzes Gesicht) einen seltenen Jadeschmuck für Madame anbieten lassen. Da er den Konsul seit vielen Jahren belieferte und ihn als Kunstkenner schätzte, hätte Herr Pao viel Gesicht verloren, wenn der Konsul die Einladung ignoriert hätte. Während er, erschöpft und immer noch betäubt von seinem Verlust, durch die französische Konzession zu Herrn Pao fuhr, ahnte er nicht, daß der Jadeschmuck, der ihn in der Pfandleihe erwartete, sein Leben und das seiner Tochter Astrid grundlegend ändern würde.

Herrn Paos Pfandleihe lag im Herzen der alten Chinesenstadt, die in ihren engen Straßen und dunklen Häusern so viel Erinnerungen, Schmutz, Schätze und undefinierbare Gerüche barg. Hier war das wahre Zentrum des Kunsthandels, nicht im erleuchteten und glitzernden Bezirk von Nantao, wohin die Hotelportiers die sentimentalen Fremden schickten, die in dem verwestlichten Shanghai mit seinen Banken und Prunkläden »das echte China« suchten. In Herrn Paos düsteren Räumen gab es neben Gerümpel und Imitationen den wahren Artikel: altes Porzellan, handgestickte Wandteppiche, Bronzen und Jade, die jeder Feile widerstand – harte, »wolkenlose« Jade, so kostbar wie die besten Stücke in der Jadestraße von Kanton.

Nachdem Herr Pao dem Konsul grünen Tee in hauchdünnen Tassen serviert und dabei von dem schweren Verlust des ehrenwerten »Fremden Teufels« erfahren hatte, drückte er sein zeremonielles Bedauern aus und fügte – sozusagen als Trost – hinzu, daß die Frau drei Jahre um ihren Mann trauere, der Mann aber nur hundert Tage um seine Frau weine... Dann sandte er Hei Lien zur Bedienung der Kunden ins Vorderzimmer und ging zum Geschäftlichen über. Er entnahm einer geschnitzten Truhe ein in Brokat gewickeltes Stück und bemerkte, daß dies *Chen-yü* (echte Jade; Nephrit) und nicht etwa *Ts'ui-yü*, die billigere Eisvogeljade (Jadeit) wäre, wie sie sein Schwiegersohn in Nantao verkaufe.

»Man ruft einen Schwiegersohn ins Haus, damit er den Marktschreier macht«, kicherte Herr Pao. Dann wurde er ernst. Er ließ die Hülle fallen und murmelte: »Eine *Jadeglocke – Chen-yü*! Hundert Vorteile für den Käufer, Sir!«

Der Konsul starrte die beiden durchscheinenden Jadeplättchen, die bei jeder Bewegung einen feinen Klang gaben, einen Augenblick sprachlos an. Es war ein antikes Kantoneser Schmuckstück, und er kannte es besser als Yvonnes Rubine und seine eigene Seele. Er vergaß seine Manieren und das Zeremoniell, riß dem Händler die Jadeglocke aus den Händen, hielt die dünnen, zauberhaft schimmernden Platten gegen das Licht und entzifferte die eingegrabene Inschrift. Sie lautete: *Ch'ing-chao* (Flüssiges Licht) Im *Li Hsia* (Beginn des Sommers), Shanghai. Die Inschrift be-

sagte, daß ein Mädchen mit dem Namen »Flüssiges Licht« zu Beginn des Sommers – um den 6. Mai herum – in Shanghai das Licht der Welt erblickt hatte.
»Woher haben Sie den Schmuck?« fragte er heiser.
»Eine Russin brachte ihn zum Verkauf. Sie kam im Auftrag einer Chinesin. Ein sehr seltenes Jadestück, Sir! Von einem Meister geschnitzt.«
»Ich weiß.«
Der alte Chinese blickte den hochgewachsenen »Fremden Teufel« erstaunt an. Was wußte er? Die Gedanken der Ausländer waren wie ungehechelter Hanf. Und die Kunst der Jadeschnitzer war ihnen sonst ein Buch mit sieben Siegeln. Die Fremden hatten grobe Hände. Sie fällten einen Baum, um eine Amsel zu fangen.
In diesem Augenblick steckte der Gehilfe »Schwarzes Gesicht« seinen Kopf durch den Vorhang und meldete den Besuch des Herrn Hsin aus der Bubbling Well Road. Er wollte Jade ansehen. »Schwarzes Gesicht«, dem seine Eltern diesen abstoßenden Namen gegeben hatten, damit die Götter nicht neidisch auf dies Prachtexemplar wurden, flüsterte ehrfürchtig. Herr Hsin war ein großer Mann. Wer ihm echte Jade anbot, warf seine Waren nicht nach einer Ratte!
Konsul Wergeland faßte einen Entschluß. Seine überhellen Augen, um die dunkle Ringe der Erschöpfung lagen, blickten den alten Händler scharf an. Er bot einen Preis. Herr Pao forderte das Doppelte, da Herr Hsin nebenan wartete. Das war wie ein Kredit, für den man keine Zinsen zahlen mußte. Herr Pao kannte die Menschen und sah es den bebenden Nasenflügeln des Fremden Teufels an, daß er die Jadeglocke auf jeden Fall kaufen würde. Aber Herr Pao war ein chinesischer Gentleman vom alten Schlage: als man sich auf dem Kompromißwege geeinigt hatte und der Konsul einen enormen Scheck unterschrieb, nahm Herr Pao einen zierlichen chinesischen Bronzespiegel aus dem Ebenholzschrank. Er war kreisrund und trug auf der Mitte der Rückseite einen durchlöcherten Buckel für die Seidenschnur. Auch der Spiegel trug eine Inschrift: »Bewahre stets Deinen hohen Rang!« Um die Erhöhung in der Mitte des alten Kunstwerks tummelten sich Tiere und taoistische Gottheiten: ein winziger Schatz für Kenner, dergleichen wurde in dieser Vollkommenheit im 20. Jahrhundert nicht mehr erdacht und hergestellt.

»Eine elende Abschiedsgabe, Sir!« flüsterte Herr Pao mit heiserer Opiumstimme. Der Konsul bedankte sich in gutem Chinesisch und mit großer Feierlichkeit. Gefühlsausbrüche waren nicht am Platze. Herr Pao lächelte, weil er wußte, daß schöne Dinge und gute Menschen rare Artikel in der Welt sind.

Im Hinausgehen grüßte Knut Wergeland den alten Kranich, der noch gar nicht so alt war, aber aussah, als ob er das Leben hinter sich hätte. Des Konsuls gemessene Verbeugung wurde ebenso gemessen erwidert. Und infolge dieses stummen Aneinandervorbeigehens wurde eine phantastische Chance für immer verpaßt. Wenn nämlich Herr Hsin die Jadeglocke, die der Konsul in seiner Manteltasche trug, gesehen hätte, dann hätte er mit Sammlerinteresse auch nach der Inschrift geblickt. Eine Jadeglocke war ein Talisman und trug nach chinesischem Brauch immer eine Inschrift auf der zweiten Platte. Sie lautete hier: »Eile ist Irrtum«.

Diese Inschrift hatte Herr Hsin seiner einzigen Tochter »Flüssiges Licht« bei ihrer Geburt in die Jadeglocke eingravieren lassen. Der alte Spruch, der seit Jahrtausenden Warnung und Wegweiser dieses Volkes war, hatte sich bewahrheitet. Ch'ing-chao hatte das Haus ihres Vaters in Eile verlassen, weil sie den ihr bestimmten Mann nicht heiraten wollte. Und diese Eile hatte sich für Vater und Tochter als Irrtum erwiesen.

Aber Konsul Wergeland stieg stumm mit der Jadeglocke in seinen Wagen. So erfuhr Herr Hsin nicht, daß dieser Fremde seine Tochter kannte, allerdings nicht unter dem Namen »Flüssiges Licht«, sondern als Lily Lee, Singsong-Mädchen im größeren Shanghai. Hsin Ch'ing-chao hatte aufgehört zu existieren, als sie das Haus ihres Vaters hinter der Bubbling Well Road in irrtümlicher Eile im »bitteren Monat«, gegen Ende des Mondjahres, verließ. Unter dem Namen Lily Lee hatte Konsul Wergeland sie in einem Lokal in der Französischen Konzession singen hören, als Yvonne für ein halbes Jahr nach Saigon gefahren war. Herr Hsin besuchte keine Lokale, wo Ausländer verkehrten und Weißrussinnen an der Kasse saßen.

So geschah es, daß zwei Männer, die das gleiche Mädchen und das gleiche Schmuckstück genau kannten, um ein Haar eine Unterhaltung geführt hätten, die vieles aufgeklärt und geändert haben würde. Aber das Leben, das die Fäden der Menschenschicksale soviel phantastischer als ein Roman zu verwirren pflegt, besteht nun einmal aus verpaßten Chancen. Der Konsul war zu reser-

viert, um seinem chinesischen Freunde das Schmuckstück zu zeigen; und Herr Hsin war zu chinesisch, um in Gegenwart eines Händlers private Unterhaltungen zu führen. Jedes zu seiner Zeit. Herr Hsin meinte, er würde noch genug Zeit finden, um mit dem Konsul bei heißem Wein zu plaudern. Aber da irrte er sich. Er sah Konsul Wergeland an diesem Tage zum letzten Male. Zwei Wochen nach der stummen Begegnung mit Herrn Hsin verließ Konsul Wergeland Shanghai.
Aber zunächst einmal fuhr er, mit der Jadeglocke in der Manteltasche, in ein ziemlich schäbiges Logierhaus hinter der Avenue Joffre.

\*

Das Haus, in dem das Singmädchen Lily Lee ein Zimmer bewohnte, machte einen müden und geldhungrigen Eindruck. Es sah so aus, als seien die Mieter stets mit der Miete im Rückstand, was den Tatsachen entsprach. Im Erdgeschoß leiteten zwei Weißrussinnen einen Schönheitssalon, der in seiner Schäbigkeit und Unordnung seinesgleichen suchte. Daneben hatte eine französische Modistin Hüte ausgestellt, die kurz nach dem Ersten Weltkrieg in Paris Mode gewesen sein mochten. Im ersten Stock wohnte ein Buchhalter französisch-chinesischen Ursprungs, der die Nächte durch im *Chat Noir* am Spieltisch saß und darüber nachgrübelte, wen er in Shanghai noch anpumpen könnte. Im gegenüberliegenden Zimmer lebte das Singmädchen Lily Lee mit ihrer kleinen Tochter Mailin. Lily Lee war ein paar Jahre sehr gefragt gewesen, aber nun gab es jüngere Sterne am Vergnügungshimmel. Shanghai fraß die Jugend und Schönheit wie ein Tiger auf. Lily Lee war die einzige in diesem Hause, die trotz allem ihre Miete hätte zahlen können; sie spielte oft aus Langerweile oder Verzweiflung mit Monsieur Latour von nebenan im *Chat Noir* und bezahlte nur, wenn sie einen Fischzug getan hatte. Das passierte gelegentlich: sie spielte vorsichtig, da sie vor sieben Jahren am eigenen Leibe erfahren hatte, daß Eile die Mutter des Irrtums ist. Seitdem hatte Lily Lee dazugelernt, daß Eile auch noch die Großmutter der Spielschulden ist... Sie hatte sich jahrelang in Chapei vor ihrem Vater verborgen und lebte erst seit einem Jahre in diesem Logierhaus, dessen Besitzer sich niemals zeigte, sondern zur Eintreibung der Mietschulden seinen »Kontrolleur« schickte. Im Nebenzimmer wohnte Vera Leskaja, die unten im Schönheitssalon durch ihre finstere Miene die Kundinnen ängstigte.

Diese bittere junge Dame empfing Konsul Wergeland, als er nach seinem Besuch bei dem Pfandleiher die ausgetretenen Treppen des Logierhauses emporgestiegen war. Er wollte herausbekommen, warum Lily sich von ihrem Talisman getrennt hatte.

»Wo ist Mademoiselle?« fragte er die Russin auf französisch. »Ich möchte sie sprechen.«

Sie standen auf dem matt erleuchteten Korridor, eine altersschwache, aber unverhüllte Glühbirne beschien den Besucher und die in einen alten Militärmantel gehüllte Russin. Man kaufte in diesem Hause keine Schirme für die Glühbirnen; es gab nichts mehr zu verschleiern.

»Lily Lee ist nicht da«, erklärte die Dame in dem Militärmantel.

»Ist sie in der Apotheke? Diese chinesische ›Nachtigallenlotion‹ taugt nichts. Ich habe ihr eine bessere Medizin mitgebracht.« Aus der Unterhaltung ging deutlich hervor, daß der Konsul die Russin und das Milieu kannte und über die Heiserkeit von Mademoiselle Lee Bescheid wußte.

Vera Leskaja blickte sich nervös im Korridor um; von unten kamen Schritte. Sie öffnete hastig eine Tür. »Warten Sie bitte in meinem Zimmer, Monsieur«, murmelte sie eilig. »Ich ... ich habe unten eine kurze Besprechung. Einer der Schüler, die französische Konversation bei mir lernen. Warten Sie auf jeden Fall! Ich ... ich habe Ihnen eine wichtige Mitteilung zu machen.«

Sie schenkte dem Konsul einen Blick aus ihren Katzenaugen, deutete ein Lächeln an und lief in ihren bestickten chinesischen Pantoffeln nach unten. Sie war noch ziemlich jung, aber leicht verkommen und bereits verblüht. Ihr Besucher blickte ihr ungeduldig entgegen. Seine tiefliegenden chinesischen Augen brannten. Er hatte kein Lehrbuch und keine Schreibhefte bei sich. Er folgte der Russin in einen kleinen Verschlag, der durch eine Wand von dem Kosmetiksalon und dem Büro von Madame Ninette, der Besitzerin des Salons, getrennt war. Diese, eine korpulente Dame in mittleren Jahren, trank gerade oben mit einem anderen Mieter, einem General, Wodka. Vera Leskaja war mit ihrem »Schüler« allein.

»Er ist nicht mehr in Hongkew«, flüsterte sie.

»Hat er etwas zurückgelassen?«

»Nur seine französischen Übungshefte – meiner Meinung nach.«
»Was heißt, Ihrer Meinung nach?« sagte der Chinese, der an der Zeitung *Shun Pao* arbeitete und Herrn Hsin privatim über neu angekommene Japaner in Shanghai zu unterrichten hatte. »Wer ist der junge Student? Er wohnte wahrscheinlich unter falschem Namen in Hongkew. Wir sind mit Ihren Diensten nicht zufrieden, Mademoiselle! Wir wollen die Korrespondenten der in Shanghai wohnenden Japaner überprüfen. Wir wollen Bescheid wissen über die Schmetterlinge, die von Tokio hierherflattern. Wie steht es damit?«
Die Russin zog schweigend einige Blätter Papier aus der Tasche des Militärmantels.
»Sie brauchen mit mir nicht dies Theater zu machen, Herr Ho«, sagte sie hart. »Sie *sind* zufrieden und wollen nur die Preise drücken! Ich habe beschafft, was Sie haben wollen. Der junge Mann ließ diesen Brief in seinem Schrank eingeschlossen liegen, als er in ein Blumengeschäft in der Konzession fuhr. Ich war in seinem Hotel und verteilte dann Schweigegeld. Hier ist die Rechnung. Der junge Japaner ist in Wirklichkeit...«
Die Dame pausierte, kniff die Augen zusammen und fragte: »Wieviel?«
Der Besucher nannte eine Summe, die ihr zu gefallen schien. Sie wurde auch für die Briefkopie bezahlt. Der Brief stammte von Akiro Matsubaras Onkel aus dem Erziehungsministerium in Tokio. Der Besucher durchflog ihn.
»Wenn Herr Akiro in den Geheimdienst treten will, muß er noch viel lernen«, bemerkte er höhnisch. »Wie kann er nur solche Briefe herumliegen lassen! Wo haben Sie eigentlich Japanisch gelernt, Mademoiselle?«
»Von meinen japanischen Schülern in Shanghai...«, erwiderte Vera Leskaja mit halbgeschlossenen Augen und steckte den Scheck ohne Dank in die Manteltasche.
»Wollen Sie auch einmal für – beziehungsweise gegen – die Leute in der Kuomintang arbeiten?« fragte der Besucher. »Wir wüßten gern, wer sich dort völlig pro-russisch einstellt. Für Kommunisten hat die internationale und chinesische Finanz von Shanghai keine Verwendung.«
»Aber Chiang Kai-shek ist doch in Moskau geschult«, warf die Weißrussin mit unschuldiger Miene ein.

»Gerade deswegen...«, grinste der Redakteur, den Herr Hsin billig eingekauft hatte. »Er muß sich mit der Zeit von den kommunistischen Elementen absetzen. Also... wollen Sie herumhören?«
»Nein.«
»Warum nicht? Unser russischer Vertrauensmann ist erkrankt. Wir können Sie gut an seiner Stelle einsetzen. Hohe Spesen. Tanzlokale. Alle Kleider bezahlt. Kosmetik haben Sie ja hier im Salon. Was haben Sie dagegen einzuwenden?«
»Chinesen sind mir unsympathisch«, sagte Vera Leskaja unverschämt.
»Nehmen Sie sich in acht!«
»Keine Sorge. Ich passe schon auf mich auf.«
»Weiß Madame Ninette etwas von Ihrer... Nebenbeschäftigung?«
»Sie hat keine Ahnung. — Wann soll ich wieder eine Anzeige wegen französischer Stunden einsetzen?«
»In hundert Jahren, Mademoiselle! Sie sind aus unserem Informationsdienst entlassen.«
Vera Leskaja wurde sehr blaß. Furcht lief ihr wie Eiswasser den Rücken herunter. Diese Chinesen... diese Biester!
»Warum?« fragte sie fassungslos. »Ich habe Ihnen doch eben Maßarbeit geliefert.«
»Der Nutzen einer Angestellten besteht in ihrer Demut«, erwiderte Herr Ho und empfahl sich mit höflicher Verneigung.
Die Russin hatte ein schwaches Gefühl in den Knien. Es tat nicht gut, im Fernen Osten auch nur eine Sekunde die Höflichkeit zu vergessen. Dann zuckte sie die Achseln. Man konnte ja auch zur Abwechslung gegen die Chinesen und für die Japaner arbeiten. Es gab in Shanghai tausend Möglichkeiten. Jeder verriet jeden. Und jeder drehte sich mit der Zeit mit — wie auf einer Drehbühne... Eines Tages beherrschten vielleicht die Japaner die Szene in Shanghai und umliegenden Ortschaften. Vera Leskaja hatte nichts zu verlieren. Für Zwischenträger gab es in dieser Stadt immer etwas zu tun.
Während Vera mit einer Zigarette zwischen den schmalen Lippen zu Konsul Wergeland hinaufstieg, überlegte sie, wann und wie sie den Japanern ihre Dienste anbieten konnte, ohne daß die Leute von der *Shun Pao* dahinterkamen und ihr heimlich und höflich den Hals umdrehten. Es starben täglich kleine Spione in

Shanghai; aber es wurden dafür auch täglich neue kleine Spione eingestellt. Man mußte leben. Shanghai schenkte den Weißrussen nichts. Leute ohne Vaterland mußten in China jede Arbeit annehmen.

Der Konsul war inzwischen ruhelos in dem halbdunklen Zimmer der Russin hin- und hergelaufen. An der Wand hingen zwei Fotos. Eins zeigte Vera Leskaja, die jetzt etwa fünfundzwanzig Jahre sein mochte, jung und lächelnd im Abendkleid. Auf dem Bilde wirkte sie wie ihre eigene Luxusausgabe. Ihr dunkles Haar, das ihr jetzt in wirren Strähnen um den Kopf hing und auf die Kundinnen im Schönheitssalon sehr deprimierend wirken mußte, war sorgfältig gewellt und geschnitten. Das Abendkleid enthüllte eine Schulter, die jung, rund und unschuldig aus der Seide hervorleuchtete. In den Augen war ein Ausdruck von Erwartung und melancholischer Träumerei; so blickten wohlerzogene junge Russinnen vor der Revolution. Die vorstehenden slawischen Backenknochen gaben ihrem Gesicht einen pikanten Reiz. Vera Leskaja mußte diese Fotografie aus dem Frühling ihres Lebens aus typisch russischer Selbstquälerei aufgehängt haben. Daneben war das Bild eines jungen Russen mit schläfrigen Augen, einem runden Gesicht und einem trägen, sinnlichen Mund. Es trug eine Inschrift: »Für Vera, in ewiger Liebe... Boris.« Boris trug auf dem Bilde eine sehr dekorative Uniform – so ungefähr wie in Shanghai die Großfürsten und Generale, die als Portiers in Nachtlokalen des Settlements und der Französischen Konzession arbeiteten. Gold, Tressen, ewige Liebe und der Sturz ins unsichere Shanghai. Ewige Liebe – wie glatt das damals den Leuten von den Lippen und in die Feder ging! Die Mundwinkel des Konsuls zogen sich ablehnend herunter. Man hielt doch nicht durch! Liebe von fehlerhaften Geschöpfen blieb fehlerhafte Liebe. Zum Schluß hatte man Mitleid mit der Frau – so wie er es mit Yvonne und Lily Lee, die einmal »Flüssiges Licht« gewesen war, gehabt hatte. Auch die kleine Borghild tat ihm leid – aber sie hatte ihre Geige. Nach jedem Absturz erneuerte sie sich durch die Magie der Töne. Ewige Liebe – eine entzückende und stupide Täuschung! Der Konsul war ihr ebenfalls verschiedentlich unterlegen. Aber er konnte sich nicht aus dem Staube machen. Er war an die Frauen gebunden, die er im Banne der entzückenden und stupiden Täuschung »ewig« zu lieben geglaubt hatte.

Er hatte Lily Lee als Strohwitwer in einem Nachtlokal singen hören. (Sie sang damals in der Tat so hell wie der gelehrigste Singvogel ihres strengen Vaters.) Sie war ihm wegen ihrer feinen Anmut und ihrer kostbaren Brokatkleider aufgefallen. Sie war blutjung, mußte aber reiche Freunde haben, wenn sie in einem mittleren Nachtlokal solche Brokate trug. Dies war der erste Irrtum. Lily Lee trug noch die Kleider aus ihrem Vaterhaus. Sie war erst vor einem Jahr fortgerannt. Sie war lebenslustig, aber unverdorben, ein chinesisches Mädchen aus einer alten vornehmen Familie – grundsolide, kultiviert, hart wie Jade und dabei weich wie Seide. Wenn der Konsul in späteren Jahren Mitleid mit ihr hatte, war das wiederum ein Irrtum seinerseits. Lily Lee war viel stärker als er oder Borghild oder etwa die arme Yvonne mit ihrem Hochmut und ihrer verzehrenden Eifersucht... Lily Lee wußte, was sie wollte. Aus Instinkt wußte sie aber auch, was die Männer von einem chinesischen Singmädchen wollten: Sanftheit, Eleganz, Poesie... Singsong-Girls waren keine Prostituierten. Sie waren zur Unterhaltung der Männer da. Kein Gast hatte ein Recht auf sie, das sie ihm nicht freiwillig zugestanden. Lily Lee verliebte sich in Knut Wergeland. Sie wußte nicht, daß er verheiratet war. Als er es ihr sagte, war es schon zu spät: sie trug sein Kind. Es gab keine Szene, keine Träne, keinen Versuch, den Ausländer von seiner Frau und seiner kleinen Tochter durch Schmeichelei oder Erpressung zu entfernen. Beim Zusammenbruch ihrer Hoffnungen war Lily Lee nicht mehr das sanfte Singvögelchen mit den kleinen einstudierten Poesie-Reden, sondern sie war plötzlich wieder *Hsin Ch'ing-chao*, Flüssiges Licht, aus der Familie Hsin. Wie ihr Vater begann sie zu kalkulieren und starrsinnig zu planen. Der Konsul verpflichtete sich, eine monatliche Rente für das Kind zu zahlen – nicht zu viel und nicht zu wenig – und Sohn oder Tochter in seinem Testament zu bedenken. Das bedeutete, daß Knut Wergeland eines Tages seiner Frau erklären mußte, wie das Kind einer Chinesin in ein Wergelandsches Testament hineinspaziert war. Yvonnes Tod hatte die Lage erleichtert. Er brauchte ihr sein Geheimnis nicht mehr zu enthüllen. – Lily Lee hatte ferner ausgemacht, daß der Konsul im Falle ihres vorzeitigen Ablebens oder sonst einer unvorhergesehenen Situation, durch die sie außerstande wäre, selbst für ihr Kind zu sorgen, das Kind adoptieren sollte. Nach bittern Auseinandersetzungen hatte der Konsul auch in diese unwahrscheinliche Forderung gewilligt. Es würde ja niemals in Frage kommen.

Chinesen wollten immer für tausend Jahre vorsorgen. Lily Lee hatte alles bedacht und wußte, wiederum aus Instinkt, wie nachgiebig Männer mit schlechtem Gewissen sind. Ihr Vater hätte nicht vorsichtiger disponieren können. Der Konsul hatte bei dieser Gelegenheit zu seinem Erstaunen erfahren, daß Lily Lee keine Familie mehr hatte: alle tot. Sonderbar, wahrscheinlich purer Starrsinn. Dies war die einzige richtige Annahme des Konsuls in seiner Beziehung zu Lily Lee. Sie besaß den Starrsinn der Chinesen, wich nicht ab von dem, was sie sich vorgenommen hatte. Dazu gehörte auch, daß sie sich niemals mehr vom Konsul auch nur die Fingerspitzen küssen ließ und nie mehr ein Geschenk oder Geld für sich von ihm annahm – nur für das Kind ... den Sohn, den sie eines Tages dem Großvater zuführen würde. Als ihre Stimme nicht mehr mitmachen wollte, verdiente sie das Geld am Spieltisch, gab jüngeren chinesischen Lerchen Unterricht im Singen und in den Manieren und lehrte sie gegen gute Shanghai-Dollar die konventionellen, aber poesievollen Redewendungen und Lieder, die Knut Wergeland entzückt hatten. Natürlich hätte sich der Konsul, wie viele Ausländer, seiner Verpflichtung irgendwie entziehen können. Er hätte nicht mit Lily zum Notar zu gehen brauchen. Er hätte der unwahrscheinlichen Verpflichtung nur zum Schein zustimmen können. Aber auch der Konsul stammte aus einer grundsoliden Familie. Er war ein korrekter Romantiker und außerdem in einer Stellung, die keinen öffentlichen Skandal vertrug. So hatte er vor der Geburt von Lily Lees Sohn alles geregelt, so gut es ging.

Dann kam alles anders: das Kind war ein Mädchen. »Flüssiges Licht« begrub ihre geheime Hoffnung, eines Tages ihren harten Vater durch einen Enkelsohn zu versöhnen. Eine Enkeltochter ist für Chinesen nun einmal eine Enttäuschung. Lily nannte das kleine Mädchen *Mailin*, »die wunderschöne Lilie«, also »Reinheit«. Und als das Kind, zart und bezaubernd anzusehen, im schmutzigen Chapei gesund und zufrieden an der Brust seiner jungen Mutter lag, da änderten sich nochmals die Dinge. Der Konsul faßte eine tiefe Zuneigung zu diesem Kind der Liebe, zu diesem Geschöpfchen aus gutem norwegischen und chinesischen Blut, das ganz wie eine kleine vornehme Chinesin aussah, aber den langgestreckten Körper und die schmale, kühne Nase der Wergelands hatte. Mailin stand ihm viel näher als Astrid, sie war ein winziger, kostbarer Singvogel auf einem toten Ast. An dieses

zauberhafte Kind dachte er mit Sorge und Zärtlichkeit im »Japanischen Teezimmer«. Am liebsten hätte er Mailin legal als seine Tochter anerkannt und ins Haus genommen. Astrid war einsam, eine Spielgefährtin, die mit ihr schwatzen konnte, würde ihr sicher gefallen – so nahm der Konsul, der seine ältere Tochter überhaupt nicht kannte, kurzerhand an. Aber Lily Lee würde sich niemals von ihrer Tochter trennen: sie war bei allem praktischen Sinn eine echte chinesische Mutter. So erzog sie dann auch ihr Kind korrekt und gesund in einer unmöglichen Umgebung. Die Trefflichkeit eines Heims bestehe nicht in seinen stolzen Hallen, sondern in einer vorsorglichen Mutter, die den bösen Wind von ihrem Kinde abwehre, hatte sie dem Konsul erklärt ... Mailin war jetzt vier Jahre alt. Um ihren Hals hatte stets die Jadeglocke gehangen, die Lily Lee, wie sie dem Konsul erzählte, einmal als Dank für ihren Gesang von einem »Gönner« geschenkt bekommen hatte. Die beiden Jadeplatten an ihrer Seidenschnur waren ein kleines Kapital für das vaterlose Kind.
Helene Wergeland hatte ihren Bruder immer wieder ermahnt, reinen Tisch mit Yvonne zu machen. Es war ihr gar nicht recht, daß Knut auch zu den Drückebergern gehörte. Sie gab diesem Gedanken sehr unverblümten Ausdruck.

Vera Leskaja hatte lautlos auf ihren chinesischen Pantoffeln das Zimmer betreten. Sie stand noch unter dem Schock, den ihr Herr Ho versetzt hatte. Da sie ihren Besucher in Boris' Anblick versunken fand, bemerkte sie: »Mein ehemaliger Zukünftiger! Er arbeitete drei Jahre an der *Chinese Eastern Railway*.«
»Ist er gestorben?« fragte der Konsul, nur um etwas zu sagen.
»Er hat sich mit der Tochter des Eisenbahndirektors verlobt. Die bietet ihm Entenbraten, Unschuld und reinseidene Steppdecken! Was kann ich ihm bieten? Nur ewige Liebe! ... Wie abgründig dumm sind wir Frauen! Fußmatten für die Männer! Dumme, weinerliche Fußmatten!«
Vera Leskaja sprach eigentlich nicht mit dem Konsul, sondern mit Boris, dem Drückeberger in der prächtigen Uniform. Es gehörte zu ihren Eigentümlichkeiten, sich sehr angeregt mit Fotos zu unterhalten.
»Wo ist Mademoiselle Lee?« fragte der Konsul geduldig.
»Abgereist! Adresse unbekannt, Monsieur!«
»Wann ist sie abgereist?«

»Vor vier Tagen. Hat sie nicht recht? Was soll sie hier?«
Der Konsul stand da wie jemand, der einen Schlag über den Kopf bekommen hat und dann gefragt wird, ob der Angreifer nicht recht hätte. Jahrelang hatte er darüber nachgegrübelt, wie er Mailin zu sich nehmen könnte, ohne Yvonnes Gesundheit und seine Karriere zu gefährden. Er war naiv genug gewesen zu glauben, man könne sich von den Folgen einer unbedachten Handlung drücken, ohne daß es Schwerverletzte gebe. Und nun, wo die Situation sich durch Yvonnes plötzlichen Tod grundlegend geändert hatte, nun hatte Lily Lee sich an ihm gerächt. Sie hatte ihm also doch nicht verziehen, sie war ohne Worte verschwunden. Chinesischer Abschied! Sie hatte ihm seine süße vierjährige Mailin entrissen. Lily Lee wußte, wie sie ihn ins Herz treffen konnte, lautlos und heimlich – nach bester, chinesischer Rache-Etikette.
»Wollen Sie einen Wodka, Monsieur?« fragte Vera Leskaja und musterte den blassen, großen Mann mit den dunklen Ringen um die überhellen Augen. Der Konsul riß sich zusammen. Nur jetzt keinen Fehler machen. Natürlich wußte die Russin genau, wo Lily und Mailin steckten. Er nahm den Schmuck aus der Manteltasche.
»Haben Sie diesen Schmuck bei Herrn Pao verkauft?« fragte er trocken. »Weiß Mademoiselle Lee davon? Waren Sie beauftragt?«
»Selbstverständlich. Der Erlös ist für das Kind auf der Hongkong-und-Shanghai-Bank eingezahlt. Auf den Namen Mailin Lee. Von etwas muß das Kind ja leben. Ich kann es nicht ernähren.«
»Wo ist das Kind?«
»Oben bei Madame Ninette und ihrem Freunde. Der General spielt so gern mit Mailin. Soll ich sie holen?«
Der Konsul verstand überhaupt nichts mehr. Er begriff nur, daß Mailin da war. Die Kehle war ihm wie zugeschnürt.
Vera Leskaja entnahm ihrem Schreibtisch zwei versiegelte Briefe und setzte sich eine Brille auf, um die Anschriften zu entziffern. Mit der Brille sah sie wie eine respektable russische Schullehrerin aus, die soeben unfrisiert aus dem Bett gekommen ist und in Pantoffeln und Schlafrock Schulhefte korrigieren muß.
»Dieser ist für Sie, Monsieur«, murmelte sie und verließ den Raum, um Konsul Wergelands jüngere Tochter zu holen.
Lily Lee teilte dem werten Vater ihrer Tochter Mailin in höflichen Redewendungen mit, sie habe im *Chat Noir* einen reichen und soliden Geschäftsmann aus Singapore kennengelernt, dessen

Wohlgefallen ihre niedrige Person erregt hätte. Da sie am Ende ihrer Kräfte wäre, habe sie den Entschluß gefaßt, Mailins Erziehung und Zukunft in die Hände des Vaters zu legen, entsprechend ihren Vereinbarungen vor der Geburt des Kindes. Sie selber hätte nun, da sie eine alte Frau von siebenundzwanzig Jahren wäre, beschlossen, das Leben einer geachteten Ehefrau zu wählen. Sie würde sich aber jede Chance, in eine ehrenwerte chinesische Familie zu heiraten, verwirken, wenn sie eine illegitime Tochter von einem Ausländer mit in die Ehe brächte. Der ehrenwerte Vater von Mailin würde das sicher verstehen; er habe ja Mailin, obwohl sie bestes chinesisches Blut hätte, nicht in seine eigene ehrenwerte Familie einführen wollen. Doch die Situation habe sich wohl mit dem Tode seiner Hauptfrau völlig geändert. Anderenfalls hätte Lily Lee ihre eigenen Pläne für ein geehrtes Alter im fernen Singapore aufgeben müssen. Der Konsul und sie – so schloß der Brief – wären leider nie eines Sinnes und eines Leibes gewesen. Nur wenn zwei Partner eines Sinnes wären, könnten sie Lehm in Gold verwandeln. Eine Nachschrift informierte Mailins ehrenwerten Vater, daß die Tochter im vierzehnten Lebensjahr bei dem chinesischen Anwalt und Notar Chang ein Schreiben ihrer Mutter abholen könne, das ihr Aufklärung darüber geben werde, aus welcher Familie sie mütterlicherseits stamme. Umstände hätten Mailins unwürdige Mutter gezwungen, ihre Familienverhältnisse vor Mailins geehrtem Vater geheimzuhalten. Da ihre elende Lunge wohl nicht aushalten würde, bis ihre Tochter erwachsen wäre, habe sie diesen Weg gewählt, ihr dann die nötige Aufklärung zukommen zu lassen. Es sei ja möglich, daß Mailin später als Chinesin leben wolle, und eine Chinesin ohne Familie wäre ein Baum ohne Wurzel. Jeder Windstoß könne ihn umwerfen. Es folgte die Adresse des Anwalts und Notars in der Chinesenstadt von Shanghai.

Der Konsul ließ das Schreiben sinken. Innerhalb von zehn Tagen hatte sich ohne sein Zutun ihrer aller Leben geändert. Das Leben war unbarmherzig. Helene hatte mit Recht immer den Kopf geschüttelt, weil der Konsul es als einen großartigen Spaß betrachtete. Es war kein Spaß. Eine unerforschliche Vorsehung waltete über dem Geschick eines jeden, mochte der sich auch einbilden, daß er allein zum Genuß, zum Spaß, zur bequemen Vergeßlichkeit, zur Freude auserkoren sei. Und keiner liebte den anderen, so wie er es verdiente. Auch Lily Lee, einstmals »Flüssiges Licht«,

hatte etwas mehr Liebe und Achtung verdient, als Knut Wergeland ihr entgegenbrachte. Er hatte sie eben als Singmädchen kennengelernt und ihre angeborene Würde und Solidität nicht erfaßt. Der Konsul hatte nicht einmal ein Bild von Mailins Mutter, nur die Jadeglocke mit der Inschrift »Eile ist Irrtum«.
Diesmal hatte Lily Lee nicht in Eile gehandelt. Sie hatte einen vorgefaßten Plan genau zum richtigen Zeitpunkt ausgeführt. Der schweigende Heroismus der chinesischen Mutter hatte ihr nicht erlaubt, ihrer Tochter die Chance ihres Lebens zu verderben. Sie selber heiratete natürlich nicht nach Singapore, sie konnte nur einem Europäer einreden, daß ein solider chinesischer Geschäftsmann seiner ehrenwerten Mutter als Schwiegertochter eine schwindsüchtige Gesanglehrerin und Spielerin aus Shanghai zuführen würde. Lily Lee blieb in dem verwahrlosten Logierhaus, in das sie aus ihrem Versteck in Chapei eine Woche nach der Abreise des Konsuls und seiner Töchter zurückkehrte. Dort starb sie drei Jahre später an ihrer »elenden Lunge« ohne Tränen und ohne Bedauern in grimmiger Einsamkeit. Sie hatte als Tochter versagt; als Mutter hatte sie ihr Bestes getan. Sie hatte ihrer Tochter Mailin mit weit ausschauendem chinesischen Familiensinn den Weg zur Rückkehr in das Haus ihrer Vorfahren geebnet und ihr für die Zwischenzeit eine volle Reisschüssel gesichert.

Konsul Wergeland saß mit seiner Tochter Mailin in seinem Wagen, um sie in ihr rechtmäßiges Vaterhaus zu bringen. Mailin schlief in wattierten Hosen und pelzgefüttertem Jäckchen in seinem Arm. Neben ihr stand ihr kleiner Vogelkäfig mit dem Vogel Goldpirol, den sie innig liebte und täglich versorgte. Um ihr Hälschen hing das uralte Schmuckstück, das ihr unbekannter Großvater ihrer Mutter bei der Geburt geschenkt hatte. Die Jadeglocke gab bei jeder Bewegung, die das schlafende Kind machte, einen zarten, geisterhaften Klang. –
Astrid stand in ihrem chinesischen Schlafmantel am Bett der neuen Schwester und betrachtete sie reglos aus den mattblauen Augen, die ein wenig zu eng beieinanderstanden und Begabung zur Eifersucht verrieten. Mailin war seit drei Tagen im Hause. Sie weinte niemals und verbeugte sich feierlich nach chinesischer Sitte, wenn »Ältere Schwester« ihr ein Spielzeug reichte, mit dem sie nichts anzufangen wußte. Goldpirol und der alte russische General waren ihre Spielgefährten gewesen. Man hatte ihr gesagt,

ihre Mutter sei verreist und sie werde zunächst einmal mit dem großen alten Vater, »Älterer Schwester« und der Amah Yumei leben. Mailin hatte ernsthaft mit dem Kopf genickt und sich nochmals feierlich verbeugt. Gute Manieren und die Liebe zu Vögeln und der Familie waren ihr angeboren. Sie lächelte die finsterblickende Astrid arglos und höflich an. Astrid schluckte seit drei Tagen an ihren Tränen, denn Amah kümmerte sich viel zuviel um die neue Schwester. Die Angst, daß Yumei das hereingeschneite Kind lieber haben würde, saß Astrid schon jetzt wie ein dicker Kloß im Hals, so daß sie kaum schlucken und essen konnte. Yumei hatte auf die Frage, ob sie Astrid am »aller-allerliebsten« hätte, gesagt, sie müsse »Jüngere Schwester« und den Vogel Goldpirol nun auch sehr liebhaben, da sie alle eine Familie wären.
Astrid starrte das schlafende Kind an. Papa liebte Mailin bestimmt mehr, als er sie liebte. Er hatte sie niemals auf den Schoß genommen. Sie blickte sich schnell und zitternd um. Amah Yumei, die sie alle nun nach Trondheim begleiten würde, war in der Küche beim Abendreis. Astrid fühlte einen kalten Schauer trotz ihres wattierten chinesischen Schlafmantels. Sie streckte ihre lange schmale Hand in das Vogelbauer und nahm Goldpirol vorsichtig heraus. Er flatterte, als ob er sein Schicksal ahne, in ihrer kalten Hand, genau im Takt mit ihrem verwundeten kleinen Herzen. Sie schlich zähneklappernd zum Fenster und wollte es öffnen, damit der winzige singende Feind entschwände und Amah nun Astrid wenigstens den Teil ihrer Liebe geben könnte, den Goldpirol ihr gestohlen hatte. Ob Mailin dann endlich einmal weinen würde? Papa hatte gesagt, Astrid solle sich an der kleinen Schwester ein Beispiel nehmen und endlich das Wimmern lassen. Es hatte viel schärfer geklungen, als der Konsul beabsichtigte. Er war ja selbst nicht in der besten Verfassung nach den Ereignissen der letzten Wochen. Es war Astrid nicht gegeben, sich mühelos Liebe zu erwerben, deshalb war es schlimm, daß sie immer die Meistgeliebte sein wollte. Ihre diesbezüglichen Fragen machten selbst die gleichmütige Chinesin Yumei ungeduldig. Hast du mich noch genauso lieb, Yumei? Lieber als »Jüngere Schwester«? Am aller-allerliebsten? Yumei hatte ihr schließlich einen ganz leichten Klaps auf den Mund gegeben, aus dem so viele Dummkopf-Reden kamen. Dann hatte sie Goldpirol Futter gebracht und zärtlich mit ihm geschwatzt und mit Mailin um sein Bauer herumgetanzt. Yumei war ja selbst noch fast ein Kind ...

Der Kloß in Astrids Hals war so groß geworden, daß sie nicht mehr schlucken konnte. Sie hatte sich übergeben müssen und Mailins erstes weibliches Kleidchen ruiniert. Yumei hatte geschimpft, und Goldpirol hatte Spottlieder auf Astrid gesungen. Deswegen mußte Goldpirol nun in die kalte Winternacht hinaus. Er würde Astrid nie wieder verhöhnen können.
Als sie das Fenster endlich geöffnet hatte und Goldpirol hinausflattern sollte, lag er kalt und unbeweglich in ihrer eisigen Hand: sie hatte zu fest zugedrückt. Astrid begann, laute spitze Schreie auszustoßen und stand mit dem toten Vogel in der Hand, als der Konsul heraufgejagt kam. Yumei war – wie alle noch so ergebenen chinesischen Diener – blind und taub, solange sie Reis aß.
Papa war sehr liebevoll und sehr erschrocken. Er nahm Astrid in seine Arme und trug sie in ihr Bett.
»Ich wollte es nicht... Papa... bestimmt nicht!« schluchzte sie.
»Ich weiß...«, murmelte der Konsul und strich seiner reizlosen kleinen Tochter über das weiche, allzu weiche Blondhaar. Er bedeckte den Vogel mit einem Tuch und gab ihn später dem Gärtner. Er sollte Goldpirol begraben. Dann setzte er sich seufzend an den Schreibtisch, um die letzten Korrespondenzen zu ordnen. Unter den Privatbriefen war ein ungeöffneter aus Hongkong. Er war drei Tage nach Konsul Wergelands Abendgesellschaft geschrieben und in zerknittertem Zustand von Bord des »Eisvogels« – Kapitän Lillesands Passagier- und Frachtschiff – in Hongkong befördert worden.

*An Bord des »Eisvogel«*
*Dezember 1925*

*Lieber Konsul Wergeland,*
*da ich mich entschlossen habe, mit meinem Bruder nach Norwegen zurückzufahren, anstatt mich weiter im Fernen Osten herumzutreiben, möchte ich mich auf diese Weise von Ihnen verabschieden. Ich sende diesen Brief in Ihr Büro, da er nur für Sie bestimmt ist. In unserer Familie wurden Briefe an meine Mutter von Papa geöffnet, und ich weiß nicht, ob das in allen Familien Sitte ist.*
*Ich will mich nicht bei Ihnen und Madame für den Vorfall entschuldigen, da es keine Entschuldigung gibt, die nicht albern und verlogen klänge. Ich hätte das Armband bestimmt zurückgegeben; ich wollte es nur eine Nacht betrachten. Billiger, unechter Schmuck,*

*wie er zu einer Vagabundin paßt, deprimiert mich komischerweise. Da wir uns niemals wiedersehen werden, möchte ich Ihnen etwas anvertrauen. Obwohl Sie soviel älter sind als ich – mein Bruder sagte mir, Sie wären schon sechsunddreißig Jahre alt! –, liebe ich Sie ganz furchtbar. Sie können sich nicht vorstellen, wie entsetzlich störend dieses Gefühl ist! Mein Agent sandte mir ein Angebot nach Paris, und ich kann gar nicht üben, weil ich immer an Sie denken muß. Vollkommen idiotisch! Wenn Sie mir einen einzigen Kuß gegeben hätten, wäre ich bestimmt ruhig und zufrieden. Das war sehr ungefällig von Ihnen. Es hätte Ihnen doch gar nicht viel ausgemacht! Ich hätte Ihrer Frau nichts weggenommen. Obwohl ich eine Vagabundin bin, habe ich strenge Grundsätze. Das habe ich von Papa. Er ist Beamter, aber ich glaube, er ist ganz ohne das Bedrüfnis nach ... ach, was schreibe ich für einen Blödsinn! Mein Kopf schmerzt. Daran haben Sie schuld. Hoffentlich vergesse ich Sie so schnell, wie ich alles andere vergesse.*

*Vielen Dank für Ihr Verständnis! Ich habe mir fest vorgenommen, meine Karriere nicht mehr zu gefährden. Vielleicht schenkt mir ein reicher alter Herr einen echten Schmuck, wenn ich mich besser frisiere, keine abgetretenen Hacken habe und so steif und langweilig wie Papa werde. Was meinen Sie?*

*Wenn Sie Baron Matsubara in Shanghai sehen, sagen Sie ihm bitte, daß ich ihm so sehr dankbar bin! Er rettete mir leider das Leben nach Ihrer Abendgesellschaft. Aber andrerseits bin ich ganz froh darüber, denn ich will Geige spielen.*

*Herr Matsubara meinte, daß ich in Tokio großen Erfolg haben würde. Vielleicht segle ich dahin, wenn ich nächsten Herbst in Paris gespielt habe. Herr Matsubara hat einen Onkel im Ministerium, der könnte eine freie Reise beschaffen, meinte er. Baron Matsubara ist im Gegensatz zu Ihnen äußerst gefällig. Leider interessiert er mich nicht mehr als mein Violinkasten. Ich werde niemals heiraten, weil ich weiß, daß ich niemals einen Mann treffen werde, der mir so fabelhaft wie Sie gefällt! Entschuldigen Sie vielmals, daß ich Ihnen das schreibe. Ich weiß nicht, ob es sich gehört. Leider habe ich gar keine Erziehung außer den Geigenstunden genossen. Mein Geigenlehrer hat das immer beklagt. Aber ich war in den Jahren, wo andere Mädchen Manieren und so weiter lernen, ein Hotel- und Kofferkind. Das muß es sein. Ich wäre sehr glücklich, wenn Sie und Madame mir vergeben wollten. Ich schäme mich schrecklich und will versuchen, es nie wieder*

*zu tun. Ich würde es so schön finden, wenn Sie mich wenigstens bewundern könnten, wo Sie mich doch nicht küssen wollen.*
*Ich hätte mich eigentlich von dem Japaner verabschieden müssen; aber ich hatte es ganz vergessen. Hoffentlich ist er nicht böse darüber. Ich werde ihm aus Norwegen schreiben. Ich habe mir deswegen einen Knoten in mein einziges ungestopftes Taschentuch gemacht.*
*Au revoir! – Ach Unsinn! Ich wollte schreiben: Adieu!*
*Borghild.*

Konsul Wergeland zerriß den Brief nachdenklich in kleine Stücke und warf sie in den Papierkorb. Einen Augenblick sah er Borghild vor sich, dann zuckte er die Achseln. Er hatte andere Sorgen. Im Morgengrauen fuhr er in die Vogelstraße und besorgte einen neuen Goldpirol. Er brachte ihn Astrid ans Bett und behauptete, sie habe den Tod des Vogels nur geträumt. Astrid glaubte ihm kein Wort; aber sie lächelte ihn rührend dankbar an. Sie hatte schon mit sieben Jahren eine liebevolle kleine Lüge gern.
Konsul Wergeland antwortete Borghild weder direkt noch durch seinen Freund Lillesand. Sie schien ihm, trotz ihres reifen Talentes, ein unerzogener Backfisch zu sein. Mailin hat mehr Würde als sie, dachte der Konsul und war in Gedanken wieder bei seinen Töchtern. Astrid lief ihm seit jener Nacht wie ein Hündchen nach. Es machte ihn nervös, aber er ließ es sich kaum anmerken.
Am Morgen der Abreise regnete es in der Stadt des kulturellen Unbehagens. Es gab am Hafen nicht den üblichen Auflauf von Freunden und Dienern, denn der Konsul hatte den Abreisetag geheimgehalten. Yumei schwatzte laut und freudig erregt mit Astrid und Mailin; sie kam ja in einigen Monaten in den Fernen Osten zurück und hatte ihren zahlreichen Geschwistern Geschenke aus Norwegen versprochen. Astrid sagte kein Wort, sondern paßte auf, daß Amah mit ihr genauso viel sprach wie mit »Jüngerer Schwester«. Mailin hielt den Käfig mit Goldpirols Doppelgänger in der linken Hand, die rechte hatte sie vertrauensvoll in Astrids Hand gelegt. Nach einer Weile gelang es dieser, die winzige Hand abzuschütteln, ohne daß es jemandem auffiel. Unter ihrem neuen Wollkleid trug Mailin die Jadeglocke mit der Inschrift »Eile ist Irrtum«.
An Bord fiel es dem Konsul ein, daß er Helene noch nicht Yumeis Ankunft angekündigt hatte. Er erklärte ihr daher eilends in

einem langen Luftpostbrief, daß nach dem Tode der armen Yvonne die Amah die einzige Person gewesen wäre, die Astrid beruhigen konnte. Als von einer Trennung von Yumei gesprochen worden sei, hätte Astrid eine solche Szene gemacht, daß der Konsul keinen anderen Ausweg gesehen hätte, als Yumei mitzunehmen, zumal die vierjährige Mailin auch eine Kinderfrau brauche, die chinesisch verstehe. Astrid mache ihm große Sorge; sie lerne zwar täglich brav ihre zwanzig französischen Vokabeln, wolle aber zu seinem Erstaunen nichts von der verträglichen kleinen Stiefschwester wissen.

Zum Schluß schrieb der Konsul, Astrid solle nach einem Jahr in ein katholisches Töchterpensionat in die französische Schweiz. Das wäre der Plan ihrer Mutter gewesen. Wenn auch die Wergelands seit Generationen in Glaubensdingen anderer Meinung gewesen wären, so sei er doch entschlossen, Yvonnes Wünsche für Astrid zu respektieren. – Mailin stelle kein Erziehungsproblem dar; sie sei fröhlich und friedfertig wie ein Vögelchen. Man müsse sie gernhaben.

Der Konsul wischte sich den kalten Schweiß von der Stirn und schloß, die Welt wäre für ihn nach Weihnachten in Shanghai zusammengestürzt und er brächte eben alles, was er aus den Trümmern gerettet hätte, zu Helene in die Villa Wergeland. Sie sollte, so weit es möglich wäre, aus Astrid und Mailin nette norwegische Kinder machen, die wüßten, wo sie hingehörten. Hoffentlich wäre sie nicht allzu entsetzt über die chinesische Amah und den Vogel Goldpirol.

Der Konsul faltete den Luftpostbrief zusammen. Wenigstens hatte er nun Helene auf Astrids Charakter und die chinesische Invasion in Trondheim vorbereitet. Er wußte, daß Fräulein Wergeland drei Dinge verabscheute: Drückeberger, Szenen und Überraschungen.

VIERTES KAPITEL

# Familientag in Norwegen

»Der arme Knut«, sagte die Witwe aus Aalesund und trocknete eine Träne. »Ich weiß, was es bedeutet, den liebsten Menschen plötzlich zu verlieren.«
Fräulein Wergeland betrachtete ihre Anverwandte mit zusammengekniffenen Lippen: das runde, behagliche Gesicht, die ewig rote Nase, den kleinen Mund mit der vorstehenden Oberlippe und die schönen blauen Augen, die so leicht tränten und gerötete Lider hatten. »Rede keinen Unsinn, Laura«, sagte sie schroff. »Du bist doch deinem Mann zweimal davongelaufen.«
Fräulein Wergeland nahm niemals die geringste Rücksicht, wenn es um die Wahrheit ging. Sie hatte die Witwe aufgenommen, verpflegte sie und kränkte sie, indem sie auf der reinen Wahrheit bestand. Laura Holgersen war zusammengezuckt.
»Das war doch nur am Anfang...«, murmelte sie. »Später gewöhnte ich mich an ihn. Sverre war der beste Mann auf der Welt.«
Dabei wischte sich die Witwe aus Aalesund eine weitere Träne aus dem Auge und schneuzte sich vernehmlich. Helene war ein ungemütlicher Mensch: sie warf einem die Wahrheit wie einen nassen Lappen ins Gesicht. Aber Laura war auf sie angewiesen. Ihr Mann hatte sie mittellos zurückgelassen, und Laura aß gern, trank gern und klatschte gern. Sie war sehr gutartig und sehr sentimental. Nachts arbeitete sie an ihren ehelichen Erinnerungen, bis sie ihren rücksichtslosen Mann in ein Idealbild verwandelt hatte. Dann schlief sie tief und befriedigt, während Helene schlaflos dalag und über Knuts letzten Brief aus dem Fernen Osten nachdachte. Das war eine nette Bescherung! Ein chinesisches Kind in der Familie! Helene hatte Knut zwar stets gedrängt, Yvonne die Wahrheit zu sagen und das Kind im Testament zu bedenken, aber nicht gemeint, daß dies Kind mit den Wergelands

leben sollte. Helene hatte wenig für Ausländer und nichts für Chinesen und Heiden übrig.
»Sind die Gastzimmer sauber?« fragte Fräulein Wergeland am nächsten Tag ihre neue Haushälterin. »Alles auf seinem Platz? Die Kinder schlafen also mit ihrer Chinesin im blauen Zimmer.«
»Ich dachte, sie sollten im gelben Zimmer schlafen?«
»Tue mir einen Gefallen und denke nicht!« sagte Fräulein Wergeland. »Überlasse mir das in Zukunft.«
Laura Holgersen seufzte. Sie blickte ihre energische Cousine bedrückt an. Helene hatte ja recht: Seit Sverres Tod vergaß sie alles und dachte immer das Verkehrte. Sie war so eingeschüchtert in der Villa Wergeland. Es war alles so groß und seltsam hier. Die unbekannten Mütter und Säuglinge im Ostflügel, Fräulein Wergelands deprimierende Ölbilder und Helene selbst. Wenn sie die dichten Augenbrauen zusammenzog und sich brüsk aus ihrem Stuhl erhob, zitterte die behagliche Laura wie als Kind vor ihrer Klassenlehrerin in Bergen. Dabei war Fräulein Wergeland so gut und hilfreich; aber sie war eben ungemütlich.
Die Witwe sah Fräulein Wergeland stumm und reumütig an. Irgendwie konnte Helene diesen Blick und die zuckende Oberlippe nicht ertragen. Vor Hilflosigkeit streckte sie immer die Waffen. Sie erhob sich und klopfte Laura leicht auf die Schulter.
»Ich bin manchmal etwas kurz angebunden. Du mußt dir nicht so viel daraus machen«, sagte sie mit gezwungenem Lächeln.
»Aber, Helene! Du bist doch so gut zu mir!« Die Witwe aus Aalesund war ganz entsetzt, daß Fräulein Wergeland, die sie gleichzeitig fürchtete und bewunderte, sich sozusagen bei ihr entschuldigt hatte. »Was hätte ich ohne dich angefangen?« murmelte sie.
»Keine Ahnung«, sagte Fräulein Wergeland. »Du hättest schon irgend etwas angefangen! Deine Rahmtorten hätte dir jeder abgenommen.«
»Glaubst du wirklich, Helene? Oder sagst du das nur so?«
»Warum sollte ich das so sagen?«
»Um mich zu trösten.«
»Dummes Zeug! – Ich brauche dich nicht zu trösten! Du wimmerst dich schon zurecht«, sagte Fräulein Wergeland mit viel Scharfsinn. Im Grunde beneidete sie die Witwe aus Aalesund. Die Schatzkammer ihrer Erinnerungen hatte rosa Gardinen und

künstliches Sonnenlicht. Fräulein Wergeland sah die Dinge, wie sie waren. Sie konnte ihre Erinnerungen nicht durch billige Tränen verwässern, bis sie den brennenden Geschmack verloren. Sie verabscheute übrigens die Rahmtorte ihrer Cousine; aber das hatte sie vom ersten Tage an für sich behalten. Man rupfte einem hilflosen Schneehuhn nicht die letzten Federn aus.

\*

Nie im Leben vergaß Fräulein Wergeland diese Ankunft ihres Lieblingsbruders und seiner Töchter. Es war schon Abend. Das Schiff hatte sich zwei Stunden verspätet, und nun kam eine seltsame Prozession aus dem Fernen Osten auf Helene Wergeland zugeschritten. Voran Knut, der wie stets alle Passagiere um Haupteslänge überragte und trotzdem gebeugt wirkte; hinter ihm eine junge stämmige Chinesin in einer Satinjacke, wattierten Hosen und mit einer Blume im lackschwarzen Haar. An ihrer Seite schritt das dünnste, blasseste Kind, das Fräulein Wergeland je hatte auffüttern müssen; auf dem Arm trug die junge Chinesin ein kleines, schlafendes Etwas mit einer karierten Reisekappe, unter der eine weiche, schwarze Haarfranse hervorsah, und auf dem Rücken einen Vogelkäfig, über dem ein Tuch aus Goldbrokat hing – ein Stück östlicher Schönheit. Einen Augenblick stand die kleine Gruppe unbeweglich in der hellen nordischen Nacht: Sendboten aus einer fremden, bunten und unbegreiflichen Welt. Selbst Yumei war das Schwatzen vergangen. Sie stand großäugig mit ihren kleinen Missies und Goldpirol im strengen Silberlicht des Hohen Nordens und betrachtete den Nid-Fluß, der die alte Festung der Bischöfe und Könige romantisch und nützlich umspülte. Kein Kuli lachte oder sang; es herrschte eine unheimliche und unnatürliche Ordnung im Hafen. Yumei hatte zum ersten Male im Leben Angst und beschloß im selben Augenblick mit chinesischem Starrsinn, keine Angst zu haben.
Knut Wergeland hatte indessen nach einer Frauengestalt, die alle überragte, Ausschau gehalten. Da stand sie, Helene, eine reglose, vertraute und strenge Figur aus einem Leben, das der Konsul hinter sich gelassen hatte. Helene, die Domkirche, die mythischheroische Luft der Altstadt und die kompromißlose Sauberkeit der Straßen – alles das war die Heimat und die Jugend mit ihren Träumen, Hoffnungen und flüchtigen Schmerzen ...

Der Konsul gab sich einen Ruck und schritt wie ein Schlafwandler auf seine Schwester zu. Seine überhellen Augen erforschten den Ausdruck ihres Gesichts.

»Da sind wir«, murmelte er und wies auf die kleine Gruppe, die ihm scheu und gehorsam auf dem Fuße gefolgt war.

»Willkommen daheim, Kleiner«, sagte Fräulein Wergeland zu dem erschöpften Riesen. »Da seid ihr also!«

Sie ignorierte Yumeis tiefe Verbeugung und zog Astrid zu sich heran.

»*Bon soir, ma tante*«, sagte Astrid förmlich und wich den stahlblauen Augen ihrer Tante aus.

»Nanu«, sagte Fräulein Wergeland so laut, daß zwei Matrosen sich grinsend nach ihr umblickten. »Was soll das Parlez-vous? Kann sie nicht *God aften* sagen?«

Der Konsul forderte seine ältere Tochter auf, ihre Tante auf norwegisch zu begrüßen. Astrid stand zunächst wie ein Stock – sie hatte Angst vor der großen, lauten Frau mit den stahlblauen, scharfen Augen –, dann lief sie zu Yumei, versteckte ihren Kopf in deren Jacke und begann starrsinnig zu schluchzen. Fräulein Wergeland betrachtete verblüfft ihren Bruder und das magere schluchzende Kind. Ein reizender Anfang! Aber sie würde schon mit Astrid und ihrem Französisch fertig werden.

Yumei warf der großen alten Missie, die schon viele graue Haare hatte, einen leise triumphierenden Blick zu: »Kleine Missie« wußte eben, wer es gut mit ihr meinte. Durch Astrids Schluchzen, das von Minute zu Minute heftiger wurde, war Mailin erwacht. Sie blinzelte aus schwarzen Edelstein-Augen umher und zappelte sich dann aus Yumeis Arm heraus. Dabei plapperte sie unaufhörlich und zerrte an dem Brokattuch, das Goldpirol verdeckte. Yumei nickte mürrisch, aber tat »Jüngerer Schwester« endlich den Gefallen und gab ihr den kleinen Käfig in die Hand. Mailin schritt nun völlig wach auf die große Frau zu, verbeugte sich feierlich, wie sie es von ihrer Mutter gelernt hatte, und hielt dem sprachlosen Fräulein Wergeland den Käfig entgegen.

»Goldpirol singt schöne Lieder für große alte Herrin«, flüsterte Yumei auf chinesisch. Mailin blickte ihren Vater flehend an. Er sollte der Tante erklären, daß Mailin sie liebhätte und ihr daher das Liebste, was sie hatte, schenken wollte. Der Konsul hatte sich niedergebeugt und versuchte, das Stammeln zu verstehen. Mailin hatte während der ganzen Reise an diesen Augenblick gedacht;

seitdem Papa ihr erklärt hatte, daß sie zu der großen alten Tante führen.
»Mailin hat dich lieb«, sagte der Konsul und hustete. »Sie will dir darum Goldpirol schenken.«
Fräulein Wergeland hob das winzige Etwas empor und drückte es stumm an ihr Herz. Ihre Augen hatten plötzlich einen weichen Schimmer; es war ein Licht, das aus den Tiefen der Seele kam und sie verjüngte. So hatte sie manchmal Knut angeblickt, wenn er ihr eine unverhoffte Freude gemacht hatte, eine lächerlich große Freude mit einem Geschenk, das sie so wenig gebrauchen konnte wie Goldpirol. Helene blickte das zierliche, fremdartige Kind sehr genau und beinahe sanft an. Mailin lächelte im Halbschlaf. Sie hatte keine Spur von Angst vor dem hoheitsvollen Fräulein Wergeland, das so viel gab und so selten etwas bekam. Mailin legte ihr schwarzhaariges Köpfchen vertrauensvoll an Helenes Schulter.
»Mailin müde«, murmelte sie. Die karierte Reisekappe war ihr vom Kopf gefallen. Fräulein Wergeland strich ihr das seidige schwarze Haar aus der hohen Stirn. Das Kind blickte zu ihr auf und lächelte arglos und lieblich in die strengen stahlblauen Augen. Und dieser Blick entschied über ihre Beziehung zu der ihr wesensfremden Tante. In dieser stummen Begegnung zweier Augenpaare und zweier Welten wurde ein unlösliches und doch zartes Band zwischen Helene Wergeland und Hsin Mailin, der »Reinen Lilie« aus der Familie Hsin, geknüpft. Aus westlichen Zweifeln und östlicher Kinderunschuld wurde eine Zuneigung geboren, eine wortkarge und leidenschaftliche Treue. In diesem entscheidenden Augenblick übertrug Helene Wergeland die Liebe, für die Mailins Vater so oft keine Verwendung zu haben schien, auf diese Tochter, die eine Chinesin war und bleiben sollte.
»Ein nettes Würmchen«, sagte Fräulein Wergeland zu ihrem Bruder.
Astrid hatte aufgehört zu weinen, da keine Hoffnung auf eine Szene bestand. Sie ging langsam auf ihre Tante zu und sagte leise: »*God aften!*« Aber niemand achtete darauf.
Das war bedauerlich, denn Astrid machte sehr selten eine Anstrengung zu gefallen, obwohl sie nichts mehr ersehnte. Nur eine einzige Person, die sich bescheiden im Hintergrund gehalten hatte, hatte etwas gemerkt. Laura Holgersen trat auf Astrid zu, lächelte freundlich und begrüßte sie. Aber Astrid blickte die Fremde nur

hochmütig an und murmelte: »*Je ne comprends pas.*« Laura trat zurück; sie hatte die Unfreundlichkeit gespürt. Hier zeigte sich zum ersten Male einer von Astrids entscheidenden Charakterzügen: sie verzichtete auf Mitleid und auf das Zweitbeste, wenn sie das Beste nicht haben konnte. Das siebenjährige Kind hatte den Instinkt für Mittelpunkts-Menschen, wie Helene Wergeland und ihr Bruder Knut es ohne ihr Dazutun waren. Laura Holgersen war eine geborene Nebenfigur auf der Lebensbühne. Mit Nebenfiguren gab Astrid Thérèse Wergeland sich nicht ab. Sie wollte alles oder nichts. Laura Holgersen fand Astrid abscheulich unfreundlich, sagte sich aber, daß ein Kind von nur sieben Jahren und obendrein todmüde nicht ernst genommen werden konnte. Und da irrte sich die Witwe aus Aalesund, wie sie sich meistens irrte. Sie drang nie zum Zentrum vor; sie lebte am Rande der Familie, am Rande dieser zeremoniellen und nachdenklich-eleganten Stadt, am Rand des Schicksals und der Welt.

\*

Knut Wergeland stand vor einem großen Ölbild in der Halle der Villa Wergeland und betrachtete den ersten Vorfahren, von dem die Familiengeschichte berichtete. Ein moderner Maler hatte das Bildnis des alten Olaf Wergeland nach einem verblaßten Foto gemalt. Ein Riese mit stahlblauen Augen und breiten Schultern blickte auf den Konsul herab. Der alte Olaf war Bauer in Tröndelag gewesen. Er war schweigsam, grob, klug und weitblickend. Aus eigenem Waldbesitz hatte er mit Hilfe seines kleinen Sägewerks Holz zum Schiffbau geliefert und war gegen Ende des achtzehnten Jahrhunderts in den demokratischen Geldadel Norwegens aufgestiegen. Seine Söhne und Enkel hatten dann selbst Schiffe gebaut. So war die Wergeland-Werft in Trondheim entstanden. Seine Enkel hatten schon die technische Hochschule besucht. Olafs und Knuts Vater hatte die Tochter eines Reeders geheiratet. Sie war sparsam, aber lebenslustig und hatte Knut die überhellen Augen und den Hang zur Träumerei und zu schönen Dingen vererbt. Mit ihrer Tochter Helene hatte sie sich niemals verstanden. Helene war wie der alte Olaf. Der Konsul lächelte bei dem Gedanken. Man erzählte sich in der Familie, auch der Vorfahre hätte jedem die Wahrheit wie einen nassen Lappen ins Gesicht geworfen, aber überall geholfen, wo es nötig war.

Heute abend sollte der fünfzigste Geburtstag des heutigen Olaf Wergeland, des Leiters der Werft, gefeiert werden. Knut liebte ihn nicht. Olaf Wergeland war ein grimmig bescheidener Mann ohne einen Funken Phantasie. Seine Schwester Helene nannte ihn den »Augenzeugen«, weil nur die Dinge, die er mit eigenen Augen gesehen hatte, überhaupt Realität und Gültigkeit für ihn besaßen. Der Ferne Osten interessierte ihn nicht, weil er ihn nie gesehen hatte. Eine Welt, in die man Schiffe schicken und mit der man Handel treiben konnte. Das war alles. Er hatte seinen Bruder Knut frostig begrüßt und die beiden Kinder mit kalten Blicken gemustert. Olaf Wergeland war Junggeselle und hatte nichts für Kinder übrig. Astrid hatte ihn aus blaßblauen Augen angestarrt. Mailin hatte sich hinter Fräulein Wergelands Rock versteckt. Der große, dünne Mann mit der Goldbrille und den herabgezogenen Mundwinkeln flößte ihr Angst ein.

Herr Olaf Wergeland fand es im stillen ganz in der Ordnung, daß sein Bruder nun auch den Ernst des Lebens kennengelernt hatte. Knut hatte ja immer geglaubt, das Leben sei ein Picknick. Der Augenzeuge saß steif in seinem Stuhl und sah stirnrunzelnd zu, wie Helene die Kinder zu ermuntern suchte. Ein Wanderzirkus war nichts gegen Knuts Familie! Außerdem gehörten Kinder nicht in eine Gesellschaft von Erwachsenen. Das war vielleicht in der fernöstlichen Zigeunerwelt so Sitte, aber nicht in Trondheim. Herr Wergeland richtete sich noch steifer auf.

»Du nimmst das chinesische Kind doch wohl wieder in den Osten zurück?« fragte er seinen Bruder und zerkaute jedes Wort zwischen seinen großen gelben Zähnen. »Hier würde die Kleine unliebsames Aufsehen erregen. Das kann ich mir in Trondheim nicht leisten.«

Der Konsul sah seinen älteren Bruder so erstaunt an, wie er seinerzeit in Shanghai manchmal Yvonne angesehen hatte. Wie war es möglich, daß jemand so engstirnig und lieblos wie Olaf war? Der wilde Haß, den er als Knabe nach dem Tode seiner Eltern gegen den Augenzeugen gefühlt hatte, der ihm jeden Spaß verbot oder verdarb, stieg wie eine Woge in ihm empor. Er blickte sich um: Helene, Laura und die Kinder waren in den Wintergarten gegangen. Das war gut, denn Konsul Wergeland sagte nun seinem Bruder mit ruhiger Stimme einige Dinge, die nicht wiedergutzumachen waren. Er vergaß die diplomatische Sprache seines Berufs und die Stimme des Blutes. Man hatte Mailin be-

leidigt. Bei all dem zarten Liebreiz ihres Herzens würde sie also unliebsames Aufsehen auf dem Marktplatz erregen mit ihrer goldgetönten Haut und den Mandelaugen. Das hatte Olaf doch gemeint, nicht wahr? Dann wollte er ihm einmal etwas sagen ...
Der Konsul stand immer noch in der Wohndiele mit den handgewebten Matten und dem Ölbild von Urgroßvater Wergeland und sagte Weiteres, als der Augenzeuge schon längst das Haus verlassen hatte.
Knut blickte umher, als ob er aus einem Alptraum erwache. Er schwankte leicht, als er zu Helene in den Wintergarten ging. »Laß uns allein«, sagte er zu der Witwe aus Aalesund, die ihn voll verzehrender Neugierde betrachtete. Vetter Knut sah aus, als ob er jemandem den Hals umdrehen wollte. Sie verschwand widerwillig mit den Kindern im Ostflügel, wo Yumei schon wartete. Sie war bereits in der Villa Wergeland völlig zu Hause. Dank der einzigartigen Anpassungsfähigkeit der Chinesen schmeckte ihr der Reis selbst in dieser fremdartigen Umgebung.
»Wo ist Olaf?« fragte Fräulein Wergeland. »Wir wollen gleich essen.«
»Ich habe ihn hinausgeworfen.«
»Bist du verrückt geworden?«
»Im Gegenteil, meine liebe Helene.« Der Konsul betrachtete seine liebe Helene aus überhellen Augen. »Ich habe herausgefunden, daß meine Töchter und ich hier nichts mehr zu suchen haben. Wir reisen ab.«

\*

Fräulein Wergeland saß allein in der Halle und preßte die Lippen zusammen. Zwei Wochen waren seit der Geburtstagsfeier vergangen. Das war wieder einmal eine schöne Überraschung gewesen! Wo Knut doch wußte, wie sehr sie Überraschungen verabscheute. Er war tatsächlich am nächsten Morgen zu den Clermonts nach Paris gefahren. Selbstverständlich hatte er die Kinder und Yumei in der Villa Wergeland gelassen. Es war ihm nicht gelungen, seiner Schwester die Kinder – oder vielmehr Mailin – zu entreißen. Eher hätte der Konsul versuchen können, einer Tigerin ein Junges fortzunehmen. Er hatte Helene versprochen, in zwei Monaten wiederzukommen. Dann wollte er für den Rest seines Urlaubs noch ein wenig weiter nordwärts fahren.

Fräulein Wergeland hatte einen Teilsieg errungen, aber sie fühlte Schmerz und Verdruß! Sie hatte so viele Jahre auf Knut gewartet. Allerdings sollte Helene mit Mailin nach einem halben Jahr nach Bangkok kommen und dem Bruder den Haushalt führen, nachdem sie Astrid in Lausanne abgeliefert hatte. Laura Holgersen sollte erst einmal die Villa Wergeland schließen. Da sie niemals mit Fräulein Wergelands Schützlingen fertig werden würde, mußte sie nun anderswo Rahmtorten backen. Natürlich hatte Fräulein Wergeland Laura »versorgt«, so wie sie es mit allen kopflosen Schneehühnern machte.

Für Helene Wergeland hatte das Leben nach einer Kette von Enttäuschungen noch einmal begonnen, würde sie doch mit dem »Kleinen« von jetzt ab zusammen leben. Sie hatte Mailin. Sie würde Astrid ertragen lernen. Das Kind machte sie ungeduldig: Ein kleiner Neidhammel, der scharf aufpaßte, daß Fräulein Wergeland die jüngere Schwester nicht vorzog. Astrid war eine Einzelgängerin, dachte Fräulein Wergeland mißmutig. Es fiel ihr nicht auf, daß sie selbst auch eine Einzelgängerin war – allerdings kein Neidhammel.

In diesem Augenblick erschien Astrid bei Helene in der Wohnhalle. Sie war so leise hereingekommen, daß Fräulein Wergeland unwillkürlich zusammenzuckte. Hatte sie das Kind mit ihren unfreundlichen Gedanken herangezogen? Astrid sprach ein solches Gemisch von französisch, norwegisch und chinesisch, daß Fräulein Wergeland sich entschlossen hatte, sich zunächst einmal auf französisch mit ihrer Nichte zu unterhalten. Ein Skandal, daß Knut einem siebenjährigen Kinde nur Brocken der Muttersprache beigebracht hatte.

»Was willst du?« fragte Fräulein Wergeland in ihrem harten Französisch.

Astrid hielt ihr ein Schulbuch hin. »Meine zwanzig Vokabeln«, sagte sie und blickte Helene an. »Als Maman noch lebte, lernte ich jeden Tag zwanzig französische Vokabeln. Sie freute sich darüber. Freust du dich auch, Tante?«

»Natürlich«, sagte Fräulein Wergeland eilig, sie log sehr ungern; aber das Kind konnte einen so merkwürdig hungrig ansehen... Hm... Mitten in der Lektion stockte Astrid und starrte ihre strenge Tante wieder regungslos an.

»Was gibt es zu gaffen?« fragte Fräulein Wergeland nicht gerade freundlich. Das Kind konnte einen tatsächlich nervös machen.

Astrid zuckte zusammen; aber sie mußte es endlich sagen. Dann würde Tante Helene sie lieber haben als Mailin.
»Es ist ein Geheimnis...«, murmelte sie und begann zu zittern.
»Na und...«, sagte Fräulein Wergeland. Es klang nicht ermutigend. Astrid hatte immer Geheimnisse zu enthüllen. Das hatte Helene schon nach zwei Wochen mit Mißfallen herausgefunden.
»Warum zitterst du?« Sie bemühte sich freundlich mit dem Kind zu sein. »Bist du krank? Willst du heiße Limonade haben?... Was ist denn, Kind? Heraus mit deinem Geheimnis!«
»Möchtest du es wirklich gern wissen, Tante Helene?«
»Natürlich.«
Astrid starrte ins Leere.
»Mailin ist nicht dasselbe wie wir«, flüsterte Astrid schnell.
»Wie meinst du das?«
»Ich meine ... sie ist chinesisch! In Shanghai durften wir nicht mit solchen Kindern spielen. Sie sind... etwas... schlechter. Ich weiß es ganz genau, Tante Helene«, fuhr Astrid fort und überstürzte sich im Reden. »Kein Kind der Konzession lud Chinesenkinder ein... Sie durften auch nicht mit uns essen.«
»So...«, Fräulein Wergeland erhob sich plötzlich zu ihrer furchterregenden Höhe. »Hast du sonst noch etwas zu melden?«
Astrids allzu weiches Haar war feucht geworden. Sie fühlte, daß Tante Helene furchtbar böse war und es nur nicht zeigte. Astrid war klug für ihre sieben Jahre. Sie hatte plötzlich das Gefühl, als würde sie gleich von einem Geisterberg in jene brodelnde Tiefe stürzen, von der Yumei ihr immer vor dem Einschlafen erzählte. Das Geheimnis, das ihr Tante Helenes Liebe eintragen sollte, ließ Fräulein Wergeland ihre Lippen noch fester schließen. Gleichzeitig verschloß sich ihr Herz gegen ihre Nichte.
»Höre zu«, sagte sie streng. »Es gibt keine besseren und schlechteren Kinder. Es gibt nur gute und schlechte Kinder. Verstehst du mich?«
»Nein«, sagte Astrid verstockt. Sie blieb vor ihrer Tante stehen, als ob ihre Füße an der Matte festgewachsen wären.
Fräulein Wergeland überlegte. Was sollte sie dem Kind auf diese Ungeheuerlichkeit antworten? Sie verstand Astrid nicht. Astrid hing doch wie eine Klette an Yumei, die auch eine Chinesin war. Was ging da vor? Fräulein Wergeland war nie in Shanghai ge-

wesen. Sie konnte nicht wissen, was die ausländischen »Zuckerpuppen« alles miteinander geredet hatten. »Du hast doch Yumei sehr lieb, nicht wahr?« fragte Fräulein Wergeland schließlich.
»Natürlich«, murmelte Astrid und warf genau wie Yvonne den Kopf hochmütig zurück. »Aber Yumei ist nicht meine Schwester! Sie ist meine Dienerin. Fast alle Chinesen sind unsere Diener, auch ihre Kinder in Shanghai.«
Fräulein Wergeland rüttelte und schüttelte Astrid und gab ihr schließlich eine schallende Ohrfeige. »Halt den Mund«, schrie sie das totenblasse Kind an. »Ich werde dich einsperren, wenn du noch einmal so etwas sagst!«
Helene ließ plötzlich von Astrid ab, die sie mit offenem Mund anstarrte. Was hatte sie getan? Sie hatte sich an einem Kind, das von ihr geliebt werden wollte und im Fernen Osten falsch erzogen worden war, vergriffen – sie, Helene Wergeland, die Beschützerin der Kinder und Hilflosen ...
»Komm ...«, sagte sie heiser. »Wir wollen zu Tante Laura gehen. Ich glaube, sie hat Rahmtorte gebacken.«
»*Merci beaucoup*«, sagte Astrid mit großer Anstrengung. Sie war erschreckend blaß, aber zitterte nicht mehr. Sie war wie gelähmt. Astrid war niemals geschlagen worden. Sie hatte Tante Helene die reine Wahrheit gesagt. In Shanghai halfen die Kinder der chinesischen Diener die Ausländer bedienen. Auch luden europäische Eltern die Kinder ihrer chinesischen Freunde nicht ein. Astrid war nicht schlecht. Tante Helene war schlecht. Sie wollte nicht bei ihr bleiben.
»Ich will zu Papa«, schluchzte sie. »Du bist schlecht zu mir.«
Fräulein Wergeland nahm das Kind auf den Schoß und sagte mit ungewohnter Sanftheit: »Das ist Unsinn. Ich habe dich sehr lieb, Astrid! Wollen wir morgen einen schönen Ausflug machen?«
»Vielen Dank! Ich muß morgen Vokabeln lernen.«
Astrid schluckte ihre Tränen herunter. Etwas war geschehen, was sie genauso wenig wie ihre Tante begriff. Eine Alarmglocke hatte Astrid aus kindlichen Sehnsüchten aufgeweckt. Nicht nur, daß sie nach der Ohrfeige nicht richtig atmen konnte und ihr Magen schmerzte; sie wollte jetzt gar nicht mehr, daß Tante Helene sie lieber als Mailin hätte. Tante Helene hatte sie geohrfeigt, weil sie ihr vertrauensvoll ein Geheimnis verraten hatte. Man durfte Tante Helene nichts sagen. Und anderen auch nicht! Schon gar nicht Yumei oder Mailin! Man war ganz allein. Papa war ab-

gereist. Astrid würde heute nacht wegschleichen und Papa suchen gehen.
Wenn Yumei in ihrer Treue und Liebe zur »Kleinen Missie« der verwirrten Astrid nicht nachgegangen wäre, als sie in ihrem Nachthemd zum Tor hinausschleichen wollte, wäre sie in dem Fieberzustand, der sich zwei Stunden später bei ihr entwickelte, womöglich ins Wasser gefallen oder unter ein Auto geraten.
Yumei brachte das kranke Kind zu Fräulein Wergeland. Sie brauchte nichts zu sagen. Fräulein Wergeland sah für sich selbst. Der Arzt fürchtete eine sehr ernsthafte Erkrankung, aber es wurde nicht ganz so schlimm. Fräulein Wergeland saß Tag und Nacht am Bett des Kindes und lauschte den Fieberphantasien in chinesisch und den französischen Vokabeln und dem immer wiederkehrenden *God aften* und *Jeg forstar ikke* (ich verstehe nicht). Das hatte Astrid vor Schreck über die Ohrfeige gerufen. In diesen Nächten lernte Fräulein Wergeland die junge Yumei kennen und schätzen. Die große versorgte Norwegerin und die kleine fröhliche Chinesin verstanden sich ohne Worte. Für Yumei war *Fröken* Wergeland eine neue und erstaunliche Herrin, der sie für alle Ewigkeit ergeben sein wollte. Fräulein Wergeland wußte noch nichts von diesem kostbaren Geschenk – chinesische Treue –, das ihr in den Nächten nach Knuts Abreise von der Vorsehung in den Schoß geworfen wurde. Yumei sollte trotz ihrer Jugend ihre einzige Stütze werden. Denn Fräulein Wergeland war erst am Anfang eines neuen Lebens, das ihr viele Überraschungen bringen sollte – merkwürdige, komische und lebensgefährliche Überraschungen ...
Als Knut Wergeland wieder in Trondheim eintraf, um seine Erinnerungsfahrt in den Norden anzutreten, war Astrid fast gesund. Sie standen alle drei auf der Terrasse – Astrid, Helene, Mailin – und winkten ihm entgegen. Yumei kniete vor Fräulein Wergeland und schwenkte eine Blumenkette.
Astrid schien alles vergessen zu haben. Sie wurde von Tante Helene mit Sorgfalt und Sorge behandelt. Aber etwas war anders geworden: Astrid fragte niemals mehr, ob man sie »am allerliebsten« hätte. Und sie lauschte Yumeis Geistermärchen nur mit halbem Ohr. Sie konnte noch nicht sagen, warum sie diese Geschichten nicht mehr faszinierten. Vielleicht begann ihre kindliche Seele leise zu ahnen, daß die Wirklichkeit erschreckender als chinesische Gruselmärchen ist.

FÜNFTES KAPITEL

# Die Jungfrau im Schwanenkleid

KNUT WERGELAND verbrachte mehrere Wochen auf den Lofoten, um zu fischen, zu atmen und nachzudenken. Seit Jahren war er zum ersten Male ganz allein; es war für ihn ein vollkommenes und fruchtbares Ausruhen nach den Erschütterungen der letzten Zeit. Milde Sommerluft, helle Nächte und Schwärme von Seevögeln, die ihn von Insel zu Insel begleiteten, riefen bei ihm eine Art Entrücktheit hervor, jene nüchterne Entrücktheit aus der Welt der Fischkonserven und des Holzhandels, welche die pantheistische norwegische Seele hin und wieder braucht. Der Konsul sprach tagelang kaum ein Wort; aber es war nicht das Schweigen des Protests, das er Yvonne so häufig entgegengesetzt hatte; es war das Schweigen der inneren Zufriedenheit. Der Mangel an überflüssiger Betriebsamkeit, die vorweltliche Stille der Berge und Gewässer taten ihm wohl. Die bunten Jacken und Tücher der Mädchen, die großen Milchkrüge in den Kaffeestuben der kleinen Städte, die Tänze und Lieder der Talbewohner wurden dem heimgekehrten Weltreisenden zum Symbol der unverwüstlichen norwegischen Lebensfreude, die sich bei harter Arbeit zwischen Felsgestein, Küstenleben, Waldarbeit und Landwirtschaft in den blühenden Tälern genügsam aber siegreich entfaltet.
Dann fuhr er zurück – durch Fjorde, Bergwände, Wiesenteppiche und Küstenstriche – umhüllt von flimmernden Lichtströmen und einem durchdringenden Kabeljaugeruch. In dem Fischerhafen von Stamsund, inmitten von Schiffen, Lagerhäusern, Felsufern und Bergen, schrieb der Konsul einen Brief an seinen Bruder. Er war nun zur Ruhe gekommen und entschuldigte sich, weil er die Nerven verloren hatte. Es wären noch »Schanghai-Nerven« gewesen. Er erklärte dies Phänomen nicht näher. Wie sollte er Olaf Wergeland den dortigen Verfall des Gefühls und des Anstands klarmachen? Es gab keine Worte für die furchtbare Empfindung,

im Netz einer alle Keime der Zerstörung in sich tragenden und ungereimten Zivilisation zu zappeln wie ein Kabeljau im Netze eines Lofotenfischers... Kurz und gut, Knut hatte sich wiedergefunden. Die reine Luft, die weite Landschaft von Bergen und Fjorden, die Gewißheit einer ungestörten Einsamkeit, welche die Heimat im Hohen Norden ihren Söhnen auch noch im Zeitalter der Cocktail-Parties und Reisebüros schenkt, das alles hatte ihm Geist und Sinne gereinigt, tiefer gereinigt als die gestohlenen Stunden im japanischen Teezimmer in Shanghai. Mit dem Blick auf die Holzgestelle zum Fische-Trocknen bat der Konsul den Augenzeugen, den Auftritt in der Villa Wergeland zu vergessen. Er erhielt niemals eine Antwort auf diesen Brief. Olaf Wergeland vergaß nichts und vergab nichts; auch dazu fehlte ihm die Phantasie. Er hatte seinen Bruder aus seinem Adreßbuch gestrichen.
Knut stieg nicht gleich in Trondheim aus, sondern machte noch einen Schiffsausflug nach der Insel Hitra, wo er als Junge mit Olaf Rotwild geschossen hatte. Es war eigentlich nicht zu verstehen, warum der Konsul auf die weltverlorene Waldinsel fuhr, wo ihn alles auf Schritt und Tritt an den Augenzeugen erinnern mußte: das fahle Abendlicht, der schläfrige kleine Küstenhafen, wo Tangmehl geladen wurde, die verstreuten Holzhäuser und das mutlose Heideland zwischen Trondheim und Kristiansund. Das Postamt von Hestevik wirkte in der fahlen Abendsonne wie ein Wochenendhaus der Trolle... Er glaubte als Abschluß seiner Erinnerungsfahrt nach der Insel Hitra zu fahren, aber vielleicht tat er es, weil ihn dort sein Schicksal erwartete. Und es bediente sich der niederträchtigsten Verführungskraft des Universums – der Musik. Unter dem bleichsüchtigen Mond der Troll-Insel drangen Geigentöne aus einem Holzhaus im Heidegestrüpp und drangen an das Ohr des Konsuls, während er das Holzhaus betrachtete. Er hätte fliehen können; dann hätte er seiner Schwester Helene weitere Überraschungen erspart und sich selbst Ruhe und Zufriedenheit gesichert. Aber Knut Wergeland schritt instinktiv in jede Zone der Gefahren, wenn sein Ohr betört wurde. Vielleicht fand er, daß das Leben zu kurz und eintönig ist, um es ohne Musik zu verbringen.
Er betrat um zehn Uhr abends eine Holzdiele, die mit leuchtenden handgewebten Teppichen ausgelegt war. Auf den Wandborten glänzten Silberschalen und Kannen: das traditionelle norwegische Kaffeeservice. Es stammte von Henrik Moeller aus Trond-

heim – der Konsul erkannte die schlichte, edle Arbeit. Zinnkannen und Leuchter und Keramikschalen vervollständigten die Einrichtung eines Hauses, das sich von außen nur durch die Größe von den Holzhäusern der Waldarbeiter unterschied. Es war das Wochenendhaus einer norwegischen Familie, wie es viele in der Umgebung von Trondheim und Kristiansund gab. Ein Wandschrank enthielt das unerläßliche Angelgerät und die Skier und Seehundpelze für den Winter.
Ein Mädchen in einem weißen Kleid ließ den Geigenbogen sinken, trat im Mondlicht auf den Besucher zu und flüsterte die gefährliche Beschwörungsformel der Sehnsüchtigen. Borghild Lillesand sagte:
»Sie sind gekommen, weil ich auf Sie gewartet habe!«

\*

Borghild hatte sich verändert, aber der Konsul wußte nicht sofort, warum sie viel vitaler und so reizvoll wirkte. Er betrachtete sie stumm mit jener spekulativen Neugierde, die bei ihm dem Sturz ins Abenteuer voranging. Die Unsicherheit war wie ein mausgrauer Mantel von Borghild abgeglitten und hatte ein anderes Mädchen enthüllt – ein sanft leuchtendes Geschöpf, anscheinend ohne neurotische Züge. Sie muß irgendeinen Mann haben..., dachte der Konsul sofort in rührender Ahnungslosigkeit. Er wußte nicht, daß sie *ihn* hatte. Diese Veränderung war in Borghild vor sich gegangen, seitdem ihr Bruder ihr Yvonnes Tod mitgeteilt hatte. Ihr Blick war nicht mehr abwesend und melancholisch; und sie frisierte sich sogar in begrenztem Maße. Sie hatte zwar wieder ein Loch im Strumpf, aber sie saß ja nicht mit dem jungen Herrn Matsubara auf einer japanischen Matte. Sie leuchtete in ihrem weißen Kleid. Ihre sensitive Oberlippe und die volle, sinnliche Unterlippe zitterten ganz leicht, als der Konsul sagte:
»Nanu! Wie kommen Sie denn hierher?« –
Borghilds Antwort klang sehr einleuchtend. Sie erholte sich hier bei Freunden, die übers Wochenende nach Kristiansund gefahren waren. Im Herbst wollte sie ihr erstes Konzert in Paris geben. Sie war schon seit vier Wochen hier und wollte morgen abreisen. Sie hatte diese Abreise in dem Augenblick beschlossen, in dem sie den Konsul zu Gesicht bekam. Sein Schiff – so hatte er erklärt – ginge nach Kristiansund. Er wolle noch Freunde besuchen, bevor

er zu seiner Schwester nach Trondheim zurückführe. Welch ein Zufall! Borghild hoffte, daß noch Platz auf dem Schiff sein würde. Natürlich war Platz; der Konsul würde an Deck schlafen und Borghild seine Kabine zur Verfügung stellen. Er durchschaute den Trick und fand ihn so rührend jung wie Borghild selbst. Sie hatte ihren Kopf an seine Schulter gelegt und erzählte von ihren Konzerthoffnungen und ihrem Lehrer, der ihr eine große Zukunft prophezeite. Dann sprang sie auf und spielte. War es das kleine Wohlgefallen oder die große Liebe, die Borghild so elektrisierte? In jedem Fall war sie aus ihrem Vakuum herausgetreten. Ihre Unschuld und Ehrlichkeit waren geblieben. Sie war ein Mädchen ohne Bonbongeschmack.

Sie wanderten unter dem bleichen Mond über die Heide und blickten auf schroffe Felsen und das dunkle Meer. Borghild hatte ein Spitzentuch aus der Konzertperiode ihrer Mutter über ihr silberblondes Haar gelegt. Ihre Phantasie gaukelte ihr in dieser Stunde eine Erfüllung vor, die sie seit Shanghai ersehnte. Der Konsul ging wieder neben ihr, hatte den Arm um sie gelegt, und die Zukunft war ein rosenbestreuter Weg. Borghilds Phantasie war so zwingend wie die Einbildungskraft eines Kindes, das die Realitäten verachtet, weil es sie nicht kennt. Und diese Unschuld und der Nachklang ihres Geigenspiels verwandelten die berechtigten Zweifel eines reifen Mannes in die romantische Überzeugung, daß die Liebe wichtiger als die Karriere sei.

»Warum sehen Sie mich so an?« fragte Borghild. Sie blickten von der Spitze eines Felsens auf den schlafenden Hafen, an dem drei Mädchen und ein einsames Pferd herumstanden und nicht abgeholt worden waren.

»Sie erinnern mich an die Jungfrau im Schwanenkleid«, flüsterte er zärtlich und verspielt. Diese weißgekleidete Jungfrau hatte einen Menschenmann geheiratet und dadurch Gefieder und Flugkraft verloren. Als sie nach Jahren ihr Schwanengewand entdeckte, packte sie die Sehnsucht nach der Ferne, und sie flog dem Menschenmann singend davon. Borghild kannte natürlich dieses schimmernde Fernweh-Märchen; die Garderobenfrau ihrer Mutter hatte es ihr in dunklen, staubigen Hotelzimmern erzählt.

»Ich würde Ihnen nie davonfliegen«, flüsterte sie naiv und stellte sich auf die Zehenspitzen, um dem Mann auf den sie so lange gewartet hatte, in die Augen zu blicken. Knut Wergeland wich ihrem Blick aus. Er hätte nicht mit ihr spielen sollen. Sie war –

wie jeder Künstler – ein argloses Kind in einer Welt von illusionslosen Rechnern und Karrieremachern.
»Haben wir seit Shanghai keine Dummheiten mehr gemacht?« fragte er und hob ihr zartes Kinn väterlich empor. Borghild schüttelte spontan und treuherzig den Kopf. Sie schämte sich nicht länger vor dem Geliebten; sie hatte sich überhaupt nur vor Yvonne geschämt. Daß Knut Wergeland ihre fatale Neigung kannte, gab Borghilds Beziehung zu ihm nur einen tieferen Reiz. Es war ein Wunder der Intimität, wenn auch in einem negativen Sinn...
Sie blickte verzaubert zu ihm auf – sie war so klein, so zart und hatte die Hilfsmittel der Hilflosen im Blockhaus gelassen. Der Konsul setzte sich auf einen Baumstamm und nahm sie auf den Schoß. Schon glaubte er nicht mehr, daß sie ein Kind des Chaos war. Er hob das zu Boden gefallene Spitzentuch auf und knotete es um ihren Hals. »Es wird kühl«, murmelte er. »Ich muß zum Schiff zurück.«
»Nein«, flehte Borghild. »Nicht... weggehen! Bitte nicht weggehen!« Große Tränen standen in ihren Augen. Sie wollte sie wegwischen, aber sie hatte kein Taschentuch.
Er wischte ihr mit seinem Taschentuch die Tränen ab, wie er es bei Astrid und Mailin zu tun pflegte. Als Vater war er unwiderstehlich. Das fand anscheinend auch Borghild, denn sie schlang ihre Arme um seinen Hals und barg ihren Kopf an seiner Schulter.
»Ich habe so lange gewartet«, flüsterte sie.
Er küßte sie zart und immer noch halb im Spiel. Ein verliebtes kleines Mädchen, das noch keinen passenden Jüngling gefunden hatte. Fast hätte er wie in Shanghai gesagt: »Lassen Sie den Unsinn, Borghild!« Er stand auf und stellte sie auf die Füße.
»Haben Sie damals meinen Brief bekommen?«
Knut Wergeland überlegte. Er hätte es verneinen sollen, aber aus dem zärtlichen Abscheu, den er in Shanghai gefühlt hatte, war Zärtlichkeit geworden. Borghild weinte nicht länger. Sie blickte ihm starr in die Augen und sagte ruhig: »Dann weißt du ja Bescheid.«
»Das ist alles Unsinn. Du weißt gar nicht, was Liebe ist!«
Er streichelte sie geistesabwesend. *Er* wußte, daß alles Glück die Qualen der Langeweile nicht aufwiegt. Plötzlich nahm er Borghild in die Arme und flüsterte:
»Dummes, kleines Mädchen! Ich bin viel zu alt für dich!«

In Gedanken setzte er hinzu, daß er zwei Töchter hätte. Aber es war schon zu spät. Borghilds Wünsche waren stärker als seine Vernunft und Erfahrung, weil ausgesprochene Wünsche etwas sehr Starkes sind. Borghild war jung, schrecklich und wunderbar jung. Der Konsul spürte eine fanatische Kraft der Hingabe in ihr, wie sie Yvonne niemals besessen hatte. Eine wortlose, arglose Hingabe, die er so rührend fand wie ihren Trick mit dem Schiff und so erregend wie die Mitternachtssonne in ihrem strömenden Glanz. Er trug Borghild in das große Holzhaus, das mit seinem silbernen Zierat inmitten der wilden Landschaft auf sie wartete. Als er sich über sie beugte, schlang sie die Arme um seinen Hals und küßte ihn unerfahren und verzweifelt, eine keusche Vagabundin, unordentlich und berückend. Sie öffnete zitternd ihr weißes Kleid; es war eine Gebärde stummer und vollkommener Hingabe. Er sagte nicht, daß sie den Unsinn lassen solle. Er nahm ihre Hände, küßte sie nachdenklich auf Stirn und Augen und deckte sie mit einer weißen Wolldecke zu.

»Schlaf, Liebling«, flüsterte er und wich ihrem starren Blick aus. Dann ging er auf sein Schiff zurück. Er verführte keine Jungfrauen; so romantisch war man nicht in der Familie Wergeland. Und auch nicht so unvorsichtig.

Am nächsten Morgen erschien Borghild mit gesenkten Augen in einem verwaschenen Sommerkleid auf seinem Schiff. Das Haar hing ihr wirr in die Stirn; über dem linken Arm trug sie einen fleckigen Regenmantel, in der rechten Hand hielt sie ihren Violinkasten. Ihr Schwanenkleid lag zerdrückt in dem schäbigen Köfferchen, das der Konsul in seine Kabine bringen ließ. Borghild war keine Dame, die ihr Festgewand nach jeder Sintflut aufbügelte.

Das Segeltuchlager des Konsuls stand schon auf dem Deck. Bei schlechtem Wetter wollte der Erste Offizier seine Kabine zur Verfügung stellen.

»Nun?« Der Konsul lächelte Borghild aus überhellen Augen an. Sie errötete wie ein Schulmädchen und setzte sich blaß und verwirrt im Speisesaal in die dunkelste Ecke.

»Vergessen Sie alles«, murmelte sie schließlich. »Ich bin ein Idiot. Ich habe eben keine Manieren ... Versprechen Sie mir, daß Sie ... gestern nacht ... vergessen wollen?«

»Ich denke nicht daran«, erwiderte Konsul Wergeland. »Ich könnte es nicht vergessen, selbst wenn ich wollte.«

»Ist das wirklich wahr?« fragte Borghild und belebte sich.
»Natürlich«, erklärte Konsul Wergeland mit todernstem Gesicht. »Ich leide an gutem Gedächtnis: eine Berufskrankheit ... Nanu, was gibt es denn da zu weinen?«

*

Endlich waren die Kinder schlafen gegangen. Sie hatten ihre Puppen in den malerischen Nationalkostümen von Nordland, Romsdal und Tröndelag mit ins Bett genommen. Auch Yumei hatte eine Trachtengruppe in der rotgoldenen Jacke von Telemark erhalten; das waren in China Farben der Freude. Yumei hatte noch niemals eine Puppe gehabt; sie wickelte sie sofort in ein Staubtuch und schloß sie in ihr Köfferchen. Die Puppe war viel zu schade zum Berühren! Sie sollte später in Shanghai zum Neujahrsfest aufgestellt werden. Astrid bat Tante Helene, so ein Kostüm mit Stickerei tragen zu dürfen, und erntete einen freundlichen Blick. Dabei hatte Astrid eigentlich keine patriotischen Gefühle an den Tag legen wollen; bei ihrem angeborenen Schönheitssinn war sie einfach von der Nordland-Tracht bezaubert. Sie wußte außerdem instinktiv, daß die weiße Bluse und die grüne Taille mit den leuchtenden Blumenborten sie kleiden würden. Sie hatte Yvonnes untadeligen Geschmack.
Nun saßen der Konsul und Helene allein vor dem silbernen Kaffee-Service in der Wohnhalle und schwiegen. Knut trank aus Nervosität die vierte Tasse Kaffee. Er hatte eine Überraschung für Fräulein Wergeland, die ja Überraschungen verabscheute. Helene war ungewöhnlich gesprächig. Sie teilte Knut in ihrer präzisen, energischen Art ihre Pläne für die Villa Wergeland mit. Das riesige Privathaus sollte ein Mütterheim werden, das die Stadt verwalten würde. Die Stadt verdankte schon viel soziale Einrichtungen dem ausgeprägten Gemeinsinn ihrer Bürger. Fräulein Wergeland war sehr befriedigt. Sie würde ja nun mit Mailin und Knut in Bangkok leben. Sie betrachtete »den Kleinen« mit geheimem Mutterstolz. Sie war schon ein erwachsenes Mädchen von siebzehn gewesen und Knut erst zwölf, als sie die Eltern verloren. Die Zeit hatte diese Grundsituation wenig geändert.
»Yumei ist prachtvoll«, schloß Fräulein Wergeland. »Ich werde ihr in Bangkok noch Ordnung, Pünktlichkeit und Sauberkeit beibringen.« Sie stelle sich allen Ernstes vor, daß man diese norwegischen Tugenden nach Südostasien verpflanzen könne.

»Helene«, sagte Knut Wergeland und blickte die japanische Bildrolle an, die er seiner Schwester mitgebracht hatte. Es war der »Singvogel auf einem toten Ast«. Das Geschenk hatte Fräulein Wergeland mißfallen, aber sie hatte es sich nicht anmerken lassen, da es von Knut kam. Sie selber malte, was sie sah. Ihre Ölbilder waren sehr ordentlich. Sie malte eben zu ihrem eigenen Spaß.

»Was ist los, Kleiner? – Hast du die Sprache verloren?« Fräulein Wergeland, die nicht zu den Geduldigsten gehörte, blickte ihren Bruder scharf an und klopfte mit dem Zeigefinger auf den Tisch – eine Gewohnheit, die den Konsul schon immer irritiert hatte. Er betrachtete seine Schwester, während er überlegte, wie er ihr die Überraschung schonend beibringen könne. Aber alle Überlegungen verflogen beim Anblick dieses vertrauten, energischen Gesichts mit den stahlblauen Augen und den fest geschlossenen Lippen. Helene war immer sein Rettungsboot gewesen und nun ... Er wagte den Kopfsprung in das Meer des Unbehagens.

»Meine Pläne haben sich geändert, Helene«, sagte er ruhig. »Du brauchst fürs erste die Villa nicht aufzugeben.«

»Willst du hierbleiben? Das wäre vernünftig. Ich könnte mich mehr den Kindern widmen. Außerdem – was soll das Herumzigeunern in Asien? Olaf ist nicht mehr der Jüngste.«

»Du hast mich mißverstanden, Helene! Ich gehe natürlich wieder nach Bangkok, aber ... ich werde mich nach Ablauf des Trauerjahres verheiraten.« Fräulein Wergeland sprang auf. Hatte Knut noch nicht genug an einer verfehlten Ehe? Sie hätte ihn am liebsten gefragt, ob es bei ihm piepe; aber Knut war aus empfindlichem Stoff. Er war der einzige Mensch, vor dem sie sich zusammennahm. Sie hörte sich mit zusammengepreßten Lippen an, was Knut zu sagen hatte. Ein Küken von eben zwanzig Jahren, eine Person, die auf der Geige herumkratzte und nichts vom Kochen und Aufräumen verstand. Fräulein Wergelands Vermutungen waren erstaunlich korrekt. Borghild aß lieber trockenes Brot, als daß sie kochte. Das Aufräumen hatten ihre Mutter und sie der Garderobenfrau überlassen. Wenn die nicht da war, wurde nicht aufgeräumt. – In dieser Hinsicht paßte Borghild ausgezeichnet in einen tropischen Haushalt.

»Lillesand ...«, murmelte Helene. »Ist sie mit Sigrid Kronstad-Lillesand verwandt?«

»Das war ihre Mutter. Sie gab in ganz Europa Konzerte.«

»Und verursachte in ganz Europa Skandale. Eine unordentliche Familie.« Es war ein Todesurteil.
»Borghild ist anders«, sagte der Konsul schnell. »Sie ist...« Er stockte. Man konnte nicht ausdrücken, wie rein Borghild war.
Er verteidigt sie schon ... Ich muß den Mund halten, dachte Fräulein Wergeland verbittert. Sie fühlte, wie Knut ihr von Minute zu Minute entglitt, daß er bereits seine Treue von ihr auf diese Unbekannte übertragen hatte. Er brauchte sie nicht mehr. Das war ihr neu und unerträglich. Sie fühlte instinktiv, daß Knut sich in eine Liebesheirat stürzte. Er kämpfte nicht mehr zwischen Vernunft und Verlockung. Das Leben war wieder ein Picknick.
Fräulein Wergeland trat ans Erkerfenster und betrachtete den dunkelnden Fjord und die Berge. Sonst hatte Knut jeden Entschluß mit ihr besprochen, aber diesmal hatten ihre eigenen Pläne und Hoffnungen keine Rolle dabei gespielt. Wie zerbrechlich waren menschliche Bindungen! Und wie ahnungslos fügten Verliebte anderen Menschen Schmerzen zu! Helene preßte die Lippen zu einem Strich zusammen. So blickte sie im Schatten des Verzichts den Wolken nach.
»Sie braucht mich, Helene.«
Sie drehte sich brüsk um. »So«, sagte sie und verfiel gleich wieder in ihr düsteres Schweigen. Brauche ich dich etwa nicht?, dachte sie. Was sollte das Geschwätz? Man mußte einen Strich machen und die eigenen Pläne vergessen. Sie hatte ja noch Astrid und Mailin und ihre Schützlinge im Ostflügel. Wie viele Leute hatten nur einen Hund oder eine Katze! – Fräulein Wergeland lächelte bitter, gähnte laut und ungeniert und sagte: »Zeit zum Schlafengehen! Gute Nacht!«
Der Konsul sprang auf und legte seiner Schwester beide Hände auf die Schultern. Sie standen sich wie zwei Kämpfer gegenüber, beide hochgewachsen – aber sie aus Granit, und er aus einem empfindlicheren Stoff.
»Sei gut zu ihr, Helene«, bat er. Dann lockerte er den Druck seiner Hände und begann, die breiten, starken Schultern scheu zu streicheln.
»Laß die Faxen«, sagte Fräulein Wergeland rauh. »Sie kriegt von mir Mutters Perlen als Hochzeitsgeschenk. Wann kommt sie?«
»Wann du willst! Sie wartet im Hotel.«
Fräulein Wergeland beugte sich aus dem Fenster und rief mit Stentorstimme nach dem Chauffeur. »Ich fahre allein«, sagte sie

zu ihrem Bruder. »Was ist denn los, dummer Junge? Spar dir deine Küsse für deine Zukünftige auf!«

Wider alles Erwarten gefiel Borghild Fräulein Wergeland. Irgendwie tat sie ihr leid, als sie wie ein ängstliches Schulkind auf sie zuging und dann kein Wort herausbrachte. Dies Mädchen war wirklich keine Sirene, die Knut raffiniert eingefangen hatte! Aber Helene hatte trübe Ahnungen: Knut würde sie kreuzunglücklich machen. Borghild schien völlig hilflos zu sein. Daß sie in ihrer Geige ein gefährliches Instrument der Verführung besaß, zog Helene nicht in Betracht. Sie war unmusikalisch.
Jahre später erinnerte sich Fräulein Wergeland an eine kleine Szene mit Astrid. Sie kam mitten in der Nacht zu ihr, um wieder einmal »ein Geheimnis« zu enthüllen. *Maman* hätte die Tante mit dem Geigenkasten *une vagabonde* genannt! Aber Astrid wußte nicht mehr genau, weswegen. Fräulein Wergeland erfuhr bei dieser Gelegenheit, daß Borghild und Knut sich schon von Shanghai kannten. »Ich glaube, sie hatte Maman etwas gestohlen«, wisperte Astrid schon wieder halb im Schlaf.
»Du träumst, Kind! Komm, ich trage dich ins Bett!«
»Huckepack, Tante Helene?«
»Ja... Huckepack«, sagte Fräulein Wergeland in tiefen Gedanken.

SECHSTES KAPITEL

# Ein Bündel Briefe

*Borghild Wergeland (Bangkok) an Fräulein Helene Wergeland (Trondheim)*
*Bangkok. Im Juli 1926.*

Liebste Helene,

sei nicht böse, daß ich so lange nicht geschrieben habe. Es ist hier so schrecklich heiß, und mein Kopf schmerzt wie verrückt. Es würde Dir hier gar nicht gefallen! Die Ausländer sind so gleichgültig und vergnügungssüchtig und den Asiaten gegenüber von einer prahlerischen Bescheidenheit. Ich drücke mich dumm aus, aber Du weißt vielleicht, was ich meine. Yumei ist mein einziger Trost. Sie ist ganz unverändert, ob sie nun in Shanghai, Trondheim oder Bangkok ist: immer vergnügt und fleißig und lieb und treu. Ich wüßte nicht, was ich ohne sie hier anfangen sollte. Sie massiert mich, wenn ich erschöpft bin, kocht für mich, wenn ich den »Reis und Curry« nicht essen mag, und tröstet mich.

Ach, liebste Helene, sei nicht böse, daß ich Dir etwas vorwimmere, wo Du doch wimmernde Frauenzimmer nicht ausstehen kannst, wie Du einmal in Trondheim gesagt hast. Wenn ich an Dich und Mailin und die Villa Wergeland denke, möchte ich sofort zu Euch fahren. Bei Dir fühlte ich mich das erstemal im Leben geborgen. Vielleicht, weil Du so viele lahme Schneehühner betreust. Hier tun die Leute alle schrecklich glücklich und interessiert und haben scharfe Linien im Gesicht und hören überhaupt nicht zu, wenn man ihnen etwas erzählt oder vorspielt. Die siamesischen Freunde von Knut lächeln zwar reizend, aber ich glaube, sie sind mit ihren Gedanken ganz wo anders – in den glitzernden Tempelhallen, oder in ihren Ruhepavillons oder sonstwo. Da war Herr Matsubara in Shanghai ganz anders. Ich erzählte Dir doch, daß er mir zufällig das Leben gerettet hat! Er war ja etwas

langweilig und furchtbar feierlich; aber er hörte genau zu, was man ihm erzählte, und liebte Beethoven und Grieg. Er war *mitfühlend*. Ganz im Gegensatz zu Knut, der überhaupt nicht mitfühlend ist. Aber das weißt Du besser als ich. Du kennst ihn ja viel länger. Du hast gefragt, wie ich mich mit meinen Pflichten im Konsularkorps abgefunden habe. Gar nicht! Sie kotzen mich an. Entschuldige, daß ich Dir die Wahrheit wie einen nassen Lappen ins Gesicht werfe; aber das habe ich von Dir gelernt. Knut ist natürlich ein Diplomat und zieht die Augenbrauen hoch, wenn zwei Knöpfe an meiner Abendjacke fehlen und mein Haar nicht brav sitzt. Er sagt zwar, es wäre ihm ganz egal, aber er haßt es. Bei mir braucht er doch nicht im Frack im Bett zu liegen! (Mama nannte das immer so, wenn Männer auch noch Theater spielen, wenn man ganz allein ist. Mama drückte sich manchmal urkomisch aus.)
Ich habe mich, was Knut betrifft, in einem Punkt vollkommen getäuscht. Ich dachte damals in Shanghai (wie findest Du das, daß er Dir nicht erzählt hatte, wie lange wir uns schon kannten?) Was wollte ich noch sagen? Also: in Shanghai dachte ich, daß Knut mit seiner Frau kreuzunglücklich wäre. Das kann aber nicht der Fall gewesen sein. Er hält mir Yvonnes Tugenden, ihren Geist, ihre Eleganz und ihre Art, mit den Dienern umzugehen, dauernd vor und ist böse, wenn ich dann weine oder mich mit meiner Geige einschließe und nur Yumei zu mir lasse. Ich kann es bald nicht mehr ertragen. Er war so lieb und zärtlich daheim. In ihm müssen zwei Wesen stecken: einmal er selbst und dann ein diplomatisches Scheusal, vor dem ich Angst habe wie als Kind vor den Trollen. Ich bete ihn trotzdem an – das ist der Haken! Ich wäre gern stolz und unnahbar und so eine Statue wie Yvonne, aber ich bringe es nicht fertig. Ich werde immer unsicherer, je öfter Knut sagt, daß meine Schlamperei und meine Dummheiten in den Salons ihm gar nichts ausmachten. Wenn er mich nur einmal ein bißchen loben oder ermuntern würde! Aber nein – er lächelt wie ein Eiszapfen und sagt »Dummerchen« und haßt mich. Bestimmt, Helene, er liebt mich nicht mehr. Nur noch so zum Schein und schrecklich gelangweilt. Er sitzt die meiste Zeit in dem albernen japanischen Zimmer, das er von Shanghai hierhergebracht hat, oder steckt bei den Kunsthändlern. Er kommt selten zu mir herein, wenn ich Geige spiele. Ich spiele so oft seine Lieblingssachen und warte, und dann sinkt mir der

Bogen aus der Hand, und ich muß mich übergeben, und Yumei massiert mich oder bringt mich zum Lachen. Oder ich sehe mir die Perlen an, die Du mir zur Hochzeit geschenkt hast, und lege sie um den Hals, und etwas Glanz kommt von ihnen in mich hinein. Ich habe niemals einen echten Schmuck besessen. Du bist so gut, liebste Helene! Entschuldige, daß ich es Dir immer wieder sage; Du kannst es ja nicht leiden, daß man sich bei Dir bedankt.
Bei den Perlen fällt mir ein: Knut war neulich direkt zum Fürchten! Wir waren bei einer siamesischen Prinzessin eingeladen, und nach dem Tee zeigte Ihre Hoheit uns einen alten Schmuck mit enormen Edelsteinen in einer bezaubernden Goldfassung. Ich behielt den Schmuck in Gedanken in meiner Hand und freute mich an dem Glanz... Plötzlich trat Knut zu mir, schaute mich wie ein Tiger aus den Dschungeln an und riß mir buchstäblich den Schmuck aus den Händen. Er flüsterte dabei: »Gib mir augenblicklich das Halsband«, als ob ich es stehlen wollte! Und er lächelte für die Prinzessin und zwei Amerikaner, sah aber ganz verzerrt aus. Mir kamen die Tränen. Zu Haus war Knut furchtbar böse, sprach kein Wort und schlief im japanischen Zimmer. Anstatt stolz wie eine Statue in meinem Zimmer zu bleiben, ging ich um 11 Uhr nachts zu ihm, um mich zu entschuldigen; denn ich war wohl ein bißchen ohnmächtig bei der Prinzessin, wie ich den Schmuck in den Händen hielt, und wußte gar nicht, daß ich immer noch die Steine ansah. Oder so ähnlich war es. Ich wollte ihm nachts sagen, daß ich ein Kindchen erwarte. Es soll im November kommen. Aber Knut öffnete nicht einmal seine Tür, obwohl ich sagte, es wäre etwas Wichtiges, und er möchte mir nicht länger böse sein. Findest Du das nett von ihm? Hier in Bangkok sind viele junge Mädchen; mit denen ist er so zartfühlend und entzückend wie mit mir in Shanghai und auf Hitra. Aber ich bin nun schon einundzwanzig Jahre und eine Ehefrau und kenne das Leben genug, um zu wissen, daß Ehemänner nur mit fremden Frauen reizend sind.
Du mußt nicht denken, daß ich mir etwas daraus mache, daß Astrid uns niemals schreibt. Sie ist eine aufgeblasene Pute und war mir schon in Trondheim unsympathisch. Aber Knut ist, glaube ich, sehr verstimmt, daß sie so schweigt. Sie hat ihm aus Lausanne aus ihrer Schule nur einen Brief geschrieben, den er sofort in tausend Stücke riß, bevor ich ihn lesen konnte. Ist es

nicht lächerlich, daß Astrid beleidigt ist, daß ihr Papa wieder geheiratet hat? Vielleicht hat sie auch etwas speziell gegen *mich*! Ich wüßte nicht warum; sie hat mich doch in Trondheim zum ersten Male gesehen. Es ist alles so merkwürdig. Knut will mir nicht sagen, was in Astrids Brief stand. Er hat immer Geheimnisse, und quält mich. Bitte schreibe Knut nichts von dem ganzen Unsinn; aber ich *mußte* Dir mein Herz ausschütten, sonst wäre ich vor Kummer zerplatzt. Knut hat recht: ich bin ein Trampel auf dem internationalen Parkett, und ich langweile mich, wenn ich mich aufputzen und »How do you do?« sagen soll, wo es mich nicht interessiert, wie es den Marionetten geht, die man überall trifft.

Vielleicht ist Knut doch zu alt für mich? Papa sagte immer, ein Mann sollte höchstens fünf bis sieben Jahre älter als die Frau sein. Er selbst war auch fünfzehn Jahre älter als die arme Mama, die sich niemals anpassen konnte und nur bezaubernd aussah (im Gegensatz zu mir) und einen »Unordentlichen Lebenswandel« führte, wie Papa es nannte, und eine Künstlerin war. Ich beneide sie manchmal, daß sie nun tot ist und ihre Ruhe hat.

Kannst Du uns nicht besuchen? Knut ist viel netter in Deiner Gegenwart. Wenn wir von Dir sprechen, sind wir einer Meinung. Das ist das Einzige auf der Welt, über das wir einer Meinung sind.

Entschuldige, daß der Brief so unordentlich aussieht. Die vielen Flecke sind Tinte, Schweiß und Tränen. Es ist alles durcheinander geflossen. Hoffentlich bist Du nicht zu sehr angewidert!

Komm bald mit der süßen kleinen Mailin auf Besuch! Und grüße die Witwe aus Aalesund und Deine Schneehühner und die ulkigen Drückeberger und alles, was Dich besucht und Dir Deine Zeit stiehlt – genau wie Deine Dich liebende
       Borghild.

*Konsul Wergeland an Helene Wergeland. (Trondheim)*
                                    Bangkok, Oktober 1926.
   Liebe Helene,

vielen Dank für Deinen langen Brief. Ich habe Borghild mit Yumei vor zwei Monaten in die Berge nach Chiengmai geschickt. Dort ist es kühl, und es gibt da ein ausgezeichnetes amerikanisches Hospital, wo sie das Baby bekommen wird. Sie ist sehr müde und leider überzart, aber ich hoffe, daß sie sich über das Kind freuen und ein bißchen zur Vernunft kommen wird. Bitte, gib mir keine Ratschläge, wie ich meine Frau behandeln soll! Ich behandele sie richtig, sei unbesorgt! Natürlich habe ich nicht gewußt, daß sie so wenig anpassungsfähig ist. Ich war wohl durch Yvonne zu verwöhnt. *Ich* muß mich um alles kümmern, wenn wir Gäste haben. Wenn Yumei nicht wäre, hätten wir keine Diener mehr. Borghild kann überhaupt nicht mit ihnen umgehen, wird immer zornig oder wirft sie hinaus. Es ist ein Kreuz.

Astrid macht mir große Sorge. Es ist unerhört, daß sie meine Briefe nicht beantwortet. Ich habe an Pater Laudin geschrieben, der die Kinder geistlich betreut. Er schrieb mir sofort zurück und bat mich um Geduld. Die habe ich in reichem Maße; ohne Geduld könnte ich weder mit Astrid noch mit Borghild weiterkommen.

Grüße und küsse mir meinen kleinen Liebling Mailin! Es freut mich, daß sie Euch allen soviel Freude macht. Ich könnte auch etwas von dieser Freude gebrauchen. Du fehlst mir, liebe Alte!

Viele Grüße,<br>Knut.

*Telegramm aus Bangkok; November 1926*
Deine Nichte Vivica soeben angekommen. Chiengmai-Hospital. Mutter und Tochter wohlauf. Sehr glücklich, Borghild Knut.

*Fräulein Wergeland an Borghild Wergeland (Bangkok)*
Trondheim, 1. Dezember 1928.
Liebe Borghild,

aus Deinem letzten Briefe habe ich zu meiner Freude ersehen, daß es Vivica unter Yumeis Pflege trotz des Klimas gut geht und daß Du Dich von Deinem Fieber erholt hast. Vielen Dank für die Fotos von Dir und der Kleinen. Du siehst ein bißchen mickrig aus, aber das kommt wohl vom Fieber. Das Kind scheint recht hübsch zu sein. Passe nur auf, daß es unter den vielen Ausländern dort kein Putzaffe wird! Wenn Vivica nach ihrer kleinen Mutter schlägt, wird sie reden, wie ihr der Schnabel gewachsen ist. Das wollen wir hoffen.

Grübele nicht so viel, liebes Kind, sondern beschäftige Dich! Schreib mir nicht immer, wie heiß es in Siam ist. Ich weiß es nun. Aber sonst sollst Du mir weiter alles schreiben, wie bisher.

Es wird schon mit Knut und Dir in Ordnung kommen! Es wäre besser, Du zeigtest ihm gelegentlich die Zähne! Zuviel Liebe und Sanftmut bekommt den Männern nicht.
Sehr unrecht, daß Du das Geigenspiel aufgegeben hast! Wenn ich selbst auch ungern Musik höre, so weiß ich doch, was sie für Dich, liebe Kleine, bedeutet. Außerdem kannst Du etwas! Übrigens: Deine »Norwegischen Bauerntänze« gefielen mir nicht übel. Von uns gibt es glücklicherweise nichts Neues. Mailin hat Privat-Unterricht von einem Drückeberger, der indessen sein Mädchen geheiratet hat und sehr ordentlich geworden ist. Mailin lernt langsam aber gründlich. Sie spricht immer noch Chinesisch, Norwegisch und etwas von Yumeis gelerntem Pidgin-Englisch durcheinander. Grüße mir die gute Yumei! Nett, daß sie Euren Koch heiraten wird! Frage sie, was sie von mir zur Hochzeit haben möchte. Etwas Praktisches natürlich. Schön, daß sie nun erst einmal bei Euch in Bangkok bleibt. Vivica ist jetzt sehr an sie gewöhnt. Daß Du es ohne Yumei kaum aushalten könntest, ist purer Unsinn, liebes Kind! Man kann *alles* aushalten, laß Dir das von mir gesagt sein! Das Leben ist kein Picknick, aber mit Ordnung und gutem Willen läßt es sich ertragen. Man darf sich nur nicht selbst bemitleiden! Im Augenblick kann ich Euch nicht besuchen: das Haus ist zu Weihnachten immer überfüllt mit Mädchen, die erst Dummheiten machen und dann wimmern. Hier liegt haushoher Schnee. Unsere Mailin ist recht geschickt im Skilaufen. Alle haben sie gern. Ich werde sie Euch noch nicht so bald schicken: ein Kind im Lernalter darf nicht wie ein Postpaket von Land zu Land geschickt werden. Es braucht vor allem *Ruhe* und *Ordnung*. Die hat Mailin hier bei mir. Das ist der einzige Grund, dummes Mädchen! Rede Dir nicht ein, daß ich Dir Mailin nicht anvertrauen will! Du weißt genau, was ich von Dir halte. Ich denke gar nicht daran, es in jedem Brief zu wiederholen.
Ein gesegnetes Fest Euch allen!
Helene.

*Baron Akiro Matsubara an Vera Leskaja (Shanghai)*
Paris, im Dezember 1928.

Chère Mademoiselle,

gestatten Sie mir Ihnen und Ihren geehrten Freunden zum Lichterfest meine ganz ergebenen Wünsche und Begrüßungen zu

senden. Festtage sind ja in der ganzen Welt die hochwillkommene Gelegenheit, sich seiner geehrten Freunde und Gönner mit tiefem Respekt zu erinnern. Als unwürdige Gabe meines Dankes für die hervorragende Unterweisung im Französischen und in den Wegen des Westens erlaube ich mir Ihnen ein altjapanisches Märchen zu senden, das ich hier in Paris in einer französischen Ausgabe fand und selber für Sie in Brokat gebunden habe. Die »Erzählung vom Bambusfäller« ist über tausend Jahre alt. Matsubara Akiro hofft in Bescheidenheit, daß seine elende Gabe Gnade vor den geehrten Augen seiner Lehrerin finden möge. Darf der stupide aber eifrige Schüler noch erwähnen, daß das *Taketori Monogatari* (Erzählung vom Holzfäller) von unserer bedeutenden Dichterin Murasaki Shikibu (Frau Zeremonienmeister Purpur) als »Vater aller Erzählungen« gepriesen wurde? In den Roman-Werken der Dichterin, welche die Welt nicht genügend wertet, vollzieht sich bereits im 11. Jahrhundert der glorreiche Aufstieg der japanischen Nationalliteratur und damit eine Loslösung politischer und kultureller Natur von dem moralisch und politisch zerfallenen China. Möge die hochgeehrte Lehrerin diese Abschweifung verzeihen! Sie hatte den einzigen Zweck, den Geist der Lehrerin für ein japanisches Märchen vorzubereiten.
Paris ist eine angenehme Lernstadt; ich habe glücklicherweise einige Jugendfreunde aus Tokio getroffen. Das ist sehr tröstlich in der geehrten Fremde.

        Hochachtungsvoll und ganz ergeben
        Matsubara Akiro.

PS
– – In Shanghai nannte Matsubara Akiro sich anders; aber er ist ein so unwichtiges Insekt, daß die werte Lehrerin in jedem Falle seine wertlose Erscheinung vergessen haben wird.

        gez. Der Obige.

*Mademoiselle M. de Bernières (Leiterin einer Internatsschule in Lausanne) an Fräulein Helene Wergeland (Trondheim)*
        *Lausanne, 1929*

Chère Mademoiselle,

es war mir eine besondere Freude und Ehre, Sie und die kleine Halbschwester von Astrid Thérèse in Lausanne begrüßen zu dürfen. Père Laudin und unsere Lehrerinnen sind von Herzen froh,

daß Astrid mit ihren vielen inneren Schwierigkeiten in Ihnen eine mütterliche Beschützerin hat. Leider ist ja der Vater des Kindes außer Reichweite und kann nicht den rechten Kontakt haben.
Zu unserem Bedauern hat sich im letzten halben Jahr wenig geändert. Astrid neigt weiterhin zum Hochmut, zu übermäßigem Ehrgeiz und zur Geheimniskrämerei. In meiner langen Erfahrung bin ich noch keinem so ausgebildeten Charakter bei einem elfjährigen Mädchen begegnet; und zwar sind Licht- und Schattenseiten in einer Mischung vereint, die ich bestürzend nennen möchte. Der Hochmut, den Astrid zur Schau trägt, kann eine erfahrene Pädagogin und einen Seelsorger wie Père Laudin nicht über die Traurigkeit hinwegtäuschen, die dieses Kind beschattet. Unsere Gebete und die Energie des Herrn Paters haben Astrid Thérèse nun endlich zu einer vernünftigen Haltung ihrem Vater und der jungen Stiefmutter gegenüber bewogen. Seitdem ich mit Ihrem ausdrücklichen Einverständnis Herrn Professor Clermont in Saigon abgeschrieben habe, ist Astrid noch verschlossener und verstörter geworden. So gut es von Astrids Großonkel als dem einzigen Vertrauten ihrer verstorbenen Mutter gemeint war: man kann unmöglich ein Kind wie ein Postpaket von Land zu Land senden. Meine einzige Schwester ist im Missionsdienst in Indochina tätig. Von ihr weiß ich, daß weder das Klima noch die Lebensbedingungen in Saigon der Entwicklung unseres Sorgenkindes dienlich sein könnten. Astrid soll, wie vorgesehen, ihre Erziehung in Lausanne beenden. Dann allerdings hat ihr Vater über ihre Zukunft zu entscheiden, wobei wir überzeugt sind, daß Sie den Herrn Konsul richtig beraten werden.
Darf ich Ihnen bei dieser Gelegenheit mitteilen, daß Astrid leidenschaftlich an Ihnen hängt, obwohl sie es so wenig zeigt. Sie hat ihr ungehöriges und unchristliches Benehmen gegen die bezaubernde Halbschwester aufs bitterste bereut. Und zwar nicht nur im Beichtstuhl, sondern auch mit der Tat. Ich sende Ihnen mit gleicher Post ein Batistkleidchen, das eine unserer Damen zugeschnitten hat und das von Astrid mit der Hand genäht und nach eigenem Entwurf bestickt wurde. Sie hat einen Zettel mit der Aufschrift »Für meine Schwester Mailin« beigelegt.
Zu unserem Bedauern hat Ihre Nichte weiterhin keine Freundin unter unseren lieben Mädchen gefunden. Diese Tatsache ist einzig und allein Astrids bestürzenden Eigenheiten zuzuschreiben. Sie duldet keine Freundin neben sich; sie will in jeder Freundschafts-

beziehung dominieren. So sehr wir Erwachsene auch Astrids besondere Schwierigkeiten verstehen mögen, so sehr stellt sie die Geduld der anderen Kinder auf die Probe. Ich nehme mich daher unserer Astrid Thérèse so viel an, wie es meine von tausend Pflichten ausgefüllte Zeit erlaubt. Es hat kürzlich eine peinliche Szene zwischen Astrid und einer Mitschülerin aus Paris gegeben. Die Eltern haben die kleine Marie-Béatrice daraufhin nach Hause geholt. Astrid hatte die Kleine so heftig mit Beschlag belegt, daß Béatrice Alpträume bekam und nur mit Brom beruhigt werden konnte. Natürlich taten wir die Kleine in ein anderes Schlafzimmer zu anderen Kindern, worauf Astrid drei Tage lang die Nahrung verweigerte und nicht antwortete, wenn man mit ihr sprach. Nur mit mir und Père Laudin, den ich in dieser Krise um Hilfe bat, benahm sich Astrid ein wenig manierlicher. Sie beugt sich nur vor der Autorität und bemüht sich nur um Menschen, wenn es ihr lohnend erscheint. So war sie ganz reizend, als Gräfin F., eine der Gönnerinnen unseres Instituts, uns besuchte, und erhielt prompt eine Einladung zu Pfingsten auf das Gut dieser Dame. So sehr uns die Abwechslung für ein freundloses Mädchen freute – Astrids Motive und ihr sozialer Ehrgeiz (auch etwas Seltsames in diesem Alter) gaben uns erneut zu denken. Ihr scharfer Verstand, ihr Fleiß, ihre Intelligenz und Energie werden ihr nicht zum Segen gereichen, wenn sie nicht demütiger wird. Glücklicherweise wohnt sie dem heiligen Meßopfer mit herzlicher Aufmerksamkeit und Andacht bei. So hoffen wir, daß die göttliche Gnade und Astrids Bemühung eine Wandlung in ihr bewirken werden.
Nur zögernd teile ich Ihnen mit, daß die Kleine gewisse Züge entwickelt, die ihren Kontakt mit der Umwelt unnötig erschweren. Sie ist, was man im Schulbetrieb eine »Angeberin« nennt; sie teilt uns Lehrern »Geheimnisse« über Mitschülerinnen mit, welche die Mädchen in unseren Augen herabsetzen sollen. Dies macht uns ernstliche Sorge, um so mehr, als die Motive nicht klar zutage treten. Sie ist Klassenerste und hat es in keiner Weise nötig, sich auf Kosten anderer in helleres Licht zu setzen. Es ist unser Prinzip, mit dem Lobe nicht zu sparen, wo Lob Ermutigung bedeutet. Bei Astrid Thérèse jedoch kann man mit Lob nicht vorsichtig genug sein, da sie in dieser Hinsicht unersättlich ist. Keinem Kinde in unserer Obhut ist christliche Unterweisung und gutes Beispiel notwendiger als Ihrer Nichte. Sie ist auch bemüht, den Gnadenwahrheiten des Glaubens näher zu kommen; es be-

rührt uns schmerzlich, daß keines unserer Kinder vom echten Leben in Christo weiter entfernt scheint als Astrid. In dem Innern der Kleinen spielen sich Dinge ab, die selbst geschulten Pädagogen und Seelsorgern rätselhaft sind. So hat Astrid in Augenblicken großer Erregung einen Hang zu Grausamkeit und Gefühlsstarre, der sich im Wort und leider auch in der Tat äußert. Sie braucht viel Liebe aber noch mehr Strenge. Es schmerzt mich, Ihnen so wenig Erfreuliches mitteilen zu können, aber Sie baten mich um rückhaltlose Offenheit. Wir dürfen jedoch die Hoffnung nicht aufgeben, daß Ihre Nichte, die eben in keiner Weise zum Durchschnitt gerechnet werden kann und brillante Fähigkeiten besitzt, auch in der Seele wachsen wird.

So schwer es auch manchmal im Alltagsleben fällt, wir dürfen keinen Augenblick vergessen, daß die wirkende Gnade mehr vermag als wir armen Erzieher. Astrid muß die Schönheit und unendliche Barmherzigkeit GOTTES erkennen und lieben lernen. Dies ist der Weg, den wir ihr zu weisen versuchen. Sie wird dann auch einsehen, daß Talente, Vorzüge der Geburt und soziale Position nicht eigenes Verdienst sind, sondern – wie alles Übrige – Gaben des gütigen Gottes, und daß man sie zu Seiner Ehre und zum Wohle der leidenden Mitmenschen anwenden muß. Hier weiß ich mich mit Ihnen, chère Mademoiselle, eines Sinnes!

Wenn Astrid nun die Sommerferien in Trondheim verleben wird, würden Père Laudin und ich es mit Dank begrüßen, wenn Sie unsere Kleine zum Dienste an jenen unglücklichen Mädchen anhalten wollten, die Sie so hochherzig seit Jahren im eigenen Heim betreuen und ins Leben zurückgeleitet.

Seien Sie, chère Mademoiselle, versichert, daß unser Haus Sie und Ihre Familie im Gebet vor dem Altar der besonderen Gnade des HERRN empfiehlt.

In diesem Sinne begrüße ich Sie mit aufrichtiger Herzlichkeit.

Ihre sehr ergebene<br>Monique de Bernières

*Konsul Wergeland an Fräulein Helene Wergeland in Trondheim.*
Dalat (Indochina) Januar 1930.

Liebe Helene,

Ende des Monats wird Kapitän Lillesand in Bangkok sein und Borghild nach Marseille mitnehmen. Er wird sie von dort aus in

ein Sanatorium in der Nähe von Paris bringen. Ihr Zustand ist untragbar geworden. Nur durch die Freundschaft eines Schweizer Freundes, in dessen Bangkoker Heim Borghild einen Ring entwendete, ist ein Skandal vermieden worden. Er hätte mich die Karriere gekostet. Ich brachte Borghild am Tage nach dem Diebstahl hier nach Dalat in die Berge. Yumei ist mit Vivica in Bangkok geblieben, da Vivica ihre Mutter nicht in ihrem aufgelösten Zustand sehen darf. Sie ist ungewöhnlich neugierig.
Borghild hat es aufgegeben, sich meinen Arrangements zu widersetzen. Wir werden getrennt leben. Eine Scheidung kann ich mir in meiner Stellung schlecht leisten; aber natürlich kann ich Vivica nicht dem Einfluß ihrer haltlosen Mutter aussetzen. Astrid mit ihrem empörenden Gedächtnis hat eine Szene in Shanghai behalten und hat in ihrem ersten Brief aus Lausanne darauf angespielt. Da sie nicht lebenslänglich in Lausanne hocken, sondern zu mir kommen soll, muß Borghild verschwinden. Es ist unmöglich, die beiden zusammenzubringen. Borghild muß zu meinem Bedauern die Folgen ihrer Handlungen tragen. Das müssen wir alle. Sie ist ein Geschöpf des Chaos und ihre Kunst ein Produkt der Tiefe. Das habe ich zu spät erkannt. Ich muß Dich bitten, mich in Zukunft mit groben Vorwürfen wegen meines Verhaltens Borghild gegenüber zu verschonen! Du hast nicht mit ihr in einer Gesellschaft von Fremden, denen Klatsch und Tratsch höchstes Bedürfnis ist, leben müssen! Du hast überhaupt nicht mit ihr leben müssen! Ich bin nicht grausam, wie Du meinst, aber ich bin mit meinen vierzig Jahren und einem Gallenleiden, das auf Borghilds Konto geht, nicht mehr jung genug, um eine Backfischliebe ohne Haltung und Vernunft zu erwidern.
Borghild kommt in eine Nervenheilanstalt. Ich betone das, weil Du mir sonst schreiben wirst, daß ich sie in eine »Klappsbude« eingesperrt habe. Sie wird bis zu einem gewissen Grade Bewegungsfreiheit genießen und unauffällig beobachtet werden. In dieser Zeit wird es sich entscheiden, ob eine spätere Einweisung in eine Irrenanstalt notwendig sein wird. Ich hoffe nicht und bitte Dich, ihr das Sanatorium schmackhaft zu machen. Auf Dich hört Borghild wenigstens noch! Augenblicklich sitzt sie auf der Veranda und weint, daß einem das Herz brechen könnte! Ich bin kein Unmensch, wie Du liebenswürdigerweise behauptet hast. Aber Borghild hat es zu weit getrieben. Ich will sie niemals wiedersehen. Wenn sie gesundet, kann sie ihre Konzertlaufbahn

wieder aufnehmen. Ich wünsche es ihr. Dann kann sie auch ein Vagabundenleben nach Ihrem Geschmack führen.
Versuche meine Entscheidung zu verstehen und entziehe mir nicht den Rest Deiner schwesterlichen Zuneigung! Es täte mir leid, wenn Du eine einseitige Haltung in dieser betrüblichen Affäre einnehmen würdest! Ich habe doch nur Dich.

Stets Dein Knut.

*Telegramm von Fräulein Wergeland (Trondheim) an Konsul Wergeland, Bangkok. (Wenn abwesend, nachsenden!)*

Werde Borghild in Marseille abholen und daheim gesundpflegen. Widerspruch zwecklos. Bin außer mir.

Helene.

*Telegramm von Konsul Wergeland an Fräulein Wergeland,*
*(Trondheim)*
Dalat, Januar 1930.

Borghild tödlich verunglückt. Verzweifelt.

Knut.

*Professor Antoine Clermont, Chefarzt für den Regierungsbezirk Saigon-Cholon, an Fräulein Wergeland (Trondheim)*

Ma chère Mademoiselle,

Ihr Bruder Knut ist im Augenblick nicht in der Verfassung, Ihnen über die Tragödie von Dalat zu berichten. Er liegt mit einem schweren Anfall von Gallenblasenentzündung in meiner Privatklinik in Saigon. Eine Infektion der Gallenwege war seit seiner Typhus-Erkrankung im Jahre 1922 zu befürchten. Die ständigen Aufregungen, die Knut seit seiner zweiten Heirat hatte, haben leider auch ihr Teil beigetragen. Ich hoffe, daß die Entzündung in einigen Tagen zurückgeht. Danach werden ein Urlaub in Europa, eine Trinkkur in Schuls-Tarasp und der Umgang mit seiner Familie unsern Freund wieder auf die Beine bringen. Der tragische Tod seiner jungen Frau ist ein Ende mit Schrecken, Mademoiselle; das Leben der beiden im Fernen Osten war ein Schrecken ohne Ende. Ich habe Knut, mit dem mich nicht nur das Andenken an unsere teure Yvonne verbindet, regelmäßig in

Bangkok besucht, hatte das Paar und das blendend schöne Kind, Vivica, des öfteren bei mir in Saigon und war Augenzeuge dieser Ehetragödie. Gestatten Sie mir, Ihnen mein aufrichtiges Mitgefühl zum Tode dieses unglücklichen jungen Wesens auszudrücken! Eine wahre Künstlerin, aber eine chaotische Natur, die großer Liebe bedurfte, ist vorzeitig dahingegangen. Der HERR in Seiner unendlichen Güte wird Madame Borghild diesen Verzweiflungsschritt verzeihen.

Da wir Lebenden uns um die Lebenden kümmern müssen, bitte ich Sie, verehrtes Fräulein Wergeland, Ihren Bruder nicht allzu hart zu beurteilen! Er hat zweifellos eine – wie jeder objektive Beobachter Ihnen sagen wird – unhaltbare private und berufliche Situation auf seine Art erklären wollen. Offenbar hat die Aussicht, ihren Mann und ihre Tochter zu verlieren, die junge Frau seelisch so verwirrt, daß sie sich in einem unbeobachteten Augenblick vom Hotelbalkon stürzte. Sie starb in Knuts Armen.

Knut bedarf jetzt Ihrer schwesterlichen Hilfe. Daß er in einem Zustand von Gefühlsstarre, geplagt durch Gallenschmerzen und Atembeschwerden, zu hart mit der jungen Frau – deren beschämendes Geheimnis kaum mehr ein Geheimnis war – verfahren ist, kann man nicht leugnen. Aber, ma chère Mademoiselle, wer sind wir, daß wir es wagen dürften, den ersten Stein auf Knut zu werfen? Ich bitte Sie, ihm sofort zu schreiben. Er fragt alle zwei Stunden nach Post von Ihnen! Das Leben ist schwer für Menschen, die sich mit Vorwürfen zermürben, weil etwas mehr Liebe und Verständnis vielleicht Schlimmes verhütet hätten. Ich sage ausdrücklich »vielleicht«. Die Vorsehung geht ihre eigenen Wege. In diesem jungen Geschöpf war eine Sehnsucht nach Ruhe und Frieden, wie sie nur der Tod zu geben vermag. Knut war ebenfalls mit seiner Gesundheit und seinen Nerven am Ende. Ein enttäuschter Romantiker ist der härteste Ehepartner auf der Welt. Wir Franzosen lieben eine Frau mit oder wegen ihrer Schwächen; sie bringen sie uns näher, bis das Wunder der Intimität entsteht – ein solides Wunder, die Quelle des Eheglücks.

Ich habe in diesen Tagen viel über Knut, dem die Frauenherzen stets so mühelos zuflogen, nachgedacht. Ich glaube zu wissen, warum er in beiden Ehen Schiffbruch erlitt. Er suchte in meiner teuren Yvonne und in der kleinen Madame Borghild das typische Wunschbild des Romantikers: die jungfräuliche Frau, ein Fabelwesen. Romantik ist eine ernste Krankheit, Mademoiselle; viel schwerer zu heilen als ein Knochenbruch oder ein Gallenleiden! Es war stets meine unmaßgebliche Meinung, daß die Kirche in ihrer erleuchteten Vernunft die Marienverehrung pflegt, damit wir unvernünftigen und ungerechten Männer nicht auf Erden suchen, was es nur im Himmel gibt... Wer sein Ideal sicher placiert hat, verlangt von dem Rest der Frauen nichts Unmögliches. Ihr Bruder, Mademoiselle, hat gegen jede Vernunft stets eine Rose ohne Dornen gesucht. Doch diese blüht nur in jenem mystischen Gärtlein gleich um die Ecke von Golgatha.

Ich habe aus diesem traurigen Anlaß schon jetzt meinen einjährigen Europa-Urlaub genommen, um Knut bis Marseille zu bringen. Er soll nicht allein reisen. Ich hoffe Sie, meine Großnichte Astrid und die kleine entzückende Mailin in Marseille begrüßen zu dürfen. Sie hören Weiteres, sobald unser armer Freund reisefähig ist. Erschrecken Sie nicht über sein Aussehen, chère Mademoiselle! Er ist mit seinen vierzig Jahren im Augenblick ein körperlich und geistig gebrochener Mann. Sein nächster Posten wird Singapore sein, falls er in einem Jahr in den Osten zurückkehrt, wie er beabsichtigt. Er hofft, daß Sie und seine Töchter dort eine Weile mit ihm leben werden. Schaffen Sie Knut das einzige Familienleben, wofür er geschaffen zu sein scheint! Trennen Sie sich von der Heimat; es muß sein!

Mit dem Ausdruck meiner Teilnahme bin ich
Ihr respektvoller Freund und Verwandter

Antoine Clermont.

Saigon, Januar 1930
Fräulein Wergeland saß einen Augenblick erstarrt da. Fünf Jahre waren vergangen, seit Knut und Borghild als strahlendes Liebespaar Trondheim verlassen hatten. Sie nahm nochmals den Brief aus der fremden Welt zur Hand und entzifferte im Dämmerlicht mühsam Wort für Wort wie eine alte Bäuerin. So fand sie die Witwe aus Aalesund. Laura Holgersen knipste das elektrische Licht an und stieß in blindem Eifer einen Stuhl um.
»Störe ich, Helene? Warum sitzt du im Dunkeln?«
Fräulein Wergeland saß unbeweglich am Fenster. Laura starrte sie mit offenem Munde an. Sie sah aus wie ein Kabeljau, der nach Luft schnappt. »Du weinst ja«, sagte sie mitfühlend und taktlos. Sie war wie vor den Kopf geschlagen. Niemand hatte Fräulein Wergeland je weinen sehen.

»Laß mich allein, Laura.« Etwas erschreckend Sanftes in der kräftigen Stimme hemmte Lauras behagliche Schwatzlust. Sie warf einen verstörten Blick auf die große, reglose Gestalt am Fenster und schlich hinaus. Wer hatte Helene wohl aus Saigon geschrieben? Sie würde es schon herauskriegen.
Endlich erhob sich Helene Wergeland schwerfällig aus ihrem Sessel und trat auf die Terrasse, wo sie vor fünf Jahren ihren Bruder nach seiner Ferienfahrt erwartet hatte. Sie sah Borghild vor sich – blutjung, scheu, hilflos verliebt – so arglos und so grundehrlich, daß Helene sie trotz ihres zerrissenen Rocksaums sofort ins Herz geschlossen hatte. Und dann die nächtliche Szene mit Astrid – *la Vagabonde* hatte Yvonne die Fremde genannt – der weise und freundliche Brief dieses unbekannten Franzosen! Ihr Herz krampfte sich zusammen: ihr Kleiner – ein gebrochener Mann! – Und das Leben ging weiter – schnell – lähmend langsam – erheiternd und schrecklich. Er gab keinen Ruhepunkt. Man stand auf einer Bühne, die sich ständig drehte, und mußte sich mitdrehen, ob man wollte oder nicht. Wer absprang, war ein Drückeberger.
Fräulein Wergeland blickte den Wolken nach. Sie wanderten ruhelos über die Berge und den Fjord, ballten sich dunkel zusammen und lockerten sich plötzlich so sehr auf, daß ein Lichtfleck am Horizont erschien.
»Laura«, rief Fräulein Wergeland und hob den umgeworfenen Stuhl auf, »bring Tischlerleim und einen Pinsel. Du hast ein Stuhlbein abgebrochen.«
»Wie entsetzlich, Helene!«
»Es gibt Entsetzlicheres«, erwiderte Fräulein Wergeland und begann das Stuhlbein anzuleimen. Nach einer Pause richtete sie sich auf. Sie war so blaß, daß Laura fragte, ob sie krank wäre, und zur Antwort erhielt, Fräulein Wergeland könne sich keine Krankheit leisten. Schließlich teilte sie Laura die letzten Geschehnisse mit. Ihr Gesicht war dabei völlig ausdruckslos; Akiro Matsubara hätte seine Freude an ihr gehabt.
Spät am Abend fragte Fräulein Wergeland ihre treue Gefährtin, ob sie vielleicht mit ihr und Mailin in den Fernen Osten gehen wolle. Die Villa Wergeland würde nun doch ein Mütterheim werden. Knut würde nie mehr in Norwegen leben, das hatte er oft genug geschrieben. Und er brauchte seine Familie dringender als je zuvor.

Laura Holgersen starrte ihre Cousine an. Sie war damals sehr unglücklich gewesen, als Fräulein Wergeland nach Bangkok gehen wollte. »Aber Helene«, stammelte sie, »ich falle dir doch auf die Nerven! Willst du mich wirklich mithaben?« Tränen liefen über ihr ehrliches, törichtes Gesicht.
»Frag nicht so dummes Zeug«, sagte Fräulein Wergeland. »Wenn ich dich nicht mithaben wollte, hätte ich nichts gesagt.«
»Wie soll ich dir danken?«
»Wofür? Daß du Staub, Hitze und Ärger haben wirst? Laß schon, Laura! Ich habe dir zu danken.« Fräulein Wergeland stand auf. »Stell den Stuhl auf seinen Platz«, sagte sie streng, »sonst sieht es unordentlich aus. Du bist wohl schon im Fernen Osten?«

## ERSTES BUCH

# Singvögel auf toten Ästen

# DIE FERNÖSTLICHE DREHBÜHNE 1930–1941
Informationsblatt für Vergeßliche

Die Jahre, die Fräulein Wergeland mit ihrer Familie bis zum Ausbruch des Zweiten Weltkrieges in Südostasien verbrachte, waren für die Völker des Fernen Ostens Jahre der inneren Revolution. Die moralische und politische Neuorientierung dieser Nationen ohne bürgerlichen Mittelstand hatte nach 1918 begonnen und entwickelte sich so langsam, wie sich alles im Fernen Osten entwickelt. Die Europäer merkten wenig vom Erwachen der Asiaten, weil die Geschäfte blühten und die Tanzmädchen lächelten. Hätten sie weniger Wirtschaftsberichte und mehr chinesische Philosophen gelesen, so wären sie auf die Mahnung gestoßen, daß »hohe Stellung heftige Qualen mit sich bringt, da der Hochgestellte zuviel an sich und zu wenig an die Menge zu seinen Füßen denkt«. Dies behauptete wenigstens der weise Lao Tzu (Laot-se), der sich in vorchristlicher Zeit als Staatsarchivar am Hofe der Chou-Könige so intelligent geärgert hatte, daß er den Hochgestellten für immer aus dem Wege ging und Mystiker wurde.
Die Kaufleute, Kolonialbeamten und Plantagenbesitzer aus dem Westen schenkten in der Tat der Menge zu ihren Füßen keinen Gedanken. Seit beinahe zweihundert Jahren waren sie »weiße Götter« und wurden dementsprechend von Ostasien bedient und beschenkt. Dieser Zustand, den Fräulein Wergeland noch gerade vor Toresschluß kennenlernte, dauerte genau bis zum 7. Dezember 1941.
An diesem Tage tauchten um 7,55 Uhr japanische Bomber – mit dem Zeichen der »Aufgehenden Sonne« geschmückt – über dem rosenroten Royal Hawaii Hotel auf, überflogen den traumseligen Strand von Waikiki und warfen ihre Bomben über der amerikanischen Flotte im Hafen von Pearl Harbour ab. Dies war das Ende einer fast zweihundertjährigen Entwicklung und das Ergebnis einer intensiven Vorbereitung Japans sei dem Weltkrieg Nummer eins.
Die »Weißen Götter« in Südostasien waren im letzten Jahrzehnt

*ihrer Herrschaft immer noch die gleichen Mittelstandsgötter, die im fünfzehnten Jahrhundert mit dem Gewürzhandel bescheiden angefangen und in unserer Zeit mit Zinnminen und Gummi-Monopolen die Gipfel der Weltwirtschaft erklommen hatten. Sie dufteten von Singapore bis Batavia angenehm nach Whisky, Yardleys Lavendelseife und Erfolg. Schließlich stammten im Jahre 1938 etwa vierundfünfzig Prozent des Zinns in der ganzen Welt aus Südostasien, und über neunzig Prozent des Gummis kamen aus Malaya und Indonesien. Die Kulis waren willig und billig. Die Tänze und Gesänge der Eingeborenen interessierten die Mittelstandsgötter nicht sonderlich. Die Chinesen langweilten sie. Ihr Kautschukschmuggel konnte die Herren in jenen goldenen Jahrzehnten vor Pearl Harbour nicht ärgern, denn sie merkten kaum etwas davon: Man kommt einem chinesischen Schmuggler gerade so leicht auf die Spur wie einer Nähnadel in einem Heuhaufen.*
*Der Ferne Osten wurde in den Jahren von 1930 bis 1941 zunehmend von westlichen Journalisten besucht, die den notorisch niedrigen Lebensstandard der Eingeborenen malerisch fanden und begeisterte Berichte über rauschende Feste in Singapore, Bangkok und Saigon nach Hause sandten. Die Privatschlösser ihrer Gastgeber, die zauberhaften Gärten und die Anzahl der weißgekleideten Boys blendeten die westlichen Beobachter so sehr, daß sie übersahen, wie viele dieser zweifellos hervorragenden Geschäftsleute die geistigen Bedürfnisse eines Krämers und die Gefühlsreife von Primanern hatten.*
*Außer den Journalisten und Fotografen kamen zwischen 1930 und 1941, immer mehr Frauen aus Europa und Amerika nach dem Fernen Osten, um sich auch einmal als weiße Göttinnen zu versuchen. Sie wurden je nach der Gegend mit »Missie«, »Memsahib«, »Mem« oder »Madame« angeredet. Den Kleinstädten und Vororten ihres eigenen Kontinents entrückt, lebten die Damen – die daheim die Wohnküche eigenhändig gescheuert und verschämt den Wintermantel ihres Jüngsten zum zweiten Male gewendet hatten – im britisch regierten Singapore, Colombo und Rangoon, im Klein-Paris von Saigon, im träumerisch-eleganten Batavia der Holländer und im kosmopolitischen Bangkok und Shanghai auf den Höhen der Existenz. Klaftertief unter ihnen lebte eine weiße Menschheit, die sie zum Teil gar nicht bemerkten: Missionare aller westlichen Kirchen und Emigranten aller*

*westlichen Diktaturstaaten. Der Mythos von der Überlegenheit der weißen Rasse, verbunden mit zuviel Alkohol und Dienerschaft, hatte den Missies und Mems die Köpfe verdreht. Nicht einmal die tropische Hitze brachte sie auf den Gedanken, daß sie vielleicht auf einem Vulkan tanzten... Das gesellschaftliche Leben der weißen Götter glich in gewissem Sinne dem Vergnügungstaumel der französischen Aristokraten vor der Revolution von 1789. Der Unterschied lag nur im Klima und in den Manieren. Auf jeden Fall trugen die Missies und Mems vor 1941 ihr kleines Teil dazu bei, daß Asien endgültig erwachte.*
*Die Missies und Mems konnten nichts dafür, daß sie draußen so vieles falsch machten, sie waren zu schnell aus sorglichen Hausmüttern zu großen Damen geworden. So wie Herr Akiro Matsubara sich in jenen Jahren allzu schnell von einem wertlosen Ästheten in ein geschätztes Mitglied der Kempetai (Geheime Militärpolizei) verwandelt hatte, das sich nur noch für die aufgehende Sonne interessierte. Umgeben von Neidern, Schwächlingen und Spionen hatte Leutnant Matsubara in Korea, in der Mandschurei, und in Paris und London beständig Stärke und Trost bei »Shinto«, der Staatsreligion Nippons, gesucht. Shinto – das war die goldene kaiserliche Chrysantheme, die dem Wandel der Zeiten nicht unterworfen ist! In der Tat hatte sich Shinto seit der Meiji-Restauration von 1867 dauernd interessiert und war in dem Jahrzehnt vor Pearl Harbour von solcher Strahlungskraft, daß auf Leutnant Matsubara wie auf alle anderen jungen Japaner ein Abglanz von der Heiligkeit Nippons und der kaiserlichen Familie fiel. Mochte man auch verborgen wie ein Regenrock-Insekt in Paris leben – der Glanz war da! Aber der Preis für ihn mußte gezahlt werden. Um dem »entnervenden Einfluß westlichen Denkens« entgegenzuwirken, forderte der Staats-Shintoismus strikten Gehorsam, fanatisches Festhalten an japanischen Bräuchen und Todesverachtung, wenn es um das Wohl Nippons ging. Die führenden Staatsmänner und Generale des neuen Japan entstammten – wie Leutnant Matsubaras Verwandte mütterlicherseits – dem alten Kriegsadel der Samurai. Sie bedienten sich der mehr oder weniger liberalen japanischen Finanzleute nur, weil Industriebarone wie Akiros Vater das gesunde Gegengewicht gegen sozialistisch-kommunistische Umsturzbestrebungen waren und – wenn es sein mußte – Nippons heilige Eroberungszüge in Südostasien finanzieren konnten.*

*Auch die Agenten Nippons, die überall in Südostasien als bescheidene Touristen mit einer kaiserlichen Chrysantheme im Knopfloch auftraten, gehörten mit wenigen Ausnahmen den hohen und höchsten Kreisen an. Sie hatten die geräuschlosen Bewegungen, die federnde innere Spannung und die phantastische Geistesgegenwart japanischer Akrobaten. Privat waren sie Kunstfreunde, als solche konnten sie – wie Leutnant Matsubara – nach 1941 ihre Sammlungen japanischer und chinesischer Kunst mühelos durch seltene Stücke annamitischer, malaiischer, javanischer und siamesischer Kleinkunst ergänzen. Da ihre Väter zu den »Zaibatsu« (Machtkonzentration der Wirtschaft innerhalb einzelner großer Familien) gehörten, war stets genügend Geld für Liebhabereien nach dem Dienst vorhanden.*
*Die Touristen huldigten dem Wahlspruch: »Tout comprendre c'est ne rien pardonner.« Vom Kleinpächter bis zum General beherrschten sie die Kunst des »Jiu-Jitsu«, die sogenannte »Sanfte Kunst«, wie man einen Gegner ohne Waffen umlegen, beziehungsweise die eigene geehrte Person ohne Waffen verteidigen kann. Die Sanfte Kunst war nämlich ein spezieller Ausbildungszweig in der Kempetai. Auch Leutnant Matsubara und ein gewisser »Tourist aus Urakami«, der in jenen Jahren sein Vorgesetzter im größeren Ostasien war, beherrschten die Kunst, einem Gegner mit Grazie und Kaltblütigkeit ein Gelenk zu brechen, oder durch geschickte Manipulationen einige Nervenstränge zu beschädigen. Touristen mit Waffen wären höchst verdächtig gewesen; ein Fotoapparat, ein auswendig gelernter »Schlüssel« zum Entziffern vertraulicher Nachrichten, etwas Geheimtinte zur Herstellung unsichtbarer Schrift beziehungsweise Flüssigkeit zu deren Enträtselung – es gab überall so indiskrete Chinesen! – und die Beherrschung der Sanften Kunst genügten für Japaner auf Vergnügungsreisen. Kurz gesagt: das Jahrzehnt vor dem Zweiten Weltkrieg war, was Nippon anbelangt, das »Zeitalter der Touristen«.*
*Das Heer, das Südostasien erobern sollte, bestand dagegen aus Tausenden von Bauernsöhnen – ein Volksheer, dessen fähigste Soldaten ins Offizierskorps aufsteigen konnten. Besonders die notleidenden Kleinpächter sahen im Heer den propagandistisch verheißenen Aufstieg ihrer Familie zur Glorie im heiligen Nippon. Von dieser bereitwilligen Masse gestützt, glaubte der größte Polizeistaat des Fernen Ostens den Krieg der Eroberungen*

beruhigt beginnen zu können. Die Touristen hatten zwischen 1930 und 1941 genügend Informationen über die Weißen Götter und die Chinesen gesammelt, so daß Pearl Harbour ein Anfangserfolg wurde, der weitere Erfolge nach sich ziehen mußte.
Am 7. Juli 1937 fand an der Marco-Polo-Brücke in Peking die Generalprobe des kriegerischen Nippon statt. Sie wurde taktvoll von Reportern und Historikern verschiedener Nationen der Konflikt zwischen Japan und China genannt. Wenn ein Konflikt, wie der Oxford Dictionary behauptet, eine »Kraftprobe« bedeutet, so war jener Zusammenstoß kein Konflikt. Die Kräfte des geeinten Nippon und des zwischen Chiang Kai-shek und Mao Tse-tung zerrissenen China waren zu ungleich. Hier prallten überdies das feudalistische und eroberungsberauschte Japan der Militärkaste und der kriegerischen Touristen mit dem China der Bankiers und politischen Schönredner zusammen. Aber an diesem Tage des sichtbaren Kriegsbeginns zwischen China und Japan begann der chinesische Zusammenschluß, der, mit Chiang Kai-shek als nationalem Führer, eine einige Front gegen den japanischen Angreifer zeitigte. Der chinesische Drache war ausdauernder, als Nippon es sich vorgestellt hatte. Die Samurais und die Bauernsöhne, die zur Zeit des Zwischenfalls große Teile Chinas besetzt hielten, erlitten erhebliche Verluste an Menschen und Material.
Die Chinesen in Shanghai zogen allerlei Konsequenzen aus dem Zusammenstoß in Peking. Herr Hsin, Mailin Wergelands ihr noch unbekannter Großvater, sah noch dürrer, schlauer und trübseliger als üblich aus, als er am Tage nach dem Zusammenstoß seine Vögel in dem altmodischen Garten hinter der Bubbling Well Road alleinließ und sich ausnahmsweise bei einer Konferenz in fremden Räumen einfand. Er beschloß mit vielen anderen führenden Bankiers, Industriellen und Zeitungsleuten etwas, was der japanische Generalkonsul von Shanghai später eine illegale Militarisierung der Stadt über dem Meere nannte. Es war eine Notmaßnahme, eine Selbsthilfe gegen den japanischen Angreifer. Schon lange vor dem »Konflikt« hatte der weitsichtige Kranich dem britischen Foreign Office durch dessen Shanghai-Vertreter vorschlagen lassen, eine international gesicherte neutrale Zone rund um die Stadt zu schaffen – einen Schutzwall für Bankiers, Singvögel, die weißen Götter und Göttinnen und die vielen vernünftigen japanischen Geschäftsleute der Stadt Shanghai, die Bomben und Touristen mit tiefem Mißtrauen betrachteten. Es

wäre ein ausgesprochener Irrtum, wenn man annehmen wollte, es habe in diesem Jahrzehnt nur japanische Helden und Touristen gegeben. Es gab damals wie heute die große Masse bescheidener, hart arbeitender Kaufleute und ihrer Angestellten, die nichts zu sagen haben, undramatisch leben und lieben, und gelegentlich durch Bomben sterben, welche als Massenregen auf ganze Familien, die nichts und niemanden besiegen und besetzen wollen, herunterfallen. Aus einer solchen Familie stammte beispielsweise der »Tourist aus Urakami«, der Südostasien bis zum Jahre 1941 ohne Waffen auf das Glück der japanischen Besetzung vorbereiten half. Er tat es gegen den Willen seiner geehrten Familie, die ihren Reis in Ruhe verdienen und verzehren wollte.

Leider ging das britische Außenministerium in keiner Weise auf die Vorschläge des Herrn Hsin und seiner Mittelsmänner in Shanghai und London ein. Obwohl Shanghai in diesem Jahrzehnt durch seine kommerziellen und industriellen Aktivitäten ein lebenswichtiger Stützpunkt für Amerika und Europa war, hielt man Verteidigungsmaßnahmen gegen die Japaner für taktlos oder verfrüht. Und als nach den bereits im Jahre 1932 ausbrechenden japanisch-chinesischen Feindseligkeiten im Bereich von Shanghai japanische Geschäftsleute und Inhaber großer Spinnereien dem britischen Vertreter des Foreign Office daselbst ihrerseits Sicherheitsmaßnahmen für diese Stadt vorschlugen, ernteten sie ebenfalls nur Ablehnung und Achselzucken.

Wenn Herr Hsin in den Jahren vor dem Zusammenstoß an der Marco-Polo-Brücke die freundlichen englischen Herren auf dem Rennplatz von Shanghai traf, fragte er sich im stillen, wann die weißen Götter die Früchte ihrer Chinapolitik ernten würden. Herr Hsin pflegte in diesem Jahrzehnt seinen Singvögeln zu erzählen – er hatte ja weder Sohn noch Tochter, die ihm zuhören konnten –, Voraussicht sei ein tiefer Teich, der niemals austrockne. Von seiner Enkeltochter Mailin wußte er nicht einmal, daß sie existierte. Er wußte ebensowenig, daß er im Jahre 1925 im Shanghaier Heim ihres Vaters ein langes Diner gegessen und den entsetzlichen Musikvorträgen eines unfrisierten Mädchens gelauscht hatte. Er erinnerte sich nur, daß er bei Konsul Wergelands Abendgesellschaft einen jungen Japaner getroffen und sich insgeheim gefreut hatte, daß Matsubara Akiro von einem amerikanischen Geschäftsmann durch vergnügte Dummkopfreden tödlich beleidigt worden war.

*Am 7. Juli 1937, während Herr Hsin in Shanghai über die Rätsel des Lebens nachdachte, während an der Marco-Polo-Brücke der japanisch-chinesische Krieg akut wurde, saß Konsul Wergeland mit seiner Lieblingstochter Mailin in einem geräumigen Tropenhaus in Bangkok und betrachtete mit überhellen ermüdeten Augen eine japanische Wandrolle, die 1925 in Shanghai, bis 1930 in Trondheim und die letzten sechs Jahre in Singapore und Bangkok an der Wand seines Teezimmers gehangen hatte. Aus dem Treppenhaus drang Fräulein Wergelands Stimme in seine Einsamkeit. Fräulein Wergeland versuchte mit gewohntem Starrsinn, das Haus zu Astrids Ankunft im Fernen Osten in Ordnung zu bringen. Sie hatte dabei keinerlei Unterstützung, da Yumei gerade ihr drittes Baby bekam. Wenn Astrid auch nur drei Monate bei ihnen bleiben wollte, um dann wieder nach Paris zurückzufahren, das Haus sollte so sauber aussehen wie der Marktplatz in Trondheim, an den zu denken Fräulein Wergeland sich strikt verboten hatte.*
*Konsul Wergeland lächelte nachsichtig, als er Helenes Kommandostimme hörte, obwohl er doch eigentlich laute Stimmen nicht leiden konnte. Mailin saß zu seinen Füßen. Die Jadeglocke um ihren Hals gab einen leisen geisterhaften Klang, wie damals in Shanghai 1925, als er sein Singvögelchen zu sich geholt hatte. Er hatte die seltsame Angewohnheit, seinen Arm so fest um Mailins Schultern zu legen, als ob man sie ihm entreißen wolle.*
*So betrachtete er am 7. Juli 1937 seine japanische Wandrolle von einem Schüler des großen Miyamoto Musashi »Singvogel auf einem toten Zweig«. Der kleine Vogel, der ihn irgendwie an Borghild erinnerte, saß regungslos auf seinem langen, dünnen Ast, der jeden Augenblick abzubrechen drohte.*
*Dies war genau die Position der weißen Götter im Ostasien von 1937.*

ERSTES KAPITEL

# Konsul Wergelands Töchter

FRÄULEIN WERGELAND hatte in den sieben Jahren, die sie nun in den Ländern des Lächelns verbracht hatte, bemerkenswert wenig gelächelt. Einmal war sie ohnehin der Meinung, daß das Leben kein Picknick sei; und dann sah sie mit ihren scharfen Augen so gründlich hinter die faszinierenden Kulissen des Fernen Ostens, daß sie mehr zu helfen als zu bewundern entdeckte. Hunger, Schmutz und fatalistische Ergebung lauerten so sichtbar in Marktwinkeln und idyllischen Pfahlhütten östlich von Suez, daß Fräulein Wergeland sich nur wundern konnte, wie wenig die weißen Götter im allgemeinen davon bemerkten. Und je länger sie in Ostasien war, desto hoffnungsloser erschienen ihr ihre Versuche, Ordnung und Sauberkeit dorthin zu bringen, wo beides durchaus nicht vermißt wurde... Selbst Yumei, die so ergebene Yumei, die sie doch in Trondheim persönlich dressiert hatte, war – wie alle Asiaten – im eigenen Milieu wieder in jenen gutgelaunten Schlendrian verfallen, den Fräulein Wergeland so gründlich verabscheute wie Szenen, Überraschungen und Drückeberger. Was die Hausarbeit anlangte, schien es in Südostasien *nur* Drückeberger zu geben. Fräulein Wergeland grübelte mit zusammengepreßten Lippen darüber nach, ob die Malaien oder die Siamesen die Palme der Faulheit verdienten. Sie war auch nach sieben Jahren immer noch der Meinung, daß fröhlicher Gesang in der Morgenstunde kein Ersatz für Staubwischen ist.

Am Tage, an dem Astrid ankommen sollte, saß Helene um die Mittagsstunde, zu der alle anderen Europäer der Ruhe pflegten, in ihrem gedeckten Orchideen-Pavillon und malte ihr tägliches Pensum herunter. Das Kind Vivica ließ ihr sonst niemals einen Augenblick Ruhe. Fräulein Wergeland seufzte. Astrid hatte stets ein empörendes Gedächtnis und einen hungrigen Blick gehabt; die elfjährige Vivica aber war von unersättlicher Neugierde besessen. Und nicht nur das: dies bildschöne Kind mit den silberblonden Haaren und den grünlichen Augen zeigte eine angeborene Schlauheit und einen Hang zur Eulenspiegelei, die Fräulein Wergeland mit düsteren Vorahnungen erfüllten. Mit Vivica würde man schon seine Überraschungen erleben! Fräulein Wergeland preßte bei diesem Gedanken ihre Lippen noch fester zusammen und mischte auf ihrer Palette ein wütendes Sonnengrün zusammen. Vivica hatte keine Spur von Borghilds liebenswerter Ehrlichkeit. Nur ihre Unordnung hatte sie geerbt. Am meisten ärgerte Helene sich darüber, daß niemand wußte, was das Kind dachte, wenn es stundenlang die Kunstsammlungen seines Vaters betrachtete. Für Helene gehörten diese Wandrollen, Porzellane und Jadestücke untrennbar zu der unangenehmsten Überraschung, die ihr Ostasien beschert hatte. Knut hatte vor einem Jahr wegen seines Gallenleidens den Konsulardienst aufgegeben und sich zusammen mit einem holländischen Freunde am Unternehmen der Firma Sun (Bangkok, Singapore, Shanghai) beteiligt. Er war nur einer von vielen Europäern, die vor dem Zweiten Weltkrieg Ostasien als Dauer-Paradies betrachteten. Das Haus in der Sathorn Road hatte er mit Hilfe eines siamesischen Freundes gekauft. Fräulein Wergeland hatte, als ihr Bruder ihr mitteilte, was er plante, lange geschwiegen und schließlich bemerkt, sie beabsichtige nicht, ewig und drei Tage in diesen unordentlichen Ländern zu leben. Knut hatte sie mit seinen überhellen Augen nachdenklich angesehen und gesagt, er wolle sie keineswegs in Asien festhalten, wenn sie sich nicht wohl fühle. Daraufhin war sie vorläufig geblieben. In drei Jahren würde sie Vivica nach Trondheim in die Schule bringen. Im Augenblick wurde das Kind in der Klosterschule von Sankt Joseph, gerade um die Ecke der Sathorn Road, unterrichtet. Vivica lernte schnell und vergaß noch schneller. Manchmal brach sie mitten im Unterricht oder im Malpavillon von Fräulein Wergeland in Tränen aus und erklärte, sie langweile sich so schrecklich. Als Fräulein Wergeland zum ersten Male diese Auskunft erhielt, gab sie ihr eine Ohrfeige. Es folgte eine richtige Szene. In der Nacht darauf hatte das Kind dann alle Holzläden des Tropenhauses geöffnet und auch die beiden Türen im Kinderzimmer. Warum sagte sie nicht. Seitdem schlief Vivica unter Yumeis Aufsicht bei offenen Türen: auf Anordnung ihres Vaters, der ihr nichts abschlug, weil sie Schuldgefühle in ihm weckte, die er fünf

Jahre nach Borghilds Tod noch nicht überwunden hatte. Seine Truhen im japanischen Teezimmer hielt Dr. Wergeland fest verschlossen. Was sollte werden, wenn Vivica etwa... Man durfte Borghilds Tochter nicht in Versuchung führen.
Als Helene ihm vorgeschlagen hatte, die Kleine zu Olaf nach Trondheim zu bringen, hatte Knut eine Szene gemacht – das mußte er von Yvonne gelernt haben. Fräulein Wergeland war so erstaunt gewesen, daß es ihr die Sprache verschlug. Sie hatte daraufhin den ganzen Tag im Malpavillon gesessen, ohne zu malen, und sich vorgenommen, sanft und liebenswürdig mit Knut und Vivica zu sein. Er war ein gebrochener Mann. Ansehen konnte man es ihm allerdings nicht! Die Frauen liefen ihm nach wie früher; nur mit dem Unterschied, daß er jetzt vor ihnen davonlief, ohne daß sie es merkten. Er trieb Eulenspiegelei wie Vivica. Aber er war immer noch alles, was Fräulein Wergeland auf dieser Welt besaß.
Helene ließ die Palette sinken und betrachtete ihr Stilleben mit einer Befriedigung, die eines besseren Kunstwerkes würdig gewesen wäre. Ihre Orchideen und Bougainvilleablüten zeigten wenig von der exotischen Schönheit der Originale. Sie wirkten wie Gänseblümchen in Kriegsbemalung. Fräulein Wergeland beraubte unbewußt die tropischen Erzeugnisse ihrer neuen Umgebung ihres exzentrischen Reizes und verwandelte sie in Symbole der Unansehnlichkeit. Sie versuchte etwas Ähnliches bei dem Kinde Vivica zu erreichen – ohne sichtbares Resultat.
Konsul Wergeland äußerte sich niemals über die Kunsterzeugnisse seiner lieben Helene; er haßte Argumente noch genauso wie seinerzeit in Shanghai, wenn Yvonne mit ihm diskutierte. Im übrigen war er viel auf Reisen. Er besuchte Auktionen und entdeckte in dem Kehricht der Existenzen und Geschmäcker zwischen Singapore und Batavia mit sicherem Instinkt das Beste unter wirklich Gutem und unter klugen Imitationen. Er hatte das Röntgenauge für wahre Schönheit, wie es Fräulein Wergeland für menschlichen Wert im Kehricht hatte. Sie war daher im Fernen Osten, wo alles in Schaufenstern ausgestellt wird, fehl am Platze. Und doch hielt sie aus, denn Mailin würde nicht mehr nach Norwegen zurückkehren. Sie hatte es zwar niemals in Worten ausgesprochen, denn sie verletzte niemanden, wenn sie es vermeiden konnte – am wenigsten Tante Helene, die sie herzlich und zurückhaltend liebte und bewunderte. Aber Mailin war

in den Fernen Osten zurückgekommen wie ein kleiner Fisch in sein Element. Sie atmete hier die ihr gemäße Luft. Jeder Chinese und jede Chinesin waren ihr Bruder und Schwester. Angefangen bei der guten Yumei und ihrer Familie liebte sie jedes chinesische Baby und jeden Bettler auf dem überfüllten Bangrak-Markt. Diese Liebe zur eigenen Art war so schweigsam, tief und nüchtern, wie chinesische Liebe in allen Lebenslagen ist, ein Naturprodukt – gewaltig, unverwüstlich und von wolkenloser Heiterkeit. Mailin war das einzige heitere Geschöpf in der Familie Wergeland. Weder Knut noch Helene konnten sich ein Leben ohne sie vorstellen.
Sie war nun sechzehn Jahre alt. Vor zwei Jahren hätte sie sich schon ein Schreiben ihrer Mutter Lily Lee bei einem Anwalt in Shanghai abholen sollen. Aber Knut Wergeland hatte den Abschiedsbrief von Mailins Mutter verbrannt und seiner Tochter noch nichts mitgeteilt. Er brachte es nicht fertig. Nicht einmal Helene wußte von dieser Unterlassungssünde. Er schob die Aufklärung von Jahr zu Jahr hinaus. Wenn Mailin einundzwanzig Jahre sein würde, wäre es noch früh genug, sagte er sich. Dann würde sie mündig sein und selbst entscheiden können, ob sie in die Familie ihrer Mutter zurückkehren wollte. Nach Männerart schob Dr. Wergeland unangenehme Dinge gern hinaus. So war er ganz unvorbereitet, als die Bombe platzte.
Die Bombe platzte drei Stunden vor Astrids Ankunft am 7. Juli 1937. Herr Chang, Anwalt und Notar in Shanghai, hatte nach langen Nachforschungen Knut Wergelands jetzigen Aufenthalt entdeckt und einen blumenreichen Brief mit sehr nüchternen Anweisungen nach Bangkok geschrieben. Er bat darin Miss Mailin Wergeland, Tochter seiner Klientin Lily Lee, um einen baldigen Besuch in Shanghai, da er ihr wichtige Mitteilungen in bezug auf das Testament ihrer Mutter zu machen habe.
Knut Wergeland saß allein im japanischen Zimmer und starrte das Schreiben an. Mailin schmückte gerade Astrids Zimmer mit Tropenblumen. Helene saß noch im Pavillon und malte an einem siamesischen Tempel, der wie ein Trondheimer Holzhaus mit unpassenden Verzierungen aussah. Es war also soweit. Es hatte keinen Zweck, über die Rätsel des Leidens, die überall in der Regenluft geisterten, nachzudenken. Die Regenzeit war immer eine schwierige Zeit für Knut und Helene. Sie brachte trübe Gedanken, Fieber und Briefe mit blumenumrankten Drohungen.

Knut Wergeland fand seine Schwester untätig vor ihrer Staffelei und erklärte ihr, er werde im August zu einer Auktion nach Shanghai fahren und Mailin mitnehmen.

»Was soll sie dort?« fragte Fräulein Wergeland im Tone gemäßigter Opposition, aber mit zu lauter Stimme. Sie blickte ihren Bruder so scharf an, daß er sich nervös umdrehte. Dann teilte er ihr abgewandten Gesichts mit, was Mailin in Shanghai solle. Fräulein Wergeland sagte lange kein Wort. Schließlich bemerkte sie, es sei ganz in der Ordnung, daß Mailin ihre Verwandten mütterlicherseits kennenlerne, und kein Vergnügen währe ewig. Das Leben sei eben kein Picknick, das wüßten sie ja alle. Sie würde Vivica früher nach Trondheim bringen, falls Mailin .. Sie verstummte.

»Glaubst du, daß Mailin ... uns verlassen wird?« fragte Knut.

»Blödsinn«, sagte Fräulein Wergeland liebenswürdig. »Sie gehört zu uns und weiß es. Warum starrst du mich so an? Mailin ist doch *so* vernünftig.«

»Das hat nichts mit Vernunft zu tun, Helene!«

»Meinst du?« sagte Fräuelin Wergeland sarkastisch. »Soweit mir bekannt ist, lassen Chinesen bei Entscheidungen lediglich ihre Vernunft sprechen. Das hast du mir wenigstens immer vorgeredet.«

»Mailin ist keine Chinesin.«

»Mach dir nichts vor!« hörte Fräulein Wergeland sich zu ihrer eigenen Überraschung sagen. Sie hatte sich zeitlebens gegen diese Erkenntnis gesträubt. Und nun hatte sie plötzlich ausgesprochen, was sie stets gewußt hatte. Es mußte der Schock sein ... Sie fuhr sich mit der großen Hand über das feuchte Gesicht.

»Ich muß duschen«, murmelte sie. »Diese Hitze! und Yumei im schlimmsten Kinderkriegen.«

»Helene«, sagte der Konsul ohne aufzublicken, »ich hielte es einfach nicht aus, wenn Mailin in Shanghai bliebe.«

»Wir sind ja auch noch da«, sagte Fräulein Wergeland trocken. Nichts in ihrem Gesicht zeigte an, daß Knut sie gekränkt hatte. Er kränkte jeden, der ihn liebte. Helene hatte in diesen Jahren des engen Zusammenlebens Yvonne vieles abgebeten – von Borghild gar nicht zu reden. Knut ging mit seinen chinesischen und japanischen Porzellanen viel sorgsamer um als mit den Herzen seiner nächsten Angehörigen.

»Ja ... *Du* bist auch noch da«, sagte Knut. Und das eine Wort,

dieses leicht hingesprochene *du* ließ für Fräulein Wergeland die Welt wieder anders aussehen. Sie hustete vor Glück und sagte, Knut solle seine Tabletten nehmen. Kein chinesischer Rechtsverdreher wäre einen Gallenanfall wert.
»Ob Astrid Fisch in süßsaurer Sauce essen wird?« fragte sie im Gehen. »Als Kind war sie sehr wählerisch im Essen. Ich habe mich allerdings stets bemüht, ihr diese Faxen abzugewöhnen.«
»Nun ist sie ja neunzehn Jahre alt und hat vielleicht gute Manieren«, tröstete der Konsul und sah Helene ironisch an.
In diesem Fall sollte er sich als Prophet erweisen: Astrid hatte wundervolle Manieren, so wundervoll, daß sie Fräulein Wergeland damit zur Raserei bringen konnte.

*

Astrid stand hochaufgerichtet an der Reling des Küstendampfers, der sie von Saigon nach Bangkok brachte. Sie hatte eine Woche bei ihrem Großonkel Antoine Clermont in Saigon verbracht, bevor sie zu ihrer norwegischen Familie nach Bangkok fuhr. Das kleine Paris von Indochina hatte den Kontrast zwischen der Seinestadt und Bangkok sehr glücklich überbrückt. Astrid blickte starr vor sich hin. Zwischen ihren eng beieinanderstehenden blaßblauen Augen zuckte eine kleine nervöse Falte. Astrid hatte wenig Sehnsucht, Tante Helene und ihre merkwürdigen Halbschwestern wiederzusehen; sie hatte sich völlig bei den Clermonts in Paris eingelebt und bildete sich zur Modezeichnerin aus. Dabei kam ihr zustatten, daß sie den exquisiten Geschmack ihrer Mutter geerbt hatte. Ihr Weg lag fest vorgeschrieben vor ihr. Sie verlangte Programme von sich und anderen. Sie hatte nur in Modedingen Phantasie; in allen übrigen Angelegenheiten des Lebens verließ sie sich auf ihren scharfen Verstand und ihre Selbstbeherrschung. Astrid war sehr selbständig. Widerspruch vertrug sie genausowenig wie ihre Tante Helene.
Toller Typ, dachte der junge Mann neben ihr und betrachtete mit Interesse Astrids Profil, die hochmütig geschwungenen Brauen, die schmalen Lippen und die überschlanke, elegante Figur. So ein Mädchen gab es in ganz Berlin nicht. Ernst August von Zabelsdorf hatte Astrid in der *Societé des Affreteurs Indochinois,* wo sie beide ihre Passage nach Bangkok geregelt hatten, gesehen und sie seitdem nicht aus den Augen gelassen. Er wollte in Bang-

kok einen Freund besuchen und dann nach Shanghai weitersegeln, wo er einen höheren Posten in der »Deutsch-Asiatischen Bank« bekleidete. Während der Fahrt von Saigon nach Bangkok hatte er mit Astrid an einem Tisch im Speisesaal gesessen und unentwegt Konversation gemacht, an der sie sich mit einem frostigen Lächeln und nur reichlich einsilbig beteiligt hatte. Aber Herr von Zabelsdorf war Berliner. Das bedeutete, daß er sich auch mit einem Eisblock angenehm unterhalten konnte. Die Sprache versagte ihm in keiner Lebenslage, ebensowenig wie seine Geistesgegenwart und sein scharfer Witz. So stand er in bester Laune neben Astrid an der Reling und bemerkte, daß tropische Sonnenuntergänge gar nicht so kitschig wären, wie man meinen sollte. Sein Französisch war fehlerlos.

Astrid betrachtete verstohlen den baumlangen redelustigen Herrn mit dem rassigen Pferdegesicht, den trotz seiner Jugend leicht gelichteten Haaren und den lebendigen, scharfen Augen, welche ironisch und unerhört wachsam in die Welt blickten. Zwischen den Lippen steckte die ewige Zigarette. Es waren spottlustige und doch sensitive Lippen. Freiherr von Zabelsdorf war ganz anders, als Astrid sich »die Deutschen« vorgestellt hatte. Ob er wohl auch »Heil Hitler« sagte, wenn er mit Landsleuten im Fernen Osten zusammentraf? Aber was ging sie das an? Sie hatte ihre eigenen Sorgen. – Auch Herr von Zabelsdorf hatte seine Sorgen, sie lagen aber im Augenblick in Shanghai auf Eis.

So fuhren zwei Menschen aus getrennten Welten in den Bangkoker Hafen ein. Keiner von ihnen ahnte, unter welchen Umständen sie sich wiedersehn sollten. Das wissen Weltreisende selten, und wahrscheinlich ist es gut so. Die glühende Abendsonne gab Astrids durchsichtig blassem Gesicht einen rosigen Schimmer. Einen Augenblick sah sie wie eine Statue mit Innenleben aus. Aber der Herr aus Potsdam suchte bereits mit seinem Fernglas den Pier von Bangkok ab: Sein Freund wollte ihn abholen.

Der kleine Küstendampfer schlängelte sich träge durch die öligen Fluten. Sampans, Kanoes und Ozeandampfer warteten im Regen, der keine Kühlung, sondern nur eine Art feuchter Glut mit sich brachte. Flußschiffer in spitzen Bambushüten standen wie Bronzestatuen in ihren schmalen Sampans. Riesige Bäume und bizarre Tempeldächer reckten sie in den blutroten Himmel.

»Da ist meine Familie«, murmelte Astrid und ließ ihr Fernglas

mit einer seltsam erschöpften Gebärde sinken. Sie verabschiedete sich mit tonloser Stimme von Herrn von Zabelsdorf, der einem Herrn auf dem Pier nachlässig mit seinem seidenen Taschentuch zuwinkte. Dann wünschte er Astrid viel Vergnügen in Bangkok und erntete ein letztes frostiges Lächeln.
Fünf Minuten später schüttelte ein Herr mit österreichischem Tonfall Herrn von Zabelsdorfs lange Reiterhände. »Grüß Gott, Bibi«, rief er entzückt. »Du, sag mal, wie lange haben wir beiden uns nicht gesehen?«
»Bloß nich nachrechnen, det macht alt und taprig.«
Baron von Werner blickte mit leisem Lächeln Astrid nach, die am Arme ihres Vaters zum letzten Male kühl grüßte, nachdem sie leicht den Kopf neigte: der Fremde aus Potsdam (Astrid hatte keine Ahnung, wo Potsdam lag,) war sehr hilfsbereit gewesen.
»Wer ist denn *das?*« fragte Konstantin von Werner neugierig.
»Ein fesches Mädel.«
»Das ist die Stumme von Portici«, sagte Herr von Zabelsdorf und warf die kalte Zigarette in den dunkelnden Fluß, »Jedes Wort kostet 'nen Taler. Ich bin auf dieser Fahrt pleite gegangen.«

\*

»Also du bist meine Schwester Mailin«, sagte Astrid und starrte Konsul Wergelands Lieblingstochter ungeniert an. Fräulein Wergeland sagte laut: »Kommt, Kinder. Das Dinner wartet zu Haus, und Vivica schnappt über, wenn sie noch länger auf Astrid warten soll.«
»Schnappt sie so leicht über?« erkundigte sich Astrid.
»Ich machte Spaß«, sagte Fräulein Wergeland gereizt. Sie wußte selbst nicht, was ihr an Astrid nicht gefiel. Sie war äußerst höflich – worauf Helene allerdings wenig Wert legte – und sprach ein gutes Norwegisch in leicht französischem Tonfall. Astrid hatte die ganzen Jahre Unterricht genommen. Man konnte ihr wirklich nichts vorwerfen. Es war wohl einfach so, daß das große distinguierte Mädchen mit den kühlen blauen Augen in dem durchsichtig blassen Gesicht sich noch genauso schwer Freunde erwarb wie in der Kindheit. Ob sie sich immer noch so sehnlich wünschte, überall die »Meistgeliebte« zu sein? Man konnte es unmöglich von ihrem Gesicht ablesen. Fräulein Wergeland wandte

sich achselzuckend Mailin zu. Mailin blickte Astrid ruhig lächelnd in die Augen und nahm ihr den Regenmantel und den Hut ab. Ihre kunstvoll gebundenen Blumen hatte Astrid auf dem Pier liegen lassen. Der Mensch hat eben nicht sieben Hände und acht Füße, dachte Mailin entschuldigend und entließ Astrids Lieblosigkeit für immer aus ihrem Gedächtnis. »Große Schwester« sah erschöpft aus.
Sie ist schön, dachte Astrid erstaunt und musterte Mailin ungeniert. »Und so vernünftig!« setzte sie in Gedanken hinzu. Dies schlanke, zierliche Wesen mit den klugen Mandelaugen, der etwas zu kleinen Nase und den kräftigen, sinnenfreudigen Lippen strahlte eine lächelnde Heiterkeit aus, die nicht ohne Einwirkung auf Astrid blieb. Mailins Elfenbeingesicht war zart und kunstvoll geschminkt. Sie war voller Leben, aber auch voller Ruhe. Man mußte Vertrauen zu ihr haben. Sie war ein solider Singvogel.
»Es tut mir so leid, daß ich deine Blumen vergessen habe«, sagte Astrid beinahe schüchtern und erntete den ersten freundlichen Blick von Fräulein Wergeland.
Auf der großen Tropenveranda stand ein Kind im rosa Kleid mit Tropenblüten im silberblonden Haar. Vivica hatte stundenlang vor dem Spiegel studiert, um den richtigen Effekt zu erzielen. Das Festkleid hatte einen Riß, den Vivica mit einer Blüte verdeckt hatte – eine ansehnliche Leistung für ihre elf Jahre.
Die Tochter der Vagabundin, dachte Astrid, die den Riß unter der Blüte sofort entdeckt hatte. Sie hatte es nicht leicht im Leben mit ihrer Beobachtungsgabe und ihrem empörenden Gedächtnis. Jahrelang hatte sie nicht mehr an die Vagabundin gedacht, die ihr seinerzeit den angebeteten Vater gestohlen hatte. Vivicas Aufzug zu ihrer Begrüßung ließ jedoch die Erinnerung aufleben.
Das Kind sah Astrid aus seinen grünen, rätselhaften Augen an. Vivica war rasend neugierig auf die große Schwester gewesen und hatte sich sehr auf sie gefreut. Sie würde sich sicher niemals mehr langweilen, sobald die große Schwester da war, die so viele Städte und Menschen gesehen hatte. Aber Astrids kühler Blick und ihre kerzengerade, elegante Gestalt in dem tadellosen Kostüm ernüchterten sie. Wenn Vivica enttäuscht war, wurde sie unberechenbar. Sie brach plötzlich in helles Gelächter aus. Fräulein Wergeland runzelte die Stirn und sagte, Vivica solle ihre Albernheiten lassen.

Astrid betrachtete das schöne, launische Kind mit gespannter Aufmerksamkeit. »Warum lachst du, Vivica?« fragte sie gemessen.
»Ich weiß es nicht«, murmelte die Kleine. Ihre Oberlippe – eine blaßrote, kühn geschwungene Linie – zitterte in einer Art von zartem Überdruß. Sie warf sich Fräulein Wergeland leidenschaftlich in die Arme. »Astrid ist garstig, aber sie hat einen schönen Hut«, flüsterte sie Fräulein Wergeland zwischen Lachen und Weinen ins Ohr.
»Komm schlafen, Kleines!« Helene sprach erstaunlich sanft. Sie trug die Tochter der Vagabundin wie ein Baby ins Haus, so daß ihr Bruder ihr erstaunt nachblickte.
Fräulein Wergeland war sehr blaß, während sie Vivica entkleidete und ein bestimmtes Schmuckstück anstarrte. Es war Mailins Jadeglocke mit der alten Inschrift »Eile ist Irrtum«. Helene beschloß, nichts in Eile zu tun.
»Warum hast du die Jadeglocke umgehängt, Vivie?« fragte sie ruhig. »Und warum hattest du sie unter deinem Kleid?«
»Mailin hatte sie mir gegeben«, murmelte das Kind schläfrig mit abgewandtem Blick. »Aber sie paßte nicht zu meinen Blumen, darum versteckte ich sie.«
Fräulein Wergeland fühlte in ihren Knochen, daß Vivica log. Es war das erstemal, daß sie etwas entwendet hatte.
»Gib sie Mailin wieder... ich mag die Jadeglocke nicht«, sagte Vivica und schloß die Augen. Der zarte Überdruß lag jetzt wie ein Schatten auf ihrem bezaubernden Gesichtchen.
»Schlaf, Kleines.« Ein Abgrund hatte sich aufgetan. Während Helene den Schmuck in Mailins schwarzen Lackkasten mit den goldenen chinesischen Drachen zurücklegte, dachte sie, daß das Leben immer komplizierter wurde statt klarer und einfacher. Der Gedanke an ihr Eckzimmer in Trondheim mit dem Blick auf den Fjord und die wandernden Wolken verursachte ihr einen fast körperlichen Schmerz. Mußten nicht die Zweige eines Baumes verwelken, wenn man den Stamm absägte? – Und nun würde auch noch Astrid mit ihren kritischen Blicken und ihrer Höflichkeit und ihrem Gedächtnis drei Monate lang im Haus sein! Fräulein Wergeland schalt sich selbst aus. Ihre Loyalität sträubte sich gegen die Erkenntnis, daß ihre älteste Nichte ihr jetzt noch heftiger mißfiel als in den fernen Zeiten, wo sie um Liebe und Anerkennung gebettelt hatte. Astrid hatte sich sehr verändert.

Fräulein Wergeland ging auf die Veranda zurück, wo ihr Bruder seinen Töchtern chinesische Porzellane zeigte. Astrid hielt eine Schale in den langen schmalen Händen. Es war Porzellan der »Famille Rose« aus der Ch'ien-Lung-Periode um 1785. Die Mitte des großen runden Tellers zeigte in zarter Malerei den Sternenmythus vom Hirten und dem Webermädchen. Der Konsul erklärte, daß das Fest dieses legendären Liebespaares in den Beginn des Herbstes, in den »Monat der Hungrigen Geister« fiele. Er erzählte gerade die romantische Liebesgeschichte des Kuhhirten und des Webermädchens, als Fräulein Wergeland zu der Truppe trat. Astrid war angeregt und studierte die Farben des Gewandes, das regenbogenhaft um die Gestalt der himmlischen Weberin floß. Die Farben wären entzückend für ein Pariser Frühjahrs-Ensemble, dachte Astrid und notierte etwas in ihrem goldgefaßten Merkbuch – einem Geschenk von Großonkel Antoine. Die Liebesgeschichte, die in Mailin jedesmal eine sanfte Trauer weckte, hatte auf Astrid nicht den geringsten Eindruck gemacht.

»Was würde die Schale auf einer Auktion bringen?« fragte sie ihren Vater.

»Sie steht nicht zum Verkauf«, sagte Dr. Wergeland leicht verstimmt. »Übrigens fahre ich nächsten Monat zu einer großen Kunst-Auktion nach Shanghai. Wie wäre es, wollt ihr mich begleiten, meine jungen Damen?« Er blickte Mailin nicht an.

»Kann ich dich einen Augenblick sprechen, Mailin?« fragte Fräulein Wergeland. Sie war immer noch sehr blaß, aber gefaßt. Sie hatte einen neuen Abgrund entdeckt und seine Existenz zur Kenntnis genommen. Sie mußte aber sofort Klarheit haben und Mailin notfalls raten, ihren Schmuckkasten zu verschließen.

»Ich wollte sowieso nach Shanghai fahren«, bemerkte Astrid. Sie verriet nicht, warum sie dorthin fahren wollte, und ihr Vater fragte nicht. In dieser Familie kostete nun einmal jedes Wort einen Taler, wie Astrids Reisegefährte von Saigon zu Recht festgestellt hatte.

\*

In diesem Augenblick saß Ernst August von Zabelsdorf mit seinem Wiener Freunde auf der Veranda eines Tropenhauses, das nur wenige Häuser vom Heim der Wergelands entfernt lag. Wenn man auf den Balkon im ersten Stock ging, konnte man den Nor-

wegern beim Essen zusehen. Aber Herr von Werner sah niemandem beim Essen und Beten zu. Das war nicht Wiener Sitte.
»Ich erwarte noch Besuch«, sagte er und schlug zwei Moskitos tot.
»Sie wollen dich alle begrüßen, Bibi!«
»Wer ist ›alle‹?« Herr von Zabelsdorf hatte eine Vorliebe für korrekte Auskünfte.
»Na alsdann: mein Freund, der Joseph Bopfinger aus München, und dann der Dr. Engel von den Bayer-Werken. Er bringt noch einen Japaner mit.«
»Fehlt nur noch ein Italiener.« – 1936 hatte Japan mit Deutschland und Italien gegen Sowjetrußland den Antikomintern-Pakt geschlossen.
»Der Japaner ist arg schüchtern, Bibi! Vor dir hat er sicher eine Mordsangst, wenn du so schnell sprichst und obendrein lachst.«
»Ich bin auch furchtbar schüchtern«, sagte Herr von Zabelsdorf und stand auf, um Dr. Engel von den Bayer-Farbenfabriken Leverkusen und den japanischen Gast zu begrüßen.
»Darf ich vorstellen: Baron Matsubara aus Tokio«, sagte Herr Dr. Engel in unverkennbarem Kölner Englisch. Akiro Matsubara warf Herrn von Zabelsdorf einen verstohlenen Blick zu. War der nicht ein prominenter Mann bei der Deutsch-Asiatischen Bank in Shanghai? Er würde sich vergewissern. Es schien eine wichtige Bekanntschaft.
»Kennen wir uns nicht aus Shanghai, Baron?« fragte Herr von Zabelsdorf den eleganten Japaner. »Irgend 'ne Bar oder so?«
»Es tut mir unendlich leid, Sir. Ich war nur einige Tage als Tourist in Shanghai.«
Dr. Joseph Bopfinger, Handelsattaché bei der Deutschen Gesandtschaft in Bangkok, kam wie immer zu spät, und wie immer war er ganz außer Atem. Dr. Engel begrüßte ihn mit »Heil Hitler«. Der Münchener murmelte ein mürrisches »Grüß Gott«. Er trug eine dunkelgetönte Brille; seine Augen hatten durch die grelle Tropensonne gelitten.
Die fünf Männer, die sich auf englisch miteinander unterhielten, – Baron Matsubara konnte zu seinem unermeßlichen Bedauern kein Deutsch – waren schon rein äußerlich die größten Gegensätze. Der Wiener Aristokrat – glatt, leichtsinnig, vollendet liebenswürdig und ganz uninteressiert an der deutschen Politik, die ihm bald als Legationsrat ein bequemes Leben in phantastischer Umgebung ermöglichen würde; der baumlange, mit allen Was-

sern gewaschene Berliner, der aus einer alten Offiziersfamilie ins Bankfach gesprungen war; der dicke, musikalische Handelsattaché aus München – ein Phantast mit einer Eins im Rechnen, ein bayrischer Barockmensch, der neben seinem Gewicht noch sein Bluterbe an Traumlust und gesundem Realismus herumschleppte; und Dr. Walter Engel – groß, ehrgeizig und Mitglied der NSDAP mit der Devise: »Mit Bayer-Leverkusen in die Unsterblichkeit.« Und mitten unter ihnen Baron Matsubara in Tropenzivil – ein geschätztes Mitglied der japanischen geheimen Militärpolizei.
Was wollten diese Deutschen im Fernen Osten? fragte Akiro sich. Verlorene Gebiete zurückerobern? Oder nur Chemikalien und Maschinen absetzen. Leutnant Matsubara hatte von Dr. Engel eine Reihe von Bayer-Präparaten als Werbegeschenke für Tokio erhalten. Er hatte sie bereits analysieren lassen: man konnte sie in billigen Packungen mit der gleichen Aufschrift imitieren, falls Japan in den nächsten Jahren Ostasien erobern würde und europäische Importe zu drosseln wünschte. Im Kriege siegten stets die Imitationen. Leutnant Matsubara hatte die Präparate mit entsprechenden Anweisungen an die entsprechende Stelle nach Tokio gesandt. Dr. Engel hatte übrigens chemische Fabriken in Tokio besichtigt und äußerte sich plötzlich auf deutsch über die lächerliche Primitivität der Apparatur, die Langsamkeit der Arbeiter und die schlechte Qualität der Erzeugnisse. Die Japaner konnten sich jeden Tag »ein Stückchen« von den »Farbenfabriken Bayer A.G.« abschneiden.
»Mensch...« flüsterte Zabelsdorf mit einem Seitenblick auf den japanischen Gast, »holen Se mal ganz langsam Luft und schließen Se die Klappe. Unser Freund hier...«
...»versteht keen Wörtchen Deutsch«, beruhigte Dr. Engel.
In diesem Augenblick erhob sich der Japaner in seiner entfernten Ecke und beteuerte sein unermeßliches Bedauern, seine geehrten Freunde aus Deutschland verlassen zu müssen. Er verbeugte sich tief und feierlich vor allen Anwesenden, wobei er die Arme steif an den Körper gepreßt hielt. Seine Augen vermieden die Blicke seiner geehrten deutschen Freunde. In diesem Augenblick fiel Herrn von Zabelsdorf schlagartig ein, wo er Baron Matsubara in Shanghai gesehen hatte. In keiner »Bar oder so!« Bei Anna Weber; bei seinem Annchen, das Japanern Deutschunterricht gab. – Anna Weber war eins der Probleme, die Herr

von Zabelsdorf auf Eis gelegt hatte. Tja — da hat der Engel von Leverkusen ja eine nette Suppe eingebrockt! Fauler Kopp..., dachte Herr von Zabelsdorf. Er sagte kein Wort von seiner Entdeckung, blickte dem Japaner nach und bemerkte, daß der schüchterne Baron Matsubara seiner bescheidenen Meinung nach ein ausgekochter Junge wäre. Seine Bemerkung wurde mit Gelächter aufgenommen. Dr. Engel lachte am lautesten. Diesen Baron Matsubara kannte er wie seine Tasche! Pröstchen, meine Herren!
Herr von Zabelsdorf verabschiedete sich. Er sei den ganzen Tag auf den Beinen gewesen und brauche seinen Schönheitsschlaf. Sein Wiener Gastgeber brachte ihn in das Balkonzimmer mit dem großen Moskitonetz und den kleinen Bildern aus Alt-Wien an den weißgekalkten, mit Wasserflecken verzierten Wänden.
»Was ist los, Bibi? Ist dir eine Laus über die Leber gelaufen?«
»Nischt is los«, Herr von Zabelsdorf trat auf den Balkon. »Aber ihr quasselt euch noch mit den Japanern um Kopf und Kragen, mein Lieber.«
»Aber.«
»Paß mal uff, wenn du dazu imstande bist.« Nach Zabelsdorfs Erläuterungen war der Baron wie vor den Kopf geschlagen. »Aber Baron Matsubara hat doch ausdrücklich gesagt, er verstehe kein Deutsch«, stammelte er. »Da muß ich doch gleich Dr. Engel...«
Eine lange Hand hielt ihn am Ärmel zurück. »Immer mit der Ruhe! Sag mal, was lernt ihr eigentlich so in eurer diplomatischen Klippschule?«
Der Wiener lachte statt aller Antwort. »Kannst du mir hundert Ticals borgen?« fragte er dann.
»Nischt zu machen. Geldgeschäfte verderben die Freundschaft.«
»Im Gegenteil, Bibi! Ich versichere dich...«
»Du bist mir noch zwanzig Märker vom Rennen in Auteuil schuldig, ich habe Zeugen... Nanu«, rief er und musterte eine Veranda, auf der zu nächtlicher Stunde noch gespeist wurde. »Da ist doch...«
»Wer denn?« fragte Baron von Werner.
»Die Stumme von Portici«, sagte Herr von Zabelsdorf. »Hat der Mensch Töne? Von Saigon bis Bangkok hat sie keine drei Worte jesagt und jetzt redet sie wie'n Buch.«
Er ließ sein Fernglas sinken.
»Seit wann betrachtest du dir Damen von weitem?« erkundigte sich sein Wiener Freund.

»Jute Nacht, Maxe«, sagte Herr von Zabelsdorf.
»Wie gehts denn dem Annerl in Shanghai?«
»Wenn du Fräulein Anna Weber meinst, so geht es ihr gut.«
Unten auf der Tropenveranda saßen Werners Gäste und sprachen über die Erzvorkommen in Südostasien: Zinn, Erdöl, Mangan, Kupfer, Wolfram. Man lebte zwar in den gesegneten Ländern, aber an der Quelle saßen in Malaya die Engländer, in Indochina die Franzosen und in Holländisch-Indien die Holländer.
»Die Nächsten, die an der Quelle sitzen werden, sind die Japse«, prophezeite Dr. Bopfinger aus München.
»Das wäre ja ausgezeichnet. Wir sind doch Verbündete!«
»Sie verstehen viel von Chemie, mein Engel, aber von Politik verstehn Sie noch weniger als unser Gastgeber.«
Dr. Bopfinger setzte sich ans Klavier, um »auszuatmen«, wie er es nannte. Er hatte vier Jahre in Japan verbracht. Er kannte die Wirtschaftsbilanz. Japan brauchte einen Krieg. Zu viele Menschen und zu wenig Rohmaterial. Das alte Lied. Man sang es auch in Deutschland seit dem Ersten Weltkrieg. Japan produzierte nur dreiundvierzig Millionen Tonnen Kohle und etwa sieben Millionen Tonnen Stahl, wobei man schon die Erze aus Korea und der Mandschurei mitrechnen mußte.
»Heute hat der Krieg begonnen«, sagte Bopfinger zu Dr. Engel.
»Welcher?«
»Zunächst einmal der zwischen Japan und China auf der Marco-Polo-Brücke bei Peking.«
»Wir können noch keinen brauchen«, bemerkte der Engel von Leverkusen. Er schloß die Augen und überließ sich der niederträchtigen Verführungskraft der Musik: Beethoven – der Lieblingskomponist von Leutnant Matsubara, der etwas von deutscher Musik verstand. Er verstand auch die Sprache der Deutschen, aber nicht ihre Gedanken. Akiro saß bis tief in die Nacht auf seinem Hotelbalkon und schrieb einen Bericht, dem er eine Reihe von Dokumenten beifügte, die als Überschrift alle möglichen Namen trugen.
Am nächsten Morgen meldete sich ein junger Japaner im Reisedreß bei Leutnant Matsubara. Er erhielt das versiegelte Paket, das persönlich an Hauptmann Saito abzugeben war, oder, um es diskreter auszudrücken, an den »Touristen aus Urakami«, der gerade Indochina bereiste. Urakami am lieblichen Urakami-Fluß war der hochindustrialisierte Vorort der Stadt Nagasaki, in der Nähe der

Halbinsel Hisen, die wie eine Überraschung aus der Insel Kyushu hervorspringt.
Japan bestand aus vielen Inseln, und jeder Tourist war auch eine Insel. Sie sprangen in Südostasien so überraschend aus Winkeln und Ecken hervor wie die Halbinsel Hisen aus der Insel Kyushu.
Leutnant Matsubara machte sich noch am selben Tag auf den Weg nach Shanghai, um seine deutschen Sprachkenntnisse bei Fräulein Anna Weber zu vervollkommnen.

**ZWEITES KAPITEL**

# Der Tourist aus Urakami

Vierzehn Tage nach Astrids Ankunft saß Fräulein Wergeland auf ihrer Privatveranda in der Sathorn Road und schrieb einen Brief an die Witwe aus Aalesund. Allerdings war Laura Holgersen zu diesem Zeitpunkt keine Witwe mehr. Sie hatte vor zwei Jahren einen dänischen Forstbeamten geheiratet, der als Angestellter der *East Asiatic Company* – mit dem Hauptbüro in Kopenhagen – in den Teakholz-Konzessionen der Gesellschaft in Nord Siam arbeitete. Daß Laura im Dschungel verschwunden war, paßte Fräulein Wergeland durchaus nicht, aber sie war es ja gewohnt, daß Mitglieder ihrer Familie überraschende Heiraten machten und sich dann an ihrer Schulter ausweinten.
Helene las an diesem Regenmorgen mit gerunzelten Brauen Lauras letzten Brief. Zu ihren Füßen saß die gute Yumei mit dem neuen Baby-Sohn und ihren beiden anderen Kindern und tat nichts. Fräulein Wergeland war der irrigen Ansicht, daß Yumei sich nach der Geburt »erholen« müsse. So tat Yumei Fröken Wergeland lächelnd den Gefallen und bestickte einstweilen Tellerdeckchen für Missie Laura Nielsen aus Aalesund. Laura wohnte in Pré, während ihr Mann sich den größten Teil des Jahres mit Elefanten und Kulis im Dschungel aufhielt. Fräulein Wergeland wischte den Schweiß von der Füllfeder und schrieb:

*Liebe Laura,*
*vielen Dank für Deinen Brief vom vorigen Monat. Es ist mir unverständlich, worüber Du die ganze Zeit jammerst. Wenn Du Angst vor den Elefanten hast, mußt Du eben in Pré wohnen bleiben und Dich dort weiter mit amerikanischen Missionaren und den Frauen der dänischen Forstbeamten langweilen. Vielleicht wäre es nett, wenn Astrid Dich besuchte, sobald sie aus Shanghai zurück ist? Knut ist trotz meiner Warnungen mit Astrid und*

Mailin nach Shanghai zu einer Auktion gefahren. Ich traue den Japanern nicht; sie könnten zur Abwechslung Bomben auf Shanghai werfen. Aber Knut und Astrid nehmen ja nie einen Rat an. Mailin hat mir versprochen, auf beide aufzupassen. Was Astrid in Shanghai tun und wen sie dort besuchen will, ist wieder einmal ein Geheimnis. Sie hat sich sehr verändert. Du wirst ja selbst sehen! Vielleicht bleibt Mailin längere Zeit in Shanghai. In diesem Falle werde ich Dich mit Vivica in Pré besuchen. Kosten werden Dir durch unseren Besuch nicht entstehen. Du bist eine liebe Person aber ein Geizkragen. Nun, Du kennst Dich ja selbst am besten.

Wenn Euch wieder einmal japanische Touristen besuchen, würde ich Typhus vorschützen. Das ist in der Regenzeit die beste Ausrede. Da ich nicht annehme, daß Deine Ehe Dich weniger vergeßlich gemacht hat, möchte ich Dich daran erinnern, bei Dir und allen Dienern die Impfungen vornehmen zu lassen. W i e mangelhaft Dein Gedächtnis ist, ersehe ich aus Deinem letzten Brief. Du schreibst, wie wundervoll unterhaltend Dein erster Mann im Vergleich zu Mogens gewesen sei. Ich erinnere mich noch aus Trondheim, daß Du mir erzähltest, Sverre spräche nur über Heringe. Ich habe beinahe so ein empörendes Gedächtnis wie Astrid.

Mir geht es gut. Danke der Nachfrage! Ich habe zwar in der Regenzeit wie immer meinen Rheumatismus; aber man wird eben nicht jünger.

Wann ich endgültig nach Trondheim zurückgehe, kann ich Dir im Augenblick nicht sagen. Spätestens in fünf Jahren. Schließlich bin ich heute mit meinen zweiundfünfzig Jahren kein Frühlingsküken, und die Überraschungen, die meine Familie mir ständig bereitet, machen mich auch nicht lustiger.

Also Kopf hoch! Wer heiratet, muß eben die Suppe auslöffeln, die er sich selber eingebrockt hat. Ich habe Dich gewarnt! Ich finde, daß Dein Mogens soweit ein recht netter Mensch ist; man darf von einem einzigen Mann nicht zuviel verlangen. Diesen Fehler machte auch unsere arme Borghild. Da Du mich fragst: ich glaube, ich bin die einzige in der Familie, die das liebe, unglückliche Kind noch nicht vergessen hat. Es hat sich so vieles seit Borghilds Tod geändert, in der Welt und in der engsten Familie. Die Mädels sind herangewachsen. Knut ist ein Eigenbrötler geworden. Was mich anbelangt, so sagt Knut, daß ich so geduldig wie eine Tige-

*rin und so liebenswürdig wie ein Maulwurf wäre. Ihm scheine ich trotzdem ganz gut zu gefallen; denn er macht neuerdings ein Gesicht wie sieben Tage Monsun-Regen, wenn ich die Möglichkeit meiner Heimkehr nach Trondheim erwähne.*
*Laß Dich durch den Dschungel nicht unterkriegen! Es ist alles halb so schlimm.*
*Viele Grüße an Euch beide.*
*Deine alte Helene.*

In dem Augenblick, als Laura Nielsen den Brief ihrer Cousine aus Bangkok öffnen wollte, meldete der Boy einen Besucher, einen japanischen Touristen, der sein Auto in der Nähe von Pré habe stehen lassen müssen, da ihm das Benzin ausgegangen sei. Es war bereits spät am Abend, und der Toursit aus Urakami hatte zu seinem unaussprechlichen Bedauern in dem Rasthaus von Pré keine Unterkunft finden können. Er war so erschöpft von dem Marsch durch den regentriefenden Dschungel und so schwer von Insekten zerbissen, daß er die fremde Dame um Asyl für eine Nacht bitten mußte.
Hauptmann Saito blieb zwei Tage in Pré. Er lernte übers Wochenende den Hausherrn kennen und wurde von Herrn Nielsen auf die Station im Dschungel eingeladen, wo er aus nächster Nähe den Teakholz-Transport durch Elefanten sehen und allerhand Informationen über das internationale Holzgeschäft einsammeln konnte. Seine touristische Begeisterung machte den dänischen Forstbeamten in ihren einsamen Bungalows so viel Spaß, daß sie ihm voller Stolz seine endlosen naiven Fragen beantworteten. Ein kleiner Schullehrer aus einer unbekannten japanischen Inselgegend! Er war zum ersten Male in einem anderen Lande und bewunderte die Dänen so herzlich, daß sie ihn mit viel Carlsberg-Bier und noch mehr Auskünften versorgten. So erfuhr der schüchterne und lerneifrige Tourist aus Urakami, daß die Engländer, Dänen, Franzosen und Chinesen die Teakholzwirtschaft seit dem 19. Jahrhundert tadellos durchorganisiert und dem europäischen Export nutzbar gemacht hatten. Die Eingeborenen waren als Kulis und Elefantentreiber beschäftigt. Es war das einzige, was sie von der Holzwirtschaft verstanden! Die Regierungen der Länder erhielten von den Ausländern große Summen für Lizenzen und Abgaben. So war alles aufs Beste geordnet, nicht wahr? Nein, Deutsche zogen keinen Nutzen aus diesem Wirt-

schafts-Paradies! Sie hatten nur anfangs die Forstarbeit organisiert und Ingenieure in den Dschungel geschickt. Sie machten eben lieber Kriege als Geschäfte, meinte Herr Nielsen lächelnd.
Der Tourist aus Urakami suchte vergeblich, das Witzige an dieser Bemerkung zu erfassen, und lachte daher, so laut er konnte. Des Abends zog er sich bescheiden in seine Holzbude zurück, um seine Post zu lesen und seine Fotos zu entwickeln. Er fotografierte alles mit naiver Begeisterung – die dänischen Herren, die grinsenden Kulis, die geschmeidigen Elefantentreiber, den Arbeitsprozeß im Dschungel und die poetische, fieberfeuchte Monsunwald-Gegend, die man befahren, bereiten und durchwandern konnte. Wie prächtig wäre es doch, wenn die Siamesen und Burmesen unter japanischer Aufsicht eine neue Wohlstandsära in den Teakholzgebieten erleben würden! Wieviel gerechter und panasiatischer! Außerdem hätte eine solche Regelung den Vorteil, daß Nippon »Vorzugspreise« für den Import von Teakholz erhielte. Dies waren Überlegungen, die Hauptmann Saito still für sich anstellte, wenn er in schwülen Augustnächten in der hölzernen Kammer saß, die Laura Nielsens Mann ihm gastfreundlich zur Verfügung gestellt hatte. Siam war ein entzückendes Land und eine zauberhafte Reiskammer, Teakholz-Versorgungsstelle und Flugzeugbasis. Man konnte von hier aus im Kriege eine ganze Armee ernähren.
Nachdem Hauptmann Saito diese Touristenträume fertiggedacht hatte, nahm er sich das Briefpaket vor, das Leutnant Matsubara ihm nach Indochina nachgesandt hatte. Hier – in der Stille des Urwaldes – fand er zum ersten Male auf seiner Inspektionstour Zeit, den Inhalt genau zu studieren. Nach kurzer Zeit legte er den Bericht über die Situation in Shanghai beiseite und vertiefte sich in die Personal-Akten, die Leutnant Matsubara in Shanghai und Bangkok angefertigt hatte. Nippon war beständig auf der Suche nach ausländischen Agenten und »Freunden« der kaiserlichen Chrysantheme, die immer noch allzusehr im verborgenen blühte. Auch ein Polizeistaat mit einer echten Liebe zu Blumen und zur Meditation braucht Freunde. Und auch ein japanischer Katholik, der gleichzeitig ein Patriot ist, kann sich ja wohl am Dufte der mystischen Rose wie am Glanze der einheimischen Chrysanthemen berauschen. Denn Hauptmann Joseph Kitsutaro Saito war ein gläubiger Anhänger Christi. Er stammte ja aus Urakami – aus jener Gegend um Nagasaki, die seit dem 17. Jahrhundert von

den 300 000 Christen in Japan mindestens die Hälfte für sich in Anspruch nehmen durfte. Hauptmann Saitos Vorfahren – Bauern, Lehrer und Priester – hatten Verfolgungen und Massaker im Zeichen des Kreuzes erlebt; und die größte Kathedrale in Ostasien stand in der Nähe der Halbinsel Hisen, die wie eine Überraschung aus der Insel Kyushu hervorspringt.

Joseph Kitsutaro Saito war gegen den Willen seiner Familie auf die Militärakademie zu Tokio gezogen und war dort auf Grund seiner besonderen Fähigkeiten zum Touristen ersten Grades für den Auslandsdienst der Geheimpolizei ausgebildet worden; zum Touristen mit Kodak, Geheimtinte und einem Rosenkranz. So sah der Mann aus, der in der von tausend animalischen Geräuschen erfüllten Dschungelnacht im Norden Siams die Berichte aus Shanghai und Bangkok studierte: ein mittelgroßer, gedrungener Inselbauer mit einem kugelrunden Schädel, sehr großen Ohren, drei vorstehenden Vorderzähnen, kräftigen, schöngeschnittenen Lippen und runden, schwermütigen Augen, aus denen eine gespaltene Seele sprach. Das lächelnde Aussehen verdankte Hauptmann Saito den drei Vorderzähnen, die seine Lippen stets ein wenig offenstehen ließen. Es war ein kleiner Trick – genau wie Geheimtinten, Amateur-Aufnahmen in strategisch bemerkenswerten Gegenden Südostasiens, und die sanfte Kunst des Jiu-Jitsu.

Am nächsten Morgen um halb fünf Uhr erhob sich Hauptmann Saito und spazierte allein vom Bungalow seines dänischen Gastgebers in den tropischen regenduftenden Wald. Einmal wollte er, der in Siam nur mühsam atmen konnte, die unverbrauchte Morgenkühle des Dschungels genießen. Gleichzeitig orientierte er sich über moderne Transportmethoden für das Teakholz. Die Elefanten jagten ihm ein unerklärliches Grauen ein. Überdies waren sie kostspielig, launenhaft und konnten unversehens in Raserei verfallen. Hauptmann Saito suchte und fand endlich eine Feldbahnstrecke, welche die East Asiatic Company östlich von Pré angelegt hatte. Er machte eine schöne Naturaufnahme davon. Die riesiegen, mit tiefgrünem Laub geschmückten Teakbäume (Tectona grandis) warfen besänftigende Schatten, und einige trugen noch den Schmuck ihrer schneeweißen Blütenkronen. Hauptmann Saito fand den Anblick um so bezaubernder, wenn er bedachte, daß hier das wahre Teakholzparadies der Welt war, wo auf den Quadratkilometer Wald etwa hundertvierzig Teakstämme kamen. In die-

ser poetischen Gegend suchte Hauptmann Saito sich einen hübschen Platz zum Reiskochen. Er wollte hier sein Frühstück verzehren und sich dann von seinem Gastgeber fürs erste verabschieden. Er fand ein Plätzchen zwischen wilden Orchideen: ein kleines Teezimmer voller Stille und Schönheit, umgeben von wilden Bergen und dichten, nützlichen Wäldern.
Bald flackerte ein munteres Feuer, und Hauptmann Saito konnte seinen Reis kochen. Er führte seine Kochutensilien in einem Suitcase mit, wo immer er auch die Natur genießen und Freunde erwerben mochte. Auf dem Grund des Suitcase lag ein dickes Briefpaket. Es enthielt Akten, die Leutnant Matsubara angefertigt hatte. Saito warf das Paket ins Feuer. Er hatte die Informationen bereits verdaut; er besaß ein eisernes Gedächtnis. Die Personal-Akten betrafen eine Reihe sehr unterschiedlicher Personen – teils künftige Agenten, teils Leute, deren Bekanntschaft zu kultivieren, oder die zu vermeiden ratsam war. Zu letzteren gehörte der Chemiker Dr. Engel von den Farbwerken Bayer. Die anderen Leute, deren Herkunft, augenblickliche Beschäftigung, Mentalität, besondere körperliche Kennzeichen und Verwendungsmöglichkeiten aufgeführt wurden, waren so unterschiedliche Herren und Damen wie Herr von Zabelsdorf – Deutsch-Asiatische Bank in Shanghai; Fräulein Anna Weber – Tochter eines deutschen Gewerkschaftsführers aus Breslau, Sprachlehrerin und arme Kirchenmaus; drei siamesische Aristokraten, die man auf der Militärakademie in Tokio ausbilden wollte; Monsieur Pierre de Maury – Mitarbeiter der *Ecole Française d'Extrême-Orient* in Hanoi, aber zur Zeit zu Besuch in Shanghai; und Mademoiselle Vera Leskaja – Assistentin in einem weißrussischen Beauty-Parlour im Ausländerviertel von Shanghai. Leskaja, frühere Agentin der chinesischen Großfinanz, seit einigen Jahren Gelegenheitsarbeiterin für Nippon über die Kunsthandlung Noringa, Shanghai, wurde von Leutnant Matsubara warm empfohlen. Sie war intelligent, sprachbegabt, von ihrem Geliebten schnöde verlassen und reichlich »menschenkundig«. Es folgte ein detaillierter Vorschlag, wo und wie Mademoiselle Leskaja als Star-Agentin eingesetzt werden konnte, ohne daß es Chinesen und Ausländern auffiel.
Hauptmann Saito dachte noch über die praktischen Konsequenzen dieses Plauderbriefes nach, als sein dänischer Gastgeber, hoch zu Elefant, ihn in seinem Orchideenzimmer überraschte. Die Papiere waren längst zu Asche verbrannt und der Morgenreis

gekocht. Herr Mogens Nielsen, an dem die ehemalige Witwe aus Aalesund so viel auszusetzen fand, sah wie ein wohlgelauntes Flußpferd aus, konnte viel Carlsberg-Bier vertragen und verstand mit Kulis und Elefanten umzugehen.

»Hallo, Mister«, rief er freundlich. »Sie machen ja ein richtiges Picknick im Freien! So einen Touristen lobe ich mir!«

Joseph Kitsutaro Saito lächelte mit Hilfe seiner drei Vorderzähne und lud *Nielsen-san* (Herrn Nielsen) mit tiefen Verbeugungen in fehlerhaftem Englisch ein, sein nichtswürdiges Morgenmahl mit ihm zu teilen.

Es war alles vorhanden: eine Konservenbüchse mit knusprigen, nach Jod duftenden Seetangscheiben, perlengleicher Reis für die Lackschälchen und eine kleine Kanne mit Tee.

Kein Zweifel – für den Touristen aus Urakami war das Leben zu dieser Zeit ein Picknick.

DRITTES KAPITEL

# Leutnant Matsubaras Puppen

Seit ihrer Ankunft in Shanghai hatte Astrid das Gefühl, als sei sie niemals fortgewesen. Wenn sie von ihrem Fenster im Cathay-Hotel auf die kosmopolitische Menge blickte, wenn sie im Jeßfield-Park darüber nachdachte, wie seltsam es war, daß jetzt ein chinesisches kleines Mädchen auf Yvonnes Veranda spielte und seine Amah ihm schaurige Märchen erzählte oder den Mund mit Papiergeld einrieb – eine ebenso gutgemeinte wie unhygienische Bitte an den Gott des Reichtums – überall hatte Astrid dies wärmende Gefühl, mit der Luft, den Menschen und den Steinen dieser Stadt vertraut zu sein. Nach ihrem kurzen aber inhaltsreichen Besuch bei Pater de Lavalette war in Astrid etwas aufgeblüht, das sie heimlich beglückte. Natürlich verlor sie kein Wort darüber; es war ihr nicht gegeben, mit Mailin intim zu werden, obwohl sie es wünschte und über diesen Wunsch erstaunt war. Aber noch mehr wünschte sie, daß man sie im Hotel ans Telefon riefe. Und das geschah am dritten August. Astrid trödelte ganz gegen ihre Gewohnheit herum; der Konsul wartete ungeduldig in der Halle, denn die Auktion begann in einer Viertelstunde. Da klingelte oben das Telefon. Ein Boy meldete: »Mademoiselle Clermont-Wergeland wird am Telefon verlangt, bitte Missie!«
»Sie sind also wirklich nach Shanghai gekommen?« fragte eine Stimme.
»Ja«, sagte Astrid.
»Wie geht es Ihnen?«
»Gut, danke sehr.«
»Haben Sie immer noch Lust, ein echtes japanisches Restaurant zu besuchen? Oder war es nur eine Pariser Laune, Mademoiselle?«
»Keineswegs...«, sagte Astrid.
»Sind Sie allein in Shanghai, Mademoiselle?«

»Nein, aber es macht nichts aus. Ich . . .«
»Sie haben den Satz nicht vollendet, Mademoiselle.«
»Das stimmt« – Mit dem Hörer in der Hand versank Astrid in Spekulationen.
»Sie sind sehr schweigsam, Mademoiselle! Wollen Sie mich nicht wieder ein bißchen belehren? *Eh bien* . . . ich warte!«
»*Au revoir, Monsieur*«, sagte Astrid, ohne den Hörer aufzulegen. Sie war noch blasser als gewöhnlich. Sie haßte Lustigkeit, die sie nicht teilen konnte und wollte. Sie war neunzehn Jahre und nahm die Männer tödlich ernst. Diesen Mann liebte sie. Diese Unruhe, das Herzklopfen, der Wunsch allein zu sein – das mußte Liebe sein!
»Haben Sie heute abend ein Stündchen Zeit für ein japanisches Montparnasse, Mademoiselle? Ich wäre entzückt, es Ihnen zu zeigen.«
»Wo ist es?«
»Ich hole Sie natürlich mit einem Taxi ab. Wie in Paris.«
»Nein«, sagte Astrid schnell. »Das geht nicht.«
»Warum nicht, *ma chère*?«
»Wo ist das Lokal?« fragte Astrid nervös. Ihr Vater hatte die Telefonzelle betreten. Sie hielt verzweifelt den Hörer in ihrer langen schmalen Hand. *Wo* sollte sie ihren einzigen Freund in dem riesigen Shanghai finden?
»Restaurant zur Weißen Chrysantheme, hinter der Kiangse Road, südlich der Nanking Road. Paßt Ihnen acht Uhr, Mademoiselle?«
»Vielleicht«, sagte Astrid und legte den Hörer auf.
»Mit wem hast du so endlos telefoniert?« fragte ihr Vater.
»Mit einem Bekannten aus Paris, Papa. Er hat mich heute abend zum Souper in ein japanisches Restaurant eingeladen.«
»Nanu! – Wer ist es denn?«
Astrid sagte ihrem Vater, wer es wäre, und fügte eilig hinzu, daß der junge Mann aus einer alten, guten Familie käme.
»Wo hast du ihn kennengelernt?« fragte Dr. Wergeland unbeeindruckt.
»Bei meiner Cousine, Amélie Clermont.«
Dr. Wergeland machte ein Gesicht, als ob er Zahnschmerzen hätte. »Entsetzliche Person«, bemerkte er. »Also komm! Die Auktion wartet nicht.«
»Bitte, entschuldige die Verspätung, Papa!«

»Du tust immer, was du willst, und dann entschuldigst du dich«, sagte Dr. Wergeland zerstreut. Er war im Geiste schon auf der Auktion. Man versteigerte Min-Vasen, Lackarbeiten und japanische Holzschnitte, bei deren Anblick man sich bereits verjüngte. Astrid schien übrigens seinen Geschmack geerbt zu haben. Sie wachte auf, wenn es sich um ostasiatische Kleinkunst handelte. So spann sich zwischen Vater und Tochter ein intellektuelles Band, das sehr verschieden von seiner Liebe zu Mailin war, ihn aber sehr erfreute. Er war insgeheim stolz auf seine vornehme neunzehnjährige Tochter. Astrid hatte in Paris gelernt, das Beste aus sich zu machen. Nur ihre Augen standen zu nahe beieinander. Sie hatte nichts von Mailins rührender Anmut. Sie war eine häßliche Schönheit – wie ihre Mutter. Aber doch reizvoller, dachte der Konsul. Im Profil war sie bezaubernd. Er hatte nichts dagegen, daß sie einen Bekannten aus Paris traf. War sie erst wieder dort, so würde sie viele Bekannte treffen, ohne daß ihr Vater eingreifen konnte. Astrid wußte zudem ausgezeichnet auf sich aufzupassen.
»Wo findet das wichtige Souper statt?« fragte er gutgelaunt.
»In der Weißen Chrysantheme... hinter der Kiangse Road. Nicht weit vom Hotel«, sagte Astrid ohne Zögern. Ihr Vater sollte ruhig Bescheid wissen. Aber er sollte ihren Freund nicht sehen! Astrid wollte ihn für sich allein haben.
»Die Weiße Chrysantheme ist ein nettes Restaurant. Wenigstens war sie es zu meiner Zeit. Ich habe da öfters mit Japanern gegessen.«
Astrid schwieg. Was Papa vor zwölf Jahren in Shanghai getan hatte, schien ihr ein Schattentheater für ältere Herren.
Der Konsul beschloß, um zehn Uhr abends in die »Weiße Chrysantheme« zu gehen, um Astrid abzuholen. Bis dahin hatte sie wohl das Notwendigste mit ihrem Freunde aus Paris besprochen. Er bedachte nicht, daß zwei Stunden wenig Zeit für Astrid bedeuteten, da doch jedes Wort bei ihr einen Taler kostete. Er selbst wollte mit Mailin im Hotel essen und bei der Gelegenheit ... der Notar wartete!
Astrid würde ihm Mailin nie ersetzen können, dachte Knut Wergeland, als sie zusammen den Auktionssaal betraten. Viele Blicke folgten dem großen, anziehenden Norweger und den beiden jungen Mädchen an seiner Seite. Waren es seine Freundinnen? fragten sich viele Europäerinnen und Amerikanerinnen.

Astrid wäre sprachlos vor Staunen gewesen, wenn sie gewußt hätte, daß ihr Vater nicht allen jungen Damen so uralt erschien wie ihr.
Astrid sah wie durch einen Schleier Kunstschätze, fieberhaft erregte Menschen aller Rassen und Nationen... und Mailin – eine zierliche Elfenbeinfigur mit einer schmalen Nase und tiefen chinesischen Augen. In diesem Augenblick beschloß sie, daß ihr Freund auf keinen Fall Mailins seltsame und rührende Schönheit erblicken durfte. Er hatte ein Auge für asiatische Schönheit...
Niemals, dachte Astrid. Sie starrte Mailin sekundenlang wie eine Fremde an. Dann vertiefte sie sich in die Preise, die man für alte Kunst im kriegsbedrohten Shanghai bezahlte. Ihr Vater saß unbewegt in einem Sessel und wartete auf den Beginn des Schauspiels. Er hatte seinen rechten Arm um Mailin gelegt, als ob man sie ihm entreißen wollte. Es paßte ihm ausgezeichnet, daß Astrid heute abend eingeladen war.

\*

Astrid starrte in den Spiegel. Ihr allzu weiches Haar – ihr ewiger Kummer – sah lebloser aus denn je und feucht obendrein. Sie konnte so unmöglich heute abend... Sie blickte auf ihre Uhr. Ihr weißes Kleid war wunderschön. Dazu wollte sie die Rubine ihrer Mutter tragen. Sie klingelte und fragte nach einem Beauty-Parlour. Sie hatte zwei rote Flecke am linken Nasenflügel. Die feuchte Hitze im sommerlichen Shanghai ruinierte ihre durchsichtige blasse Haut. Dann fuhr sie zu *Madame Ninette*, einem weißrussischen Salon in der Nanking Road.
*First class*, hatte der Portier gemurmelt, der von Vera Leskaja Prozente für jede Kundin bekam, die er ihr zuschickte. Es wurden nur weiße Frauen bei Madame Ninette zur Bedienung angestellt. Man konnte dort alles haben: Gesichtsmassage, Entfernung kleiner Hautschäden, Haarpflege, Manicure, Pedicure. Auskünfte, Liebhaber und Agentinnen aller Art. Letztere drei Spezialitäten des Hauses waren auf dem Prospekt, den ein Pariser Parfümflacon und chinesische Pflaumenblüten lyrisch verzierten, nicht vermerkt. Astrid hatte noch drei Stunden Zeit, sich schön zu machen. Ihr Vater ruhte sich im Hotel aus, und Mailin schrieb in ihrem Tagebuch. Eigentlich malte sie in diesem Tagebuch; sie hatte die chinesische Eigenheit, in Bildern zu schreiben. Die japa-

nische Passion, Gedanken und Gefühle in Worten zu Papier zu bringen, hatte Mailin niemals gehabt.
Leutnant Matsubaras Tagebücher dagegen wiesen keine einzige Zeichnung auf, dafür endlose und ameisenhaft fleißig beschriebene zierliche Manuskriptseiten. Eine Schreibmaschine benutzte er nur in Notfällen oder für amtliche Mitteilungen. Mit feinem Pinsel seine Bildbuchstaben malend, gab sich Leutnant Matsubara in diesem Augenblick einer zweiten japanischen Passion hin: neue Kombinationen auszudenken und Menschen wie Puppen an unsichtbaren Drähten zu bewegen. In sein Shanghaier Hotel hatte er einige besonders schöne Stücke aus seiner kostbaren, ererbten Sammlung zeremonieller Puppen gebracht. Sie erinnerten ihn an sein Vaterhaus in Tokio und unterhielten ihn auf höchst merkwürdige Weise.
Eine seiner lebendigen Puppen frisierte in diesem Augenblick das weiche, mattblonde Haar einer jungen Norwegerin mit Pariser Chic.
»Darf ich eine neue Frisur ausprobieren, Mademoiselle?« fragte die ehemalige Medizinstudentin Anna Weber aus Breslau in treuherzigem Schulfranzösisch. »Ich glaube, wir legen Zöpfe um den Kopf; dann wird das Haar viel voller erscheinen als mit dem Knoten.«
»Eine wundervolle Idee«, rief Astrid elektrisiert. Sie würde dem geschickten jungen Mädchen ein Trinkgeld geben.
»Hatten Sie daheim einen Friseurladen?« fragte Astrid.
»Nein, Mademoiselle«, sagte Anna Weber kurz. »Ich stamme aus dem Riesengebirge. Wir wohnten später eigentlich mehr aus Versehen in Breslau.«
Astrid unterdrückte ein Gähnen, aber die Frisur wurde wundervoll. Sie versuchte freundlich zu sein! »Liegt Breslau bei Potsdam?« fragte sie, um ihr Interesse zu zeigen. Amélie Clermont sagte immer, das »Personal« arbeite viel besser, wenn man persönliches Interesse zeige.
Die Haarbürste fiel Anna Weber beinahe aus der Hand. Einen Augenblick riß sie ihre blauen Augen weit auf. Wie in aller Welt kam diese Fremde auf Potsdam? Ernst August von Zabelsdorf war der einzige Potsdamer in Shanghai und Umgebung. Aber nein, die Kundin mußte zufällig in einer Illustrierten etwas über Potsdam gelesen haben. Anna steckte den zweiten Zopf fest und erklärte, Breslau läge nicht in der Nähe von Potsdam.

»Wissen Sie vielleicht, wo das Lokal ›Weiße Chrysantheme‹ ist?« fragte die Unbekannte. Anna zuckte wieder zusammen. Träumte sie? Dort traf sie sich manchmal mit dem »Ernstel«, wie sie Herrn von Zabelsdorf auf gut schlesisch nannte. War er etwa mit dieser jungen Dame mit der herrlichen Figur und den eleganten Kleidern verabredet? Betrog er sie? Anna sah im Spiegel der rosa Kabine ein erblaßtes, leicht verzerrtes Gesicht. Und doch war es ein Gesicht mit klugen, herzlich blickenden Augen und einem Mund, der jetzt selten fröhlich lächelte, aber die Bereitschaft zum Lächeln nicht verbergen konnte. Mit vierundzwanzig Jahren ist man dem Tod des Gefühls noch sehr fern.
Sie erklärte der Kundin die Lage des Restaurants. Nicht weit vom Cathay... Sie zuckte immer noch zurück, wenn es ein Trinkgeld gab. Eine dumme Gewohnheit von früher... Annele war das erste Mitglied der Familie Weber, das Trinkgeld in die Hand gedrückt bekam.
»*Merci, Madame*«, murmelte sie und knickste, wie Madame Ninette es verlangte. Astrid verließ das rosa Lokal mit einem gnädigen Kopfnicken für die Friseurin. So nickten alle Clermonts. Astrid hatte es ihnen abgesehen.
Anna ging ins Büro und bat um Vorschuß. Selbst Hauswirte im billigen Emigrantenviertel Hongkew warteten nicht ewig auf die Miete. Sie hatte schon allen Schmuck verkauft – bis auf die geweihte Medaille von der heiligen Hedwig von Breslau, die im übrigen kein chinesischer Händler haben wollte, obwohl die schlesische Heilige eine leise Ähnlichkeit mit Kuan Ying, der Göttin der Barmherzigkeit, hatte.
»Haben Sie besorgt, was Sie besorgen sollten?« fragte eine graugekleidete rauchende Russin mit fahlem Haar. »Der Auftraggeber braucht Mr. Hsins Korrespondenz mit der Deutsch-Asiatischen Bank.«
»Es gab keine Gelegenheit, Madame«, murmelte Anna.
»Dann schaffen Sie sie. Die Japaner legen keinen Wert auf Agentinnen, die darauf warten, daß die Gelegenheit ihnen aus den Wolken in den Schoß fällt.«
Anna schwieg. Es war ein leichtes, mit Ernst von Zabelsdorf in seine Wohnung zu gehen und heimlich seinen Schreibtisch zu durchsuchen, während er Radio hörte. Und doch war es zu schwer. Und Sünde war es obendrein.
»Kein Metall ist so hart, daß es Feuer nicht schmelzen könnte,

und keine Angelegenheit so schlimm, daß Geld sie nicht zu regeln vermöchte«, zitierte Vera Leskaja aus der »Weisheit auf Chinesischen Gassen«. Diese Weisheit hatte sie vor zwölf Jahren gelernt – in einem verkommenen Logierhaus – damals, als Boris sie verlassen hatte. Es war schon nicht mehr wahr. Alles drehte sich in der Welt; auch Vera Leskaja und Madame Ninette taten es. Wenn diese dickköpfige Deutsche sich nicht drehen wollte, dann konnte sie sehen, wo sie blieb. Moral war etwas für reiche Leute.
»Dann bleibt nur der andere Weg für Sie. Dort ist die Nachfrage größer als das Angebot. Shanghai – die Stadt der Liebe«, sagte Vera Leskaja und zündete sich die dreißigste Zigarette an diesem Tage an.
Ihr graues Kleid, ihr fahler Teint, ihre gierigen mißtrauischen Augen, ihr verkniffener Mund wirkten in dem von Japanern finanzierten rosa Salon wie eine Studie von Goya in seiner bittersten Laune. Vera Leskaja sah zu diesem Zeitpunkt aus, als ob sie bereits gestorben wäre, es aber noch nicht durch die Morgenpost erfahren hätte. Ihr Gehirn mußte voller Spinnweben sein, so verschleiert waren ihre Absichten und Empfindungen.
»Glauben Sie, daß Sie zu gut für die Nanking-Road sind?« fragte sie sanft.
»Ich kann so etwas nicht tun...«, flüsterte Anna Weber. »Bitte, geben Sie mir Vorschuß, Mademoiselle Leskaja!«
»Wenn Sie Ihre Erwerbsquellen nicht nutzen wollen, ist es Ihr eigenes Begräbnis«, sagte Vera Leskaja so streng wie eine sittenreine Dorfschullehrerin. »Bringen Sie mir das eine, oder tun Sie das andere. Sie haben keine Wahl. *Au revoir!*«
Anna fühlte zu ihrem Erstaunen, daß sie in der Augustglut zitterte. Ihr kerngesunder junger Bauernkörper in dem geblümten Waschkleid mit dem weißen Schulmädchenkragen schwankte einen Augenblick wie ein Baum im schlesischen Heimatwind. Sie war langsam und besinnlich – die Anna Weber, die in Breslau Medizin studiert hatte. Im zweiten Semester war der »Vatel«, der immer noch treu zur Gewerkschaft stand, ins Konzentrationslager gekommen und etwas später »auf der Flucht erschossen worden«. Ein Dutzendschicksal im Dritten Reich. Annas Mutter, eine fromme Bergmannstochter, hatte sich dann auch fortgemacht. Und Anna hatte dagesessen in der leeren Breslauer Wohnung voller Gespenster. Dann war abends ein Nachbar zu ihr gekommen – ein jüdischer Strafverteidiger – von dem sich niemand

mehr verteidigen lassen wollte. »Nu, Kindel«, hatte er auf gut schlesisch gemurmelt, »'s geht ja alles gut.« Und dann hatte Dr. Goldberg ihr vorgeschlagen, mit ihm und seiner jungen Frau nach Shanghai auszuwandern. Sein kleines Tochterle wäre ja nun nicht mehr mit ihnen – er sagte nicht, was dem Tochterle vor einem Jahr geschehen war – und die Annele stehe gar so allein und möchte niemanden mehr sehen, seitdem das mit dem Vatel und der Muttel passiert wäre.

»Was sollen wir denn in Shanghai, Herr Doktor?« hatte Annele ganz verdattert gefragt. Und Herr Dr. Goldberg hatte mit der Weisheit seines Volkes geantwortet, daß sie in Shanghai »leben« wollten. Das sei eine große und gute Sache. Er lernte gerade Schuhe besohlen bei seinem alten lieben Schustermeister, der so viel über die Nazis und ihr »Gelaber« schimpfte, daß Dr. Herbert Goldberg ihn schon im Konzentrationslager sah. Es wäre gar nicht mehr »a wing gemittlich im alten Breslau«, hatte der alte Meister gebrummt, und sein in Breslau ehemals berühmter Lehrling hatte dazu genickt. Nein, gemütlich war es nicht mehr in der alten Oderstadt ...

»Aber«, hatte die Annele noch gestottert, »Shanghai ist so weit weg, Herr Doktor! Wenn es doch möchte a bissel näher bei Breslau sein.« Und da Dr. Goldberg derselben Meinung war, sagte er, daß die Annele das Gelabere lassen solle. Und danach tranken sie bei Goldbergs in der großen, eleganten Wohnung um die Ecke einen Brombeerlikör. Anna hatte noch den Vatel und die Muttel auf dem Friedhof besucht, und dann hatten sie sich fortgemacht nach Shanghai, um gründlich und besinnlich das schwierige Geschäft des Lebens neu zu beginnen. Anna war in kurzer Zeit die beste Kraft im *Salon Ninette* geworden, aber ihr Freund, der Breslauer Strafverteidiger, der sich ihrer in ihrer Verlassenheit angenommen hatte, war nicht mehr in der fremden Stadt über dem Meere. Er besohlte auch nicht mehr die Schuhe der deutschen und österreichischen Flüchtlinge. Er verteidigte nun Gerechte und Ungerechte im schlesischen Himmelreich, hatte die Anna gemeint, als sie mit Hanna Goldberg und Hunderten von Emigranten den Breslauer Strafverteidiger in fremder Erde zur letzten Ruhe geleitete. In einer Ecke standen die Chinesen, bei denen die Goldbergs in Hongkew wohnten, und starrten in ihren weißen Trauergewändern die entrechteten »weißen Götter« mitfühlend und hilfsbereit an. Der »fremde Teufel« aus Schlesien

war ein Scholar gewesen, und so gaben sie ihm mit ihren Frauen und Kindern und Konkubinen die letzte Ehre.
Anna arbeitete nun für die junge Witwe mit, die nichts gelernt hatte, als sich hübsch zu kleiden und ein großes Haus zu führen. Hanna Goldberg lernte inzwischen in einem chinesischen Krankenhaus Nachtpötte ausleeren. Ihr chinesischer Hauswirt hatte sie dahin gebracht, damit sie ihren Reis mit der Zeit verdienen konnte und die andere junge Missie es leichter haben würde. Man müsse klein anfangen in China, man könne nicht mit einem Reiskorn gleich eine Mühle eröffnen, hatte Herr Wen tröstend gemurmelt. Er war tödlich verlegen vor der bettelarmen *Tai-Tai* (Dame); sie paßte nicht in sein festgefügtes, zeremonielles Weltbild. Viele Jahrhunderte lang waren die weißen Götter in China im Handel und in der Finanz tätig; sie hatten immer die schönsten Häuser, die besten Köche und die leichtfüßigsten Tanzmädchen besessen. Ihre Missies hatten immer befohlen, und Herrn Wens Töchter hatten gedient und gehorcht. Und nun war hier eine reduzierte weiße Göttin, und Herr Wen versuchte, sie vor dem Verhungern zu retten. Die Tai-Tai war siebenundzwanzig Jahre alt und wußte weniger vom Existenzkampf als sein »Jüngster Enkelsohn« der in Hongkew Fische verkaufte und seiner ehrenwerten Mutter half, die Preise weiter zu steigern, die durch Shanghais unsichere Lage sowieso immer höher kletterten.
Hanna Goldberg war Annas großes Sorgenkind. Eine von denen, die »bei uns« alles sauberer und gemittlicher fanden. Es war auf die Dauer nichts im chinesischen Krankenhaus: Hannele konnte sich weder mit den Pflegerinnen noch mit den Kranken verständigen. Ihre schönen dunklen Augen waren rotgeweint. Sie hatte immer gehört, die Chinesen seien so höflich. Sie mußte erst lernen, daß niemand in China gegen arme Leute höflich ist. Als Anna eines Abends todmüde aus dem Salon in die Hongkew-Bude am Markt heimkam, war Hanna verschwunden. Sie kam spät in der Nacht; in ihrem Pelzmantel und ihrem weißen Breslauer Abendkleid. Anna schwieg, als die Freundin ihr das Geld hinschob, aber sie weinte zum ersten Male seit dem Tode ihrer Eltern. Hanna mußte sie trösten. »Mach dir nichts draus, Annele. Ich mache die Augen ganz fest zu und denke, ich bin mit dem Bertel in unserm Sommerhaus in Agnetendorf...« Gut, daß der Bertel, der niemals einen Schuh richtig besohlt und niemals mehr wie früher den Nagel auf den Kopf getroffen hatte, nun schon ein Jahr im

schlesischen Himmelreich war. Seine Lunge hatte nicht mehr mitgemacht; sein Geist war heiter und ungebrochen gewesen. Es hatte nach kurzer Zeit Chinesisch wie ein Alter gesprochen ... Ja, der viel ältere Bertel war Hannas ganzer Halt gewesen: Freund, Mann und ein »Vatel«.
Und nun stand Anna Weber in ihrem adretten Schulmädchenkleid vor Vera Leskaja und sollte die Augen zumachen und an etwas anderes denken, um die Miete zu bezahlen. Hanna Goldberg lebte längst nicht mehr mit ihr. Ein reicher Chinese hatte sie elegant bei der Bubbling Well Road einquartiert. Eine »Zeitvertreibfrau« mit weißer Haut ... das gab Herrn Chou viel »Gesicht« in Bankkreisen im Shanghai von 1937.
»Vielleicht bekomme ich wieder japanische Schüler für den Deutsch-Unterricht«, sagte Anna. Sie wußte nicht, daß die Schüler fortgeblieben waren, weil Leutnant Matsubara es so bestimmt hatte. Anna Weber war eben ein dummes Luder, daß sie einem Landsmann nicht die Korrespondenz aus dem Schreibtisch stehlen wollte. Es blieb also nur der andere Weg. Heute abend wollte sie den »Ernstel« das letztemal in der »Weißen Chrysantheme« treffen. Er sollte nichts erfahren. Man feierte Abschied mit sich allein.
Leutnant Matsubara, den Anna erfolgreich im Deutschen unterrichtet hatte und den sie unter dem Namen »Dr. Tekiho« kannte, ahnte nicht, daß sie eine Puppe mit einem schlesischen Dickkopf war. Er brauchte eine intelligente Deutsche, die bei ihren geehrten Landsleuten herumspitzelte. Der Antikominternpakt hatte das gegenseitige Vertrauen nicht gefördert. Dr. Tekiho mißtraute jedem.
Anna ging in die Telefonzelle des Beauty Parlours und wählte eine Nummer. Eine fröhliche Männerstimme rief: »*Zabelsdorf speaking!*«
»Ich bins, Ernstel!«
»Bist du schon fertig im Salon, Annchen?«
»Ja.« Sie verschwieg, daß sie nie wieder hingehen würde, weil sie den Ernstel bespitzeln sollte. Sie zitterte immer noch. Herr von Zabelsdorf wußte wenig von ihrem Leben, außer der Tatsache, daß sie im *Salon Ninette* arbeitete und Sprachunterricht gab. Ein solides, adrettes Mädchen.
»Wie ist's mit 'ner Freundschaftsstulle in der ›weißen Chrysantheme‹?«

»Sehr gern! Vielen Dank, Ernstel!«
»Du hast sone piepsige Stimme heut! Was ist los, Kleines?«
»Nichts.«
»Also, um acht Uhr abends bei Kranzlern um die Ecke! Leb wohl solang und mach mir keine Dummheiten.«
»Auf Wiedersehen ... heute abend.«
Ernst August hielt den Hörer in der Hand. Was war mit der Kleinen los? »Du ... Annchen«, rief er in den Apparat, aber Anna hatte schon aufgelegt. Er runzelte die Stirn. Irgend etwas war mit Annchen nicht in Ordnung. Er schüttelte den Kopf und ließ sich mit Baron Matsubara verbinden. Er könnte leider heute abend nicht mit dem Baron soupieren. Er hätte eine fiebrige Erkältung. Er würde Baron Matsubara ja wohl nicht ausgerechnet heute abend bei Kranzlern um die Ecke treffen, dachte er. Annchen rief so selten an. Sie ließ sich so selten einladen. Ein Mädel unter Tausenden. Herr von Zabelsdorf pfiff leise vor sich hin. Er war ein heller Berliner, aber soeben war er ins Dunkle getreten: Man sagte einem vornehmen Japaner nicht ab, und wenn man im Sterben lag. Man fuhr dann eben in der Sterbekutsche zum Abendessen, sonst gabs Kuchenkrümel.

*

Die Zeiten wandeln sich und die Lokale mit ihnen. Die »Weiße Chrysantheme«, die vor zwölf Jahren ein stilechtes japanisches Restaurant gewesen war, hatte sich so verändert wie Madame Ninettes Schönheitssalon. Für exklusive Ausländer und Japaner gab es jedoch immer noch den alten Flügel, in dem der junge Herr Matsubara mit Borghild Lillesand *tempura* gegessen hatte; aber die Chrysantheme hatte sich beträchtlich ausgedehnt. Sie hatte jetzt ein westliches Restaurant in einem so vulgären Geschmack, daß es beständig von Ausländern überfüllt war. Dazu gehörte eine Tanzdiele mit greller Beleuchtung. Leutnant Matsubara ging stets blinzelnd durch diese moderne Lichthölle in den alten Flügel mit den Privatzimmern und der Wandnische mit Bildern und Blumen. Er fühlte sich nur in einer Welt von fein abgestimmten Schatten ohne elektrisches Licht und Massenerzeugnisse der Industrie wohl. Nur das Halbdunkel inspirierte Geist und Seele. Mit einer dunklen Sonnenbrille bewaffnet durcheilte Akiro auch heute die barbarische Empfangshalle und betrat auf-

atmend einen Privatraum im alten Flügel, in dem eine japanische Dienerin ihm kniend den Kimono reichte und ihm die amerikanischen Straßenschuhe auszog. »Ist er schon gekommen?« fragte er.
»Nein, Herr.«
»Melde mir umgehend seine Ankunft!«
»Ja, Herr. Er hat Raum Sieben bestellt: ein japanisches Souper für zwei Personen.«
»Das ist er.« Leutnant Matsubara zog ein Foto aus seiner Aktenmappe. Die Kellnerin betrachtete es schweigend und intensiv.
»Ich reise morgen nach Tokio. Ich muß ihn heute abend sprechen, aber es muß wie Zufall aussehen! Wenn du den Tee bringst, lasse die Tür offen. Ich werde in diesem Augenblick vorbeigehen und meinen Freund aus Paris begrüßen. Hast du verstanden? Höre genau zu, was Monsieur und seine Begleitung miteinander sprechen. Ist es eine Dame?«
»Er bestellte das Souper Nummer Eins für sich und eine Dame. Er sprach Französisch.«
»Bring mir das Essen!«
»Ja, Herr«, flüsterte die kleine Yuriko und huschte davon. Sie hatte Angst vor Leutnant Matsubara und Heimweh nach der Universität in Tokio ... Aber gegen Liebe war nichts zu machen. Sie war immer mit Angst gemischt. Damit hatte Yuriko sich abgefunden. Bald reiste Akiro-san wieder ab. Er hatte nicht gesagt, daß sie heute nacht in seinen Räumen auf ihn warten solle. Leutnant Matsubara war ein harter Herr und Liebhaber für eine kleine Studentin, die sich in den Geheimdienst verirrt hatte. Yuriko wischte sich eine Träne aus dem Augenwinkel, sehr sorgfältig, damit die Schminke nicht litt. Sie durfte als Kellnerin keine Brille tragen, obwohl sie sehr kurzsichtig war. Bebrillte Puppen verdarben die Romantik, für welche die Ausländer in der »Weißen Chrysantheme« mit Dollar bezahlten. Was wollte Leutnant Matsubara in Tokio? Hätte Yuriko gewußt, daß er dort die von seiner Familie ausgesuchte steinreiche Frau besuchen wollte, wäre sie noch trauriger gewesen.
Sie hatte gar keine Zeit für Tränen. Es kamen immer mehr Ausländer in die »Weiße Chrysantheme«, und alle unterhielten sich ungeniert vor der kleinen Kellnerin. Yuriko war auf Staatskosten ein Jahr in Paris und ein Jahr in New York gewesen und hatte die Sprachen der Fremden gelernt. Der Empfangschef des belieb-

ten Lokals sandte regelmäßig die Listen der Gäste, die Privaträume zum Speisen bestellten, an Leutnant Matsubara. So hatte er gestern in der Liste den Namen des Franzosen entdeckt, mit dem er sich in Paris angefreundet hatte. Monsieur de Maury wollte heute abend um acht Uhr mit einer gewissen »Mademoiselle Clermont« in Raum Sieben speisen.

*

Astrid war so glücklich, als sie mit Pierre de Maury in Raum Sieben an einem kleinen Lacktischchen auf seidenen Kissen hockte, daß sie Mühe hatte, ihre Gefühle vor ihm zu verbergen. Sie hatte entrüstet den Kimono zurückgewiesen, den Yuriko ihr mit einer Verneigung angeboten hatte. Ihr weißes Kleid und ihre Rubine wären um ihre Wirkung gebracht worden.
Pierre war aus Hanoi nach Shanghai gekommen, um mit Père de Lavalette, dem beratenden Gelehrten der *Ecole Française d'Extrême-Orient* die letzten Ausgrabungen aus Kambodscha und einen Studiengang für einheimische Studenten des Instituts zu besprechen. Der aktive Geistliche von der Gesellschaft Jesu war außerdem ein Mitglied des *Bureau Sinologique de Shanghai* und arbeitete an der im Fernen Osten den Gelehrten sehr bekannten Wochenschrift *Indochine*, die Herr de Maury herausgeben half. Pierre war vom Journalismus zur Archäologie und zwangsläufig in den Fernen Osten gekommen. Er war mittelgroß – also etwas kleiner als Astrid – und hatte zwei Gesichter. Im Profil war er ein Asket, von vorn ein witziger Weltmann. Auf Reisen führte er stets drei Dinge mit sich; seine Mokka-Maschine, eine Hausapotheke von befremdlichen Ausmaßen und die Schriften von Montaigne. Wie alle Franzosen fand er alle Städte im Fernen Osten bis auf Saigon und Hanoi absolut unerträglich. Sobald der Kongreß der Orientforscher zu Ende war, wollte er nach Hanoi zurückfahren. Er sprach so begeistert von den Ausgrabungen im Dschungel und seiner redaktionellen Tätigkeit, daß Astrid aufmerksam zuhörte, während sie es für gewöhnlich ermüdend fand, die Zuhörerin zu spielen. Sie wurde aus Pierre niemals klug. Wenn er wirklich verliebt war und nicht nur grausamzärtlich wie ein Katzengeschöpf mit ihr spielte, dann war seine Art zu lieben bestimmt nicht ihre Art. Aber seitdem er in Paris den Salon ihrer Cousine Amélie betreten hatte, war Astrid ihm verfallen. Er

hatte zu ihrem Glück bis jetzt nichts davon gemerkt: Astrid verschlang die Menschen, die sie für sich allein haben wollte, nicht mehr mit hungrigen Blicken. Aber der Hunger saß innen und nagte wie eine Ratte. Es tat weh beim Lächeln. Warum küßte Pierre sie nicht? Er hockte vergnügt und anmutig auf den Kissen und lobte das japanische Essen. Astrid hatte noch nicht gelernt, daß Franzosen das Diner und die Liebe getrennt behandeln. Da es beschämend war, sich nach einem Kusse von einem jungen Mann zu sehnen, der andächtig ungenießbare Speisen aus den Lackschalen fischte, machte Astrid ihr hochmütigstes Gesicht.

»Finden Sie Shanghai auch so unerträglich, Astride?« Herr de Maury hängte ein französisches *e* an Astrids Namen und zog das *i* so lang, daß es nach Sehnsucht klang. Alles Täuschung! Monsieur wandte sich sofort wieder enthusiastisch dem *Sukiyaki* zu, das Yuriko kniend auf einem winzigen Kohleöfchen vor ihnen zubereitete. Während sie die feingeschnittenen Fleischstreifen und die Gemüse kochte, lauschte sie verzweifelt. Die Fremden schienen der Politik auch nicht einen Gedanken zu schenken. Die blasse junge Dame aß fast nichts. Monsieur dagegen schien sich vornehmlich für die Speisen zu interessieren. Er trank heißen *saké* und hörte sich an, was die Dame aus ihrer Shanghaier Kindheit erzählte. »Sie essen ja nichts, *ma petite!*«

»Es tut mir leid, Pierre, ich kann diesen japanischen Misch-Masch nicht vertragen.«

Yuriko notierte im Geiste die beleidigende Japanfeindlichkeit der Ausländerin. »Misch-Masch« nannte sie das wundervoll zubereitete, künstlerisch angerichtete Mahl. Eine kleine Haßwelle überströmte Yuriko und zugleich die Hoffnung, daß die Langnasen nun endlich ihre geheimen Pläne zu Nippons Vernichtung enthüllen würden.

Pierre de Maury aß nach dem *sukiyaki* etwas, was nach Astrids Meinung entweder eine gebratene Schlange oder ein Aal war, und bestellte dann den traditionellen Reis und Tee als Abschluß des Mahls.

Yuriko erhob sich zitternd. *TEE!* Die Spione wollten nun endlich ihre Pläne auf die Lacktische legen, und die junge Dame würde ihre Weisungen empfangen. Yuriko mußte indessen den Tee holen und die Tür für Matsubara Akiro offenhalten... Sie hatte ihm nichts zu berichten: eine unausdenkbare Schande für die Agentin Yuriko!

»Warum sind Sie so nervös, Astride?« fragte Pierre. »Gefällt Ihnen Ihre Familie in Bangkok nicht? Wann kann ich Ihren Vater und Ihre chinesische Schwester sehen?«
»Papa ist leidend.«
»Ich sah ihn heute mit Ihnen auf der Auktion. Da war er aber noch munter wie ein Fisch.«
Astrids blasses Gesicht hatte sich gerötet. Pierre sah sie mit flimmernden Augen an. Um seinen Mund zuckte ein Lächeln, Spott? Mitleid? Überlegenheit desjenigen, der sich lieben läßt?
»Papa ist nach jeder Auktion erschöpft. Ich weiß nicht, was es da zu lächeln gibt«, sagte Astrid kühl. Pierre betrachtete sie plötzlich mit Bewunderung. Diese entzückende Bohnenstange aus Norwegen war erst neunzehn Jahre, aber sie hatte Haltung. Und das war etwas, das Monsieur – wie jeder Franzose – schätzte. Astride ließ sich nicht schlecht von ihm behandeln. Da konnten Frauen, die zehn und zwanzig Jahre älter waren, noch etwas lernen!
»Sie sind charmant heute abend, Astride!« Seine Stimme war eine Lockvogelstimme. Sie besaß die niederträchtige Verführungsmacht der Musik. »Sie sind wunderbar frisiert, *ma chère!* Chic und träumerisch!« Astrid war atemlos vor Glück. Wenn nur der Tee und die kleine stumpfsinnige Japanerin, deren Diensteifer sie nervös machte, jetzt nicht käme!
»Ich habe mir die Frisur ausgedacht«, log Astrid.
»Sie gibt Ihnen etwas von einer Schäferin. Entzückend.«
Astrid holte tief Atem. Dann sagte sie etwas so Merkwürdiges, daß Pierre de Maury es jahrelang nicht vergessen konnte.
»Es ist mir gleich, ob Sie es meinen oder nicht, Pierre«, flüsterte sie. »Es klingt so schön. Ich höre so gern eine angenehme kleine Lüge...« In ihren Augen war die nordische Melancholie und etwas, was Pierre nicht zu entziffern vermochte. Welch ein seltsames Mädchen! Plötzlich wollte er die herben Mädchenlippen küssen. Sie zitterten ganz leise trotz Astrids Selbstbeherrschung. Was war diesem Kinde widerfahren, daß es sich keine Schönheit und Verführungsmacht zutraute? »Astride«, flüsterte der junge amüsante Franzose mit der Hausapotheke und dem asketischen Profil, »meine kleine, bezaubernde...« Er ließ den Arm sinken, den er um Astrids Schulter gelegt hatte! Im Türrahmen war Yuriko erschienen mit dem Tee und dem Reis. Und hinter ihr tauchte ein vornehmer, jüngerer Japaner auf und rief: »Monsieur de Maury! Welche Überraschung! Ich glaubte Sie in Hanoi! Ich

bin beglückt, Sie in einem japanischen Ersatzheim begrüßen zu dürfen!« Dies war der Beginn einer zeremoniellen Rede, in deren Verlauf von Baron Matsubaras »heißer Bemühung«, das Wiedersehen würdig zu feiern, sowie von Schmetterlingen (Träumen) von der Seinestadt die Rede war, und zwar im Pariser Tonfall. Dann schwieg der Japaner in dem lichtgrauen Anzug und ließ seine Augen auf dem Rollbild in der Wandnische ruhen. Diese Pause benutzte Pierre zur Vorstellung: »Baron Matsubara aus Tokio – Mademoiselle Clermont aus Paris.« So war Astrid der Bequemlichkeit halber im Kreise ihrer Verwandten genannt worden. »Wergeland« war eine schwere Aufgabe für die französische Zunge. Daher entging Akiro-san die interessante Tatsache, daß diese kühl blickende junge Dame die Tochter des Mannes war, der sich vor Jahren nicht einmal für einen kostbaren Kimono aus dem kaiserlichen Kyoto bedankt hatte.
Baron Matsubara war in einer gereizten Stimmung und lächelte daher so abgeklärt wie ein fortgeschrittener Zen-Buddhist. Er hatte auf dem Wege zu diesem Privatzimmer seinen Berliner Bekannten mit Fräulein Anna Weber im Teeraum entdeckt und hatte dem »Fieberkranken«, der seine wertlose Einladung verschmäht hatte, blitzschnell den Rücken zugekehrt. So waren die Leute, mit denen das göttliche Japan einen Pakt gegen die Kommunisten geschlossen hatte! Sein Magen – immer das empfindlichste Instrument eines ruhelosen Touristen – hatte sich beinahe umgedreht, als er Herrn von Zabelsdorfs vergnügtes Gelächter gehört hatte, so vergnügt, als ob er ein kleines Mädchen »bei Kranzlern um die Ecke« verliebt anulkte.
Astrid zwang ein Lächeln auf ihr durchsichtig blasses Gesicht. Die hungrige Ratte in ihrem Innern nagte jetzt dicht beim Herzen. Dieser umständlich höfliche Japaner hatte das Gewebe ihres ersten Traums zerrissen. Sie würde ihm niemals verzeihen. Astrid gehörte zu den Menschen, die sich mit Enttäuschungen nicht abfinden können. Ebensowenig konnte sie emotionelle Grundhaltungen revidieren. Ihre spontane irrationale Abneigung gegen Japaner entstand in dieser Stunde und wurde niemals von ihrem Verstand revidiert. Arme Astrid! Der Augenblick, den sie Tag und Nacht herbeigesehnt hatte, war unwiderruflich vorbei. Sie liebte Pierre und wollte ihn bei aller Reserve mit Haut und Haar verschlingen. Ihn oder keinen wollte sie heiraten. Astrid hatte nie Phantasie besessen; Pierres Gabe, farbig zu erzählen, verjagte

die innere Leere, die sie schon als Kind in Shanghai gequält hatte. Sein Charme, seine sanfte Ironie und sein Ausweichen irritierten und bezauberten sie. Er war der erste Mann, der sie beeindruckt hatte. Vielleicht war es nur die größere Lebenserfahrung oder die schwächere Zuneigung, die Pierre in ihren Augen unwiderstehlich machte. Auf jeden Fall waren ihre Pläne gefaßt: Sie würde nach drei Monaten im Fernen Osten ihre Ausbildung in Paris beenden, mit Pierre korrespondieren, ihn dann unversehens heiraten und nach Paris zurücklotsen. Später in diesem total verstaubten Hanoi mit den Museen und Ausgrabungen zu leben, kam für Astrid nicht in Frage.
Aber alle Zukunftspläne, die sie bisher starrsinnig gesponnen hatte, waren in weite Ferne gerückt. Pierre unterhielt sich so animiert mit dem »Pariser Japaner«, wie sich nur Franzosen nach einem unterbrochenen Schäferstündchen unterhalten können ... die Schäferin schien nicht zu existieren.
»War dies Ihre erste japanische Mahlzeit, Mademoiselle?« fragte Baron Matsubara lächelnd. »Darf ich mich erkundigen, wie Ihnen unsere Küche zusagt?«
»Es schmeckte mir köstlich, Baron«, erwiderte Astrid angewidert. Akiro verneigte sich erfreut und ließ sich auf Pierres Bitte anmutig auf ein Kissen nieder, während Yuriko mit gesenkten Augen den Tee in hauchdünne Schalen goß. Dies war die achte Lüge des weiblichen Mehlgesichts!
Baron Matsubara blickte die Ausländerin sekundenlang scharf an. Sein im Geheimdienst geschultes Auge sah viel mehr als das, was die Netzhaut aufnahm. Er sah die Abneigung gegen ihn, die japanische Küche und das heilige Nippon. Dann lud er Monsieur de Maury und Mademoiselle Clermont für den zehnten August zum Lunch in seinen eigenen Räumen ein. Das war der Tag vor seiner Abreise, am elften August wollte Baron Matsubara per Militärflugzeug nach Tokio fliegen. Am 14. August begann übrigens Shanghais Belagerung und Bombardierung durch die Japaner. An diesem Tage bereicherte Akiro Matsubara in Tokio seine zeremonielle Puppensammlung durch ein seltenes Stück – eine *gogatsuning yo*-Figurine. Sie stammte aus der Yedo-Periode und wurde beim Feste der Schwertlilien am 5. Mai zur Ehre japanischer Knaben mit Speeren und Schwertlilien ausgestellt. Diese kriegerischen Puppen waren ganz nach dem Herzen eines japanischen Ästheten.

Am heutigen Abend überreichte er seinem Pariser Freunde im Verlauf der Unterhaltung eine kleine, entzückend illustrierte Schrift; es war der neueste Band der »Touristen-Bibliothek«, die das »Amt für industriellen Tourismus« in Tokio herausgab. Eine Serie von Broschüren, welche die Ausländer mit japanischer Kleinkunst, dem Drama, dem Blumenkult, dem Buddhismus, der Teezeremonie und mit der Rolle der zeremoniellen Puppen bekanntmachen sollten, kurz gesagt mit allem, was Nippon dem Ausland mit berechtigtem Stolz vorführen konnte. Eine Broschüre über Organisation und Methoden der Kempetai war nicht vom »Amt für Tourismus« vorgesehen.
Wie Baron Matsubara vorausgesehen hatte, war Herr de Maury Feuer und Flamme, als er die Broschüre mit den zauberhaften Abbildungen japanischer Kleinkunst durchblätterte. Von da war es nur ein natürlicher Gedankensprung zu der Wochenschrift *Indochine*, die in Hanoi erschien. Was war einleuchtender als eine Einladung nach Hanoi, dem Zentrum des Kolonial-Geistes in seiner vornehmsten Form? Baron Matsubara war begeistert, eine Stadt kennenzulernen, wo der französische Forschergeist sich ein bleibendes Denkmal gesetzt hatte. Während Pierre seinem japanischen Freunde das Museum Louis-Finot beschrieb, diese tonkinesische Fundgrube am Quai du Fleuve Rouge in Hanoi, dies Monument für selbstlose französische Gelehrte, die unter Lebensgefahr in den Dschungeln die Reste versunkener asiatischer Kulturen ausgegraben und im Museum gesammelt hatten, entstand in Akiros Gehirn ein genialer Plan. Nippon würde Indochina durch Kulturaustausch auf eine japanische Besetzung »vorbereiten«. Baron Matsubara erbot sich, in Hanoi einige Vorträge über die japanischen buddhistischen Wallfahrtsstätten zu halten, die er schon als Knabe mit seinem geehrten Vater besucht hatte. Danach sollte dann Monsieur de Maury auf Regierungskosten ein halbes Jahr nach Tokio kommen und beim Ausbau der japanisch-französischen Beziehungen durch das Kulturinstitut »Japan – Frankreich« helfen.
»Eine brillante Idee, Baron«, sagte Herr de Maury. »Ich werde mein Bestes tun. Kulturaustausch ist auch für uns die einleuchtendste Form der Völkerverständigung.«
Baron Matsubara lächelte befriedigt – die Puppen begannen zu tanzen! Es wurde kein Wort über Tonkins Wirtschaft – Mais, Zuckerrohr, Kaffee, Sojabohnen – und noch weniger über die

bedeutenden Anthrazitvorkommen verloren. Im Augenblick mußte Nippon Kohle aus Indochina zu teuren Preisen importieren. Das würde sich mit Hilfe der Kultur grundlegend ändern.
Angeregt durch Tee und Konversation krönte Baron Matsubara »Das glückliche Wiedersehen mit Paris« durch ein »Kompliment« für die stumme junge Dame, die wie eine Statue auf ihrem Kissen saß und heldenhaft einen Gähnkrampf unterdrückte. Wie es sich gehörte, nahm er die Lyrik zur Hilfe. Er rezitierte mit sanfter Stimme einige berühmte Kurzgedichte, *Hokku* oder *Haikku* genannt. Diese im 15. Jahrhundert entwickelte Kunst war für einen Japaner zu allen Zeiten eine besänftigende Übung. Auch für Akiro konzentrierte sich die Seele der Poesie in dieser »höflichen Literatur« von vorgeschriebener Silbenzahl. Astrid hörte die höfliche Kunst an sich vorbeirauschen. Sie konnte sich nicht das geringste darunter vorstellen. Fräulein Wergeland würde die *Haikkus* »dummes Zeug« nennen, dachte Astrid plötzlich und mußte lächeln. Unglücklicherweise deutete der Japaner ihr Lächeln als hohe Anerkennung und rezitierte nun feierlich: »Da – der alte Teich. Es hüpft ein Frosch hinein. – Das Wasser raunt.« Er sah Astrid erwartungsvoll an. Was würde sie zu dieser Perle aus dem 17. Jahrhundert sagen?
In diesem Augenblick zerriß Astrids Selbstbeherrschung wie ein zu straff gespannter seidener Faden. Aus dem Abgrund ihrer Enttäuschung über ihre vereitelten Wünsche sagte sie ungeduldig: »Das hat doch überhaupt keinen Sinn, Baron! Diese Feststellungen sind kein Gedicht, wie wir es verstehen. Es kommt mir vor wie ein Kinderspiel.«
»Wir sind zu einfach für die Europäer, Mademoiselle«, bedauerte Baron Matsubara. »Wir deuten an, wo Sie aussprechen!«
Er stand auf und bedankte sich mit vollendeter Liebenswürdigkeit für den Tee und die Unterhaltung. Kaum war er verschwunden, betrat ein hochgewachsener Herr mit überhellen Augen den Privatraum.
»Möchtest du mich nicht vorstellen, Astrid?« fragte der Konsul Wergeland und musterte den Franzosen, den seine Tochter bei der gräßlichen Amélie Clermont kennengelernt hatte, mit dem eifersüchtigen Interesse des Vaters, der sich fragt, warum seine Tochter mit wildfremden Männern ausgeht.
Um ein Haar hätte Baron Matsubara seinen ersten Shanghaier Freund, der ihn so tief enttäuscht hatte, wieder getroffen. Aber in

der Stadt am Whangpoo-Fluß liefen nun einmal ehemalige Freunde blind aneinander vorbei.

*

Akiro betrat seine Privaträume in der »Weißen Chrysantheme« in finsterer Laune. Das Hotel-Restaurant hatte nur ein paar Wohn- und Schlafzimmer für prominente Japaner. Der Rest wohnte »nördlich vom Soochow Creek« in einer stark bevölkerten Industriegegend mit trostlosen Geschäftsstraßen. In diesem Distrikt des *International Settlement* und der angrenzenden Außenstraßen nördlich des Creek wohnten alle jene Japaner, die Nippons militärischen Aufstieg mit ängstlicher Sorge betrachteten. Noch ängstlicher betrachteten sie das Fort in diesem »Japanerviertel«. Sie hockten dort alle zusammen, brave Händler und kleine Fabrikanten in jenen sauberen Läden und altmodischen Fabriken, die Dr. Engels Hohn erregt hatten, mit demütigen Frauen und entzückenden rundköpfigen Kindern in bunten Kimonos. Zu dieser friedfertigen, ameisenfleißigen Gruppe gehörte Herr Kinichi Komiya, der im Empfangszimmer des Hotels in demütiger Haltung auf Leutnant Matsubara wartete. Bedauernswerter Herr Komiya! Es war ein ungünstiger Augenblick, um mit einem Militär in Zivil über japanische Geschäftsinteressen zu reden, wenn dieser Leutnant durch eine mehlgesichtige Ausländerin soeben in seinen edelsten Gefühlen verletzt worden war. Japanische Poesie ein »Spiel für Kinder« zu nennen, war eine Beleidigung, die man nicht in tausend Jahren verzeihen konnte. Es war so, als ob jemand die zeitlose Schönheit der kaiserlichen Chrysantheme angezweifelt hätte. Außerdem hatte Akiro Matsubara vor unterdrückter Empörung Magenkrämpfe. Kurz gesagt, der dicke, schüchterne, geschäftstüchtige Herr Komiya hätte keine ungeeignetere Zeit für sein kleines, respektvolles »Freundschaftsgespräch« um 11 Uhr nachts wählen können.

»Wie können Sie es wagen, mich *hier* aufzusuchen?« schrie Baron Matsubara ohne eine Spur der berühmten japanischen Höflichkeit.

»Eine anomale Situation, Baron«, murmelte Herr Komiya und zog vor Angst und Respekt den Atem so hörbar durch die Nase, als ob er einen künstlichen Blasebalg in seinem gekrampften Innern verberge.

»Ich verstehe Sie nicht«, sagte Baron Matsubara hochmütig, obwohl er recht gut wußte, was Herr Komiya, Besitzer einer mittelgroßen Baumwollspinnerei nördlich vom Creek, meinte. Mit tausend feinfühligen Entschuldigungen, die mittels des Blasebalgs wie zischender Dampf seinem Munde entströmten, schilderte Herr Komiya aus Kobe die anomale Situation der Geschäftsleute nördlich vom Creek. Gerüchte — stets eine Spezialität der Chinesen in der ganzen Welt — wären zu Katarakten angewachsen, die Herrn Komiyas elende, fleißige Existenz zusammen mit Tausenden von anderen elenden, fleißigen Existenzen zu vernichten drohten. Er selbst wäre von der Gruppe japanischer Geschäftspatrioten in Shanghai trotz seines Sträubens ausersehen worden — hier zog Herr Komiya seinen Atem geradezu donnernd durch die geehrte Nase —, bei einem so einflußreichen Patrioten wie Baron Matsubara anzufragen, ob es in Shanghai friedlich bleiben würde. Andernfalls zögen die Japaner es vor, diese Stadt mit Mann und Maus und Verlusten, so hoch wie der heilige Berg Fuji, fürs erste zu verlassen. Daß in diesem Falle die Chinesen ihre Fabriken plündern und die miserablen, ehrenwerten Geschäfte übernehmen würden, welche die Japaner seit Jahren aufgebaut hätten, das wäre wohl jedem klar. Kriegsgerüchte brächten geschäftlichen Ruin und Zerstörung des Familienglücks mit sich, schloß Herr Komiya und zog trostlos die Luft durch die Nase.

Eine lange Pause entstand. Der dicke Herr Komiya versuchte sich vor den starren Blicken des Polizeileutnants zu verbergen. Die »Hauptstadtvögel« in Shanghai hatten andere Ansichten als die Kriegsvögel von Nippon! Er dachte den ketzerischen Gedanken, daß lieber die Kirschblüten von Kyoto verdorren als seine beiden kleinen Söhne von Bomben getroffen werden sollten, vor Angst nicht zu Ende.

Leutnant Matsubara dachte schnell, scharf und ganz ohne Hilfe der Poesie nach. Eine Panik unter seinen Landsleuten in Shanghai — der dicke Hauptstadtvogel vor ihm zitterte wie Gelee — kam einer Katastrophe gleich. Herr Hsin, dessen Korrespondenz mit der Deutsch-Asiatischen Bank von der Agentin aus Schlesien wohl heute abend gestohlen wurde — wozu hätte sie sonst mit Herrn von Zabelsdorf in der »Weißen Chrysantheme« gefeiert? — Herr Hsin, der chinesische Kranich, trug schon genug zur Panikstimmung bei. Die von ihm kontrollierte Zeitung hetzte ununterbrochen gegen die Japaner, »die wie die Kormorane die Stadt

Shanghai in ihren gierigen Hals schlucken wollten«. Die von ihm beratenen Bankiers – chinesische und fremde Teufel – kauften eilig fremde Währungen auf, und – es war über alle Maßen empörend – Shanghais Assekuranzgesellschaften hatten sich bereits geweigert, japanische Schiffe zu versichern. Sachwerte wurden ununterbrochen mit chinesischer Schläue und Vorsicht an sichere Orte gebracht. Das alles war seit dem japanisch-chinesischen Zusammenstoß an der Marco-Polo-Brücke in der Nähe von Peiping vor sich gegangen. Die Kempetai arbeitete mit Hochdruck. Der Exodus der japanischen Zivilisten aus Shanghai ging seit Mitte Juli heimlich vor sich. Ein japanischer Matrose war am 24. Juli verschwunden. Dank seiner geheimen Forschungen war es Leutnant Matsubara gelungen, den Matrosen Miyasaki, der einfach desertiert war, auf einem britischen Dampfer im Yangtze Fluß zu entdecken. Welch ein Irrtum zu denken, daß die lieben Chinesen die japanische Flotte stückweise kidnappen wollten! Der Matrose wurde dem japanischen Generalkonsulat zur weiteren Erholung ausgeliefert. Leutnant Matsubara hatte damit bedeutsam zur Entspannung der chinesisch-japanischen Mißtrauenswelle beigetragen. Man war gut Freund miteinander.

Und nun stand hier dieser beschränkte, geldgierige Büffel und blubberte von Kriegsgefahr, Panik und Massenflucht der Japaner! Und zwar *vor* der Zeit. Die Evakuierung würde angeordnet werden, aber nicht durch Herrn Komiya und seinesgleichen und nur im Yangtze Tal! Japanische Fabriken in Shanghai waren lebenswichtig und mußten gehalten werden. In einigen Tagen sollte sich die »Dritte Flotte« in Shanghai versammeln. Am elften August, an dem Tage, wo Monsieur de Maury und die Ausländerin bei ihm lunchen sollten, wurden vier japanische Kreuzer und sieben Zerstörer in Shanghai erwartet. Wenn die Überraschung gelingen sollte, mußten die Japaner in Shanghai stillhalten. Es ging um Nippons Zukunft.

Leutnant Matsubara änderte dementsprechend seine Taktik. Er beorderte Yuriko mit Tee und süßem Gebäck in seine Privaträume. Niemand anders durfte Herrn Komiya mit seinem angstverzerrten Büffelgesicht sehen! Während Akiro heroisch einen neuen Magenkrampf unterdrückte und grünen Tee schlürfte – das Gebäck allerdings überließ er dem Büffel –, beruhigte er seinen Gast allmählich, lullte ihn mit exquisiter Höflichkeit ein und versicherte ihm schließlich, daß es keinen Krieg in Shanghai

geben würde. Herr Komiya und seine Freunde könnten beruhigt sein.
»*Business as usual*«, murmelte der Baron und blickte den aufatmenden Büffel durch halbgeschlossene Augen an. Das wäre ja noch schöner, wenn seine Puppen selbständig zu tanzen begännen. Mit drei tiefen Verneigungen, die durch drei tiefe Verneigungen von Leutnant Matsubara erwidert wurden, verabschiedete sich der beruhigte Geschäftsmann. Man würde nördlich vom Creek aufatmen, so wie er jetzt bereits erlöst die Luft leise säuselnd durch die Nase zog.
Zehn Tage später sausten die Bomben nördlich vom Creek auf die friedlichen japanischen Geschäftsleute nieder. Leutnant Matsubara war zu dieser Zeit in Tokio, um die französisch-japanische Kulturfreundschaft, die er in der »Weißen Chrysantheme« angeregt hatte, zu fördern. Aber man eroberte Südostasien weder an einem Tage noch mit Kultur und Kanonen allein. Die Hauptsache waren die Puppenspieler, welche die Puppen zu einem bestimmten Zeitpunkt tanzen und sterben ließen.
Nachdem Herr Komiya gegangen war, ließ sich Akiro von seiner demütigen Geliebten den Rücken abreiben und ein glühendheißes Bad bereiten, in dem er, der strömenden Wärme hingegeben, geschlagene fünfundvierzig Minuten verweilte. Es hatte ihn trotz der schwülen Augustnacht gefroren, als Herr Komiya sich so unendlich dankbar und beruhigt aus dem Zimmer gedienert hatte: ein braver, genügsamer Dutzendjapaner, der niemals einer Mücke etwas zuleide getan hätte und nun arglos und untertänig in seinen Tod watschelte! Der Büffel hatte ihm getreulich und intelligent über die industrielle und finanzielle Situation berichtet, was seit zwei Jahren sein gutbezahlter Nebenjob war: das Militär konnte nicht ohne die Kaufleute im feindlichen China auskommen. Akiro Matsubara schloß im Bade die Augen, um das brave Büffelgesicht nicht mehr zu sehen. Ein furchtbares Mitleid zerriß plötzlich seine empfindsame japanische Seele, die nichts mit seinem kalten und raffinierten Geiste zu schaffen hatte. Diese Seele schwebte in tödlicher Leere zwischen dem Privaten und dem Auftrag, den Nippon den besten und fähigsten Söhnen gestellt hatte. Die Auflösung der Individualität im Dienst des Shinto zwang ihn auf den Pfad des privaten Leidens. Das Rätsel des Leidens, das seinen mächtigen Shanghaier Gegenspieler, Herrn Hsin, in die Gesellschaft der Singvögel getrieben hatte, trieb in

dieser Stunde den jungen Baron Matsubara in die kristallklare Disziplin des Zen-Buddhismus, die sein Onkel in Tokio ihm nahegebracht hatte.

Akiro entstieg dem Bade mit zusammengepreßten Lippen und rasenden Magenkrämpfen. In einem herrlichen dunklen Kimono war er mit seinem kühnen, feingeschnittenen Gesicht und dem für einen Japaner sehr großen, sportlich trainierten Körper das Ideal der kleinen Yuriko, die ihn in nackter Demut auf einer Matte im Nebenraum erwartete. Nichts in ihrem starren Gesichtchen deutete ihren Liebeshunger und ihre schrankenlose Ergebenheit an, die auch die modernen Studentinnen beherrschen, wie ihre Mütter und Großmütter. Sie wirkte mit den niedergeschlagenen Augen wie eine schutzlose Puppe ohne zeremoniellen Schmuck. Doch Yuriko war keine Puppe. Als sie die umwölkte Stirn und die kaltblickenden Augen des Geliebten sah, zog sie mit einer rührenden Gebärde den pfirsichfarbenen Kimono um ihre zarte, nackte Gestalt.

»Komm her«, sagte der finstere junge Mann. Sie trippelte verstört im schützenden Kimono auf ihn zu. Er riß die seidene Hülle mit einer brutalen Gebärde herunter und musterte sie. Er wußte, daß seine Magenkrämpfe und seine Melancholie mit der Befriedigung der Sinnenlust, die nun langsam in ihm brannte, gestillt werden würden. Aber das war nicht der Weg, Herr und Meister über das niederträchtige Leiden, das ihn heute abend angefallen hatte, zu werden. Das Mitleid und Selbstmitleid, dessen Opfer fast alle Westländer waren, durfte ihn nicht korrumpieren. Die Ruhe, die Yurikos nackter junger Körper versprach, war eine flüchtige animalische Ruhe, die man zwar begehrte, aber dennoch abgrundtief verachtete. Seine starren, glühenden Blicke auf Yurikos zarte Nacktheit richtend, konzentrierte sich Akiro Matsubara mit aller Kraft seines Geistes und der hintergründigen Technik der Zen-Disziplin auf die Gegenstände der Meditation. Er fühlte nach der Teestunde mit Herrn Komiya, daß seine physische Energie und geistige Zufriedenheit nicht durch sexuelle Befriedigung gefördert werden würden. Sein Dilemma verlangte andere Medizinen. So stand er und starrte das zitternde Mädchen an, bis es schluchzend seine Knie umfaßte. »Ich will nach Hause«, flüsterte Yuriko gedemütigt.

Leutnant Matsubara war so weit von ihr entfernt, daß er sich ihr beinahe sanft entzog. »Weine nicht, Yuriko,« sagte er heiter. »Es

hat nichts mit dir zu tun.« Woraufhin Yuriko als echte Frau noch tiefer beleidigt war und so geräuschvoll schluchzte, daß Akiro die Stirn runzelte, aber nur ganz leicht, denn die Erfahrung des *Muga* – der Ausmerzung der Emotionen, vor allem des Selbstmitleids durch geistige Konzentration und Zen-Meditation – hatte ihn bereits frei und ruhig gemacht. Da seine Hände feucht vom sogenannten »Schweiße des *Muga*« waren, trocknete er sie sorgfältig an einem mit dem Wappen seiner Familie bestickten Handtuch. Er hatte soeben eine Ekstase des Geistes erlebt, die alle anderen Genüsse schal erscheinen ließ. Nur wer sich selbst zu erobern verstand, konnte die Welt für Nippon erobern.
Er ging an seinen Schreibtisch und zog einen Brief hervor. Er enthielt Anweisungen für Yurikos weitere Tätigkeit im Geheimdienst.
»Du verläßt morgen Shanghai.«
»Fliege ich mit nach Tokio?« fragte Yuriko mit neuer Hoffnung in der altmodischen japanischen Mädchenseele.
»Sei nicht so töricht«, sagte Baron Matsubara ungeduldig. »Du fährst mit Mademoiselle Vera Leskaja nach Bangkok und wirst ihr dort helfen, ein elegantes Beauty-Parlour einzurichten.«
»Von Kosmetik verstehe ich nichts«, flüsterte die Puppe.
»Davon brauchst du auch nichts zu verstehen«, erwiderte ihr Leutnant Matsubara freundlich. »Du sollst unsere Star-Agentin überwachen! Ich habe nicht hundert Augen, muß aber wissen, mit wem sie Freundschaft schließt und ob sie kein Doppelspiel mit uns treibt. Diese Russinnen sind undurchsichtig«, schloß er so mißbilligend, als ob er selbst im Umgang mit Menschen und Puppen durchsichtig wie ein Teich im Morgenlicht wäre.
Er telefonierte nach einem Taxi für Yuriko und wandte ihr brüsk den Rücken zu. Sie wurde ihm lästig mit ihrer Liebe. Außerdem hatte sie bei aller Lieblichkeit den bedauerlichen Schönheitsfehler der Japanerinnen – eine Neigung zu O-Beinen. Es war ihm heute nacht zum ersten Male aufgefallen, als er sie nach einer gewissen Zeit ohne Begierde betrachtet hatte. Sekundenlang dachte er an Mademoiselle Clermont – sie war wunderbar gewachsen. Als Yuriko langsam und traurig zur Tür schlich, rief er sie plötzlich zurück. Sie hob ihm ein erwartungsvolles Gesichtchen entgegen. Er wollte wenigstens zeremoniellen und liebreichen Abschied nehmen ... Oh, wie unendlich dankbar mußte sie sein, von einem solchen Manne beachtet zu werden!

»Unser Agent in Bangkok ist Herr Narihira auf der Silom Road. Er hat ein Detailgeschäft: Spielwaren, Haushaltsgegenstände und Briefpapier. Dort wirst du dir weitere Weisungen und Informationen abholen. Deine Antworten werden von Herrn Narihira direkt nach Tokio weitergeleitet. Verlange beim ersten Besuch in seinem Laden Teeschalen mit Chrysanthemenmuster.«
Yuriko verließ unter Verbeugungen das Zimmer ihrer Liebesträume.
Baron Matsubara legte sich zu einem erquickenden Schlaf auf seine Matte mit der harten Kissenrolle. Er war einer der wenigen Gäste in Shanghai, die in diesen Tagen gut schliefen. In einem Hotelzimmer des Cathay fuhr Mailin Wergeland um diese Stunde aus einem unruhigen Traum auf. Die Schlaftablette, die sie sich von der stummen und nervösen Astrid nach deren Heimkehr vom Diner in der »Weißen Chrysantheme« hatte geben lassen, hatte ihr nur minutenweise eine Art Fieberschlaf gebracht. Mailin knipste ihre Bettlampe an und las noch einmal das Schreiben eines unbekannten Rechtsanwalts und Notars in der Chinesenstadt von Shanghai. Er schrieb, daß er ihren Namen in der Liste der neu angekommenen Gäste entdeckt hätte. Dr. Chang hätte Miß Mailin Wergeland wichtige Mitteilung über ihre vor neun Jahren in Shanghai verstorbene Mutter zu machen. Mrs. Lily Lee hatte einen Brief an ihre einzige Tochter hinterlassen, der ihr Aufklärung über ihre Familie – in Shanghai ansässig – geben würde. Dr. Chang hätte seinerzeit das volle Vertrauen seiner ehrenwerten Kundin genossen und sich seit mehreren Jahren vergeblich bemüht, Mailin auf schriftlichem Wege zu erreichen. Er bat sie, sich morgen vormittag um 11 Uhr in seinem Büro einzufinden. Name, Adresse und eine feierliche Schlußformel folgten.
Mailin legte sich wieder ins Bett. An der Decke tanzten die Nachtlichter dieser rastlosen Stadt. Sie hatte also Familie in Shanghai! Armer Papa, dachte sie plötzlich, und ihr liebevolles Herz schlug heftig. Mailin wußte von keiner Technik, mit der man die Liebe in ihren tausendfachen Formen totdenken konnte. Tante Helene – auch sie war ein machtvoller Schatten, der in der Nacht an ihr Bett kam und ihr mit rauher Zärtlichkeit die Zöpfe glatt strich: die Nachtfrisur eines kleinen, norwegischen Mädchens mit einer chinesischen Seele. Und Mailin wußte mit chinesischer Weisheit und Resignation, daß ein Abschnitt in ihrem Leben zu Ende gelebt war.

Sie schlich auf Zehenspitzen in das Zimmer ihres Vaters und betrachtete sein feines nordisches Gesicht mit inniger aber zurückhaltender Liebe. Es mußte ein sanfter Kompromiß gefunden werden. Sie ließ sich in dem kostbaren chinesischen Schlafmantel, den sie über ihr Nachthemd gezogen hatte, still auf der Matte zu ihres Vaters Füßen nieder. Das Rätsel des Leidens, das ihre heitere Seele zum ersten Male gestreift hatte, erfüllte sie mit banger Vorahnung. Lieber Papa, dachte sie unter Tränen, wie kann ich dich vor Schmerz bewahren? Mit Hilfe ihres Instinkts und ihrer Klugheit hatte sie ihren Vater und seine Verwundbarkeit völlig durchschaut.

Still zu seinen Füßen, mit Tränenspuren auf dem zarten Gesicht, fand Konsul Wergeland sie am nächsten Morgen. »Hast du schlecht geträumt, Liebling?« fragte er seltsam gerührt und trug seinen Singvogel auf den starken Armen ins Bett zurück. »Oder wollest du meinen Schlaf bewachen, süßer Zwerg?« Er hatte die sonderbarsten Kosenamen für Mailin. Niemals würde er sich von ihr trennen!

»Ja, Papa«, flüsterte Mailin, »ich habe deinen Schlaf bewacht.«

In der Ferne surrte ein Flugzeug. Baron Matsubara verließ die Stadt des tausendfachen Unbehagens. Seine ererbten zeremoniellen Puppen hatte er im Gepäck.

## VIERTES KAPITEL

# Kanonen und Küsse in Shanghai

AM ZEHNTEN AUGUST, vier Tage vor dem Bombardement Shanghais, erwartete Herr Hsin in seinem altmodischen Hause hinter der Bubbling Well Road den ersten Besuch seiner Enkeltochter Mailin Wergeland. Er hatte sofort nach Erhalt eines Schreibens aus der Chinesenstadt seinen Anwalt und Notar aufgesucht und mit unbewegtem Gesicht sein Testament zu Mailins Gunsten geändert. Seine wohltätigen Stiftungen für die Armen von Shanghai blieben unverändert, ebenso das Vermächtnis seines Hauses und der Shanghaier Grundstücke an Herrn Chou Tso-ling, seinen Neffen in Shanghai. Herrn Hsins Frau war die unendlich bescheidene und mit schlauer Willenskraft begabte Tochter des Herrn Chou Ku gewesen, dessen Vorname »der Beständige« bedeutet. Der beständige Herr Chou hatte auf Grund dieser Eigenschaft allmählich fünf von den dreißig Baumwollspinnereien in Shanghai an sich gebracht. Sein Neffe Tso-ling war Bankier und hatte vor kurzem eine deutsche Ehefrau in das Haus seiner Mutter eingeführt. Tso-ling und die Deutsche würden einmal in der Bubbling Well Road mit Herrn Hsins Vögeln wohnen. Mailin dagegen würde eine imponierende Anzahl von Aktien und amerikanischen Dollars erben, die in der Chase Bank in New York sichergestellt waren. Nur ein Narr ließ in diesen Zeiten alle seine Werte in Shanghai. Vorsicht, so fand Herr Hsin, trug einen Mann wie ein sicheres Boot über den Ozean der Welt.

Herr Hsin hatte lange und schweigend über die Wege des Schicksals nachgedacht und war nun bereit, die unbekannte Tochter seiner Tochter liebevoll und mit Würde in seinem Hause zu empfangen. Er war schnell Herr über seine anfängliche Erschütterung geworden. Der Zorn gegen den Ausländer, der seine Tochter mit Unehre überschüttet und dessen Reis er ahnungslos in Shanghai gegessen hatte, war verraucht. Der fremde Teufel hatte

wohl indessen, wie jeder andere, seine »Verluste an Glück und Zufriedenheit« abbuchen müssen. Wenigstens schien das Herrn Hsin aus dem langen Brief hervorzugehen, den Konsul Wergeland ihm nach Mailins Besuch bei dem Anwalt geschrieben hatte.
Knut Wergeland saß inzwischen im Cathay Hotel und wartete auf eine Einladung von Mailins Großvater. Sie war noch nicht erfolgt. Der Konsul war so hochgradig nervös und von Gallenschmerzen geplagt, daß er beschloß, mit Mailin nach ihrem Besuch in der Bubbling Well Road nach Soochow zu fahren. Astrid hatte seine Einladung frostig lächelnd abgelehnt. Sie sei am 12. August mit Herrn de Maury bei einem Japaner zum Lunch eingeladen. Seit dem Abend in der »Weißen Chrysantheme« schien sie ohne Vitalität und nur mit ihren Gedanken beschäftigt. Jedes Wort kostete wieder einmal einen Taler. Sie wirkte plötzlich häßlich, stellte ihr Vater zu seinem Erstaunen fest: farblos, mager statt schlank, und die Augen, die ein wenig zu eng beieinanderstanden und ihr leicht ein mißtrauisches Aussehen gaben, waren glanzlos. Wie konnte ein Mädchen so verschieden aussehen? Mailin was stets lieblich; ihr Elfenbeingesicht war zu jeder Zeit wie ein erfreulicher Anblick. Ihr Vater dachte nicht daran, sie dem alten Chinesen »auszuliefern«, wie er es im stillen nannte.
In Gedanken an die gräßliche Möglichkeit trank er einen verbotenen Whisky ohne Soda, während er am Hotelfenster stand und Mailin nachblickte. Sie trug ein mandelgrünes Leinenkleid, das ihren zarten Körper bis zum Halse einhüllte – ein Kleid im chinesischen Schnitt und Geschmack – dazu hochhackige Schuhe und eine gar nicht zum übrigen passende Leinentasche mit norwegischer Stickerei: ein Geschenk ihres Vaters, von dem Mailin sich niemals trennte. Knut Wergeland beschloß, unter Beachtung des Zeremoniells mit dem einflußreichen alten Herrn vernünftig zu reden: Mailin wäre minderjährig. In vier Jahren könne sie entscheiden, bei wem sie fortan leben wolle. Sie würde ihren Großvater aber regelmäßig in Shanghai besuchen – vielleicht einmal im Jahre. Das alles hatte der Jurist Wergeland seinem Singvogel nach einer schlaflosen Nacht ruhig mitgeteilt, Mailin aber dabei angstvoll von der Seite angeblickt. Sie hatte die vorgetäuschte Ruhe, die Angst und die große Liebe im Gesicht ihres Vaters gesehen und besänftigend genickt, »Ja, Papa ... Es wird alles gut werden. Ich werde erst einmal den ehrenwerten Großvater besuchen.«

Übrigens fuhr Dr. Wergeland dann nicht nach Soochow: zehn Minuten nach Mailins Fortgang wurde er von einer Gallenkolik befallen und von der erschreckten Astrid in eine Privatklinik in der französischen Konzession gebracht. Er war bewußtlos. Astrid war noch blasser als gewöhnlich. Es war nicht nur der Schreck: Heute früh hatte Pierre de Maury sie im Hotel angerufen und ihr mitgeteilt, daß Baron Matsubara zu seinem tiefen Bedauern die Einladung zum Lunch am zwölften August absagen müsse, da dringende Besprechungen ihn in Tokio festhielten. Pierre hatte nicht vorgeschlagen, allein mit ihr irgendwo zu lunchen. Französischer Abschied ..., dachte Astrid und preßte die Lippen zusammen wie Fräulein Wergeland.

*

Als der Diener dem alten Herrn Hsin die Besuchskarte brachte, war er dabei, seiner Enkelin zu Ehren eine Empfangsrobe aus schwerer dunkelgrauer Seide anzulegen. Er warf einen Blick auf die Karte und bedeutete seiner Dienerin Hsüan-ch'ing (Juwel des Verstandes), die Empfangsrobe in die Truhe zurückzulegen und ihm den westlichen Anzug wieder zu reichen. Das intelligente Juwel war durch den unvorhergesehenen Auftrag so verwirrt, daß sie dem Gebieter die grauen Hosen und die Robe reichte. Chinesen haßten Überraschungen genauso wie Fräulein Wergeland, nur wurden sie bedeutend langsamer mit ihnen fertig.
»Führe den Besucher in den *Ta Shu Fang*« (Großer Buchraum, Arbeitszimmer), sagte Herr Hsin mit völlig ausdruckslosem Gesicht.
»Wo will der Herr das Festmahl serviert haben?« fragte der Boy schüchtern.
»Das werde ich später anordnen«, murmelte Herr Hsin und schritt seinem Besucher im großen Buchraum entgegen. Er hatte nicht die geringste Lust, ihn zu empfangen, und lächelte ihn daher besonders wohlwollend an. Es war nicht der erste Besuch, den Herr von Zabelsdorf von der Deutsch-Asiatischen Bank dem mächtigen Herrn Hsin machte, aber es war der letzte. Nur die ersten und letzten Besuche in einem Heim zählen wirklich: sie sind unwiderruflich wie Freundschaft oder Zahlungsbefehl.
Herr Hsin hatte zwanzig Minuten Zeit für seinen Besucher. Diese Zeit war von vornherein genau eingeteilt: Zehn Minuten gehör-

ten dem einleitenden Höflichkeitsgespräch über das eigene Befinden, das des Gastes und das der Familien Hsin und Chou, sowie über chinesische Bronzen im *Huai*-Stil, wie man sie in der Provinz Anhui im Tal des Huai-Flusses gefunden hatte. Der Anlaß zu diesem Gespräch stand dem Besucher auf einem Rosenholztisch vor der Nase. Fünf bis sieben Minuten gehörten dem Anliegen des »Fremden Teufels«; und der Rest der Zeit würde mit dem Warten vergehen, daß der Besucher die Teeschale austrank und damit das Zeichen für die Beendigung der Visite gab. Es war wie ein Theaterstück mit Herrn Hsin Kao-tze – dessen Vorname »Hoher Zweck« bedeutete – als Regisseur.

Nach Erledigung des ersten Teils betrachtete der Hausherr den Berliner Bankier schweigend aus tiefliegenden, schrägen Augen, reckte aber, als er das Anliegen vernommen hatte, seinen langen, dürren Hals. Die Deutsch-Asiatische Bank – so memorierte Herr Hsin blitzschnell – ein Konsortium von dreizehn Bankinstituten, war bereits um 1889 in Berlin gegründet worden und hatte nach dem Ersten Weltkrieg im Jahre 1920 mit bemerkenswerter Zähigkeit und Geschicklichkeit wieder im Wirtschaftsleben des Fernen Ostens Fuß gefaßt. Sie hatte Niederlassungen in Shanghai, Tsingtau, Tientsin, Kanton, Hankow, Peking sowie in Yokohama und Kobe gehabt; allerdings wurde die Filiale in Yokohama nach dem großen Erdbeben im Jahre 1923 nicht wieder eröffnet. Im Jahre 1932 stellte auch die Filiale in Kobe ihre Tätigkeit ein. Aber in China hatten die Geschäfte der Bank eine stetige Aufwärtsentwicklung genommen. Herr Hsin hatte in der Vergangenheit öfters Chinesen an die Deutsch-Asiatische Bank verwiesen. Und hier war das Anliegen verankert: die chinesischen Kunden boykottierten jetzt die Bank, darüber gab es keinen Zweifel mehr. Herr Hsin lächelte mitfühlend und erinnerte seinen Besucher daran, daß er sehr zurückgezogen lebe: ein alter, törichter Mann, der sich mit seinen Singvögeln und Bronzen beschäftige. Er erhob sich, um seinem Besucher ein seltenes Stück zu zeigen – eine Teekanne mit Drachen und Tiermasken. Herr von Zabelsdorf wischte sich den Schweiß von der Stirn. Er hatte verstanden. Es war eine Absage, wie sie verschleierter und höflicher nicht hätte gegeben werden können. Herr Hsin hielt eben seinen Besucher für zu intelligent, um ihm die Gründe für den Abfall der chinesischen Kunden noch auseinanderzusetzen. Die Bank hatte sich stets erfolgreich und korrekt an der Emission von chine-

sischen Anleihen beteiligt und ihren guten Ruf sorgfältig aufgebaut, aber Deutschland hatte sich im vorigen Jahre durch den Antikomintern-Pakt mit Japan verbündet. Bei diesen Beziehungen würde es der Bank – auch das bedeutete Herrn Hsins Schweigen – ein leichtes sein, die Filialen in Kobe und Yokohama wieder aufzubauen und auf das Shanghai-Geschäft zu verzichten. Den Redakteur, der gewagt hatte, in einer von Herrn Hsins Zeitungen gegen die Japaner zu hetzen, hatte man auf Drängen des japanischen Generalkonsuls ins Gefängnis werfen müssen – vor wenigen Tagen! Aber überall auf den Straßen trugen die Chinesen das Anti-Japan-Abzeichen und plünderten lustig japanische Läden und chinesische, in denen sie japanische Waren vermuteten.
»Gehören Sie eigentlich der Partei der National-Sozialisten an?« fragte Herr Hsin zwischen zwei Kunstgesprächen so unvermittelt wie ein Kriminalkommissar.
»Nein«, sagte Herr von Zabelsdorf, »meine Familie ist altmodisch.« Er stockte. Dann murmelte er, daß er hier draußen für sein Land arbeite. Parteien kämen und gingen, das wäre ja in China auch nicht anders.
Herr Hsin nickte. Dies war keine Dummkopfrede; aber trotzdem stimmte etwas nicht. Weil aber der junge Mann intelligent war und über gute Manieren verfügte, und weil Herr Hsin noch fünf Minuten Gespräch vorgesehen hatte, beschloß er, ihn nicht im Irrtum scheiden zu lassen. Daher erklärte er mit Hilfe der chinesischen Bildersprache, inwiefern sein Besucher mit seiner werten Rede geirrt habe. Eine politische Partei war ein mächtiger, ja, ein reißender Strom; man schwamm mit oder ging unter. Aber, wer mit dem Strome schwamm, der entfernte sich unweigerlich von vertrauten Ufern. Es gab daher keine Wahl; man mußte entweder mitschwimmen oder abseits am Ufer wandeln und den Schwimmern zusehen. Schwimmen *und* am Ufer bleiben konnte man nicht! Herr Hsin schwieg. Den unausgesprochenen Schluß, daß man im Shanghai dieser Zeit nicht mit Chinesen und Japanern zugleich Geschäfte machen könne, ließ Herr Hsin den stummen Besucher alleine ziehen.
Ernst August von Zabelsdorf trank den Tee aus. Jeder Schluck rann ihm bitter durch die Kehle, obwohl es sanftduftender Jasmintee war. Er kam sich ziemlich albern vor, aber er war nicht auf den Kopf gefallen und kannte seinen Menzius wie jeder phi-

losophische Bankier. Was hatte dieser schlaue alte Knabe noch gesagt? »Ein Mann, dessen Vorschläge keinen Widerhall finden, muß nach Hause gehen.« Ich will lieber fahren..., dachte Herr von Zabelsdorf mit Berliner Galgenhumor und erhob sich zu seiner beträchtlichen Höhe. Er hatte gewählt, mit dem Strom zu schwimmen. Zu Hause, in Potsdam, sahen seine alten Herrschaften vom Ufer aus den Schwimmern zu. Ihr vertrautes Ufer war ihnen lieber als das Tausendjährige Reich, dem die andern entgegenschwammen.
»Es war mir stets eine große Ehre und ein Vergnügen, Sie in meinem bescheidenen Hause zu empfangen. Darf ich Ihnen meine aufrichtigen Wünsche für das Gedeihen der Bank aussprechen?« sagte Herr Hsin sanft. Verbeugungen. Rückzug durch die gedeckte Passage zum großen Tor, das zur Straße führte. Der chinesische Türhüter verneigte sich tief. Er trug das Abzeichen des »Anti-Japan-Clubs«.
Erst auf der Straße kam Ernst August von Zabelsdorf zum Bewußtsein, daß Herr Hsin Koa-tze, einer der Mächtigen in Shanghai, von freundschaftlichen Beziehungen zu ihm in der Vergangenheitsform gesprochen hatte... Ernst August pfiff leise vor sich hin, während er ein Taxi heranwinkte, um in sein Flat im französischen Viertel zu fahren.
Er war der erste Zabelsdorf, der – wenn auch in sehr feiner Form – hinausgeworfen worden war. Alle wandten sich von ihm ab: erst Annchen, die plötzlich aus seinem Leben verschwunden war, und nun ein alter Freund, bei dem er noch vor nicht allzu langer Zeit Peking-Ente und Lichi-Früchte im »Westlichen Blumenzimmer« gegessen hatte.
Das Leben bestand in diesen Tagen vorwiegend aus Krümeln.
An der Avenue Foch stand ein chinesischer Straßenredner, Inhaber eines bescheidenen Stickereiladens in Yangtzepoo und hielt fern von seinem Laden – so vorsichtig war Herr Feng eben doch – eine flammende Rede gegen die Japaner. Viele standen herum: Mütter mit Säuglingen im Rückenbündel, Bettler, Rikscha-Kulis, Straßenköche und müßige Passanten. Ein Passant mit dem Anti-Japan-Abzeichen am Anzug schrie laut mit, als alle Herrn Feng zustimmten. Trotz des Regens war man in Fieberglut. Herr Feng machte sich befriedigt auf den Heimweg. Den nächsten Abend fand man ihn ermordet in seinem Laden. Seine Frau und Kinder waren in einem chinesischen Tempel. Niemand wußte, wer Herrn

Feng umgebracht hatte, aber jemand mit einem Anti-Japan-Abzeichen am Anzug mußte ein japanischer Spitzel gewesen sein und Herrn Fengs Aktivitäten gemeldet haben. Es gab wirklich keine Chance für Banken, die politische Bündnisse mit Japan abschlossen! Die Riesenstadt am Whangpoo-Fluß zitterte in Vorahnung böser Dinge. Die ersten chinesischen Flüchtlinge strömten, von Vorsicht und Angst getrieben, aus den Chinesenvierteln in die Settlements, wo sie sich vor kommendem Unheil sicher wähnten. Aber das Leben ging noch ungestört seinen Gang.

In dem Augenblick, als Herr von Zabelsdorf in sein Flat fuhr und Herr Feng ganz gegen chinesische Gewohnheit unverschleierte Reden hielt, betrat Mailin Wergeland in ihrem mandelgrünen Kleid die Empfangshalle des Hauses Hsin. Ein alter Mann in einem zeremoniellen Seidengewand stand zwischen der Ost- und Westwand der blumengeschmückten Halle. Zu seiner Rechten und Linken blickten ihr andere Männer aus Wolken von goldener Seide entgegen. Es waren Bildnisse der Ahnen der Familien Hsin und Chou, die auf gelben Seidengründen in kostbaren Roben auf Begrüßung und Bekundung von Opfersinn seitens der späteren Generationen warteten. An den Wänden standen steife Ebenholzstühle, in denen die Mitglieder der Familien Hsin und Chou zu sitzen pflegten, wenn sie sich an Festtagen um den Patriarchen scharten und ihm »elende und nutzlose« Neujahrsgaben von beträchtlichem Dollarwert darreichten. – Im kinderlosen Hause Hsin regierten immer noch konfuzianischer Familiensinn, Respekt und Stille.

Auch der alte Mann in dem dunkelgrauen, goldbestickten Festgewand war unheimlich still; aber seine leidenden, wissenden Augen betrachteten Mailin unverwandt und konzentriert. Herr Hsin sah ein zartes Mädchenkind – zarter und zerbrechlicher als rein chinesische Töchter! Das Mädchenkind trug genau solch ein mandelgrünes Gewand, wie es »Flüssiges Licht«, die bitter betrauerte Tochter, so gern getragen hatte.

Mailin trug um den Hals die Jadeglocke mit der Inschrift »Eile ist Irrtum«. Sie gab bei jedem Schritt, den ihre Trägerin machte, einen zarten, geisterhaften Klang. Etwas widerfuhr Mailin in dieser Empfangshalle mit dem Bildnis des Konfuzius an der nördlichen Wand, worüber sie sich mit dem Verstand keine Rechenschaft ablegen konnte. Sie fühlte mit dem mythischen Erinnerungsvermögen der Chinesen, das keine Bestätigung durch die

Gegenwart braucht, daß sie hier schon einmal gewesen war – vor Jahren oder Jahrzehnten oder Jahrhunderten. Sie wußte, daß hier in dieser Halle die Geschichte ihres Lebens begonnen hatte – ihres Lebens mit der Liebe zu dem Vogel Goldpirol, mit der Treue zu den Wergelands, mit der dunklen Sehnsucht nach einer anderen, einer chinesischen Form der Existenz, in welcher der Wunsch bereits Erfüllung war und Ansicht der Welt unversehens zur Einsicht wurde. Sie fühlte ihre Zugehörigkeit zu ihrem uralten und sagenhaft vitalen Volke wie einen elektrischen Schlag: sie schwankte sekundenlang und ging dann langsam weiter. Immer noch sagte der alte Mann in dem feierlichen Festgewand kein Wort. Auch Mailin blieb stumm wie ein träumender Vogel, während sie mit gesenkten Blicken auf die gebeugte, würdevolle Gestalt zuschritt. Wie im Traum machte sie die drei vorschriftsmäßigen Verneigungen vor dem ehrenwerten Großvater. Er hob plötzlich mit der hohlen Hand ihren gesenkten Kopf sanft aber gebietend zu sich empor – so leicht und sorgsam, wie man Eierschalenporzellan berührt – und blickte in ihre Augen. Er sah – und das war wie ein Rausch – chinesische Augen, welche die drei hohen Tugenden der Frau spiegelten: Standhaftigkeit, sanfte Liebe und jenen gesunden Menschenverstand, der um so wirksamer ist, weil er so bescheiden und wortkarg bleibt. Es waren wirklich chinesische Augen – tief, glänzend und geistig munter! Der einsame alte Mann sagte still und feierlich:
»Hsin Mailin, Tochter meiner Tochter ›Flüssiges Licht‹, sei willkommen im Hause deiner Vorfahren!«

*

Vier Tage später trat Astrid aus dem Cathay Hotel, um ihren kranken Vater im Hospital in der *French Concession* zu besuchen. Mailin schlief dort, da ihre Anwesenheit den Kranken beruhigte. Knut Wergeland hatte erwachend gefragt: »Wo ist meine Tochter?«, und als Astrid an sein Bett trat, konnte er seine Enttäuschung nur schlecht verbergen. Astrid hatte sie registriert und verbittert nach Mailin gesandt, aber sie schliefen abwechselnd in dem kleinen Schwesternzimmer. Dr. Wergeland hatte sich nun, da es ihm besser ging, auch völlig in der Gewalt; aber Astrid bewahrte die kleine Szene in ihrem empörenden Gedächtnis. Übrigens wußten sie noch nicht am 14. August in der Frühe, daß Wergelands Gallenkolik ihnen allen das Leben retten würde. Am Mittag lag die Nanking Road mit dem Cathay Hotel und dem Palace Hotel in rauchenden Trümmern. Zweihundert Leichen lagen vor dem Eingangsportal des Cathay zu einer Zeit, da der Konsul für gewöhnlich mit seinen Töchtern dort seinen Lunch aß. Diese Mahlzeit nahm er an dem Schicksalstag von Shanghai mit Mailin im Hospital ein. Vor ihnen stand eine alte chinesische Porzellanschale mit Lichi-Früchten, die Mailins Großvater gesandt hatte. Einen Besuch hatte Herr Hsin noch nicht gemacht, da der Konsul bisher zu krank war. Er hatte sich aber für heute, den 14. August um vier Uhr nachmittags, zu einer kurzen Visite ansagen lassen. Herr Hsin hatte so definitive Pläne für seine Enkeltochter, daß er mit undurchdringlicher chinesischer Höflichkeit zunächst einmal dem kranken »Fremden Teufel« die Enkelin überließ. Eile war Irrtum.

So lagen die Dinge, als Astrid am 14. August das Chathay verließ. Es war ein Tag wie jeder andere, und es war ein Tag wie kein anderer. Aber in den Spinnereien und Banken, in den chinesischen Bäckereien und Waschanstalten, in den Frühstücksbars der Ausländer, in den Hafenkneipen und in den Fabrikräumen von Hongkew und Pootung, in dem verwirrenden kosmopolitischen Bienenkorb Shanghai arbeiteten die Menschen wie immer und aßen ihren Morgenreis, lachten, verbreiteten neue Gerüchte und dachten nur an den Augenblick.

Astrid hatte den ganzen Vormittag Zeit für sich und schlenderte die Bubbling Well Road hinunter. Ihr wirkliches Ziel war das Restaurant »Weiße Chrysantheme«, wo Herr de Maury meistens seinen Lunch nahm, wie er ihr verraten hatte. Astrid war immer dafür, notfalls einen Zufall zu arrangieren. Sie täuschte sich dabei selten, weil sie keine Phantasie hatte. Ihr Leben war daher ein wenig leer, aber ihre Überlegungen waren um so korrekter.

Als sie in ihrem tadellosen weißen Kostüm mit einer witzigen Andeutung von einem Hut, langen Handschuhen und einer weißen Ledertasche, von Chanelduft umhüllt, auf ihren hohen, edlen Beinen auf Männerfang ausging, war sie jeder Zoll eine weiße Göttin der Settlements und Kolonialparadiese. Allerdings eine mürrische Göttin! Sie hatten an diesem Morgen keinerlei Vorahnungen, daß der Tod um die Ecke auf der Lauer lag. Hätte sie sich die Mühe gemacht, so unmögliche Gegenden wie Chapei, Hongkew oder Pootung zu besuchen, so hätte sie Sandsäcke und

Barrikaden sehen können, hinter denen Arbeiter, Fabrikanten, Huren, Opiumhändler und so brave japanische Wasserbüffel und Familienväter wie Herr Komiya nördlich vom Creek Schutz vor Gerüchten und Bomben suchten. All diese hart arbeitenden und lebensgierigen Ameisen waren Asiaten und verstanden sich daher auf den Trick des Überlebens. Sie betrachteten auch noch die elendste Existenz – und zu Shanghais Spezialitäten gehörte ein Elend, das nach Schweiß, Dreck, Eiterbeulen, Erniedrigung und ekelhaft süßlichem Opium roch – sie betrachteten auch noch diese Existenz als lebens- und lobenswert. Es ist dies eines der asiatischen Geheimnisse, das Europäer mit ihrer Badezimmerzivilisation und ihrer luxusgeprägten Wunschwelt nicht begreifen können. Astrid mit ihrem Mangel an Phantasie, ihrem Sinn für das Ästhetische und ihrer Gewöhnung an geregelte, gewandt servierte Mahlzeiten, waren solcher Lebensdurst und solche Lebensfreude völlig unverständlich.
Im übrigen erfüllte sie an diesem Morgen nur ein einziger Gedanke: Pierre de Maury! Dabei kannte sie ihn überhaupt nicht, verstand nichts von seinen Interessen in Asien, nichts von seinen privaten Hintergründen. Er war der erste Mann, der sich näher mit ihr beschäftigt hatte; er hatte ihr entzückende kleine Lügen aufgetischt, welche die Leere in ihrem Herzen füllten. Natürlich gab es allerhand Gründe für diese Abweichung von der verstandesbedingten Lebensführung, für die Astrid im Grunde geschaffen war. Sie war neunzehn Jahre alt. Woher sollte sie wissen, daß Liebe auf Geben beruht und daß Ehe zu siebzig Prozent in Krankenpflege und gemeinsamen Sorgen besteht und eine Wanderung zu Höhen ist, die durchschnittliche Ehepaare niemals erreichen; schon deswegen nicht, weil sie diese Höhen nicht sehen können. Wie der Fuji, der heilige Berg der Japaner, sind sie von Wolken umhüllt.
Während Astrid gelangweilt dahinschlenderte, um die Zeit bis zum Lunch auszufüllen, fiel ihr das Schönheitsinstitut von Madame Ninette ein, und sie ging hin. Sie erfuhr in dem rosa Salon, daß die junge Deutsche, die sie in eine Schäferin mit Pariser Chic verwandelt hatte, nicht mehr dort arbeitete. So ließ sie sich von einer fetten Russin, die ihr eine Menge Einzelheiten über völlig unbekannte Personen berichtete, eine Gesichtspackung machen. Madame Ninette, die fette Scheherezade, erzählte gern Romane über Leute, die nur sie kannte. Astrid war eine der wenigen Kun-

dinnen, die, wenn auch äußerlich gelangweilt, so doch innerlich hochinteressiert Madames Erzählungen über Unbekannt stundenlang lauschen konnte. Sie schlang das Gesprächsfutter gierig in sich hinein, so wie seinerzeit Yumeis chinesische Schauermärchen.
»Denken Sie nur, Mademoiselle«, schloß Madame Ninette in sprudelndem Französisch einen ihrer Romane, »die arme Sonja war derartig verzweifelt, nachdem dieser grausame Engländer sie in der Opiumkneipe in Chapei einfach hatte sitzen lassen, daß sie ... bitte stillhalten, jetzt lege ich die Kräutermaske auf! ... daß Sonja Petrowa nach Jahren zum ersten Male wieder zur Beichte ging.«
»Wohin?« fragte Astrid, die immer alles genau wissen wollte. Da Madame Ninette seit ihrer Ankunft in Shanghai im Jahre 1920 keinen Gebrauch mehr von den Gnadenmitteln der Kirche gemacht hatte, konnte sie Astrid diese Einzelheit nicht mitteilen. Sie wechselte daher das Thema zugunsten eines weißrussischen Tanzmädchens, das nachts um drei Uhr von einem niederträchtigen Rikscha-Kuli, der sie aus einem Nachtklub dritter Güte zu ihren hartarbeitenden Eltern bringen sollte, beraubt, vergewaltigt und anschließend ermordet worden war.
»Nataschas grauenhafter Tod brach mir das Herz«, schloß Madame Ninette nach einem Bericht über die Eltern des Mädchens und ihr schweres Schicksal wohlgelaunt und schritt zur Kasse. Astrid bezahlte gern: sie hatte die Zeit angenehm verbracht. Sie beschloß, öfters zu Madame Ninette zu gehen. Die Folgen dieses Entschlusses konnte sie an diesem Augustmorgen unmöglich übersehen.
Am Eingang zur »Weißen Chrysantheme«, in der Nähe der Nanking Road, wo später die erste Bombe fiel, stand Pierre de Maury und hielt nach jemandem Ausschau. Dieser jemand war durchaus nicht Astrid Wergeland, wohl aber der Grund dafür, daß Herr de Maury so selten mit Astrid Lunch oder Dinner aß. Seine Augen blickten ruhelos, beinahe gehetzt. Er schrak zusammen, als Astrid in ihrer ganzen Größe auf ihn zukam und so glatt wie Baron Matsubara ein: »Welche Überraschung!« herausbrachte. Es war wirklich eine Überraschung – für Pierre, der sich aber sofort in sein Schicksal ergab. Die bewußte Person war nicht gekommen. Er hatte schon eine Stunde wie ein Narr gewartet. Er wartete sehr ungern wie ein Narr. Shanghai war die unzuverlässigste Stadt der Welt – ein Kaufhaus voller Geheimnisse.

Sie nahmen ihren Lunch wiederum in dem intimen japanischen Raum, in dem sie so reizend mit Baron Matsubara geplaudert hatten. Im Alkoven hing heute nach langer Zeit wieder das Bild mit der Drehbühne der Kabuki-Spieler. Davor stand eine Schale mit erlesenen Blumen. Monsieur verbreitete sich sofort mit gewohnter Redelust über das Schauspiel der Kabuki-Bühne, obwohl er das Bändchen der Touristen-Bibliothek noch nicht gelesen hatte. Das überraschende Auftauchen und Verschwinden der Kabuki-Spieler auf *hanamichi* (der Blumenbrücke) kitzelte seine Phantasie. Er selbst kam und verschwand auf ähnliche Weise. Er nahm stets so rasch Abschied, daß man es kaum merkte und sich manchmal zu lange allein auf der Bühne weiterdrehte. Niemand war da, der Astrid vor einem so schwierigen Liebhaber hätte warnen können. Es konnte nicht viel Gutes dabei herauskommen, wenn Kabuki-Spieler und spröde Unschuld zusammen speisten.
Astrid hörte nur mit halbem Ohr zu, sah aber Pierre unverwandt mit ihren blaßblauen, ein wenig eng beieinanderstehenden Augen an. Was interessierte sie schon das Japanische Theater? Es war von Leuten erfunden worden, die sich im unpassendsten Augenblick indiskret in einen Privatraum drängten.
»Warum haben wir uns so lange nicht gesehen, Astride?« fragte die Lockvogelstimme plötzlich.
»Ich hatte sehr viel zu tun. Mein Vater liegt im Hospital«, erwiderte Astrid. Bildete Monsieur sich ein, sie liefe ihm nach? Er hatte versäumt, sie vor zwei Tagen zum Lunch einzuladen. Ein Kältestrom rann langsam durch ihr Herz. Sie wußte noch nicht, daß gerade reizvolle Männer oft dazu neigen, Frauen zu quälen. Und wenn Astrid sich auch nicht schlecht behandeln ließ, so litt sie doch wie jede Frau und wahrscheinlich sogar mehr als manche andere unter liebenswürdiger Vernachlässigung. Wie lange würde sie Pierre noch zuhören können, ohne in Tränen auszubrechen? Sie schluckte mit Anstrengung und setzte ihre hochmütigste Miene auf.
Herr de Maury hatte seinen Anteil mit Begeisterung aus den Lackschälchen gefischt und erzählte nun, sein Lieblingsschriftsteller Montaigne hätte sich im ersten Stock seines Schlosses ein Schlafzimmer einrichten lassen, um nicht immer in der Nähe seiner Frau zu sein, und sein Arbeitszimmer im dritten Stock wäre seine liebste Zuflucht gewesen.
Pierre pausierte und erzählte dann, er habe bei seinem letzten

Europa-Urlaub dieses Schloß in der Gascogne besucht. An der Wand des Arbeitszimmers hätte Monsieur Montaigne eine lateinische Inschrift angebracht, welche die Hoffnung ausdrückte, seinen Lebensabend in diesem Raum »in vollkommener Sicherheit und Unabhängigkeit«, fern der häuslichen Unruhe zu verbringen. Die Inschrift sei so gut wie eine Tafel mit: »Eintritt verboten« in Goldlettern. Pierre lächelte und trank seinen Tee.
»Ich finde das alles sehr wenig freundlich«, sagte Astrid. »Man heiratet doch schließlich, um ständig beisammen zu sein.«
»Wie kommen Sie denn auf diese entsetzliche Idee, Astride?« fragte Herr de Maury erschrocken.
Astrid war so empört, daß sie keine Antwort fand. Ihr von Natur durchsichtig blasses Gesicht war schneeweiß geworden: eine beinahe tragische Maske unter dem verspielten Nichts eines Pariser Hütchens. »Es ist nicht *meine* Idee«, sagte sie, sich eine Zigarette anzündend, frostig. »Ich habe niemals Ideen. Die Mehrzahl der Menschen ist doch dieser Ansicht.«
Herr de Maury betrachtete die entzückende Bohnenstange aus halbgeschlossenen Augen. Sie war unbeschreiblich jung. Nur wer so jung war, konnte ihn so bitter ernst nehmen. Er hätte nicht mit ihr lunchen sollen. Sie wußte nichts von seinem Leben. Es war das beste, sie heiratete einen Burschen, der beständig mit ihr zusammen sein wollte.
»Haben Sie eigentlich gar keine Phantasie, Astride?« fragte er nach einer Pause und lächelte der japanischen Kellnerin zu, was Astrid mit Mißfallen registrierte.
»Glücklicherweise nicht. Sie läßt einen nur falsche Schlüsse aus den Tatsachen ziehen.«
»Beten Sie die Tatsachen an?«
»Anbeten ist kaum der richtige Ausdruck. Ich rechne mit ihnen.«
»Arme Kleine«, murmelte Pierre. In seiner Stimme schwang Mitleid und ganz leise Langeweile. Kein Zweifel, dies elegante Mädchen war nichts für ihn. Sie hatte trotz ihrer wunderbaren Figur und ihres edlen Profils als Frau ihren Beruf verfehlt. Sie servierte einem Verehrer zum *Tiffin* keine Träume; sondern Tatsachen. Pierre de Maury brauchte Träume; deswegen hatte er vor dem Restaurant vergeblich auf jemanden gewartet. Er wollte natürlich nicht beständig träumen; so etwas brachte kein Franzose fertig; aber er wollte sich zu bestimmten Zeiten in die Welt der Träume zurückziehen. Das hatte er von den Asiaten gelernt.

Astrid blickte vor sich hin. »Arme Kleine«, hatte Pierre gesagt. »Sie brauchen mich nicht zu bemitleiden«, bemerkte sie kühl. »Es liegt kein Grund dazu vor.« Niemals würde sie einem Manne gestatten, ihr diese Demütigung zuzufügen. Das Kältegefühl überfiel sie so stark, daß sie zu zittern begann. In ihrer Seele, die nach dem Frommen und Guten hungerte und es trotz eifriger Gebets-Übungen nicht erlangte, sprang Verzweiflung auf, eine schattenhafte Regung, die Sünde war. Und doch war sie nicht allein; es kam ihr nur so vor. Sie hatte GOTT, der sie von Kind auf an geliebt hatte. Sie wußte es; sie war in Lausanne in dieser wahren und tröstlichen Liebe aufgewachsen, und die Schriften der heiligen Theresia von Avila, die sie von ihrer Mutter mit den Rubinen und dem Talent zur Eifersucht geerbt hatte, gehörten noch heute zu den wenigen Büchern, die sie immer wieder mit einem seltsamen, tragischen Hunger verschlang. Aber die Liebe, welche die Spanierin beseelt und befeuert hatte, forderte nichts und erhielt darum alles. Astrid seufzte plötzlich. Es war ein so schwacher und verzweifelter Laut, daß Pierre de Maury, der sich auf Seufzer verstand, leicht den Arm um sie legte. Sie zitterte, und er tat, als ob er es nicht bemerke.

»Ich muß gehen«, murmelte Astrid, »vielen Dank für den reizenden Lunch.«

»Fanden Sie es wirklich reizend, Astride?«

»Selbstverständlich, *Au revoir!*«

»Warum die Eile? Ich begleite Sie zum Hotel.«

»Vielen Dank, aber ich muß zur Klinik ins französische Viertel.« Sie konnte ihn nicht mehr ansehen. Es tat ihr weh... Nur fort.

»Das ist auf meinem Wege!« sagte Pierre bestimmt. »Kommen Sie, Astride! Ja – das Hütchen sitzt! Eine wirkliche *création*. Ich gratuliere.«

»Ich habe mir das Modell ausgedacht.«

»Ich denke, Sie haben keine Phantasie?«

»Nur, was Hüte anbelangt.«

Auf dem Wege zum Ausgang begegnete Herr de Maury der Person, die er vergeblich erwartet hatte. Mit Astrid am Arm schritt er grußlos an ihr vorüber. Die Zeit für Träume war heute verpaßt.

Es war drei Minuten, bevor die erste Bombe in der Nanking Road explodierte.

Später konnte sich Astrid kaum mehr entsinnen, wie Pierre und sie plötzlich in den Höllenkessel geraten waren. Es spielte dann auch keine Rolle mehr. Die chinesische Luftwaffe wollte den ersten Überfall auf das japanische Schlachtschiff *Idzumo* ausführen und warf die Bomben auf dem Wege zum *Nippon Yusen Kaisha-Kai* in der Nähe des japanischen Generalkonsulats in den Whangpoo-Fluß gegenüber dem Shanghai-Klub. Andere Bomben landeten versehentlich weit hinter dem Kai und töteten viele Hafenkulis und auch einige Passanten mit Bankkonten: nichts ist demokratischer als eine Bombe. Damit begann das dilettantische Bombardement der japanischen Kriegsschiffe auf dem geduldigen Whangpoo-Fluß mit seinen grauenhaften Folgen. Die Straßen der Riesenstadt waren um diese Zeit schon von Tausenden von chinesischen Flüchtlingen verstopft, die in den Settlements Schutz suchen wollten und auf der Nanking Road den Tod fanden. Die Ameisen von Chapei und Kiangwan flüchteten mit Kind und Kegel, mit Frauen, Babys, Vogelbauern, Urgroßeltern, Reisbündeln, stoischen Mienen und zitternden Herzen in die Zitadelle der Fremden Teufel, die ihnen so oft den Weg aus Krankheit, Schmutz und Hunger in ihre Krankenhäuser und Küchen gewiesen hatten. Aber nun saßen die hochgeehrten Teufel selbst in der Patsche – und Astrid und Pierre mit ihnen.

Um ein Uhr fiel die Bombe auf der Nanking Road; um vier Uhr nachmittags flogen wieder chinesische Bomber in Richtung der *Idzumo* und wurden von heftigem japanischen Feuer begrüßt. Astrid und Pierre waren mit der Menge vorwärtsgedrängt worden – in ein Meer von gelben und weißen Gespenstern mit aufgerissenen Mündern und Schraubstockgliedern, die Astrid zu zerreißen drohten. Sie stieß einen einzigen spitzen Schrei aus. Dann fiel sie ohnmächtig in Pierres Arme. Niemals im Leben überwand sie ihre in Shanghai erworbene panische Angst vor einer asiatischen Menschenmenge. Als sie die Augen aufschlug, lag sie in ihrem herrlichen Kostüm zwischen Leichen rechts und links in der Nähe des Palace Hotels und ihres Cathay und sah in einem Schrecktraum, wie die oberen Stockwerke des Palace wie Betrunkene schwankten und sich dann in Feuerwolken auflösten. Pierre hatte sie in ihr Hotel bringen wollen, aber es brannte ebenfalls. Sie richtete sich auf und blickte in seine Augen. »*Chérie*«, murmelte er. Ruß und Blut klebten in seinen hellen Haaren. Neben ihm erbrach sich eine chinesische Mutter auf Astrids

Kostüm. Sie wollte fortrücken, aber sie konnte sich nicht bewegen. Sie mußte sich ebenfalls übergeben, direkt auf Pierres Anzug, und schämte sich so sehr, daß ihr inmitten von Tod und Verwesung, Stöhnen und Geschrei die Tränen kamen, die sie in der »Weißen Chrysantheme« nicht hatte weinen wollen. »Oh, Pierre«, seufzte sie und weinte, als ob ihr das Herz brechen sollte – um sich, um Pierres Anzug, um ihre vereitelten Hoffnungen, und weil der Tod kein Mitleid mit Müttern, Kindern, Vögeln und Kulis hatte. Pierre blickte sie an. Er strich ihr das mattgoldene Haar aus der Stirn. »Können Sie gehen?« fragte er und lud sie dann wie einen Mehlsack auf seine Schultern. Er mußte hier heraus mit ihr. Irgendwo fuhren Taxis durch kleine Straßen. Hier würden sie durch die Bomben oder die Menschen sterben. Die eleganten Läden krachten wie Kartenhäuser zusammen. Pierre schloß sich einem neuen Menschenzug an, der aus der Nanking Road herausdrängte, denn gegen den Strom konnte er nicht schwimmen.

Astrid hatte beide Arme um seinen Hals gelegt und hing zwischen ihm und einem jungen Chinesen, der ihre Füßte trug. Was war wohl geschehen? Ehe sie wieder in die Nacht der Bewußtlosigkeit zurücksank, sah sie noch ein Ladenschild in einer überfüllten, unbekannten Seitenstraße. Es lautete: »Chom Li-seng, Eisenwaren. Erfolgreich in allen Geschäften.« Der erfolgreiche Herr Chom lag friedlich und tot neben seinem wunderschönen Schild mit der in Goldbuchstaben gemalten Inschrift. Er lag entspannt und breitbeinig wie unter dem Pflaumenbaum in seinem Dorf, das er um der Stadt am Meer willen vor zwanzig Jahren verlassen hatte. Neben ihm lagen sein sterbender Sohn, seine Frau und seine geehrte Mutter. Sie röchelten, und der Sohn hielt noch in den erstarrenden Händen das Vogelbauer mit einem Goldpirol, wie der, den Astrid einmal in Shanghai ermordet hatte. Sie schrie laut, und ihre Arme fielen schlaff herunter. »Missie stirbt, schnell, schnell«, flüsterte der junge Chinese. Er streckte die Hand aus. »*Kumsha!*« (Reisgeld). Pierre gab es ihm und stieß mit dem Fuß eine einzelne Hand aus dem Wege. Sie hatte einem Singmädchen gehört. Es war ein blutiges Fetzchen Fleisch mit einem Brillantring. Der hilfreiche junge Chinese bückte sich, zog den Brillantring von dem Fleischfetzen ab, säuberte ihn noch schnell an Astrids Kostüm, steckte den Ring auf seinen Finger und hastete weiter. In der Nanking Road war der oberste Stock des Palace, den Astrid in einer Halluzination hatte schwanken sehen, nun

wirklich am Niederbrechen. Er fiel als glühendes Mauerwerk auf die Straße. Ein Stück fiel auf den jungen Chinesen. Der schwankte und rief »*Ai, ai!*« Er hatte nicht lange Freude an dem Brillantring gehabt.
Fensterscheiben klirrten, Autos begannen zu brennen, zwei Bomben fielen bei der Kreuzung der Tibet Road mit der Avenue Edouard VII. nieder und zermalmten Hunderte von Flüchtlingen mit ihren Frauen, Kindern, Hoffnungen, Kochgeschirren, Reisbeuteln und Ängsten. Ein zwölfjähriges Chinesenmädchen stand von ihren kleinen Geschwistern umringt inmitten von Tod und Grauen und gab den drei Kindern Reis aus einem winzigen Töpfchen. Sie war »Ältere Schwester« aus Pootung und hatte die Pflicht, unter allen Umständen auf die drei Söhne der Familie Wen aufzupassen. Eben waren Tausende um sie herum getroffen und erdrückt worden; sie aber stand in einem ausgebrannten Laden und setzte das Geschäft des Lebens gleichmütig fort. Sie wußte nicht, wo der Rest der Familie im Augenblick lebte oder starb. Sie sah mit geweiteten Augen, wie zwei Fremde Teufel in einem brennenden Auto zu Asche wurden, murmelte »*Ai, ai*« und fütterte »Jüngsten Bruder« weiter. Mit dem Fisch, der in die Pfanne springt, ist es eben aus; aber »Ältere Schwester« stand vorläufig in dem ausgebrannten Luxusladen und lebte ... Das war alles. Es war ganz einfach und den verwundeten und stöhnenden Europäern in der Avenue doch völlig unbegreiflich. »Diese Biester«, flüsterte eine Ausländerin, deren Auto nicht weiter konnte, ihrem Mann zu. Er zuckte die blutbeschmierten Achseln »Chinesen ...!« Damit hielt er alles für gesagt.
Während an diesem »blutigen Sonnabend« die Massen noch immer aus der Chinesenstadt und Shanghais Vororten über die riesige Brücke beim »Bund« mit seinen großartigen Banken und Geschäftshäusern in die Settlements drängten, wurden gegen Abend schon Hunderte von Leichen in hastig gezimmerten Särgen auf den Straßen gegenüber dem Rennplatz zur Identifizierung der Persönlichkeit zur Schau gestellt. Hunderte wurden niemals von ihren Verwandten erkannt und mit den traditionellen Riten beerdigt, denn sie hatten in Shanghai wie im Niemandsland gelebt – Dorfmenschen, die erst seit einer Woche ihr kleines Glück in dieser großen Stadt gesucht hatten; Opiumraucher, die nur ihren toten Opiumhändler kannten; der japanische Spion, der mit dem »Anti-Japan-Abzeichen« am Anzug aufmerksam der

Volksrede des Herrn Feng gelauscht hatte; weißrussische und deutsche Flüchtlinge, die sich vor ihren Landsleuten irgendwo verkrochen hatten, weil sie die Erinnerungs-Teegesellschaften nicht länger ertrugen; Kinder aller Nationen und Rassen, die ihre Eltern im Gedränge verloren hatten; Krankenschwestern, Ärzte, Priester, Diebe, Zuhälter und Heilige. Sie alle lagen da, gegenüber dem Rennplatz, in der rötlichen Rauchluft und hatten ihre letzte Chance im großen Rennen von Shanghai verwettet. Aber viele Leichen lagen noch tagelang in der heißen Augustsonne von Hongkew und Yangtzepoo, wurden von verhungerten Straßenhunden teilweise gefressen und in diesem Zustand von dem besten Reporter der *Shanghai Evening Post and Mercury* zur Erbauung der Nachwelt geknipst. Feuer tobten noch tagelang in diesen Distrikten. Die chinesischen Christen bekreuzigten sich, weil sie dachten, das Jüngste Gericht hätte begonnen und sie säßen schon im Fegefeuer. Die großen Warenhäuser von *Sincere's* und *Wing On's*, wo Astrid oft hübsche Kleinigkeiten erstanden hatte, waren auch von den Bomben mitgenommen, das japanische Restaurant-Hotel in der Nähe der Nanking Road dagegen ziemlich unversehrt geblieben. Ganz in seiner Nähe fand man ein totes koreanisch-japanisches Liebespaar; die beiden jungen Menschen hatten sich so umschlungen, daß man sie nicht trennen konnte. Und überall in den Straßen lagen zwischen Leichen und Verwundeten die jammervollen Habseligkeiten der Flüchtlinge: alles, was Chinesen für so wertvoll gehalten hatten, daß sie es vor den Geistern des Feuers zu retten versuchten. Eine ganze Kulturgeschichte von der Ahnentafel bis zum Suppenlöffel aus blauweißem Porzellan breitete sich in den zerbombten Straßen und Winkeln der Riesenstadt aus, aber niemand außer ein paar Fotografen bemerkte es. Das Leben war ein zu schwieriges Geschäft geworden.
Zwischen einer Schweizer Uhr und einer zerbrochenen Flasche mit chinesischer Geheimmedizin, welche die Aufschrift »Gut gegen Schwindsucht und hundert andere Leiden« trug, lag Astrids weiße Ledertasche, schmutzig und blutverschmiert. Astrid selbst hatte auch etwas abgekriegt. Sie lag bewußtlos in einem chinesischen Hospital in der North Szechuan Road. Eine überarbeitete chinesische Nurse beugte sich über sie; eine europäische Krankenschwester erneuerte den Eisbeutel und flüsterte: »Sie ist aufgewacht. Holen Sie bitte ihre Schwester, Nurse Wei!«

Nurse Wei huschte hinaus, und Astrid war allein mit der deutschen Nurse im Foo Ming-Hospital, für das Herr Chou Tso-ling, der Neffe des alten Herrn Hsin, zusammen mit diesem die Ausstattung übernommen hatte. Hier konnten chinesische Mütter inmitten von Sauberkeit und Ruhe ihre Söhne zur Welt bringen. Das bedeutete nun nicht, daß alle Arbeiter- und Kulifrauen von Shanghai begeistert in diese Klinik stürzten. Die meisten zogen die uralte Art des Kinderkriegens im eigenen Heim in einer dunklen, übelriechenden Gasse in Gegenwart zahlreicher Verwandter der Sauberkeit der Fremden Teufel vor. Aber viele kamen eben doch; sie erhielten chinesisches Essen und hatten chinesische Pflegerinnen. Die von Amerika bezogene Hygiene und die Instrumente im Operationsraum waren allerdings unvermeidlich, aber diese Umstände nahmen sie eben wohl oder übel mit in Kauf. Astrid versuchte sich zu erinnern, wo sie diese europäische Aushilfsschwester gesehen hatte. Und wenn sie auch sehr mitgenommen war, ihr empörendes Gedächtnis funktionierte durch Schock und Betäubung hindurch: Diese Pflegerin war die Frau, die sie vor einiger Zeit so besonders reizvoll frisiert hatte! Aber es hatte nichts genützt. Anna Weber flüsterte ihr zu: »Ihre Schwester ist hier, Mademoiselle!« Da kniete Mailin schon an Astrids Bett, und Astrid wollte ihre Hände ergreifen und sich aus den rötlichen Nebeln herausarbeiten, aber es gelang nicht. Sie hatte einen Rippenbruch im Gedränge davongetragen. »Was ist mit mir?«, stöhnte sie schwach. Dann fiel sie wieder klaftertief in die Nebelgrube, und Menschen fielen wie Felsblöcke auf ihre Brust.
»Sie darf keinen sekundären Schock bekommen, sagt Dr. Chou«, flüsterte Anna Weber Mailin zu. »Das würde eine große Gefahr für das Herz bedeuten.«
Mailin blickte Astrid mit umflorten Augen an. Die blasse, zarte »Ältere Schwester« hatte eingesunkene Augen, und ihre Stirn war feucht von Schweiß. Sie hatte nicht die vitale Widerstandskraft jedes noch so zarten Mädchens mit chinesischem Blut.
»Es muß sofort ein Spezialist herkommen, oder wir müssen Mademoiselle in eine Privatklinik in die französische Konzession bringen«, sagte eine ungehaltene Männerstimme. Pierre de Maury trat in den matten Lichtkreis, der um das Bett lag. Es war ein Privatraum, in dem im Augenblick etwa dreißig Personen auf Matten am Boden lagen. Astrid hatte das einzige Bett. Die Chinesen auf den Matten blickten, soweit sie nicht zu betäubt waren,

mit unersättlicher Neugierde auf die Gruppe der Fremden Teufel, die eine zerrissene Bambuswand nur notdürftig verdeckte.
»Unglaubliche Zustände«, sagte Herr de Maury höchst erregt. »Ich muß sofort den Chefarzt sprechen, Nurse!«
Anna Weber betrachtete ihn so erstaunt, wie sie ein vorsintflutliches Meerungeheuer betrachtet hätte. Sie war zu jung, um zu wissen, daß Menschen weit verwunderlicher als vorsintflutliche Meeresungeheuer sind. »Aber Monsieur«, sagte sie in ihrem bedächtigen Schul-Französisch, »die Ärzte haben alle Hände voll zu tun. Es liegen Tausende von Verwundeten auf den Straßen. Die Stadt brennt an allen Ecken und Enden.«
»Ich werde ein Taxi auftreiben und Mademoiselle in unser Hospital bringen«, erwiderte Herr de Maury starrsinnig. *»Au revoir!«*
»Sie haben eine Kopfwunde, Monsieur! Dr. Chou hat Ihnen jede Bewegung verboten. Bitte legen Sie sich hin! Außerdem darf Mademoiselle Clermont nicht bewegt werden.« Anna sprach streng. Ein schlesischer Dickkopf nahm es noch allemal mit einem französischen auf.
»Ich werde sofort mit Dr. Bardot telefonieren, ich gestatte nicht, daß irgendein Chinese...« Die Stimme versagte Herrn de Maury.
»Dr. Chou ist nicht *irgendein Chinese*, Monsieur! Er hat in den USA seine Examina mit Auszeichnung bestanden. Er hat Erste Hilfe geleistet. Mehr ist im Augenblick nicht zu tun. Soweit ärztliche Kunst es vermag, sind Komplikationen verhütet. Dr. Chou ist ein wunderbarer Chirurg. Er hat den Bruch reduziert, soweit es möglich ist. Er muß jetzt anderen helfen. Ich werde Ihnen das Röntgenbild bringen, Monsieur! Bitte, nehmen Sie Vernunft an!«
Was keine medizinische Auskunft, kein Hinweis auf ärztliche Kompetenz und die anderen Kranken vermocht hatten, brachte Annas Appell an die französische Vernunft zustande. Herr de Maury strich sich eine feuchte Haarsträhne aus der schönen, eigensinnigen Stirn. Er berührte dabei versehentlich seine Kopfwunde und fühlte einen stechenden Schmerz. Wie hatte er sich so vergessen können? In einem rein chinesischen Hospital, mit dieser kleinen Nurse als der einzigen Europäerin, hatte er sich abfällig über den Chefarzt geäußert!
»Es tut mit leid, Nurse«, murmelte er. »Ich komme geradenwegs aus der Hölle. Sie werden verstehen...«
»Sie sieht uns an«, flüsterte Anna, die Astrid nicht aus den

Augen gelassen hatte. Sie verstand gar nichts. Die Einstellung der Männer des Westens gegenüber den Asiaten war ihr zu fremd. Sie behandelten sie je nach Rang und wirtschaftlicher Bedeutung für den Westen zu liebenswürdig oder zu herablassend, waren abwechselnd verlegen oder verachtungsvoll und niemals ungezwungen.
Mailin hatte die ganze Zeit geschwiegen. Sie war stets von so viel Liebe umgeben gewesen, daß Herrn de Maurys Bemerkungen sie verletzt hatten. Gleichzeitig empfand sie Mitleid mit ihm: er hatte den Kopf verloren und damit sofort auch seine Höflichkeit. Das konnte Chinesen nicht passieren! Sie waren schon dadurch die Stärkeren. Mailin zog die fremde Pflegerin sanft aus dem Zimmer; sie fühlte, daß Astrid nur diesen arroganten und mutigen Franzosen sehen wollte.
»Wie geht es jetzt?« Pierre sprach leise und zärtlich.
»Ich glaube, ich muß sterben«, murmelte Astrid verwundert. »Oh ... Pierre! Kommt Père de Lavalette nicht zu mir?«
»Er kommt sicherlich. Nur ein wenig Geduld, *chérie!*«
Astrids Gedanken verwirrten sich. Sie hatte stets so viele gute Vorsätze gehabt und doch so viele Sünden begangen. Der Vogel Goldpirol. »Mailin ist etwas Geringeres als wir anderen Kinder in Shanghai, Tante Helene!« Die Tochter der Vagabundin; Hochmut, Leere, Gier. Gebet ohne Reue; Reue ohne Gebet. Pierre. Ich will ihn haben, ich muß ihn haben! Heilige Maria, Mutter Gottes, bete für uns Sünder ...! Der alte Teich; es hüpft ein Frosch hinein! Ist es Baron Matsubara? Das Wasser raunt! *Haikkus* sind dummes Zeug ... *Pater peccavi* ... *Haikkus* ... Heilige Maria, Mutter ...
Astrid stöhnte. Pierre beugte sich über sie. »Verzeih mir«, flüsterte sie benommen, »ich wollte dich ...« Er lauschte. Astrids Stimme war nur ein Hauch. Er beugte sich so vorsichtig zu ihr hinab, daß ihr Kopf mit dem blaßgoldenen Haar an seiner Brust lag. Er trug nicht mehr sein blutverkrustetes Seidenhemd, sondern schwarze chinesische Satinhosen und ein zerrissenes weißes Baumwollhemd, das die halbe Brust und die muskulösen Arme freiließ. Hilfreiche Chinesen hatten sofort in »ihr« Hospital Berge von alten Kleidungsstücken geschleppt.
Astrid hörte durch die dünne Baumwolle Pierres Herz klopfen. Alle Musik der Welt war für sie in diesem Rhythmus. Sie lag still und zum ersten Male wunschlos an Pierres Herzen, das wie

jedes Herz seine Geheimnisse, seine Anfechtungen, seine Niederlagen und Triumphe in sich verschloß. Astrid lauschte... Pierres Herzschlag schien ihr Lebenskraft zu geben. Es war ihr, als ob ihr zerbrochener Körper auf glänzenden Wolken dem Monde entgegenflöge. Denn sie war so beschaffen, daß die Liebe ihr Träume gab und ihr Haar erglänzen ließ – nur die Liebe.
»Ich höre dein Herz...«
»Es gehört dir, Astride«, sagte er einfach und ein wenig verwundert. Er hatte selbst erst in diesem Augenblick diese Entdeckung gemacht.
»Ich möchte so gern leben«, flüsterte Astrid in einem hohen, klagenden Vogelton, der ihm nie mehr ganz aus dem Ohr gehen sollte.
»Morgen wird es dir besser gehen, *chérie!*«
»Ja... morgen«, hauchte Astrid und wurde immer blasser. Sie hatte durch Fleischwunden viel Blut verloren.
In diesem Augenblick betrat Père de Lavalette das Krankenzimmer, um Astrid die vorsorgliche Ölung zu geben.
»Wir müssen hoffen«, murmelte er, als er Pierre de Maurys Gesicht sah. Dann blieb er allein mit Astrid.

\*

Als der Pater wieder in den Korridor trat, kam Dr. Chou ihm entgegen. Sein junges Gesicht mit den vorstehenden Backenknochen war ausgehöhlt vor Erschöpfung, und doch hatte die Nacht erst begonnen. Immer noch wurden Verwundete auf Lastwagen, in Autos, auf den Armen ihrer Angehörigen herangeschleppt, um »für alle Zeiten« gesund gemacht zu werden.
»Sie schläft«, murmelte der große, gebeugte Priester von der Gesellschaft Jesu, der vor zwölf Jahren Astrids Mutter das Sterben erleichtert hatte. »Ich warte hier draußen, Doktor!«
»Bitte, legen Sie sich nieder, *mon Père*«, sagte Dr. Chou, der gut getan hätte, diesen Rat selbst zu befolgen. Aber der Priester schüttelte den grauen Kopf. »Ich kannte ihre Mutter«, murmelte er. »Wird sie durchkommen?«
Er konnte die Antwort des Arztes nicht abwarten, denn ein uralter Chinese verneigte sich vor ihm und zog ihn gleichzeitig flehend am Rock. »Hoher Lehrer«, flüsterte der Greis mit heiserer Opiumstimme, »der Sohn meines Sohnes verläßt die Welt. Bitte

schnell, schnell kommen! Der Sohn meines Sohnes bester christlicher Mann in Shanghai! Jeden Monat viele Dollars für Mission! Hoher Lehrer muß schnell, schnell Weg ins Paradies zeigen. Sohn meines Sohnes nicht gehen in Acht-Etagen-Hölle! Ist guter, christlicher Mann mit gutem, christlichem Spielsalon!«
»Ich komme, alter Vater.« Der Priester legte seine große gepflegte Pianistenhand auf die entfleischte Schulter des Greises. Er war zu lange in China, um nicht zu wissen, was der Tod eines Enkelsohnes, der die Kette der Generationen zerriß, bedeutete. Er folgte dem halbnackten Alten durch die überfüllten Korridore in den Keller, wo der sterbende Inhaber des »christlichen Spielsalons« auf den Reisepaß in den Himmel wartete. »Zehntausend glückliche Jahre für Euch, Hoher Lehrer«, murmelte der alte Kuli zufrieden. Sein Enkelsohn hatte jahrelang gezahlt; er hatte Anspruch auf alle Freuden und Vorzüge des christlichen Himmels.

\*

Pierre de Maury hielt die Nachtwache abwechselnd mit Mailin. In der Nacht erwachte Astrid. Mailin schlief still in einer Ecke. Als Astrid die Augen aufschlug, blickte sie in Pierres Augen.
»Astride.« Er küßte zum ersten Male die unerfahrenen Mädchenlippen, die sich in der Enttäuschung so fest zusammenzupressen pflegten. So geschah es, daß Astrid Wergeland in der Nacht der Krisis langsam zu leben begann – gegen jede Erwartung des Arztes und entgegen dem Willen der »Hungrigen Geister« des Totenmonats 1937. Vielleicht blieb sie am Leben, weil sie wußte, warum sie leben wollte. Das war schon viel in den Jahren zwischen 1914 und 1955, einer Periode der organisierten und wissenschaftlich fundierten Menschenvernichtung, in der die wenigsten Menschen einen privaten Tod starben; noch weniger aber lebten ein privates Leben. Und gerade das wurde Astrid in dem Augenblick geschenkt, da sie schon Abschied von der Welt genommen hatte. Durch Pierres Kuß sammelte sie Kräfte. Ein Kuß kann alles und nichts sein, und für Astrid war er alles. Daher kam es, daß alle ihre Freuden und ihre vielen bitteren Leiden von nun ab mit dem Manne zusammenhingen, der ihr das Leben gerettet hatte und es ihr dann abwechselnd nahm und wiedergab. Sie kannte Pierre de Maury in dieser Nacht genausowenig wie in der »Weißen Chrysantheme«, und vielleicht war es gut so.

Die Krähen, so pflegte der alte Herr Hsin zu sagen, sind in der ganzen Welt schwarz – und die Männer sind in der ganzen Welt wandelbar.
Herr Hsin lag zwei Zimmer weiter als Astrid in »seinem« Hospital, er aber lag im Sterben, obwohl er leben wollte, denn er hatte ja vor wenigen Tagen Hsin Mailin, Tochter seiner Tochter »Flüssiges Licht«, Geist von seinem Geist und Blut von seinem Blut, in der Halle der Vorfahren willkommen geheißen. Auf dem Wege ins Französische Viertel war Herr Hsin Kao-tze aus seinem Wagen geschleudert worden, und sein müdes Herz konnte sich von dem Stoß nicht mehr erholen. Flüchtende Menschen waren über seinen leichten, dürren Körper hinweggerannt. Sein Kassierer hatte ihn dann röchelnd aufgefunden und zum Sterben in sein eigenes Hospital gebracht, nicht in seinem großen amerikanischen Wagen, sondern in einer Rikscha, an der ein Rad fehlte und die der Kuli und Herrn Hsins Kassierer vereint bis zum Hospital schleppten. Der Kuli kannte den mächtigen Herrn Hsin. Wer kannte ihn nicht aus seinen Zeitungen, wußte nicht um seine Wohltaten und seinen Reichtum, der allen armen Schluckern von Shanghai »Gesicht« gab? Aber keiner kann nähen ohne Nadel, keiner kann rudern ohne den Whangpoo-Fluß, und keiner kann leben ohne die Luft, und die bekam der alte Herr Hsin trotz seines Geldes und seines Grundbesitzes nicht mehr geliefert. Er rang nach Atem wie ein schwindsüchtiger Rikscha-Kuli; es sah auch nicht vornehmer aus, und es war das gleiche Elend.
So stand Mailin um drei Uhr nachts an seinem Bett. Die Familien Hsin und Chou – Neffen, Nichten, Schwäger, Enkel der Verwandten und auch einige bescheidene Konkubinen – drängten sich in einer Ecke des Raumes zusammen. Aber der alte Mann sah nur Mailin, die eigentlich seine geliebte Tochter »Flüssiges Licht« war. Er machte in diesem Augenblick mit ihr Besuche zum Neujahrsfest. »Flüssiges Licht« trug einen roten Kittel und die Jadeglocke mit der Inschrift *Eile ist Irrtum*. »*Kung Hsi Fah Tsai*« (Ein glückliches Neues Jahr), zirpte sie. Plötzlich war sie verschwunden. Mailin flüsterte: »Ich bin hier, ehrwürdiger Großvater.« Wieso »Großvater«? Aber Herr Hsin konnte diese Frage nicht beantworten, denn die Jadeglocke an Mailins Hals wuchs vor seinen trüben Augen, bis sie ein grünes Vogelhaus war. Und mitten drin stand wieder »Flüssiges Licht« und sang mit seinen gefiederten Freunden um die Wette. Sie durfte nie wieder ihren

Vater auch nur einen Augenblick verlassen! Und so umklammerte plötzlich eine feine dürre Greisenhand Mailins Jadeglocke. Und Mailin war nun vollkommen »Flüssiges Licht« in einem grünen Kleide, und sie waren zusammen im Vogelpavillon in dem Garten hinter der Bubbling Well Road.
»Flüssiges Licht«, röchelte der alte Herr Hsin und klammerte sich mit letzter Kraft an die Jadeglocke. In diesem Augenblick begann sie mit tausend Stimmen zu tönen. Der alte Mann stieß einen Seufzer der Zufriedenheit aus.
Er war mit seiner Tochter im Paradies der Vögel.
Mailin wußte nicht, wie lange sie am Bett ihres Großvaters gekniet hatte. Eine Hand legte sich auf ihre Schulter. Sie blickte in das Gesicht eines unbekannten jungen Mannes. Es war ein Gesicht so voll Leben, wie sie keines bisher gesehen hatte. »Darf ich Ihnen beistehen, Cousine Hsin«, sagte der elegante junge Chinese mit den leuchtenden Augen hinter der Intelligenzbrille in tadellosem Englisch. »Ich kam zufällig vorgestern nach Shanghai! Was für eine Stadt! Ach so, darf ich mich vorstellen: ich bin Ihr Vetter Jimmy Chou aus Singapore.«

\*

In diesem Augenblick langte im Foo Ming-Hospital eine seltsame Karawane an: Ein chinesisches Arbeiterpaar aus Yangtzepoo mit drei Söhnen an den Rockschößen schob einen Handkarren, in dem ein langbeiniger, halbverbluteter Europäer lag, der den jüngsten Sohn aus dem brennenden Haus gerettet hatte. Den Handkarren hatten sie irgendwo gestohlen; es lagen noch zerquetschte Früchte darauf. Die Beine des Europäers hatten auf dem Marterweg ins Krankenhaus Staub und Blut gefressen. Der gerettete Sohn, ein fettes Baby, schlief zufrieden neben dem Bewußtlosen.
»Wir müssen den Arm amputieren; es ist schon Brand darin. Er muß stundenlang gelegen haben«, murmelte Dr. Chou. In diesem Augenblick schlug Ernst August von Zabelsdorf die Augen auf. Es wunderte ihn nicht, daß er plötzlich Annchen erblickte; nichts wunderte ihn an diesem Tage; es war ihm ganz leicht im Kopf.
»Ernstel...«, flüsterte Anna Weber dicht an seinem Ohr, »es wird alles wieder gut, aber dein Arm muß operiert werden.«
»Los«, krächzte Herr von Zabelsdorf betäubt.

»Dein Arm muß abgenommen werden; bist du damit einverstanden?«, fragte Anna eindringlich, während Dr. Chou auf Kohlen stand: Man hatte Straßenlazarette eingerichtet, und jede Minute kam eine Nurse und wollte ihn holen.
»Nee«, sagte der Ernstel deutlich »nischt zu machen. Ich brauch' den Arm zum Reiten. Sag's ihm, Annchen!« Aber dann kam wieder die Nacht mit ihren Flügelarmen auf ihn zugeschritten, und Dr. Chou operierte, damit »Ernstel« in dieser Stadt des plötzlichen Todes am Leben bleiben konnte.
Gegen Morgen erwachte er, immer noch halb betäubt und mit Schmerzen. Er schrie ungebärdig und bekam Morphium. Anna sah nach ihm, sooft es ging. Er lag im ersten Stock auf einer Bambusmatte zwischen einem sterbenden Wasserverkäufer und einem fiebernden Singmädchen aus Chapei. »Annchen«, murmelte er und ging wieder in die Finsternis. Wo war sie? Sie sollte nicht weggehen. Warum versteckte sie sich vor ihm? Da war Annchen ja und blickte ihn an wie eine junge schlesische Madonna, die gleichzeitig ein Schulmädchen mit einer Schwesternhaube war. Wo war sein rechter Arm? »Annchen«, schrie er, »wo ist ...?« Trockenes Schluchzen und Wundfieber schüttelten ihn. Anna kniete neben ihm nieder und nahm seinen Kopf an ihre Brust, an der noch niemals ein Mann geruht hatte. Sie war so kräftig und hilfreich und rein inmitten dieser Stadt des parfümierten Lasters; von Anbeginn eine liebliche junge »Muttel«, wie es sie in dieser besonderen Mischung nur im alten frommen Schlesien gab.
Sie wiegte den halb betäubten Mann in ihren Armen, bis die furchtbaren, trockenen Laute verstummten.
»Mannla...« flüsterte sie.
Es war der süßeste Liebeslaut in der schlesischen Sprache.

\*

Die Begräbnisfeier für den alten Herrn Hsin war eines der letzten gesellschaftlichen Ereignisse im sterbenden Shanghai – im Shanghai der Kaufherren und Bankiers jeder Rasse und Nation; im Shanghai der freien Chinesen, der geachteten Fremden Teufel und der geduldigen, vergnügten Arbeitsbienen in chinesischen Spinnereien, Wechselstuben, Reisläden, Garküchen, Nachtlokalen, Yangtzepoo Docks und Speichern; im Shanghai der Fuh Tan-

Universität, der Kuriositätenläden im Chinesenviertel, der christlichen Kirchen und der stillen Tempel des Konfuzius; im Shanghai der Luxushotels, der verschmutzten Opiumkeller von Chapei und der Millionen von genügsamen chinesischen Familien von Hongkew bis Pootung. Bis zum Ausbruch der Feindseligkeiten hatte die Stadt am Whangpoo-Fluß bei aller hektischen Geschäftigkeit solide auf eigenen Füßen gestanden; jetzt drehte sie sich bereits wie die Kabuki-Bühne und würde sich weiter drehen, bis sie den Japanern müde, zertrümmert und jeder Tugend beraubt zufiel. Nichts blieb mehr auf seinem Platz: neue Herren, neue Diener, neue Laster – und neue, grimmige Armut für die chinesischen Arbeitsbienen und die europäischen Flüchtlinge.
Nach dem blutigen Sonnabend hatte zunächst einmal die Stille des Todes geherrscht, aber bald darauf begannen neue Bomber- und Artilleriekämpfe zwischen chinesischen und japanischen Streitkräften. Die japanischen Kriegsschiffe ankerten weiter auf dem Whangpoo-Fluß bei der Mündung des Soochow Creek, und ein Zeitalter ging zu Ende. Das aber ahnten die Bewohner Shanghais nicht. Weder Fremde noch Chinesen sahen voraus, daß der japanische Siegeszug erst begonnen hatte, daß sich die Herrschaft der Japaner in einigen Jahren über ganz Südostasien erstrecken, und daß dadurch alles Gewohnte auf den Kopf gestellt werden und die asiatische Bühne die große Drehung erhalten würde. Und wenn es auch heißt, daß der Mensch durch Schaden klug wird, in Shanghai wurde er durch Schaden dumm; denn in dieser Stadt krallte er sich an Besitz und Prestige und Vermögen, bis er nur noch Asche und Krümel in den Händen hielt... Aber die ganze Zeit bis zum Fall von Shanghai ging das Leben weiter – mit Kanonen und Küssen und Geburten und Begräbnisfeiern. Und die Feiern, ohne die das chinesische Volk nur wie jedes andere Volk wäre, gaben dem alten Shanghai noch einmal zauberhaften Glanz – und Unsterblichkeit obendrein.
So zog einige Wochen nach dem blutigen Sonnabend Shanghais größter chinesischer Finanzmann und Wohltäter der Witwen, Waisen und Kulis in traditioneller Feierlichkeit seinen Weg zum Familiengrabe. Vor dem Ereignis hatten die Familien Hsin und Chou tagelang jene berühmten Beerdigungsanzeigen abgesandt, die den Überlebenden den Verstorbenen in seiner ganzen Bedeutung vor Augen führen. Das Büchlein zeigte auf der ersten Seite das Porträt des verstorbenen Finanzmannes; auf den folgenden

Seiten ließen sich prominente Mitglieder der chinesischen Handelskammer und Journalisten von Herrn Hsins Zeitung über die Bedeutung des Verstorbenen im öffentlichen Leben von Shanghai aus. Dann folgten die feierlichen Klagen der Familien Hsin und Chou in Shanghai und Singapore, die sich herzzerreißend der »Unaufmerksamkeit« gegen Herrn Hsin Kao-tze beschuldigten. Den Abschluß des grünen Lederbändchens bildete eine gedrängte Biographie des großen »Kranichs« von Shanghai. Der Haupttrauernde – in diesem Falle statt des frühverstorbenen Sohnes Herr Chou Tso-ling – hatte dem Chefredakteur der von den Hsins kontrollierten Zeitung die wichtigsten Daten und Ereignisse mitgeteilt. Die Namen der männlichen Verwandten in der Reihenfolge ihres »Wertes« und Alters leiteten die Taschenbiographie ein, die auf diese Weise die Bedeutung der Familie vortrefflich klarmachte. Ganz am Ende stand ein Name, der viel Kopfzerbrechen und Gerüchte in Shanghai und Singapore hervorrief: »Mailin Hsin-Wergeland, Enkeltochter, Tochter von Hsin Ch'ing-choa, Shanghai.« Diese befremdliche Notiz war auf Veranlassung jenes jungen Herrn Chou hineingebracht worden, der sich Mailin am Totenbett ihres Großvaters als *Jimmy* vorgestellt hatte: von Mr. James Chou aus Singapore, Architekt und Sohn des berühmten Apothekers und Millionärs Chou Yu-tsun, der den »Schmetterlingsbalsam« für heisere Singmädchen erfunden hatte.

Da das altmodische Haus hinter der Bubbling Well Road durch die Bomben nur geringen Schaden erlitten hatte, lagen die sterblichen Reste des Herrn Hsin in der Empfangshalle aufgebahrt. Er trug die vorschriftsmäßige »Garderobe der letzten Gewänder«, die er selbst zu Lebzeiten mit größter Sorgfalt zusammengestellt und jahrelang aufbewahrt hatte. Es waren gegen zwanzig Gewänder, die für die wechselnden Jahreszeiten aus festeren und dünneren Stoffen zwei Nummern zu groß angefertigt worden waren; denn beim Überziehen durfte dem Toten kein Knochen gebrochen werden. Das Obergewand war aus leuchtender Seide und über und über mit Goldfäden und Perlen bestickt. Auch eine Reihe Juwelen und Perlen waren in dem großen Sarge: der Senior der Familie sollte nicht ohne Sachwerte die Reise ins Jenseits antreten. Eine riesige Perle befand sich im Mund des Toten.

Ehe die gigantische Prozession durch das kriegszerrüttete Shanghai begann – die Möglichkeit eines erneuten japanischen Bombar-

dements wurde von allen Beteiligten mit stoischem Gleichmut ignoriert – fand die »Zeremonie, die dem Andenken dient«, statt. Unzählige Gäste kamen und gingen an diesem Tage durch das alte Tor in die Empfangshalle und bezeigten dem Toten ihren Respekt. Jeder Gast wurde dröhnend von einer Musikkapelle begrüßt und schritt unter dem ohrenbetäubenden Klageheulen gemieteter »Leidtragender« zum Sarg. Die beruflichen Trauerweiden waren zum größten Teil Frauen, da diese nach chinesischer Auffassung besser und lauter jammern als Männer. Mehrere Dienerinnen des alten Herrn Hsin – darunter seine ältesten Vertrauten »Purpurroter Kuckuck« und »Treue Gans« – jammerten auf eigenen Wunsch und ohne Bezahlung mit im Chor. Nie wieder würden sie einem solchen Gebieter dienen! Er hatte ihre Söhne verheiratet und ihre Töchter versorgt. Die alten Frauen hatten alle beide im »Pavillon der Vögel« zu seinen Füßen gehockt und das Leid seiner Einsamkeit mit ihm getragen. Seine Geschenke sicherten ihnen einen sorglosen Lebensabend.
»Purpurroter Kuckuck« und »Treue Gans« hatten für Mailin ein weißes Trauergewand aus feinstem Leinen besorgt. Sie umschwirrten die Enkeltochter mit tyrannischer Demut: sie hatten noch ihre Mutter »Flüssiges Licht« bedient. Ihre zähe und schwatzhafte Treue kannte keine Grenzen. Sie wachten des Nachts abwechselnd bei Astrid im Hospital, da es keine Privatpflegerinnen für die vielen Kranken und Verwundeten gab. Ohne besondere Aufforderung betrachteten sie die Familie Wergeland bereits als ihre »zweite Familie«: chinesische Treue über Revolutionen und Gräber hinaus! Übrigens blieb »Treue Gans« nach dem Begräbnis bei dem jungen Herrn Chou und seiner deutschen Frau, um die Geburt des »Enkelsohnes« mit zu erwarten und den Säugling in ihre Pflege zu nehmen. »Purpurroter Kuckuck« ging als private Dienerin für Mailin mit nach Bangkok, wo sie sofort einen schweigenden aber intensiven Krieg gegen Fräulein Wergeland begann.
Während die beruflichen Klageweiber zum Steinerweichen heulten, sobald ein neuer Gast seine Verbeugungen vor dem Sarg machte, und automatisch aufhörten, wenn die Respektsbezeigung fertig war, betrachtete der junge Herr Chou aus Singapore seine neue Verwandte mit verhaltenem Entzücken. Mailin vereinte chinesische Tugend mit europäischem Reiz. Jimmy Chou hatte in England und Paris studiert und war keineswegs unempfindlich

für die romantischen Reize der Ausländerinnen. Mailin war tiefbewegt, zeigte aber die Haltung einer wohlerzogenen jungen Chinesin. »Darf ich Sie in Bangkok besuchen, Cousine Mailin?« fragte er leise. Mailin nickte. »Cousin Chou«, eigentlich nur ein angeheirateter, entfernter Verwandter, führte sie unmerklich aber zielbewußt ins chinesische Familienleben zurück. Ein neuer Lebensabschnitt hatte während dieser Tage für sie begonnen.
»Sie müssen dann in Singapore meine Braut kennenlernen«, flüsterte Cousin Chou und blickte sie mit seinen unerhört lebendigen Augen an. Ein zarter Schatten flog über Mailins Gesicht; sie verbeugte sich gerade tief vor einem neuen Mitglied der Familie, einer zänkischen Großtante der Hsins. War sie enttäuscht? Sie hatte in diesen Tagen viel an Jimmy Chou gedacht. Er bemerkte den Schatten auf ihrem Gesichtchen und legte den Arm um ihre Schultern. »Sind Sie schon verlobt?« fragte er. »Ihr Mann wird einen günstigen Wind zur Lebensfahrt haben.«
»Sie sind sehr gütig, Cousin Chou«, flüsterte Mailin. Sie blickte den fröhlichen, eleganten Cousin nicht an, denn Blicke werden im Herzen geboren. Diese alte Weisheit der Chinesen steckte ihr tief im Blut. Eine neue Wehmut stieg in ihr auf; sie sehnte sich nach ihrem Heim in Bangkok und nach Tante Helene, und beschloß, immer bei ihr zu bleiben. Warum wollte Jimmy sie besuchen? Aber nur die Nachtigall bekam Antwort auf ihr »warum«. Die Weiber heulten: ein neuer Gast verbeugte sich vor dem Sarg. Es war ein hoher Beamter; er malte in der atemlosen Stille ein rotes Zeichen auf die hölzerne Seelentafel des Verstorbenen, die für die Nachkommen auf dem Familien-Altar bewahrt werden würde. Das Zeichen war ein buddhistischer »Empfehlungsbrief« fürs Jenseits.
Die Beerdigungsprozession beschloß die Feierlichkeiten und trug noch einmal das »Gesicht« des alten Herrn Hsin in die breiteste Öffentlichkeit. Denn an diesem Tage demonstrierten die Familien Hsin und Chou, die altmodischen Alten und die modernen Jungen, die soziale und finanzielle Position des Verstorbenen in einem Schaugepränge von fürstlichem Glanz. Durch die zertrümmerten Straßen Shanghais bewegte sich ein endloser Zug von Verwandten, Geschäftsfreunden aus dem In- und Ausland und Zuschauern, die sich, begeistert von der Pracht, unbefangen dem Zuge anschlossen. Denn Bomben und Feuerwerk, Hochzeits- und Sterbezüge, jede Tragödie und jede Komödie haben in China ihre

Zuschauer, und weder christliche noch marxistische »Lehrer« vermögen etwas an der angeborenen Schaulust des Volkes und seiner Vorliebe für jegliches Gepränge zu ändern. So schritten denn an einem schwülen Septembertage – vier Wochen nach dem Tode des alten Herrn Hsin – die Mitglieder einer Militärkapelle, von denen ein Teil Polizisten war, dem Zuge voran. Ihnen folgte eine Schar von Shanghaier Beamten in Uniform. Zwei riesige Laternen mit dem Namen Hsin und zwei Gongs »ebneten den Weg« für die Prozession. Zahllose Europäer hatten teure Kränze und die Chinesen riesige seidene Banner gesandt, die von gemieteten Kulis stolz und feierlich getragen wurden. In einem Auto folgte das Porträt des Toten mit seinem grüblerischen Blick und seinem langen, dürren Vogelhals. Buddhistische und taoistische Mönche geleiteten dies Bildnis ins Paradies. Die Männer der Familien Hsin und Chou marschierten zu Fuß hinter den Mönchen. Mailin und Dr. Wergeland folgten im Auto. Niemand konnte die Hsins und Chous sehen: sie wanderten in ihren weißen Gewändern innerhalb der weißen Trauervorhänge, die viele Kulis schützend um sie hielten. Dann folgte der Sarg auf dem großen Chrysler des Herrn Hsin. Ein Umhang von reichbestickter Seide verdeckte ihn vor den Blicken. Der Sarg war von allen Dingen umgeben, die der alte Herr Hsin im Paradies benötigen würde; da war auch Geistergeld in kostbaren Lackbehältern mit Handmalerei; und eine getreue Nachbildung seines Heims in buntem Papier – es fehlten weder das amerikanische Badezimmer noch der chinesische Bibliotheksraum. Auf der höchsten Höhe des Sarges stand eine rührende und bezaubernde Nachbildung des »Pavillons der Vögel«; denn jeder, vom Aufsichtsrat bis zum Fußbodenkuli, wußte, daß der alte Herr Hsin glauben würde, er hätte sich im Geisterreich in der Tür geirrt, wenn er seine Singvögel nicht vollzählig vorfände... Ein hölzerner Drache schmückte den Sarg zum Zeichen, daß ein Mann zu Grabe getragen wurde – bei der alten Madame Hsin aus der Familie Chou war es ein Storch gewesen. – Und dann folgten zunächst einige hundert Privatautos, Taxis, Rikschas und sodann demütige Fußgänger aus den Arbeitervierteln, denen der alte Herr Hsin jahrein, jahraus Reis verschafft hatte. Sie trugen in den rauhen und doch kunstfertigen Händen handgearbeitete Gaben, die sie auf dem Friedhof ins Grab der »Hohen Person« schmuggeln wollten. Ihre Frauen, Kinder und Enkelsöhne marschierten mit im Zuge, der sich zu ihrem Triumph zu einem kleinen stillen

Friedhof im Herzen der alten Chinesenstadt hinbewegte. »Die Hohe, Wohltätige Person« hatte gewünscht, in rein chinesischer Erde begraben zu werden. Sie hatte gewünscht, den Weg zum Paradies zusammen mit Lastträgern, Kulis, kleinen Beamten und Arbeiterfrauen anzutreten. Es war die höchste Ehre, die Shanghais Arbeitsbienen jemals widerfahren war. Sie standen stumm und ehrfürchtig bis weit in die engen Straßen hinein und flüsterten ihren Söhnen und Enkeln zu, Tugend sei der sicherste Weg zum Paradies.
So nahm ganz Shanghai an einem schwülen Tage im September Abschied von einem Manne und einer Epoche. Herr Hsin Kao-tze war ein Freund und sachlicher Kritiker der Europäer und ein unversöhnlicher Feind der Japaner gewesen; ein Vater der Armen, ein einsamer Lauscher auf den Sang der Vögel, ein weitsichtiger Planer und Ränkeschmied, der es mit Leutnant Matsubara gut und gern aufgenommen hatte. Mailin schluchzte an der Schulter ihres Vaters: der Konsul hate zum ersten Male sein Krankenbett verlassen. Mailin war ihm durch die Fügung des Geschicks zurückgegeben worden. Was konnte ihm noch geschehen? Der alte Herr Hsin hätte ihm wohl erwidert, das Schicksal sei dünn wie Papier und ein Vater dürfe seine Lieblingstöchter nicht »dem Ehemann stehlen«, indem er sie zu lange bei sich behielte. Aber Herr Hsin konnte keine Vernunft mehr predigen. Er hatte vielleicht das bessere Teil erwählt: Das Geschäft des Lebens war fragwürdig geworden. Die Europäer im Fernen Osten waren wie Singvögel auf toten Ästen.
Am Morgen nach der Beerdigung des alten Herrn Hsin brachten die Zeitungen trotzdem die Mitteilung, daß Ernst August Freiherr von Zabelsdorf in aller Stille Fräulein Anna Elisabeth Weber – aus Breslau – geheiratet hätte. Auf eine Hochzeitsreise verzichtete das junge Paar aus begreiflichen Gründen: es regnete in China japanische Bomben.
Weil der Tod so nah war, trieb die Liebe einige sonderbare Blüten. Sie ist ja überhaupt nicht »immer das gleiche«, wie so viele Menschen behaupten; jetzt aber zeigte sie mehr Variationen als japanische Chrysanthemen. Manchmal sah sie wie Haß aus.
– Oder sie war furchtsam, wie die Liebe der vielbeneideten Gattin des Leutnants Matsubara. Und diese Furcht hatte einen bestimmten Grund und war mörderischer als die Bomben, die auf die Stadt Shanghai fielen.

FÜNFTES KAPITEL

# Variationen der Liebe

LADY TATSUE MATSUBARA hatte geheiratet, weil ihr Vater und der alte Baron Matsubara, die beide eine große Rolle im japanischen Syndikatswesen spielten, es so beschlossen hatten. Sie selber war nicht gefragt geworden und hatte das auch nicht erwartet. Liebe spielte bei japanischen Eheschließungen keine Rolle. Wenn ein junger Ehemann sich unterhalten wollte, betrachtete er den Mond über Enoshima. Man heiratete nicht, um Unterhaltung zu haben – in Zeiten der Mondfinsternis gab es ja die Geishas – man heiratete, um Söhne zu bekommen, die ihren Vätern so blindlings gehorchten, wie Akiro in seiner ersten Jugend seinem liebenswürdigen und hinterhältigen Vater gehorcht hatte. Eine Frau aber, die nur Töchter zur Welt brachte, war eine pflichtvergessene Gattin, auch wenn sie wie Lady Tatsue aus großer Familie kam und die Künste der Teebereitung und des Blumen-Arrangements vollendet beherrschte. Je enttäuschter Leutnant Matsubara über seine Frau war, desto verängstigter wurde Lady Tatsue. In diesem September schnürte ihr die Angst beinahe die Kehle zu: Der Arzt hatte ihr eröffnet, daß sie keine Kinder mehr bekommen könne. Nun saß sie da mit zwei reizenden kleinen Töchtern, die von ihrem Vater kaum beachtet wurden, und all der Angst und Scham auf ihrer flachen Brust.

Am Tage der Beerdigungsfeier für den alten Herrn Hsin in Shanghai war Matsubara Akiro ohne Gruß von Tokio nach Enoshima gereist, um dort den Mond zu bewundern. Es war das erstemal in ihrer siebenjährigen Ehe, daß Lady Tatsue so unverblümt Verachtung gezeigt worden war. Akiro und sie hatten bisher immer zusammen den Mond von Enoshima betrachtet und sich einträchtig dabei gelangweilt. Das heißt: Akiro hatte sich gelangweilt, und Tatsue hatte nicht gewagt, ihn anzusprechen... Wenn es auch bereits emanzipierte Ehefrauen in Tokio gab, die ungefragt plauderten und viel zu helle und leuchtende Kimonos für ihr Alter trugen – Lady Tatsue gehörte nicht zu ihnen. Sie gehorchte ihrer Schwiegermutter, trug dem geehrten Gatten auf den Straßen von Tokio in respektvollem Abstand die Aktenmappe aus dem Westen nach, redete nie unaufgefordert und versteckte ihre beiden kleinen Mädchen, Sadako und Eiko, so gut es ging, vor den kalten Blicken ihres Erzeugers. Akiro hatte die brennende Liebe, die sich bei Lady Tatsue bald nach der Hochzeit eingestellt hatte, niemals erwidert. Bei der ersten Tochter hatte er die Stirn gerunzelt, bei der zweiten die Achseln gezuckt. Jetzt war er meistens als Tourist unterwegs; und wenn er auf Urlaub vom Dienst an Nippon nach Tokio kam, verbrachte er seine Tage und Nächte selten in dem vornehmen Hause im Westen der Stadt, nicht weit vom Palaste des Tenno.

Nachdem Lady Tatsue den Schlag mit der Mondgöttin von Enoshima überwunden hatte, faßte sie einen Entschluß. Sie war so verzweifelt über die Auskunft des Arztes, daß sie zum ersten Male Initiative entwickelte. Sie war keineswegs dumm; sie hatte nur ihr Leben lang getan, was die Autoritäten im japanischen Familienleben – Vater, Schwiegermutter und Ehemann – ihr befohlen hatten. Sie war dabei siebenundzwanzig Jahre geworden, eine stille junge Frau mit einem edlen verschlossenen Gesicht und einem Gehfehler: sie hinkte seit ihrem siebenten Lebensjahre. Sie war damals unglücklich gefallen, und ihre zarten Knochen waren auf Grund nachlässiger ärztlicher Behandlung nach dem Beinbruch schief zusammengewachsen. Akiro hatte sie trotzdem widerspruchslos geheiratet. Es war ja von Anfang an vorgesehen, daß er in ein Syndikat einheiraten würde. Tatsue hatte sich in der Brautzeit damit getröstet, daß sie ja meistens vor ihrem Manne knien würde – beim Teetrinken, beim Abendreis, beim Schuhe-Ausziehen. Und wenn sie einen Spaziergang machten, mußte sie in vorgeschriebenem Abstand hinter Akiro hergehen, und er würde daher ihr jammervolles Hinken nicht sehen. Sie verwendete eine ungeheure Zeit auf ihre kunstvolle Frisur, um ihrem Herrn und »Verbieter« zu gefallen. Akiro verbot ihr nämlich auch noch die wenigen harmlosen Freuden, die eine vornehme Japanerin kurz vor dem Zweiten Weltkrieg im Kreise ihrer weiblichen Verwandten genießen konnte. Tatsue solle erst ihre Pflicht erfüllen; sei sie erst Mutter eines jungen Barons Matsubara, so könne sie sich noch genug amüsieren! Er hatte dies zwar Lady

Tatsue niemals in dürren Worten gesagt; aber er brachte es, trotz seiner wichtigen politischen Arbeit noch fertig, alle möglichen Vorwände zu erfinden, um höflich lächelnd jedes Vergnügen von Tatsue fernzuhalten. Er hatte nämlich begonnen, sie im geheimen zu hassen. Und zwar nicht nur, weil sie eine Töchter-Gebärerin war, sondern auch weil sie ihn stumm und starrsinnig mit ihrer scheuen Leidenschaft verfolgte. Eine nutzlose Frau durfte keine Leidenschaften haben. Leutnant Matsubara war der Ansicht, daß die Studentin Yuriko, die in Shanghai für ihn privat spioniert hatte und nun in Bangkok arbeitete, dann noch eher das Recht hatte, ihn mit ihrer Liebe zu langweilen. Yuriko spionierte großartig und hatte ihm so viele Nachrichten aus Bangkok gesandt, daß er sie zur Belohnung eingeladen hatte, in gewissen Abständen mit ihm zusammen »die verehrungswürdige Dame Mond« in Enoshima zu bewundern. Er wollte vierzehn Tage dort bleiben und dann nach Bangkok kommen, als Tourist, versteht sich. Yuriko war selig. Tatsue ahnte wohl, daß ihr Mann nicht allein in Enoshima sein würde. Sie stöberte heimlich in seinen Korrespondenzen herum, fand aber nur Rechnungen oder Einladungen. Matsubara Akiro war nicht umsonst eine Autorität in der geheimen Polizei. Nur eine so arglose Liebende wie Lady Tatsue konnte annehmen, daß er die respektvollen Liebesbriefe, die Yuriko ihm schrieb, zur Inspektion in seiner Aktenmappe oder im Schreibtisch im »Westlichen Zimmer« herumliegen lassen würde.
Lady Tatsue hatte ihre beiden Töchter zu ihrer Schwiegermutter gebracht und sie gebeten, sie über das Wochenende zu behalten; sie selbst wolle Freunde am Strande von Katase besuchen. Von diesem Ausflugsort aus konnte man nach Enoshima hinübersehen ... So saß sie denn allein im Zug von Tokio nach Katase und unterdrückte ihre Angst. Ihr geehrtes Gepäck bestand aus einem zarten Seidentuch, in dem ein zerlesener Band Gedichte und je eine Locke ihrer Töchter ruhte. Lady Tatsue ging niemals ohne ihre Gedichte und ein Andenken an ihre kleinen Mädchen aus. Sie liebte und verwöhnte die beiden, um die Gleichgültigkeit der Hohen Vaterperson wiedergutzumachen. Sie erntete wenig Dank von ihren kleinen Töchtern; aber sie war so sehr gewohnt, ihre Liebe verachtet zu sehen, daß sie sich auch mit Sadakos und Eikos kindischer Geringschätzung abgefunden hatte. Nach dem unerforschlichen Prinzip, nach dem Liebe demjenigen zufällt, der sie weder begehrt noch erwirbt oder gar verdient, beteten Sadako und

Eiko ihren jugendlichen Vater starrsinnig an. Daß sie so wenig Gelegenheit hierzu hatten, vermehrte nur ihre Zuneigung. Sie waren muntere kleine Dinger in leuchtenden Kleidchen und Schlafkimonos und hatten in ihrem Wesen etwas von der liebenswürdigen Hinterhältigkeit von Großvater Matsubara. Da sie noch so klein waren, wurden sie in der Familie noch nicht hinter ihren Vettern und Großvettern zurückgesetzt. Das begann erst, wenn die Mädchen heranwuchsen.

Lady Tatsue starrte in die fliehende Landschaft hinaus. Das staubige, riesige Tokio lag hinter ihr, und das Reich der tausend Inseln Japans begann. Auf einer Station kaufte sie von den fahrenden Händlern Tee, Reis und eine *umeboshi* – eine große, in Salz und Gewürzen eingemachte Pflaume. Sie aß *umeboshi* lange nicht so gern wie den neumodischen Eiscreme; aber eine Frau, die keinen Sohn mehr bekommen konnte, hatte kein Recht auf einen solchen Genuß. So fuhr sie aus der Dämmerung in die tiefere Dunkelheit.

Der Abend war gekommen. Es war eine wundervolle Mondnacht. Tatsue verließ mit gesenkten Augen zögernd ihr billiges Hotel, wo sie ein heißes Bad genommen hatte, um sich Mut zu machen. Noch einmal durchlebte sie im Geiste die letzte furchtbare Eheszene. Sie hatte Akiro in ihrer Verzweiflung vorgelogen, sie erwarte wieder ein Kind – nur um endlich ein Lächeln von ihm zu erhalten. Aber sie dachte zu einfach für dies geschätzte Mitglied der Kempetai. Der Baron hatte den Arzt angerufen und die Wahrheit erfahren. Er nahm von vornherein an, daß Leute, die einen Vorteil erlangen wollen, die Wahrheit »verschönern«. Rasend vor Wut und Magenkrämpfen war er im Teezimmer erschienen und hatte Lady Tatsue so tief entehrt, daß sie nun in dieser Mondnacht die Konsequenzen ziehen mußte. Er hatte sie geschlagen! Allerdings war es nur ein einziger Schlag gewesen, und er hatte sich sofort entschuldigt, aber es war geschehen. Lady Tatsue, die ihr geehrter Gatte in Gedanken eine »hinkende Maus« zu nennen pflegte, hatte eine stolze japanische Seele. Ihre Seele flog; nur ihr Körper hinkte im Staube der vergänglichen Existenz.

Es war zehn Uhr abends, als Lady Tatsue zu einer einsamen Stelle am Strande von Katase hinkte und sich dort im Mondlicht zur Meditation niederließ. Ringsum flüsterten Liebespaare den bezaubernden Unsinn, den Tatsue niemals von Akiro zu hören bekommen hatte. Tatsue betrachtete das strömende weißliche Licht, den

Strand von Katase und die große Brücke, die nach der Zauberinsel von Enoshima führte. Dort erstieg Akiro vielleicht in diesem Augenblick die Terrassentempel und atmete mit Genuß den unvergleichlichen Seetangduft ein. *Akiro!* Ewig geliebter und ewig verlorener Ehemann! Lady Tatsue schluckte die Tränen mit Samurai-Tapferkeit hinunter. Ihr geehrter Urgroßvater war so berühmt gewesen, daß die Tokioer Schulkinder nach ihren Lehrbüchern von ihm sangen. Unmöglich konnte sich jemand aus dieser Familie schlagen lassen – nicht einmal eine gehorsame hinkende Ehefrau, die ihre Pflichten versäumt hatte!
Gewiß, sie war verträumt, verzog ihre Töchter, verfolgte ihren geehrten Gatten mit langweiliger »Gedanken-Liebe«; aber sie wußte nun endlich, was sie zu tun hatte. Nur so konnte sie ihre Ehre wiederherstellen und Akiro beweisen, daß sie trotz aller Mängel seiner nicht gänzlich unwürdig gewesen war. Den Brief an ihn hatte sie in Tokio aufgegeben, bevor sie den Zug nach Katase bestieg. Lady Tatsue legte einen Augenblick ihre feine schmale Hand auf ihre Brust und dann auf ihren unfruchtbaren, widerspenstigen Leib. Später setzte sie sich so dicht ans Wasser, daß sie die Brücke, die zu Akiro führte, mit einem Schritt hätte erreichen können. – Es mußten Stunden vergangen sein. Der Strand war menschenleer. Die Hochzeitspaare waren in den Hotels verschwunden und zeugten Söhne. Nur Lady Tatsue saß wie eine Statue im Mondlicht und ließ noch einmal ihre Ehe an sich vorüberziehen. Sie war so stolz auf den schönen, unnahbaren Ehemann gewesen! Ihr Herz hatte vor Glück beinahe stillgestanden, als die traditionellen Saké-Becher bei der Hochzeit von ihnen gemeinsam geleert worden waren. Sie war immer so unbeachtet gewesen, ein Hinkefuß! – Und jetzt war sie eine alte Frau von siebenundzwanzig Jahren und hatte nichts geleistet. Bis auf das eine, das noch zu tun blieb und alles in Ordnung bringen sollte! Nun würde sie im Schatten leuchten.
Sie betrachtete ihren grauen Kimono. Darunter hatte sie ein mit Chrysanthemen besticktes Gewand. Es war ein Symbol ihrer leuchtenden verborgenen Seele. Lady Tatsue sah sich noch einmal um. Dann warf sie den mausgrauen Kimono ins Meer. Sie stand einen Augenblick hochaufgerichtet in ihrem Chrysanthemengewand. Die Blüten leuchteten im Mondlicht. Sie war sorgfältig geschminkt und gepudert. Niemals hätte sie diesen Schritt mit ihrem ungeschminkten »Morgengesicht« unternommen. Um

ihren zarten langen Hals – dem Zeichen einer edlen Abstammung – hing ein billiger kleiner Talisman, den sie vor der Geburt ihres ersten Sohnes – der nie geboren worden war – gekauft und bis heute getragen hatte. Der *tanuki* war speziell für Knaben bestimmt. Sie nahm den Talisman ab, berührte ihn sanft mit den Lippen und warf ihn ins Meer, damit zukünftige Mütter von Söhnen ihn morgen nicht zerträten. Er hatte nur dreißig Sen gekostet, aber er war für einen *Taro-San* (Wichtiger Kleiner Mann: Titel für den ältesten Sohn) bestimmt gewesen. Sie stützte sich auf ihren Elfenbeinstock und empfand im letzten Augenblick ihres Lebens als Frucht ihrer Bemühung zum ersten Male Mut. Dann schritt sie langsam ins Meer und wurde eins mit der verehrungswürdigen Dame Mond. Matsubara Akiro hatte nun die Chance, viele gesunde Söhne mit einer Würdigeren zu zeugen.
Lady Tatsue lächelte, bevor die Wellen sie auffingen. –
In China heißt der Mondgott *Yüeh Lao Yeh*. Er ist ein alter Mann und stiftet Ehen. Es ist seine Pflicht, getraute Paare mit einem roten Faden miteinander zu verbinden. Der Faden soll fürs ganze Leben halten, und Yüeh Lao Yeh paßt auf, daß keiner der Ehegatten die Flucht ergreift. »Ehen werden im Mond vorbereitet«, heißt es in China. Daran glaubten alle, vom Bankier bis zum Flußpiraten und vom Singmädchen bis zur deutschen Ehefrau des Herrn Chou Tso-ling, der nach dem Tode seines Onkels in das altmodische Haus hinter der Bubbling Well Road gezogen war.
In der Mondnacht, die Lady Tatsue Matsubara zur Flucht aus dem Leben benutzt hatte, wurde in dem altmodischen Hause im verwüsteten Shanghai ein Sohn geboren. Es war ein kräftiger Junge, und er hatte als Gabe seiner Vorfahren das Blut eines chinesischen und eines jüdischen Bankiers aus dem alten Breslau erhalten. Seine Mutter war die junge hilflose Witwe eines ehemals berühmten Breslauer Strafverteidigers, der sie und ihre Freundin Anna Weber in die Stadt über dem Meere mitgenommen hatte, um dort das Geschäft des Weiterlebens zu betreiben. Und so merkwürdig und weise hatte Yüeh Lao Yeh, der chinesische Mondgott, die roten Ehefäden gewunden, daß der junge Bankier Chou Tso-ling, der das Haus des alten Herrn Hsin geerbt hatte, die vom Leben verwirrte Hanna Goldberg in eine der mächtigsten Shanghaier Familien holte. Hanna war eben nicht zur Zeitvertreibfrau geboren, und so war sie mit dem Augenblick der Heirat wieder ein Breslauer Mädchen aus einem soliden Hause.

Hanna lag in dieser Mondnacht entspannt und glücklich in dem altmodischen Bett von Mailin Wergelands Großmutter, in dem Mailins Mutter und der frühverstorbene Sohn des Hauses Hsin geboren worden waren. Einige Frauen bewegten sich leise und geschäftig in dem großen, vom Mondlicht erhellten Zimmer: die Hebamme der Familie Chou, Anna von Zabelsdorf und Mailin Wergeland. Das Kind war soeben geboren worden; Anna legte es in einem handgestickten chinesischen Knabengewand, das Schwiegermutter Chou mit ihren Gichtfingern für den erwarteten Enkelsohn bestickt hatte, in Hannas Arme. »Hier hast du deinen Sohn, Hannele«, flüsterte Anna. »Ich hole dir Tso-ling. Sie warten alle im Pavillon der Vögel.« Dann verließen Anna und Mailin mit Dr. Chou vom Foo Ming-Hospital das mondhelle Zimmer, und Hanna Chou war zum ersten Male mit ihrem Sohn allein. Er lag still an ihrer Seite, und sie betrachtete mit Staunen das Wunder der winzigen Hand und der dunklen, mandelförmigen Baby-Augen. Der Weg aus der Zeitvertreibwohnung eines jungen chinesischen Bankiers in diesen ehrwürdigen Patrizierhaushalt war weit gewesen, und der Bertel, der nun schon zwei Jahre in chinesischer Erde ruhte, war bestimmt mit dem Gang der Dinge zufrieden. Er hatte gewollt, daß die Hannele einen guten Mann und Beschützer in dieser fremden Stadt fände. Das hatte er ihr mit dem letzten Atemzuge gesagt. Und irgendwie war der Sohn, der nun an ihrer Brust ruhte, ein wenig auch der Sohn vom Bertel, dachte Hanna verschwommen. Während der wenigen Minuten, die sie mit ihrem neugeborenen Sohn allein in dem Bett mit den schweren Brokatvorhängen lag, zogen die Etappen der Shanghaier Existenz noch einmal wie Filme an ihrem geistigen Auge vorüber: das elende Zimmer in dem Hongkew-Viertel; der Bertel über einen chinesischen Schuh gebückt, den er hustend zu reparieren versuchte; der Bertel mit der Gelehrtenbrille vor den durchdringenden und guten Augen liest Lao-Tzu im Urtext; dann der letzte Husten, das letzte gute Wort, der letzte, verschleierte Blick, beschützend noch in der Ohnmacht der Liebe und des Lebens.

»Mach's gutt...«, hatte er auf gut schlesisch geflüstert, und so war er heimgegangen, erlöst aus der Flüchtlings-Existenz. Der Bertel ... ein großer Strafverteidiger, ein fröhlicher, praktischer, treusorgender »Vatel«, der nie ganz hatte begreifen können, warum die Hannele, so viel jünger und schöner und vornehmer

als er, ihn genommen hatte. Sein Vater hatte das Kolonialwarengeschäft an der Ecke gehabt, wo »Kommerzienrats« – das waren Hannas Eltern – von ihrem Diener hatten einkaufen lassen... er war ein alter Referendar unter den jungen Bengeln gewesen, ein Nachkriegsjurist mit dem »Eisernen Erster« und dem eisernen Willen seines Volkes. Er hatte es in sich gehabt, wenn es auch nur die Hanna jahrelang gewußt hatte. – Sie hatte später sein Haus in großem Stil geführt. Es half der Karriere. Den Rest besorgte der Bertel selbst.
Die Beerdigung in Shanghai... Die Chinesen in weißen Trauergewändern. Einsamkeit, die am Herzen riß. Ein dumpfer Kopf. »Ich halt's nimmer in dem chinesischen Krankenhaus aus, Annele! Ich schaffe es nicht; der Bertel... hat mich halt zu sehr verwöhnt.« Annas Trostworte und Annas Gehalt... Kündigung vom chinesischen Hospital. »Die weiße Dame ist viel zu schade für unser armseliges Krankenhaus. Es ist der weißen Dame unwürdig.« Die chinesische Art, ein dummes Luder an die Frühlingsluft zu setzen! Eine Tai-Tai (Dame) ohne Dollars war schlimmer dran als ein Straßenhund ohne Herrn.
Und dann der schreckliche Abend im letzten Breslauer Abendkleid und im Pelz mit den Mottenlöchern. Die Hannele hatte sich nie um die Garderobe kümmern müssen. Das hatte die Jungfer getan – oder der Bertel, der immer noch kein Ding umkommen sehen konnte, weil er wußte, wie hart man dafür arbeiten mußte. Hanna hatte die Augen ganz fest zugemacht und in den Armen eines Chinesen an den Bertel gedacht. Und Anna hatte geweint, als Hannele, das große Sorgenkind, das Dr. Goldberg ihr anvertraut hatte, ihr das »Schandgeld« zugeschoben hatte. Sie wollte endlich zur Miete und zum Abendreis beitragen! Die einzige Tochter von Kommerzienrat Stein konnte sich nicht immerfort von der Annele etwas schenken lassen.
Eines Nachts in einem Tanzlokal war da plötzlich Herr *Chou Tso-ling*, der Neffe des alten Herrn Hsin, an ihrem Tisch, ein junger Bankier, im Ausland erzogen. »Du... der ist ein fetter Happen. Mach dich 'ran«, flüsterte die Managerin, eine Weißrussin. Aber Hanna hatte sich nicht 'rangemacht! Herr Chou hatte mit ihr getanzt, Sekt bestellt, geplaudert. Solch eine Frau hatte er im »Emporium des Blauen Lotos« noch gar nicht erlebt! Das war ja eine Dame mit gutem Englisch, Bescheidenheit und todtraurigen, wunderschönen Augen. Wo wohnen Sie, Madame?

– Hm ... eine traurige Adresse für eine weiße Göttin. Heimfahrt in Herrn Chous nagelneuem Cadillac. Darf ich Sie wiedersehen, Madame? ›Jederzeit. Sie brauchen nur zu bezahlen. Ich bin im Blauen Lotos angestellt. Im ersten Stock Schlafzimmer. Opiumzimmer. Spiegelzimmer. Bitte sehr!‹ Das hatte Hanna natürlich nicht gesagt: so antwortete man nicht in Breslau. »Sehr gern, Sir«, hatte sie gemurmelt.
Dann hatte der junge Herr Chou Tso-ling den Fall mit seinen Vettern, Dr. Chou aus Shanghai und Jimmy aus Singapore, besprochen. Und Jimmy, der Weltmann mit einem so lebensprühenden Gesicht, daß Cousine Mailin Hsin-Wergeland Herzklopfen beim Anblick bekommen hatte – Jimmy hatte Tso-ling geraten, diese merkwürdige Dame in eine eigene Wohnung zu setzen und dann – die jungen Männer hatten genickt und gelächelt: Damen, die im »Emporium des Blauen Lotos« arbeiteten? Aber wenn Bankiers romantisch würden, finge es immer im Kopf an, hatte Jimmy gemeint. Er war keine Spur romantisch – und verliebt erst recht nicht.
Hanna hatte sich von Herrn Chou natürlich nicht die Wohnung schenken lassen, sondern ohne Murren mit festgeschlossenen Augen dafür bezahlt. Sie war den ganzen Tag allein. Nur mittags lud sie Anna Weber zum Tiffin und kochte alle Lieblingsgerichte von Bertel. Ja das Kochen ... so hatte es angefangen. »Wir können den Kochboy sparen, Tso-ling«, hatte Hannele gesagt. »*Ich* koche viel besser.« Nach und nach hatte sie ein Heim aus der süßen kleinen Hurenwohnung, dem *Apartment* der Zeitvertreibfrauen, gemacht, ein elegantes, würdevolles Heim, in das der junge Herr Chou aufatmend des Abends nach den Geschäften flüchtete. Sie war zu sich gekommen. Hanna war – mochte auch alles drum und dran noch so verkehrt sein – endlich wieder an einem Platz, für den sie geschaffen war. Sie konnte zwar nicht mit Grazie Nachtpötte lehren, aber sie konnte ein Haus führen, und sie konnte sticken. Das hatte sie in einem feudalen Töchterpensionat unter bitteren Tränen gelernt: Luxusstickerei auf kostbarem Material. Die Annele sah die Sachen und verkaufte sie unter der Hand im Kosmetiksalon von Madame Ninette.
Dann war der große Augenblick gekommen: ein Abend wie jeder andere in Shanghai und doch für Hanna ein Abend der Wiedergeburt. Sie hatte keinen chinesischen Mandarinmantel und keinen seidenen Pyjama angehabt, als Tso-ling zum Dinner eintraf.

Sie trug ein rohseidenes Kleid aus Breslau, das so einfach und schmucklos aussah, daß es ein Vermögen gekostet haben mußte. Beim Mokka kam der Moment, der ihrem Leben die große Wendung gab. Sie stand auf und hatte wieder die mühelos eleganten Bewegungen, die schon den Bertel aus dem Kolonialwarenladen bezaubert hatten. Sie reichte Herrn Chou einen Umschlag. »Dies ist die Miete, Tso-ling«, sagte sie ruhig. »Ich verdiene nun mit meinen Handarbeiten so viel, daß du von jetzt ab *mein* Gast in dieser Wohnung sein wirst. Ich bin sehr glücklich, dich hier zu haben, mein Lieber.«

Der junge Bankier starrte seine Zeitvertreibfrau einen Augenblick sprachlos an. Seine dunklen klugen Augen wanderten von dem Modellkleid, das um so vornehmer wirkte, weil es ein klein wenig veraltet war, zu dem Gedeck, das Hanna gestickt, zu den Möbeln, die sie jedes überflüssigen Zierats beraubt hatte, zu dem feinen ovalen Gesicht mit den traurigen Augen.

»Erzähle mir von deiner Familie, Hanna«, sagte er schließlich sehr ruhig. Es war wie ein Orden, den man unversehens an die Brust geheftet bekam. Hanna erzählte zum ersten Male. Sie erzählte von der Kindheit, vom Elternhaus, vom Bertel. Immer wieder vom Bertel! Ganz Breslau hatte sich gedrängt, wenn er verteidigt hatte... Das große Sommerhaus mit dem Blick auf den See. Und dann Shanghai. Sie erzählte leise, als ob es nicht ihr eigenes Leben wäre, von dem sie berichtete; aber es war ihr Leben. Sie machte Bilanz – wie jeder Bankier in Breslau oder Shanghai.

»Ich würde mich freuen, wenn du nächste Woche meine Mutter mit mir besuchen wolltest«, sagte Chou Tso-ling. Es war ein weiter, sehr schwer gangbarer Weg von der reizenden Hurenwohnung, die schon lange ein echtes Heim war, zu der alten Madame Chou an der Great Western Road am Rande der Riesenstadt. Am Ende der Road, wo die Villa der Chous stand, blickte man auf freies Land mit Feldern, Platanenalleen und Kanälen, in denen reiner Lotos blühte. Dort hatten dann Tso-ling und Hanna Hochzeit gefeiert, nachdem Madame Chou sie haargenau besichtigt und ihr das sorgsam gehütete Rezept für Honig-Ingwer verraten hatte. Das war bei ihrem ersten Besuch gewesen. Danach kam die alte Madame Chou mit unzähligen Dienerinnen und Großnichten zum Tee zu Hanna. Sie hatte sich in dem Flat der deutschen »Stick-Meisterin« umgesehen und sachkundig die Ser-

vietten geprüft, die Hanna mit Hohlsaum versehen hatte. Bis zur Hochzeit hatte Hanna im Hause ihrer Schwiegermutter gelebt. Die alte Madame Chou hatte dann Anna Weber sofort eine Stellung als Aushilfsschwester im Foo Ming-Hospital verschafft. So war noch alles gut geworden. –
Plötzlich stand Tso-ling in dem mondhellen Schlafzimmer. Er neigte sich feierlich und schweigend über seine Frau und seinen Sohn. Ein kräftiger prächtiger Enkelsohn für die alte Madame Chou, die seine Hanna so gründlich ins Herz geschlossen hatte. Sie hätte ihr heute keine chinesische Schwiegertochter mehr vorgezogen. Hanna konnte kochen, Gäste empfangen und Söhne gebären. Sie hatte der Familie Chou »tausend glückselige Stunden« gebracht.
»Wie soll er heißen?« fragte Hanna. Ihre Augen strahlten wie dunkle Sonnen.
»*Herbert Chou*«, sagte Tso-ling und küßte sie.
So kam es, daß der älteste Sohn des Bankiers Chou Tso-ling den Vornamen eines Breslauer Strafverteidigers erhielt.

*

Draußen im Pavillon der Vögel war es sehr still geworden. Sie wohnten augenblicklich noch alle bei Chou Tso-ling und Hanna in der Villa hinter der Bubbling Well Road: Konsul Wergeland, Astrid in ihrem Krankenzimmer, Mailin und Jimmy Chou, der morgen nach Singapore zurückreisen mußte. Mit chinesischer Gastfreundschaft hatte Tso-ling darauf bestanden, daß Mailins Angehörige bis zu Astrids Genesung bei ihm wohnten. Wenn wieder Bombengefahr komme, seien sie dann alle zusammen, wie es sich für eine große Familie gehöre.
Astrid schlief einen unruhigen Schlaf. Sie erholte sich sehr langsam: Pierre war wieder abgereist. Sie lebte nur halb ohne ihn. Und sie hatte das quälende Gefühl, daß ihr Verlobter noch ein volles und farbiges Leben ohne sie lebte – was den Tatsachen entsprach. Sie hatte nun ein Leben lang Zeit, etwas über diese Existenzen und Verwandlungen eines einzigen Mannes herauszufinden. Beim Abschied hatte es eine leichte Verstimmung gegeben, die erste der vielen leichten Verstimmungen dieses ungleichen Paares, das unter Liebe so grundverschiedene Dinge verstand. Astrid hatte Mailin in ihrer Sorge um die Zukunft einen

Brief an Amélie Clermont nach Paris diktiert. Sie hatte ihre Verlobung mitgeteilt und Amélie gebeten, sich in Paris zu erkundigen, ob Pierre dort nicht Vorlesungen über die archäologischen Funde und Arbeiten in Hanoi halten oder wieder einen guten Posten bei Zeitungen und Zeitschriften bekleiden könne. Sie wollten in zwei Jahren heiraten, und bis dahin würden Clermonts es bei ihren Beziehungen zu ganz Paris schon schaffen. Es schien Astrid bei aller Liebe ausgeschlossen, sich in Hanoi unter Tonkinesen und Chinesen zu vergraben. Sie wollte in Paris einen Hutsalon eröffnen, sobald sie ausgelernt hatte. Sie war ein sehr modernes Mädchen und hoffte eine musterhafte Ehefrau zu werden.
Amélie hatte geantwortet, daß sehr gute Aussichten für Pierre bestünden. In Paris sei man sich klar, welch einen Kulturfaktor die Museen und Ausgrabungen in Indochina darstellten. Anstatt seiner Braut für ihre Bemühungen begeistert zu danken, hatte der redegewandte Herr de Maury zunächst wie ein Trappist geschwiegen. Schließlich hatte er sehr kühl bemerkt, er fände es nicht sympathisch, wenn Bräute sich um die Karriere des Zukünftigen bemühten. Sie würden so leicht Hyänen bei dieser Beschäftigung; und die Männer täten ja trotzdem, was sie für richtig hielten. Da Astrid leider alles immer ganz genau wissen wollte, fragte sie, ob Pierre sie nicht mehr liebe.
»Ich liebe dich leidenschaftlich, meine kleine Hyäne«, hatte Pierre geantwortet; aber die Antwort hatte Astrid mißfallen. Sie hatte die Auseinandersetzung vertagen müssen, da Herr de Maury nach Bangkok abgereist war. Wen er dort treffen, was und wo und warum er dorthin fahren wollte, hatte er nicht enthüllt. Astrid hatte alle Tränen erfolgreich verschluckt und Pierres Abschiedskuß mit geschlossenen Augen empfangen. Nun lag sie reglos im Mondlicht und weinte endlich in Ruhe und Muße. Sie weinte so selten, daß sie es sehr genoß. Dann betete sie zerstreut, aber hartnäckig. *Was* machte sie falsch? *Was* sollte sie anstellen, um diesen Mann vollkommen zu besitzen? Es fiel ihr nichts ein. Pierre! Das war das einzige, was ihr einfiel.
Astrid hoffte, bald abreisen zu können, aber eine wirkliche Wohltat hatte Shanghai ihr gebracht: Freundschaft! In diesen Tagen, da es nur Bomben, Küsse und Tod in Shanghai zu geben schien, hatte Astrid – krank, schwach und durch eine problematische Liebe verwirrt – eine Freundin fürs Leben gewonnen: Hanna

Chou, die deutsche Frau ihres Gastgebers. Die beiden jungen Frauen aus so verschiedenen Milieus und Gefühlswelten hatten zueinander gefunden, ohne daß Astrid einen Finger gerührt hatte. Es war ein Wunder. Vielleicht hatte sie Hannas Zuneigung und Anteilnahme erregt, weil sie einmal im Leben *nichts* geplant und sich nicht krampfhaft darum bemüht hatte, die Meistgeliebte zu sein. Vielleicht war es aber auch, weil Hanna mit ihrer Leidenserfahrung, die sie weit über ihre Jahre reif und liebevoll gemacht hatte, spürte, daß Astrid sehr einsam und aus Angst vor Enttäuschungen hochmütig war. Sie hatte Astrid sanft und wie nebenbei eine Reihe guter Ratschläge gegeben, wie sie Pierre de Maury behandeln sollte. Astrid hatte keinen einzigen davon befolgt; und so blieb es ihre Gewohnheit, dem Geliebten im richtigen Moment das Falsche und das Richtige im falschen Moment zu sagen. –
Astrid klingelte. »Purpurroter Kuckuck« erschien auf Filzsohlen. Die alte Frau fragte mit tyrannischer Demut, ob jemand Junge Missie geärgert hätte. Da Astrid fand, daß dies eine Dienerin nichts anginge, befahl sie der treuen Gesellschafterin des alten Herrn Hsin, die Vorhänge dicht zuzuziehen.
Purpurroter Kuckuck kicherte. »Mond ärgert Junge Missie.« Sie blickte das blasse junge Gesicht auf den Kissen mit verzehrender Neugierde an. »Junger Frenchie-Master« war abgereist. Kein Wunder, daß der Mann im Monde die einsame Braut ärgerte.
Als sie heraushuschen wollte, rief Astrid sie zurück. »Ich danke dir, Kuckuck«, sagte sie in dem Shanghai-Chinesisch ihrer Kindheit. »Kannst du mich bitte massieren?«
Die alte Dienerin nickte geschmeichelt. Dabei schätzte Astrid weniger ihre Kunst als ihre Unterhaltung. Eine alte schlaue Chinesin war bedeutend besser als die Fratzen der Liebe. »Kleine Hyäne« hatte Pierre sie genannt. Bei diesem Gedanken brach Astrid endlich in Tränen aus. Purpurroter Kuckuck blickte sie mit ihren weisen alten Schlitzaugen an. Sie hatte an der Tür gelauscht, wie sich Junge Missie mit dem Teiggesicht und Frenchie-Master aus Indochina unterhalten hatten. Kuckuck hatte die Worte der Fremden Teufel nicht verstanden, aber den Ton. »Glück kommt, Glück geht, Missie! Nacht schwarz, Mond hell!«
Astrid hörte auf zu weinen. Sie blickte das alte Kuckucksei scheu und dankbar an. Es gibt nichts Tröstlicheres als eine chinesische Dienerin in einem alten feinen Hause.

»Vielen Dank für die Massage, Purpurroter Kuckuck«, murmelte sie im Einschlafen. Die Alte ging ans Fenster und zog die Vorhänge wieder auf. Es war schlecht für die Liebe, wenn eine Jungfrau den Mond aussperrte.

»Pack aus, Annchen«, sagte Herr von Zabelsdorf zu seiner frischgebackenen Ehefrau auf einer Mondveranda im Französischen Viertel. »Warum bist du mir eigentlich vor der Bomberei ausgerückt?«

»Es gab verschiedene Gründe.« Anna zögerte. »Ich glaube, Ernstel, ich war sehr albern.«

»Ausgeschlossen.«

»Doch, doch! Eine... eine japanische Kellnerin in der ›Weißen Chrysantheme‹ lernte Deutsch bei mir. Wegen des Antikomintern-Paktes, sagte sie. Es kämen jetzt viele Deutsche ins Restaurant.«

»Was hat das mit uns zu tun?«

Anna sah plötzlich streng aus. »Meine Schülerin sagte mir – ich meine, in ihrer unschuldigen japanischen Art – daß sie, daß du...«

»Immer raus mit der Sprache, Kleine!«

»Daß sie dir oft die Zeit vertreibe. Du verstehst schon...«

»Ich verstehe kein Wort, Anna.«

Er hatte »Anna« gesagt. Im Mondlicht sah sein langes intelligentes Pferdegesicht mit den scharfen Augen hart aus. »Was ist das nun wieder für eine Schweinerei?« murmelte Herr von Zabelsdorf nachdenklich. »Wie hieß deine Schülerin?«

»Yuriko. Ich erfuhr es durch Zufall im Restaurant. Sie hatte im voraus für die deutschen Stunden bezahlt, weil...«

»Warum?«

»Weil ich kein Geld mehr hatte, Ernstel«, sagte Annchen ziemlich verzweifelt. »Eine Zeitlang mußte ich doch für die Hannele mitsorgen. Und so...«

»Du hast ja viel Vertrauen zu mir gehabt.« Ernst August von Zabelsdorf berlinerte nicht und lächelte nicht. »Diese verfluchte Stadt. Und darin ein kleines Ding wie du...«

»Yuriko war plötzlich abgereist. Nach Bangkok, glaube ich. Ich war ihr noch zwei Stunden schuldig.« Anna ahnte nicht, daß Leutnant Matsubaras Agentin versucht hatte, sie so aufzuhetzen, daß sie sich bereit fände, Herrn von Zabelsdorf die Korrespondenz mit chinesischen Bankiers zu stehlen. Akiro hatte die Deut-

schen in Verdacht, die nationale chinesische Armee zu beliefern. Waffen für Chiang Kai-shek waren kein schlechtes Geschäft.
»Schwamm drüber, Annchen. Komm, gib deinem ollen Invaliden einen Kuß. Du brauchst dir keine Sorgen zu machen: Ick bin een dussliger Hund, ick bin treu ...«

*

Nur Jimmy Chou aus Singapore war noch im Pavillon der Vögel zurückgeblieben. Wie ein altmodischer Chinese betrachtete er den Mond – den Freund der Taoisten und Pazifisten. Aus Hanna Chous Hof klangen fröhliche Stimmen: ein Sohn war geboren.
Jimmy wollte morgen Shanghai verlassen. In diesem alten Hause schien das Leben der Vorfahren weiterzugehen, als ob kein Krieg wäre und die Japaner nicht die Yangtze-Orte zerbombten. Von fern klang das dumpfe Geräusch einer Trommel. Shanghaier Taoisten-Mönche beteten für die Cholera-Kranken am Rande der Stadt.
Mr. James Chou las noch einmal seine Post aus Singapore. Er nickte dreimal wie ein alter Jahrmarktgott in chinesischem Festtrubel. Also sein Vater war nicht gegen den neuen Plan. Jimmys Entschluß war gefaßt.
Mailin erschien in einem apfelgrünen Kleide.
»Ein Sohn ist geboren, Vetter Chou!« rief sie und blickte ihn nicht an. »Wollen Sie nicht zu Hanna kommen?«
»Später, Cousine Mailin! Bitte kommen Sie doch zu mir in den Pavillon! Morgen ist es zu spät. Ich fahre nach Singapore zurück.«
»Glückliche Reise, Vetter Chou.«
»Der Name ist Jimmy, Cousine Hsin!«
Pause. Jimmy und Mailin betrachteten den Mond. Die Vögel schliefen. Die Welt schlief.
»Mein Vater hat geschrieben, Mailin. Er bittet Sie, uns in Singapore zu besuchen. Mein älterer Bruder möchte Sie auch gern kennenlernen.«
»Ich danke Ihnen vielmals für die große Ehre«, sagte Mailin und verneigte sich wohlerzogen, »aber ich möchte bei meinem Vater und meiner Tante Helene bleiben, wenn wir nun fahren. In einer Woche wird es uns möglich sein. Astrid bleibt noch bei Hanna und Tso-ling, bis sie gesund ist.«

Der elegante Jimmy Chou blickte von seiner Höhe auf die winzige Mailin hinunter. Vögelchen, dachte er und schwieg einen Augenblick. Sein sonst so lebendiges Gesicht war ein wenig starr.
»Bedeutet das, daß Sie uns niemals besuchen wollen, Mailin? Seien Sie zur Abwechslung europäisch und sagen Sie mir die ungeschminkte Wahrheit.«
»Ich möchte in Bangkok bleiben, das ist alles, Cousin Chou.«
»Möchten Sie meine Braut nicht kennenlernen?«
»Warum fragen Sie?«
»Mailin, wir möchten Sie noch enger an unsere Familie binden. Sie wären eine wundervolle Frau für meinen Bruder.«
»Ich werde niemals heiraten, Cousin Chou.«
Mailin senkte den Kopf, denn Blicke werden im Herzen geboren.
»Aber Sie werden doch wenigstens zu meiner Hochzeit kommen?«
Mailin schwieg. Man verlor an Tugend, wenn man dem Geliebten sein Herz zeigte, vor allem, wenn er es verschmähte. Plötzlich hob Mailin den Kopf und blickte Cousin Chou groß an. Das Wergeland-Erbe in ihr brach sich Bahn. »Ich werde *nicht* zu Ihrer Hochzeit kommen. Gute Nacht, Cousin Chou.«
Der Mond traf sie wie ein Dolch.
»Dann kann ich aber nicht heiraten«, rief Cousin Jimmy in komischem Entsetzen. Doch in seiner Stimme war noch etwas anderes – eine Frage – etwas Ernstes, das sich nach chinesischer Art hinter einem Scherz verbarg.
»Wie meinen Sie das, Cousin Chou?«
Irgendein Vogel erwachte und begann im Traum zu singen. Die Föhren standen im Mondlicht wie silberne Schwerter. Liebe war ein Schwert, das der alte Yüeh Lao Yeh im Monde schmiedete. Kein seidener Faden konnte so schmerzen.
»Haben Sie schon eine Hochzeit ohne Braut gesehen?« erkundigte sich Cousin Chou und umfaßte Mailin mit brennenden Blicken. Er hob sie wie eine Federwolke in die Höhe und betrachtete im Lichte dessen, der Eheleute zusammenband, das zarte Gesicht mit den unergründlichen chinesischen Augen und der schmalen Nase der Wergelands.
»Mailin... Vogelmädchen...«, flüsterte er. »Hast du immer noch nicht verstanden?«

Auf diese Weise teilte Mr. James Chou der Enkelin des alten Herrn Hsin mit, daß er seine Verlobung in Singapore gelöst hatte und daß Mailin dem Hause Chou als geehrte Gattin und Mutter vieler Söhne zugeführt werden sollte. Mit ihrem Vater hatte Jimmy Chou schon gesprochen. Der Konsul sah ein, daß Töchter ein Geschenk auf Zeit waren. Vor allem hatte er eingesehen, daß Mailins Leben ein chinesisches Leben sein mußte. Er hatte zu lange im Fernen Osten gelebt, um eine Heirat mit einem Chou nicht als beste Lösung für diese Lieblingstochter zu würdigen. Er selbst würde einfach einen Teil des Jahres in Singapore verbringen. Im Unterbewußtsein hatte er sich schon für immer im Fernen Osten niedergelassen, um Mailin nicht zu verlieren. Der Instinkt des liebenden Vaters hatte ihm längst gesagt, daß Mailin nach ihrer Rückkehr in den Fernen Osten niemals mehr in Europa leben würde.

Spät in der Nacht, als alle den Neuverlobten gratuliert und mit heißem Wein auf tausend Jahre Glück angestoßen hatten, fragte Mailin ihren Verlobten, ob er enttäuscht sein würde, wenn sie ihm eine Tochter statt eines Sohnes schenkte. Sie wußte nicht, was sie zu dieser Frage getrieben haben mochte. Sie hatte nur das Gesicht betrachtet, das lebendiger als alle anderen war, und eine kleine asiatische Angst war in ihr aufgestiegen; nicht die würgende Angst, die Baron Matsubaras Ehefrau in den Tod getrieben hatte, nur ein Bedürfnis, das moralische »Gesicht« ihres Zukünftigen zu erforschen.

»Unter einer Bedingung wäre eine Tochter mir recht«, sagte Jimmy Chou mit mehr Energie, als die Gelegenheit erforderte. »Sie müßte wie du aussehen!«

Er war schon von der neuen Generation, die in Singapore unter den Engländern herangewachsen war. Und er war Chinese. Er war nicht von dornenreichen Pflicht-Bergen eingeschlossen wie Leutnant Matsubara – und sein Volk.

In dieser Mondnacht im späten September 1937 wußte keiner der Beteiligten, daß die einzig Gesicherten unter ihnen die beiden jungen Frauen, Hanna Chou und Mailin Wergeland, waren. Ihrem Herzen folgend, hatten sie sich kompromißlos in die chinesische Welt eingefügt, wo sie alles zu überleben vermochten, was in den nächsten acht Jahren in Ostasien geschah.

Alle anderen waren Singvögel auf toten Ästen. Aber sie wußten es nicht – noch nicht! Und auch das wußten die Menschen des

Westens nicht, daß Frauen in chinesischen Familien in einem Hause leben, das trotz Krieg, Bomben, Revolution und privaten Enttäuschungen wie ein Fels im Meer der Zeiten steht. »Eine Familie kann verarmen«, hatte der alte Herr Hsin öfters bemerkt, »aber sie wird durch Eintracht und Söhne wieder reich. Die Mütter sind die verborgenen Juwelen...«
So ein Juwel lag in dieser Septembernacht in dem alten Haus der Hsins hinter der Bubbling Well Road. Hanna Chou schlief mit ihrem »Mannkinde« im Arm.
Alle schliefen, selbst Astrid hatte endlich Ruhe gefunden. Nur Fräulein Wergeland in Bangkok fand keinen Schlaf. Sie las zum fünften Male einen Brief mit überraschenden Nachrichten aus Shanghai. – Wenn sich auch fast alles änderte, so daß ein Außenstehender das Leben in Asien kaum wiedererkennen konnte, als die Bühne sich ruckartig drehte, einige hinunterfielen und andere heraufsprangen: Fräulein Wergeland drehte sich nicht und änderte sich nicht. Sie haßte immer noch Überraschungen, Szenen und Drückeberger. Sie liebte Mailin, ertrug Astrid und machte sich Sorgen um das Kind Vivica.
Aber das nützte alles nichts. Die ostasiatische Bühne öffnete sich für Baron Akiro Matsubara und Millionen seiner Landsleute. Sie drehte sich schon in jener Nacht des Jahres 1937, als die Vögel in der Villa Chou im Mondlicht sangen und die Äste knackten.
Yumei erschien auf nackten Füßen auf Fräulein Wergelands Veranda in Bangkok. Es war zwei Uhr nachts. »Jüngste Schwester schreit, Mem«, flüsterte sie. »Schreit wieder wie Fuchsgeist.«
»Dummes Zeug«, sagte Fräulein Wergeland und stand auf. »Sie träumt nur.« — »Was ist denn, Vivie?« fragte sie kurz darauf und schüttelte das Kind wach. Sein bezauberndes Gesichtchen war verzerrt.
»Die Tür, Tante Helene«, flüsterte Vivica aufgeregt. »Jemand hat die Tür zugeschlagen. War es die Mondgöttin?«
»Unsinn! Die Tür steht weit offen. Aber komm!«
Sie trug das zitternde Kind unter ihr eigenes Moskitonetz.
Wie soll das werden? dachte sie bei sich. Knut hätte das mit den offenen Türen niemals erlauben dürfen. Sie blickte Vivica grübelnd an. Es gab so vieles im Leben, was man aushalten mußte. Wenn Vivica schon jetzt keine geschlossene Tür ertragen konnte, wie sollte es werden, wenn sie es einmal mußte? In Trondheim im Winter – oder in Hotels oder gar in einem Ge-

fängnis? Grundgütiger Himmel, wie kam sie auf diese Idee? Ich spinne..., dachte sie, gähnte laut und ging schlafen.

Es war genau sieben Jahre, bevor Vivica Wergeland auf eine Tür starrte, die kein Schrei und keine Beschützerin öffnen konnte.

## ZWEITES BUCH

# Wo Tränen verboten sind ...

# DIE FERNÖSTLICHE DREHBÜHNE 1941—1945

Informationsblatt für Gleichgültige

*»Tenno heika banzai!«*
*(Laßt uns für den Kaiser sterben!)*

*Politische Erdbeben sind zu unseren Lebzeiten so häufig vorgekommen, daß sie eigentlich niemanden mehr überraschen dürften. Dennoch sind unzählige Zeitgenossen immer wieder unvorbereitet, wenn die Erde sich plötzlich auftut, um sie mit Mann und Maus, Bankkonto und Briefmarkensammlung zu verschlingen. Die Europäer in Singapore, Bangkok, Batavia und umliegenden Ortschaften tranken noch Cocktails und spielten Golf, als die Kaiserlich-Japanische Armee schon vor den Toren ihrer Sportklubs und Wohnschlösser stand. So tat sich nach dem 8. Dezember 1941 die Erde auf: die weißen Götter von Hongkong, Singapore, Niederländisch-Indien und den Philippinen wurden in japanische Internierungslager oder zur Zwangsarbeit an der Siam-Burma-Bahnlinie abgeführt. Das heißt, soweit sie Amerikaner, Engländer oder Holländer waren. Es blieben im japanisch besetzten Ostasien nur Skandinavier, Schweizer, Pétain-Franzosen, Deutsche, Italiener und Russen als »freie Gäste« zurück. Zu diesen Bevorzugten gehörte auch die Familie Wergeland, die infolge der Besetzung Norwegens durch die deutschen Nationalsozialisten auf die geplante Heimkehr verzichtete. Sie zog das japanisch besetzte Siam vor. Dort konnte Fräulein Wergeland immer noch jedem Besucher die Wahrheit wie einen nassen Lappen ins Gesicht werfen, was ihr in Trondheim in diesen Jahren übel bekommen wäre ... Als sich dann aber in Bangkok die Erde auftat, um die Wergelands zu verschlingen, waren sie gänzlich unvorbereitet. Wie die meisten Menschen des Westens, hatten Wergelands Japans Vorbereitungen zum Kampf um die Weltherrschaft im verflossenen Jahrzehnt mit einer Naivität ignoriert, die sich nun*

*bitter rächte. Die Lektion, die Japan in der Periode der »Aufgehenden Sonne« den weißen Göttern erteilte, rüttelte sie unsanft aus dem Schlaf der Gleichgültigkeit. Ob sie wollten oder nicht, sie mußten sich nun mit den Japanern beschäftigen... Zu spät fanden Amerikaner und Europäer heraus, daß Reisende, wie Hauptmann Saito und Leutnant Matsubara, alles andere als Touristen und obendrein unerbittliche Feinde der weißen Rasse waren; und daß das Land der Chrysanthemen, der Geishas und der anmutigen Höflichkeiten ein von machtberauschten Militärs geführter Polizeistaat war.*
*Die Jahre zwischen Pearl Harbour und dem Sonnenuntergang in Hiroshima (1941 bis August 1945), diese einzigartige Periode des »Kaiserlichen Chrysanthemenwunders«, wie es in den japanischen Propagandaschriften der Kriegsjahre hieß, bis zum »Sturz Nippons in unfaßbare Tiefe«, wie General Mac Arthur Japans Niederlage genannt hat – diese Periode sollte der Westen lieber nicht wieder vergessen. Nicht nur, weil Japan damals den ersten großen Rassenkrieg der Neuzeit entfesselt hat, den die Tokio-Presse und Tokio-Radio als den Versuch bezeichneten, »eintausend Millionen Menschen in Asien in einen ›Heiligen Krieg‹ gegen die weiße Rasse zu führen«. Diese kurze Periode, die Tausenden von Europäern und Amerikanern Tod, Leiden und geistige Verwirrung brachte, zeigte in jeder Phase, daß Gleichgültigkeit gegen die Völker des Fernen Ostens in künftigen Zeiten das Ende der westlichen Welt bedeuten könnte. Japaner, Chinesen und Inder zu verstehen, ist für den Westen eine Lebensnotwendigkeit. – Leutnant Matsubara und seine Puppen waren bereits Hauptakteure auf der fernöstlichen Drehbühne, als wir sie noch als Statisten betrachteten. Sie können jeden Tag wieder Shinto-Chrysanthemen züchten, die uns wie hübsche Gartenblumen vorkommen. Es ist ihr Nationalsport. Auch die Sucht, für den Tenno zu sterben, ist immer noch vorhanden. Man singt nur nicht so viel.*
*Außer der Todespropaganda, die von 1941 bis 1945 die berühmten japanischen Selbstmordbrigaden in dem Kampf um den Pazifik sandte, gab es noch die Wirtschaftspropaganda für die besiegten »Kleinen Brüder« in Südostasien. Die »Co-Prosperity Sphere« (die Wohlstands-Gemeinschaft im »Größeren Ostasien«) wurde unermüdlich propagiert, aber nur zum geringen Teil durchgesetzt. Es war ein Wirtschaftsplan auf Glanzpapier; er sollte Nippon die fehlenden Rohstoffe und die Dankbarkeit der bisher vom*

*Westen ausgebeuteten Asiaten in Malaya, Holländisch-Indien, Indochina, Siam, Burma und den Philippinen eintragen. Unter dem Motto, Asien für ewige Zeiten den Asiaten zu sichern, nahmen die siegreichen Legionen des Tenno den Eingeborenen dieser Gebiete mit heiligem Eifer Reis, Kautschuk, Kaffee und die restlichen lebenswichtigen Erzeugnisse weg. Dafür erzählten Tokio-Radio, die Zeitungen und Leutnant Matsubara von der Kempetai den Kleinen Brüdern, sie seien nun die Herren des neuen Asiens: »Wir wollen euch aus euren europäischen und amerikanischen Fesseln befreien und euch eine eigene Geschichte geben, mit dem Kaiserlichen Nippon als Mittelpunkt und dem Mythos von einer ›Neuen Welt‹, die auf Shinto, dem Wege der Götter, basiert.« (Plan der erzieherischen Mobilisation von Takeja Fushimi; Tokio; Februar 1940.)*
*Das dritte Phänomen der Periode der »Aufgehenden Sonne« – neben der organisierten Todespropaganda für den Hausgebrauch und der Wohlstandsgemeinschaft im Größeren Ostasien – war die blitzschnelle, abenteuerliche und erschreckende Verwandlung des japanischen Touristen der Vorkriegszeit in den japanischen Sieger. Nur diejenigen, welche diese Verwandlung mit eigenen Augen sahen, konnten sich ein wirkliches Bild davon machen. Die Chinesen behaupten allerdings, ein tugendhafter Sieger wäre so selten wie ein Wasserbüffel mit fünf Beinen; aber die Maske des höflichen, bewundernden Touristen fiel in diesem Fall überdurchschnittlich schnell und fatal.*
*In diesem Kriege blieb Nippon vor allem deshalb nicht siegreich, weil der tragische Mechanismus des Erfolges in der fanatischen Seele der Japaner zwei erfolgsfeindliche Phänomene zeitigte: einen statischen Größenwahn, der in scharfem Kontrast zu dem dynamischen Streben nach Weltherrschaft stand, und ein mystisches Vertrauen in den Sieg. Beides ist eine schleichende moralische Korruption, welche die Cäsaren des Ostens und Westens auf dem Gipfel der Macht gleichermaßen befällt. So saß auch Leutnant Matsubara von der Kempetai im Kerker des Erfolgs, bevor er mit Millionen seiner Landsleute den »Sturz in die unfaßbare Tiefe« tat. Er war mittlerweile im Range avanciert und schnüffelte überall im besetzten Südostasien nach Feinden des heiligen Weltstaates sowie nach Saboteuren aus den Lagern der Chinesen und freien Europäer. Es kamen in den Jahren des Triumphes ärgerliche Fälle industrieller Spionage in den Gebieten*

Siam-Indochina und Burma vor. Major Matsubara befaßte sich im Auftrag der Kempetai besonders mit diesen Fällen. Die Verräter, die wie das Regenrock-Insekt im verborgenen wirkten, teilten den Alliierten immer wieder mit, wo die »Söhne der Aufgehenden Sonne« Fabriken errichteten und in Grundstücken voller träumerischer Tropenblumen Waffendepots etablierten. Die Japaner hatten überall die größten und einsamsten Wohnschlösser der gestürzten weißen Götter beschlagnahmt und züchteten dort Orchideen und Kriegsmaterial. Major Matsubara war so findig im Aufspüren der Verräter, daß man ihn in den Kreisen der militärischen Geheimpolizei den »Spürhund« nannte. Wenn er eine Puppe der Alliierten zu fassen bekam, nahm er sie gründlich auseinander, um zu sehen, wieviel Sägemehl und wieviel Geheimnisse sich in ihrem Innern verbargen. Ganz zum Schluß, knapp vor dem apokalyptischen Ende, konnte sich Major Matsubara noch im Namen der Kempetai an einer weißen Göttin rächen. Diese Rache erregte in dem Major private Gefühle, die einem Nachkommen der Samurais übel anstanden. Denn, außer Sehnsucht nach einem glorreichen Tode für den Tenno, sowie nach dem heiligen Weltreich – Zentrale Tokio –, waren einem Spürhund Privatgefühle und deren Äußerung untersagt. Er durfte nur über die fortschreitende »Zerstörung der weißen Rasse« lachen, die einer seiner Landsleute bereits im Jahre 1938 in dem berühmten Buche »Nippon Kakushin nosho« (Das Buch von der Erneuerung Japans) angekündigt hatte. Und Major Matsubara lachte oft in der Periode der »Aufgehenden Sonne«; er lachte wie Tausende seiner Landsleute ein hohes, schrilles, nicht endenwollendes Gelächter, das den Opfern der Kempetai eisige Schauer über die Haut jagte ... Je mehr und je schriller er zu jener Zeit lachte, desto reichlicher flossen die Tränen derer, die ihn so ausgiebig belustigten.

ERSTES KAPITEL

# Finale in Angkor

In der Regenzeit des Jahres 1942 saß Fräulein Wergeland auf ihrer Veranda in Bangkok und schrieb einen Brief an Hanna Chou, Astrids Freundin in Shanghai. Es war spät am Abend, und die Moskitos schwirrten um das trübe elektrische Licht. Fräulein Wergeland war weiß gekleidet, und ihr Haar war auch weiß geworden. Zu ihren Füßen hockte die treue Yumei, die ihren Mann mit ihren Kindern im Küchenhaus gelassen hatte, um »Fröken« Gesellschaft zu leisten. Helene trug eine schwarze Binde um den weißen Ärmel ihres Tropenkleides. Die Binde war neu, genau wie die Trauer.
Plötzlich legte sie die Füllfeder beiseite und horchte stirnrunzelnd auf. Durch den Garten mit den Tropenbäumen und den schwankenden Bananenstauden drang dumpfer Gesang in ihre abendliche Einsamkeit. Auch Yumei hob den Kopf.
Drei japanische Soldaten marschierten durch die angstzitternde, totenstille Tropenstadt. Sie sangen die »Shinto-Hymne des Jahres 1942«:

>»Nippon, das heilige Land,
>kämpft für den Frieden des Ostens
>und Vernichtung der fremden Mächte.
>   Hört zu, ihr Völker der Erde!
>
>Einst gab es Japan und andere Länder,
>Bald wird es nur Nippon geben.
>   Hört zu, ihr Völker der Welt!«

»Ist das Tor geschlossen, Yumei?« fragte Fräulein Wergeland.
»Ja, Mem! Khun Yam (indischer Nachtwächter) paßt auf.«
»Sie sind neulich bei einem Dänen eingedrungen.«
»Yumei paßt gut auf, Mem! Jetzt, wo ...«
Yumei verstummte. In ihren Augen sammelten sich Tränen.

»Schon gut, Yumei«, sagte Fräulein Wergeland und preßte die Lippen zusammen.
Der Torwächter, den der Gesang der japanischen Soldaten aus seinem Schlummer gerissen hatte, war zum Tor geschlichen und hatte – hinter einer Fächerpalme verborgen – das neue Schloß noch einmal verstohlen geprüft. Sie kamen manchmal in der Nacht und holten einen Inder oder Chinesen oder die Weißen. Sie sangen und siegten und marschierten und befahlen den Kleinen Brüdern im größeren Ostasien, was ihnen einfiel.
Khun Yam schüttelte den runden Kopf mit den glühenden schwarzen Augen und dem zaghaften Munde und sang sich leise in den Schlaf. Sein einziger Sohn war in den Kellern der Kempetai und sollte dort Informationen über andere Inder geben. Khun Yam würde ihn nie wiedersehen. Wenn jemand in dieser »verbündeten« Stadt das Wort Informationen oder Kempetai hörte, lief es ihm kalt den Rücken herunter. Auf der Veranda saß immer noch die Mem mit der schwarzen Binde um den Arm ... Sie schrieb weiter.
Khun Yam summte ein uraltes Hindu-Lied, damit die würgende Sorge um seinen Sohn Amir ihn nicht wieder wie ein Tiger anfiel. Er wiegte den großen runden Kopf, stampfte mit dem riesigen Bambusstab den Takt und sang:

»Es hat keinen Sinn zu weinen,
wo Tränen verboten sind.«

Er sang ganz leise, um Mem Wergeland nicht zu stören.
Helene Wergeland strich das weiße Haar aus der Stirn und überlas noch einmal, was sie an Hanna Chou, Astrids Freundin in Shanghai, geschrieben hatte. Sie hatte sie bei Mailins Hochzeit vor zwei Jahren kennen und schätzen gelernt: eine liebe, vernünftige, junge Frau, die wußte, daß das Leben kein Picknick ist ...

*Liebe Hanna, herzlichen Dank für Ihren letzten Brief. Ich hätte längst geantwortet, wenn nicht der plötzliche Tod meines Bruders uns alle in Kummer und Unruhe gestürzt hätte. Ihre lieben Zeilen haben mir wohlgetan. Ich hatte Knut längst gebeten, sich an der Galle operieren zu lassen, aber niemand in meiner Familie hat jemals meine Ratschläge befolgt. Als dann der schwere Anfall in Singapore kam, war es vielleicht zur Rettung schon zu spät.*

*Als mein Bruder starb, war Mailin an seiner Seite. Er hat die Geburt seines Enkelsohnes nicht mehr erlebt. Es geht unserer Mailin sehr gut. »Purpurroter Kuckuck«, die alte Dienerin ihres Großvaters Hsin in Shanghai, tyrannisiert sie und das Baby nun in Singapore. Ich plane eine Reise dorthin, falls die allgemeine Unsicherheit und meine Familiensorgen es erlauben.
Da Sie, liebe Hanna, sich so liebevoll nach Astrid erkundigen, will ich kein Blatt vor den Mund nehmen. Sie sind ihre einzige Freundin und wissen, wie schwierig es mit ihr ist! Astrid ist nun glücklich fünf Jahre mit Herrn de Maury verlobt, und von Heiraten ist keine Rede. Ich war von Anfang an gegen diese Verbindung; aber auf mich hört, wie gesagt, niemand. Herr de Maury führt den Krieg als Hinderungsgrund für eine Ehe an. Ich wüßte nicht, was der Krieg mit der verfahrenen Angelegenheit zu tun hat. Astrid könnte Pierre sehr gut helfen, seine verstaubten Ausgrabungen im Museum in Hanoi zu säubern. Glauben Sie mir: Herr de Maury ist ein Drückeberger; es gehört kein besonderer Scharfsinn dazu, das zu erkennen! Ich habe in meinem langen Leben Erfahrungen mit Drückebergern gesammelt: in meinem Mütterheim in Trondheim saßen ausschließlich Schneehühner, die sich haben dumm machen lassen... Daß Astrid bei ihrer Intelligenz die Sache nicht durchschaut, ist mir ein Rätsel. Gewiß, es sind Umstände in unser aller Leben eingetreten, die auch Astrids Zukunft fragwürdig gemacht haben. Da an Mailins Hochzeitstag am 14. Juni 1940 die deutschen Truppen in Paris einzogen, kehrten Astrid und Herr de Maury nicht mehr dorthin zurück. Und seitdem führt er sie hier an der Nase herum, anstatt ihr endlich reinen Wein einzuschenken. Ich weiß, daß Sie meine Sorge verstehen, liebe Hanna! Sie sind glückliche Mutter von drei Söhnen und haben ein ausgefülltes Leben in Ihrer Familie, die ich sehr zu grüßen bitte! Die alte Madame Chou und ihr Haushalt sind ganz nach meinem Geschmack. Es ist keine Spur von Nonsens in der prächtigen Frau und kein Stäubchen auf ihren Möbeln. Ich denke immer noch mit Vergnügen an meinen Besuch in Shanghai kurz vor Mailins Hochzeit! Herr de Maury mit seinem Parlez-vous könnte von Ihrem Mann lernen, wie man sich als Heiratskandidat benimmt! Tso-ling ist eben der Sohn seiner Mutter.
Ich möchte ganz ehrlich sein, denn nur so werden Sie das verstehen, worum ich Sie bitte. Wäre es möglich, daß Astrid nach*

*ihrer Reise nach Angkor für einige Wochen zu Ihnen nach Shanghai käme? Falls Ihr Mann in diesen Zeiten, wo prominente Chinesen so sehr von den Japanern bespitzelt werden, keine Europäerin in seinem Hause beherbergen kann, lassen Sie es mich ohne Umschweife wissen! Ich bin mir darüber klar, wie sehr wir seit der japanischen Besetzung im Kurse gesunken sind. Wenn ich Sie nicht als aufrechte und vernünftige Freundin meiner Familie kennen würde, hätte ich diesen Vorschlag nicht gemacht.*
*Das Verhältnis zwischen Astrid und Vivica ist im Augenblick so quälend, daß ich es für besser hielte, wenn Astrid eine Zeitlang unter Ihrem Einfluß und in anderer Umgebung lebte. Das Antiquitätengeschäft, das mein verstorbener Bruder schon vor Jahren aufbauen half, ist in so guten Händen bei den Herren Sun – den chinesischen Partnern –, daß Astrid eine Zeitlang ausspannen könnte. Sie hat sich noch zu Lebzeiten meines Bruders dort eingearbeitet und kauft auf Auktionen billig und mit beträchtlicher Sachkenntnis ein. Ich bin sehr froh, daß sie eine Beschäftigung gefunden hat, die sie ausfüllt und uns außerdem Geld einbringt; denn unser Konto auf der Hongkong & Shanghai Bank ist gesperrt. Die Japaner haben die englischen Manager ja sofort verhaftet und die Depots aller Ausländer beschlagnahmt. Auch aus Trondheim erhalten wir im Augenblick nichts. Von meinem Bruder Olaf ist immer noch keine Nachricht. Ich weiß nicht einmal, ob er noch am Leben und was aus der Werft geworden ist. Astrid hat sich übrigens ein eigenes Büro in der Prahurat Road eingerichtet und vermittelt dort Geschäfte. Vielleicht können Sie von ihr Näheres erfahren; hier zu Hause kostet bei ihr jedes Wort einen Taler.*
*Vivica, die sich zu einem wahren Kobold entwickelt hat, nennt Astrid nur »die Herzogin«. Es ist erstaunlich, wie ärgerlich Astrid über solch kindische Neckereien wird. Ich habe Vivica längst verboten, ihre Schwester zu ärgern. Das Kind ist manchmal ein wahres Kreuz. Und was das Schlimmste ist: der sechzehnjährige Fratz macht Astrids Verlobtem schöne Augen! Es hat kürzlich nach einem Besuch Pierres eine Szene zwischen den Schwestern gegeben, deren Einzelheiten ich Ihnen ersparen möchte. Astrid verlor zum Schluß jede Beherrschung und nannte Vivica eine »Vagabundin«. Das Kind hatte sich dummerweise in siamesische Brokate gehüllt und tanzte Pierre etwas vor, um ihm die Zeit zu vertreiben, bis Astrid aus ihrem Büro in die Sathorn Road zurückkam.*

*Ich versichere Sie: es war eine reine Kinderei, und ich muß Astrid unrecht geben. Sie ist völlig überreizt und von verletzendem Hochmut gegen ihre Umgebung. Ich habe niemals einen Menschen gesehen, bei dem regelmäßiger Kirchenbesuch so wenig anschlägt wie bei Astrid! Gerade neulich hatte ich eine lange Unterhaltung mit Mère Séraphine, die Vivica freundlicherweise in der Klosterschule von St. Vincent de Paul Musikstunden gibt. Das Kind ist so musikalisch wie seine liebe, lange verstorbene Mutter; aber dies Talent und die Unordnung sind das einzige, was Vivica von ihr geerbt hat. Borghild war ein Muster an Aufrichtigkeit und Treue. Da sie unter tragischen Umständen starb – bei Gelegenheit werde ich Ihnen davon erzählen –, bin ich stets um Vivica besorgt. Ihre Mutter hat unserer Jüngsten bei großer Schönheit viel Unberechenbares und Merkwürdiges vererbt. Gerade Vivicas Schönheit macht mir Sorgen. Sie ist ja fast immer ein Fallstrick.*

*Astrid ist, wie gesagt, nach Angkor gefahren, um dort ihren Verlobten zu treffen. Warum die beiden sich eine Ruinenstadt aussuchen, weiß ich nicht. Ich habe aber daraufhin Astrid geraten, Herrn de Maury zu fragen, ob sie auch eine Ruine werden soll, bevor er sie heiratet ... Leider hat Astrid sich zu diesem Rendezvous in Kambodscha einen Hut genäht, der jeden Freier bis ans Ende der Welt treiben würde – so extravagant ist er! Aber da es nicht gut tut, Astrid Ratschläge zu geben, habe ich geschwiegen. In welchem Zustand sie aus Angkor nach Bangkok zurückkehren wird, ist nicht vorauszusagen; falls sie wieder einmal genarrt werden sollte, wären Vivicas krankhafte Neugierde und ihre kindischen Scherze Gift für Astrid. Ich wünschte, daß es in Angkor zu einer Entscheidung käme; so ist es ein Schrecken ohne Ende. Astrid ist vierundzwanzig Jahre alt. Da sie durchaus heiraten will, sollte sie endlich Dr. Lafitte aus Saigon nehmen, der sich so sehr um sie bemüht. Auch Astrids Großonkel, Professor Clermont in Saigon, wäre sehr für diese Heirat. Gaston ist sein erster Assistent an der Klinik; und obwohl er, wie alle Franzosen, ein erstaunliches Mundwerk hat, ist er ein äußerst solider Mann. Vielleicht ein wenig langweilig: er interessiert sich – außer für Astrid – nur für kambodianische Musikinstrumente und kann einem so viel und schnell darüber berichten, daß man nach Luft schnappt. Ich erwähne Dr. Lafitte, da ich Ihnen dankbar wäre, wenn S i e Astrid auch einmal sagen wollten, wo für*

sie die Chance einer ordentlichen und glücklichen Ehe ohne Szenen und Überraschungen liegt. Mir kommt Astrids Affäre mit Herrn de Maury wie eine chinesische Oper vor – ohne absehbares Ende und für alle Teile erschöpfend.
Zum Schluß noch eine Bitte, liebe Hanna! Ich wüßte gern, ob Astrid zu Ihnen kommen kann, b e v o r sie aus dem Dschungel zurückkommt! Sie fände dann gleich eine Freude zu Hause vor. Sowie ich Ihre Antwort habe, schreibe ich auch an Monsignore de Lavalette in Shanghai. Vielleicht kann e r ihr den Kopf zurechtsetzen und sie daran erinnern, daß es außer Herrn de Maury noch Menschen gibt, die unsere Gedanken und unsere Hilfe brauchen. Der Monsignore kannte schon Astrids Mutter in Shanghai; wir korrespondieren seit Jahren miteinander. Er kümmerte sich, trotzdem er mit seinen Chinesen so überlastet war, sehr ordentlich um Astrid, als sie 1937 in Shanghai verwundet wurde, was ja leider zu ihrer Verlobung mit Pierre de Maury führte. Auch mein verstorbener Bruder war bemüht, Astrid zur Vernunft zu bringen; er zog Erkundigungen ein und erfuhr, daß Pierre außer seiner Tätigkeit in den Museen von Hanoi undurchsichtige Dinge betreibt. Ich sende Ihnen diesen Brief durch den dänischen Generalkonsul in Bangkok, der in Shanghai zu tun hat und Ihre Antwort wieder mitnehmen wird. Die Japaner schnüffeln heutzutage in jedem Privatbrief herum, als ob er irgendeine Information enthalten könnte.
Herzliche Grüße Ihnen und der ganzen Familie Chou. Ich sende für Ihren kleinen Herbert ein englisches Bilderbuch mit, das Vivica als Kind geschenkt bekam. Wie geht es Ihrem neuen Baby? Es ist eine wahre Freude, an Sie und Ihre Kinder zu denken; man sieht, das Leben geht unbeirrt auch in schwierigen Zeiten seinen soliden Gang. Ihr Mann trägt natürlich sehr entscheidend dazu bei: Tso-ling ist das Salz der Erde.
Nett, daß Sie nach unseren Kriegswaisen fragen! Yumei und ich haben uns von ihrem Manne, der für uns kocht, einen dritten Bambuspavillon im Grundstück bauen lassen, wo wir den chinesischen Halbwüchsigen, deren Eltern in den Gefängnissen der Kempetai verschwunden sind, ihren Reis geben und sie lehren, sich nützlich zu machen. Die meisten können wir den Brotgebern, die Yumei unter der riesigen chinesischen Einwohnerschaft Bangkoks ausfindig macht, unbesorgt empfehlen. Sie sind nach einiger Zeit bei uns ordentlich und pünktlich. Fleißig und vergnügt sind

*diese chinesischen Kinder ja von Natur. Schluß für heute!*
*Mit den besten Wünschen und Grüßen*
*Ihre Helene Wergeland.*

Astrid hatte auf der Fahrt nach Angkor noch keine Gelegenheit gehabt, eine Aussprache mit Pierre herbeizuführen. Er hatte sie nach Pnom-Penh, der Hauptstadt Kambodschas, eingeladen, um ihr das von Franzosen im Jahre 1930 gegründete »Buddhistische Institut« sowie die im Orient berühmte »Schule der Künste in Kambodscha« zu zeigen. Astrid blickte ihn aus ihren blaß-blauen Augen meist hungrig an und tat, als ob sie interessiert wäre.
Sie hatte sich in den fünf Jahren, die seit ihrer Verlobung in Shanghai vergangen waren, äußerlich kaum verändert. Nur war der Schimmer von Vitalität, den die Kanonen und Küsse in der Stadt über dem Meer ihr verliehen hatten, verschwunden. Sie war jetzt dünn anstatt schlank und auf dem besten Wege, mager zu werden. Tiefe bläuliche Schatten lagerten unter ihren leicht zusammengekniffenen Augen. Sie war kurzsichtig geworden, trug aber nur eine Brille, wenn sie Zahlen zusammenzählte oder im Kino zusah, wie alle anderen Mädchen auf der Welt heirateten und – zum mindesten vor der Hochzeit – in Großaufnahmen geliebt, geküßt und schrankenlos verehrt wurden. Dann preßte das älteste Fräulein Wergeland die Lippen so fest wie ihre Tante Helene zusammen. Astrid ging aber trotzdem mindestens viermal die Woche in ein elektrisch gekühltes Tropenkino, um sich immer wieder alte Hollywood-Filme anzusehen. Neue kamen seit dem Kriege nicht mehr herein.
Während sie stumm wie ein Fisch neben dem beredten Verlobten durch die Kunstschule in Pnom-Penh schritt und den Kunstwerken des Khmer-Volkes nur kühle Blicke schenkte, dachte sie verzweifelt darüber nach, wie sie Pierre auf das Hochzeitsdatum festnageln könnte. Er gab ihr keine Ermutigung und hatte nichts über ihren bezaubernden Hut gesagt. Sie betrachtete sich verstohlen und anerkennend in einem Wandspiegel. Ihr Tropenkostüm, die zarte Bluse und das amüsante Nichts von einem Hut – einer Mischung zwischen einer Orchidee und einem Vogelnest aus Goldfäden – gaben ihr unnachahmliche Eleganz. Sie trug jetzt gern losere Jacken; sie sah dann nicht so dünn aus. Ihre Eleganz war von besonderer Art: in Paris hatte sie den von Yvonne geerbten Nerzmantel getragen, als ob es irgendein Ding

aus Wolle wäre; hier im Fernen Osten trug sie ein Nichts von einem Hütchen, als sei es eine goldene Krone.
In irgendeinem Zusammenhang fiel ihr Vivica ein, und sie lächelte geringschätzig und unruhig vor sich hin. Sie hatte ihr keineswegs verziehen, daß sie nach Art von Vagabundinnen versucht hatte, ihr Pierre zu stehlen.
»Du bist verrückt, Astrid«, hatte Tante Helene empört gerufen. »Es ist Zeit, daß du heiratest!«
Es *war* Zeit! Als Astrid todmüde ins Rasthaus von Pnom-Penh zurückkehrte, hatte sie nichts ausgerichtet. Sie stand hochaufgerichtet im Zimmer und betrachtete die silberne Puderdose, die Pierre ihr nach dem Rundgang durch die Kunstgewerbeschule – als Trostpreis für Leidenschaft – geschenkt hatte. Die Dose zeigte kambodianische Tänzerinnen in Reliefarbeit. Sie bogen ihre Körper verschlagen und wollüstig – wie Vivica sich unschuldig verschlagen vor Pierre gebogen und ihn dabei angelächelt hatte. Im Spiel natürlich. Ein sechzehnjähriges Blag mit den liederlichen Instinkten ihrer Mutter und mit der kraftvollen nordischen Schönheit des Vaters. Eine junge Füchsin wie in den Schauermärchen, die Yumei der kleinen Astrid im alten Shanghai erzählt hatte.
Von der Straße klang der Ruf eines chinesischen Koches herauf. Es begann eintönig und endlos zu regnen. Astrid nahm ihren Regenschirm aus chinesischem Ölpapier und schritt kerzengerade aus dem Rasthaus in eine enge Seitenstraße. Es war zehn Uhr abends. Durch die offenen Türen der Holzhäuser sah sie Familien im Sarong, die fröhlich schwatzten, grell gefärbte Süßigkeiten knabberten und ihr Zusammensein zu genießen schienen. Sie waren bestimmt niemals in der »Schule der Künste« gewesen und nicht so müde und gelangweilt wie Astrid. Es waren so gut wie keine Möbel in diesen Hütten: die Kambodianer interessierten sich nicht für greifbaren Besitz. Das taten die Chinesen, die in Pnom-Penh wie überall in Südostasien prachtvolle Häuser bewohnten.
Hungrige Straßenhunde mit schwefelgelbem Fell strichen um Astrid herum, während sie in düstere Gedanken versunken ihren Weg zum Fluß suchte. Hinter einer hohen Schutzmauer stand der Königspalast mit Dächern, die sich in edler Biegung dem Regenhimmel entgegenwölbten. Sie waren so sehnsüchtig, seltsam gekrümmt und lustvoll wie die Leiber kambodianischer Tän-

zerinnen. Vor dem Palast hockte ein Bettler. Die Zähne blitzten in seinem dunklen Gesicht. Er streckte Astrid leise singend die Bettelschale entgegen.
Sie entnahm ihrer Handtasche aus Krokodilleder die silberne Puderdose mit dem Tänzerinnen-Relief und warf sie in die Schale des Bettlers. Dann schritt sie hochaufgerichtet in das Rasthaus zurück.
Im Grand Hotel von *Siem-Reap*, dem Touristen-Vorort von Angkor, saßen zwei japanische Offiziere und unterhielten sich angeregt, aber leise. Oberst Saito und Major Matsubara waren soeben von Angkor zurückgekommen und wollten am nächsten Morgen nach Saigon fliegen. Sie waren nicht in Uniform: vor einiger Zeit waren zwei uniformierte Japaner in den Tempelruinen von Angkor aus dem Hinterhalt angeschossen worden. Die beiden Herren hatten geraume Zeit in Oberst Saitos Hotelsuite verbracht und entspannten sich nun in der Halle des Grand Hotel. Major Matsubara, der es ja immer mit der Kultur gehabt hatte, betrachtete interessiert einige künstlerische Fotos von Angkor Thom, der mythischen Königsstadt des Khmer-Volkes. Die monumentalen blaugrauen und rötlichen Steinbauten sprachen von Zeiten, die dem modernen Alltag zu fern waren, um ihr Wunder auf den ersten Blick zu offenbaren. Eine glanzvolle und kriegerische Vergangenheit, welche die Khmer-Könige mit Schlachtenruhm und grandiosen Festlichkeiten erfüllt hatten, war in Kambodscha durch die Trägheit und das mangelnde Ehrgefühl der eingeborenen Bevölkerung zerronnen, wie der Regendunst auf der Seta-Brücke. Nur die monumentalen Ruinen zeugten noch von dem Heldengeiste der Vergangenheit. Major Matsubara hätte die trägen Kleinen Brüder nur zu gern auf den Trab gebracht! Sie hatten nicht einmal ihre geehrten Ruinen ausgegraben, sondern ein Franzose hatte es im Jahre 1859 für sie tun müssen. Die Franzosen machten Nippon allerhand Kopfzerbrechen im Jahre 1942. In Indochina gab es so viel Untergrundkämpfer und Saboteure wie Reiskörner in den Speichern; aber man konnte sie nicht einfach beschlagnahmen wie den Reis. Sie versteckten sich vor Major Matsubara an allen Ecken und Enden von Indochina. Aber was die Kultur anbelangt – da waren die Franzosen genauso eifrig wie die Japaner! Pierre de Maurys Kulturvisite in Tokio und Major Matsubaras Besuch in Hanoi kurz vor dem Kriege waren volle Erfolge gewesen.

»Kommt er heute nach Siem-Reap?« fragte Oberst Saito. »Ich möchte ihn kennenlernen. Er ist immer noch unser bester Verbindungsmann in diesem unverbindlichen Lande.«
In diesem Augenblick betrat Herr de Maury mit Astrid die Halle des Grand Hotels in Siem-Reap. Major Matsubara blickte die Begleiterin seines Kulturfreundes scharf an und wußte sofort Bescheid. Wie es sich für einen höheren Offizier der Militärpolizei gehört, erfreute sich Akiro eines phänomenalen Gedächtnisses. So fiel ihm bei Astrids überraschendem Anblick sofort Raum Sieben in der ›Weißen Chrysantheme‹ in Shanghai ein. Dort hatte sich diese mehlgesichtige Ausländerin – Clermont hieß sie ja wohl! Genau wie der alte französische Chefarzt von Saigon! Man mußte die Verbindung nachprüfen! – dort hatte sich Mademoiselle Clermont geringschätzig über ein berühmtes Gedicht der Japaner geäußert. »Der alte Teich ... es hüpft ein Frosch hinein ...« Ein Spiel für Kinder hatte sie die *Haikkus* genannt Nicht in tausend Jahren würde Major Matsubara diese Kränkung vergessen! Er hatte nicht gewußt, daß Herr de Maury diese ungebildete Dame mittlerweile geheiratet hatte.
Doch siehe da! Sie wurde ihm in diesem Augenblick wieder als »Mademoiselle Clermont« vorgestellt. Major Matsubara lächelte strahlend. Aus einem bestimmten Grunde: ihm war Astrids Anwesenheit in Siem-Reap hochwillkommen. Weder zeigte er sich erstaunt, daß sie immer noch nicht verheiratet war – mit vierundzwanzig Jahren war ein Mädchen in Japan entweder eine Mutter oder eine Reiswitwe und in jedem Fall eine Ruine, die anzublicken sich nicht lohnte –, noch spielte Baron Matsubara auf die Tatsache an, daß ihm ein gewisser Professor Clermont in Saigon als Gegner Nippons genannt worden war. Er wollte erst in Ruhe nachprüfen, ob eine Verwandtschaft bestand.
Statt irgend etwas zur Unterhaltung mit den Langnasen beizutragen, zeigte Oberst Saito nur die drei großen Vorderzähne, die ihm ein so fröhliches Aussehen gaben. Er dachte an andere Dinge, während sie Champagner-Cocktails tranken. Er hatte sich noch niemals so heftig nach heißem Reiswein gesehnt! Er schluckte höflich und verstimmt das entsetzliche Getränk, das Kulturfreund de Maury bestellt hatte. So sah er also aus – dieser Freund Japans, den Baron Matsubara mit Hilfe von Tempelkunst und Haikkus für den heiligen Weltstaat, Zentrale Nippon, gewonnen hatte. Die Zeitschrift *Indochine*, die Pierre de Maury in

Hanoi herausgeben half, brachte in jeder Nummer Reden und Ermunterungen des »Japan-Marschalls« *Pétain*. Kein Zweifel – dieser Herr de Maury tat sein Teil. Oberst Saito betrachtete sein blasses Gesicht mit dem blonden Haar, das asketische Profil und das ironische Lächeln. Also so sah er aus! Der Oberst enthüllte seine Vorderzähne, bis das leicht entzündete Zahnfleisch sichtbar wurde. Astrid schenkte dem Oberst keinen Blick. Fremde Frauen existierten nicht für Joseph Kitsutaro Saito aus Urakami. Er dachte sekundenlang an seine Frau daheim – eine vorbildliche katholische Frau und Mutter! Dann betrachtete er wieder unauffällig den Verbindungsmann zwischen Nippon und den Intellektuellen von Hanoi und Saigon. Er mußte sich so intensiv mit den Augen unterhalten, weil sein Französisch ziemlich mangelhaft war. Major Matsubara mit seinem Pariser Tonfall und seinen japanischen Hintergedanken beherrschte die Unterhaltung. Wie stets in Kambodscha, drehte sie sich um Tempelkunst und Ruinen in Südostasien. Plötzlich kicherte der Major so hoch und dünn, daß Astrid die Augenbrauen zusammenzog. »Ich besuchte neulich den Tempel der Cao-Dai-Sekte bei Saigon«, bemerkte er. »Er kam mir wie eine Operetten-Dekoration vor. Kennen Sie die Kathedrale von *Tay Ninh*?«

»Ich war vor Jahren einmal da.« Herr de Maury lächelte bei der Erinnerung. »Sie haben recht, Baron! Angesichts der gewaltigen Kulturstätten in Asien wirkt diese Kathedrale wie *Madame Butterfly* verglichen mit echten Japanerinnen.«

Major Matsubara verbeugte sich entzückt. »Reden wir lieber von den unsterblichen Skulpturen von Angkor«, murmelte er bescheiden. »Diese Reliefs mit den Göttern, Kriegern und Fabeltieren: (die steinernen Tänzerinnen erwähnte der Major nicht), diese Reliefs wirken durch die poetische Andeutung, die auch wir Japaner in der Kunst pflegen. Nehmen Sie unsere Kurzgedichte«, schloß er. »Was ist ein Haikku, meine Freunde? Einige wenige Zeilen! Der Rest ist verborgener Sinn.« Er fuhr sich träumerisch mit der feinen Hand übers Haar und rezitierte ein Kurzgedicht aus dem achtzehnten Jahrhundert:

> »Laut, als sähe sie
> ihres Käfigs Stäbe nicht,
> singt die Nachtigall.«

Dann erhoben sich beide Herren wie auf ein geheimes Kommando,

nachdem der Major das Haikku noch einmal japanisch rezitiert hatte. Sie machten ihre steifen japanischen Verbeugungen und wünschten den geehrten Freunden und Kunstkennern einen genußreichen Ausflug in die Vergangenheit Kambodschas. Es war der übliche abrupte japanische Abschied mitten aus einer angeregten Unterhaltung heraus: als ob das Finale einer Oper plötzlich ertönte, bevor das letzte große Duett gesungen worden ist. Hatten Oberst Saito und Major Matsubara genug gehört oder gesehen?
Genau dies war der Fall.

\*

»Ihr französischer Mittelsmann war nervös«, bemerkte Oberst Saito etwas später zu seinem Major. Sie saßen im Wohnraum des Obersten und aßen, um den Geschmack der Cocktails los zu werden, Seetangscheiben aus Konservenbüchsen. »Fiel Ihnen auf, daß de Maury mit dem linken Augenlid zuckte, als Sie die Kathedrale von Tay Ninh bei Saigon erwähnten? Ich achte immer auf das linke Augenlid«, schloß der Oberst behaglich. »Darüber hat ein Mann so wenig Gewalt wie über seinen Adamsapfel.« Oberst Saito schien sehr zufrieden mit den Arrangements der Natur zu sein.
»Wir müssen noch weitere Nachforschungen anstellen, Herr Oberst! Nicht etwa, als ob ich ihm traute.« Hier lachte Major Matsubara wie ein mittlerer Dämon. »Aber es kann auch ein anderer Franzose gewesen sein! Wenn wir zu zeitig mit der Angel hantieren, verscheuchen wir die fetten Karpfen.«
»Die Sache drängt, Major! Der Geheimsender, der den Alliierten beständig Informationen über unsere Transporte gibt, muß zum Schweigen gebracht werden. Wenn ich den Verräter im Schoße der Sekte erwische...«
Oberst Saito zeigte sämtliche Vorderzähne. Nur er brachte es fertig, zu gleicher Zeit fröhlich und grimmig auszusehen. Er rieb seine Nase mit dem derben Finger und vertiefte sich, eine billige Stahlbrille auf der Bauernnase, in den letzten Bericht seines Hauptagenten aus Saigon. Einen Passus las er zweimal. Er gefiel ihm entweder besonders gut oder besonders schlecht.
Auf jeden Fall entnahm er dem Exposé über die Sekte der Cao-Daiisten, daß deren Priester eine Privatarmee aufgebaut hatten,

die sie unendlich vorsichtig und geschickt gegen die japanische Besatzungsarmee einsetzten. Immer wieder wurden Truppenzüge überfallen und Lastautos ausgeraubt. Am schlimmsten war die Bombardierung der mit Tropengewächsen getarnten Fabriken. Irgend jemand mußte deren Standort auskundschaften und ihn dann – vermutlich durch diese militante Sekte – auf irgendwelchen Wegen den Alliierten verraten. Nun hatte der Agent vor einigen Wochen einen Franzosen in Tay-Ninh beobachtet, der die Cao-Daiisten aufsuchte. Der Franzose war blond gewesen und hatte ein scharfes Profil. Es konnte Pierre de Maury sein. Es konnte aber auch ein anderer Franzose sein.

Die Sekte, so schloß der Bericht, war offiziell im Jahre 1936 von Spiritisten in Cochinchina gegründet worden. Ihre Religion enthielt Elemente des Katholizismus, des Buddhismus und des Taoismus. Der Heiligenkalender der Cao-Daiisten umfaßte so gegensätzliche Persönlichkeiten wie die Jungfrau von Orléans, den Grafen von La Rochefoucauld, Johannes den Täufer und den chinesischen Jade-Kaiser. Die Sekte hatte einen Papst, die entsprechenden, hierarchisch eingestuften Würdenträger, eine gesetzgebende Körperschaft, ein medizinisches »Korps der Nächstenliebe« und eben ihre Privatarmee.

Oberst Saito fischte aus einer Aktenmappe ein kleines Buch in französischer Sprache und gab es Major Matsubara. Es war die *»Histoire et Philosophie du Cao-Daissm; religion nouvelle et Buddhism nouveau en Asie«* von dem im Jahre 1941 verstorbenen Franzosen Gobron.

»Sagen Sie mir morgen, ob dieser Ketzer neben dem religiösen Unsinn auch die Privatarmee der Sekte erwähnt«, sagte Oberst Saito. »Wann wollte Herr de Maury das letztemal in der Kathedrale gewesen sein?«

»Er sagte, es wäre mehrere Jahre her, Herr Oberst.«

»Das will ich zu seinem eigenen Besten hoffen.« Oberst Saito zeigte seine Vorderzähne und das entzündete Zahnfleisch. Er war ein gläubiger Christ und durfte die Hoffnung nicht aufgeben.

»Senden Sie die Agentin Yuriko von Bangkok nach Saigon«, schloß er und gähnte herzhaft wie ein Reisbauer nach getaner Feldarbeit. »Sie kennt doch Monsieur de Maury aus Shanghai, nicht wahr?«

»Sie besorgte ihm gelegentlich Opium, Herr Oberst.«

»Schlief er mit ihr?«

»Nein, Herr Oberst. Ich habe die Agentin genau über diesen Punkt befragt. Er unterhielt sich nur gern mit ihr. Yuriko spricht gut französisch und ist gewandt. De Maury ist schwatzhaft wie alle Franzosen.«
»Sie soll, wenn er nach Saigon kommt, zunächst einmal drei Wochen lang jeden seiner Schritte beobachten. Dann erst soll sie ihn zu einer Plauderstunde besuchen. Sie kann ihm weitere Träume verkaufen.«
»Ich werde die nötigen Anweisungen erteilen«, murmelte Major Matsubara. »In Bangkok haben wir ja Vera Leskaja. Sie hat uns neulich drei chinesische Chungking-Agenten angezeigt.« Hierauf zog sich Major Matsubara mit respektvollen Verneigungen zurück. Er legte mit Bedauern einen in Seide gebundenen Band japanischer Gedichte in seine Suitcase, um sich der »Geschichte und Philosophie des Cao-Daiismus (Zentrale Saigon)« zu widmen. Es war keine Zeit für Nachtigallengesänge.

*

Jeder Ausflug durch Dschungelland langweilte Astrid zu Tränen. Sie war ein Geschöpf der Städte, recht eigentlich der Stadt Paris. Sie wäre niemals in den Fernen Osten zurückgekehrt, wenn Pierre nicht in Indochina gewesen wäre und Mailin nicht Hochzeit gefeiert hätte. Astrid hatte ihres Vaters Liebe zum asiatischen Kunsthandwerk geerbt. Menschen und Landschaft blieben ihr dagegen ein Buch mit sieben Siegeln. Das einzige starke Gefühl, das sie in bezug auf Asien hatte, war panische Angst vor einer Menschenmenge. Sonst empfand sie nur quälende Langeweile, die ihr den letzten Rest Vitalität nahm. In einem Zustand der Überreizung betrat sie am nächsten Tage in Gesellschaft ihres Verlobten das Legendenreich des Khmer-Volkes, das Franzosen aus dem Dschungel gegraben hatten.
Pierre war verwandelt. Sein ironisches Lächeln war verschwunden; seine Augen brannten in einem fremden Feuer; sein asketisches Profil und seine Gestalt wirkten unnahbar. Er war Astrid weiter entrückt als je zuvor. Die Museen in Hanoi und Pnom Penh waren nur ihre Vorhölle gewesen... Alle Bewunderung und alle Liebe, die er Astrid seit ihrem letzten Treffen in Paris vorenthalten hatte, verschwendete Pierre an die Skulpturen des Bayon-Tempels und an Angkor Vat, »das achte Weltwunder«.

Des Abends fuhren sie noch einmal nach Angkor Vat, um die Ruinen im Mondschein zu sehen. Astrid hatte ihre ganze Hoffnung auf den Mond gesetzt. Wenn sie selbst auch nicht genug Phantasie hatte, um sich vom Monde zu originellen Reden inspirieren zu lassen – der Mond brachte jeden Mann automatisch in eine träumerische Stimmung. Selbst Franzosen mit ihrer allzu wachen Intelligenz und ihrer Ironie konnten sich im allgemeinen dem Einfluß einer asiatischen Mondnacht nicht entziehen. Sie war sicher die beste Hilfe, wenn man einen zögernden Freier mit dem Hochzeitsdatum zu überfallen beabsichtigte.
In der Tat schienen Astrids Überlegungen richtig zu sein. Sie waren eigentlich immer richtig, weil kein Quentchen Einbildungskraft die Tatbestände verwandelte. Astrid hatte sich im geheimen stets zu ihrem Mangel an Phantasie beglückwünscht. Sie wandelte mit Pierre Arm in Arm über die riesige Tempeltreppe. Die Anlage des Tempels war so genial, daß eine Illusion der Vollständigkeit und Vollkommenheit auch noch von den Ruinen ausging. Ihre Klarheit, ihre Harmonie, ihre grandiose Feierlichkeit waren einmalig.
Kambodianische Fackelträger begleiteten Astrid und Pierre auf dem Weg ins Vat. Der Regen hatte aufgehört; strömendes Mondlicht und der rötliche Fackelschein machten die Ruinen zu einer Landschaft aus Stein und Feuer. In Angkor Vat hielten Leben und Tod unaufhörlich geheime Zwiesprache. Wie im Rausch durchwanderte Pierre de Maury die endlosen Galerien und Terrassen. Riesige Bäume wuchsen zwischen den Steinen ins Mondlicht. Zwei bescheidene japanische Touristen in grauen Tropenanzügen gingen vorüber. Sie flüsterten voll Ehrfurcht von einer Vergangenheit, die im neunten Jahrhundert Nippons heldischem Geiste Konkurrenz gemacht hatte. Der Anblick der Japaner weckte in Astrid ein Unlustgefühl. Sie zog die Augenbrauen zusammen und sagte laut auf französisch: »Laßt uns gehen!«
Im Schatten eines Sandsteinturms standen sie einen Augenblick stumm nebeneinander. Hatte Astrid ihren Freund aus einem schönen Traum gerissen? Sie hatte es gut gemeint; ihr war im Augenblick etwas eingefallen, das sie ihm seit dem Abend in Siem-Reap sagen wollte.
»Dieser Baron Matsubara und der Oberst gefielen mir nicht, Pierre! Sie beobachteten dich unausgesetzt, als ob sie im Geiste deine Antworten notierten.«

»Wie kommst du auf die Idee, *chérie*? Du siehst Gespenster! Heute nacht wollen wir nur die Geister Kambodschas sehen! Das ist reizvoller.«
Aber Astrid hatte sich auf ihr Thema festgebissen. Sie haßte Ablenkungen, wenn sie etwas zu sagen hatte.
»Du solltest auf mich hören«, sagte sie in Fräulein Wergelands Ton. »Ich weiß, was ich sage.«
»Du bist eben eine Ausnahme unter den Menschen, meine Liebe!«
»Du brauchst dich nicht über mich lustig zu machen«, sagte Astrid schwer gekränkt. »Ich kann mir zwar nichts ausdenken, dafür sehe ich um so schärfer. Die Japaner warfen sich Blicke zu, als ihr über die Cao-Dai Sekte spracht.«
Pierre lachte laut auf.
»Du hast eine Angstpsychose. Laß dich von Dr. Lafitte behandeln. Er ist ein erstklassiger Psychiater.«
»Wann warst du das letztemal in Tay Ninh, Pierre?«
»Ist dies ein Verhör? Dort gibt es aber keine jungen Mädchen.«
»Wann warst du in dem Tempel?«
»Ich war vor einigen Jahren zum letzten Male in diesem Operettentempel; ich hab' es ja Baron Matsubara gesagt. Er ist sehr an Tempelbauten interessiert. Aus diesem Grunde kam er ja auch nach Angkor. Bist du jetzt zufrieden, meine kleine Hyäne?«
»Gehen Franzosen öfters hin?«
»Also *doch* ein Verhör! Du langweilst mich, mein Kind! Da fällt mir ein: Gaston Lafitte fährt öfters hin.«
»Gaston? – Was in aller Welt . . .?«
»Er schreibt eine Studie über das katholische Element in dieser Zirkusreligion. Und dann ist er mit einem Abt befreundet.«
»Die Cao-Daiisten sollen gegen die Japaner arbeiten, Pierre! Gaston ist in Gefahr. Wir müssen ihn warnen.«
»Wer hat dir diesen Unsinn erzählt?« fragte Pierre de Maury schnell. Er betrachtete Astrid erstaunt.
»Madame Ninette, die weißrussische Inhaberin eines *Beauty Parlours*. Ich kenne sie von Shanghai.«
»Die Weißrussinnen haben eine Phantasie wie drei Tonnen Wodka.« Herr de Maury zuckte mit einer sehr französischen Bewegung die Achseln. Dann zog er Astrid zu einem steinernen Relief, das den Kunstgeist Südostasiens befruchtet hatte. Jede Tänzerinnenfigur auf einer siamesischen, burmesischen oder kambodianischen Puderdose war diesen *apsaras* – den himmlischen

Nymphen des Khmer-Volkes – nachgebildet. Auf Tausenden von Gebrauchsgegenständen im modernen Fernost – Vasen, Messerklingen, Dosen, Wandbehängen – tanzten sie unnachahmlich geschmeidig, unschuld-verschlagen und lustvoll-zeremoniell den endlosen Göttertanz von Angkor.

Astrids Gedanken schweiften ab: Gaston machte Studien im Tempel der Cao-Dai-Sekte? Sie mußte ihn warnen; er war völlig weltfremd. Aber die Hauptsache war, daß Pierre nichts damit zu tun hatte. Sie hatte keine Lust, dauernd in Angst um ihren Mann zu schweben. Männer waren aus purer Nachlässigkeit leichtsinnig. Wenn sie Dr. Lafitte auch niemals heiraten würde, sie war ihm eine Warnung schuldig. *Heiraten!* Nun war die Gelegenheit gekommen.

»Sind sie nicht wundervoll?« flüsterte Pierre und verschlang die steinernen Nymphen mit den Blicken. Er schloß einen Augenblick die Augen: ein sechzehnjähriger Fratz tanzte auf einem Rasen in Bangkok, um ihn zu amüsieren. Vivica! Ein Name wie Champagner. Und ein Mädchen wie Champagner... Sie war kindisch, kannte die Macht ihrer Schönheit noch nicht, hatte jedoch eine instinktive Klugheit, die Astrid bei all ihrer Intelligenz abging. Das sechzehnjährige Mädchen – siegreich strahlend wie die Wald-Nymphen des Hohen Nordens – wußte bereits um das eine Mittel, womit eine Frau einen Mann durch Jahre hindurch halten kann. Vivica versuchte ihn zu erheitern. Astrid wollte einen Mann durch den Verstand fesseln, aber unterhalten oder amüsieren konnte und wollte sie ihn nicht – dazu war sie zu hochmütig oder zu einfallslos. Und Astrid zeigte auf tausend unbewußte Weisen, wie sehr sie ihn brauchte. Da lag ihr Kardinalfehler, dachte Pierre mit halbgeschlossenen Augen. Der Mann mußte die Frau so nötig brauchen, daß er sie sogar heiratete! Nicht umgekehrt!

Pierre hatte Astrid bei Mailins Hochzeit ernsthaft verstimmt, indem er einen Ausspruch seines Lieblingsautors zitierte: »Mit den Ehen ist es wie mit den Vogelbauern: die Vögel, die nicht darin sind, wollen mit aller Gewalt hinein; und die Vögel im Bauer wollen wieder heraus.« Jimmy Chou war vor Lachen beinahe erstickt. Mailin hatte süß und milde gelächelt. Aber Astrid hatte die Lippen zusammengepreßt: eine Gouvernante der Leidenschaft. Astrid *war* bei aller Intelligenz so naiv, daß sie Liebe wie einen Pachtzins einstreichen wollte, weil sie der Meinung war, daß sie

sie verdiente. Sie wußte nichts von dem unbegreiflichen Gesetz, nach dem die Liebe gerade demjenigen nicht zufällt, der sich um sie bemüht oder gar verdient – wie Astrid, oder die stille Lady Tatsue, oder die Agentin Yuriko. Traurig, aber wahr: Yuriko und Astrid hätten für ihre jahrelange Treue und Ergebenheit das Verdienstkreuz der Ehe bekommen müssen; aber der Mann ihrer Liebe entzog sich ihnen, weil sie ihm ihre Zuneigung zu deutlich verraten hatten. Der Major und Monsieur de Maury hatten nichts gemeinsam als die Abneigung gegen zuviel Liebe und Sicherheit. Der leichte, unverbindliche Rausch, den Major Matsubara aus altjapanischen Gedichten und Pierre de Maury gelegentlich aus sparsamen Rationen chinesischen Opiums sog, war ihr Element. Er beschwerte und betäubte nicht, er erhöhte das Lebensgefühl und nahm der Nacht ihre Schrecken. So waren die beiden Männer beschaffen, Männer, in die arglose und solide Mädchen sich besser niemals verliebten. Nur Katastrophen bringen solchen Männern manchmal die Einsicht, daß die Liebe durch ihre Dauer an Beglückung gewinnt, was sie an Rausch unweigerlich verlieren muß. –
Astrids blasse, vornehme Reize verflüchtigten sich vor Vivicas strahlenden Farben und ihrer spielerischen Grazie. Wenigstens schien es Pierre so, als er seine Verlobte vor dem Relief mit den Tänzerinnen, die ihn an Vivica denken ließen, sinnend betrachtete. Er mußte nun Klarheit schaffen, wovor er eine typisch männliche Abneigung hatte. Aus diesem Grunde suchte er nach einem Aufschub.
Sie schlenderten in die »Nördliche Galerie« mit den brahmanischen Schlachtenszenen und bogen – immer noch Arm in Arm – in den nordwestlichen Pavillon ein, der einige der herrlichsten Skulpturen von Angkor enthielt. Pierre bat Astrid, ihm noch einmal die Puderdose mit den tanzenden Apsaras zu zeigen, damit er die Qualität der Zeichnung nachprüfen könne. Er hatte ein persönliches Interesse für die Kunstschule vom Pnom-Penh, wo er Astrid die Dose als Ersatz für Leidenschaft geschenkt hatte.
»Ich habe die Dose verloren«, sagte Astrid in einem Ton, der nicht im geringsten bedauernd klang.
»Das ist wohl einer deiner seltenen Scherze?«
Astrid zuckte bei dem kalten Ton innerlich zusammen, beherrschte sich aber vorbildlich. Am liebsten hätte sie Pierre gesagt, daß sie die Dose dem Bettler geschenkt hatte, weil sie Tänzerinnen ver-

abscheute, aber ein Rest Vorsicht hielt sie von dieser Dummheit zurück.

»Es tut mir leid, daß ich die Dose verloren habe, Pierre!« Da Pierre sie keiner Antwort würdigte, erkundigte Astrid sich, ob er noch niemals etwas verloren hätte.

»Natürlich nicht«, behauptete Herr de Maury kühn. »Ich habe frühzeitig gelernt, auf mein Eigentum zu achten.« Das letztere stimmte. Er stammte aus einer Beamtenfamilie mit sehr begrenztem Einkommen und entsprechenden Gewohnheiten.

Er betrachtete schwer verstimmt die Skulptur des Gottes Vischnu, der sich auf einer Schlange ausruhte. In genau der gleichen Lage würde er sein, wenn er sich mit Astrid verheiratete.

»Es ist das letzte Geschenk, das ich dir gemacht habe«, sagte er gereizt.

*Das letzte Geschenk?* Was sollte das heißen? Astrid wurde von panischer Angst ergriffen. Wollte Pierre etwa diese kleine Verstimmung dazu benutzen, um ihr ohne Kuß und Heiratsdatum zu entwischen? Dann sollte er sich verrechnet haben. Sie änderte ihren Ton und ihre Taktik, strich sich das weiche Haar aus der Stirn und murmelte, es tue ihr wirklich sehr leid. Ihre Stimme zitterte, wenn auch nicht vor Bedauern über den Verlust. Sie standen im westlichen Erker vor einer Mauer, die »Sitas Feuerprobe«, die glorreiche Szene des indischen Heldengedichts *Ramatana*, zeigte. Sita, die liebende Prinzessin, bestieg den brennenden Scheiterhaufen, um ihrem Ehemann ihre Treue zu beweisen. Natürlich entstieg sie der Feuerprobe unbeschädigt und gerechtfertigt. Die uralte Steintafel war ein Fragment, Astrid sah aber nur ein Fragment eines Fragments, denn ungeweinte Tränen verdunkelten ihren Blick. Pierre hatte niemals in einem solchen Ton mit ihr gesprochen. Die arme Astrid, die viel von Kunst und wenig von Männern verstand, kam keinen Augenblick auf den Gedanken, daß ihrem Verlobten diese Szene sehr gelegen kam, um in die richtige Stimmung für eine peinliche Mitteilung zu kommen. Sein Zorn war halbwegs verraucht, aber sein Mut beträchtlich gewachsen. Männer warten immer, bis sie zornig sind, um unangenehme Eröffnungen zu machen.

Sie standen immer noch vor dem Relief von »Sitas Feuerprobe«, als Astrids Wunschwelt zusammenbrach.

Zuerst spürte sie keinen Schmerz: wie jemand, dem ein Granatsplitter ein Bein fortreißt. Man spürt Dumpfheit durch Schock und einen gespenstischen Verlust an Substanz. Astrid stand wie eine Steinfigur in der mondhellen Ruinenwelt von Angkor und nahm zur Kenntnis, daß Pierre de Maury sie um Verzeihung bat, weil er sie nicht heiraten wollte. *Er* hätte selbstverständlich alle Schuld. Er hätte seit zwei Jahren versucht, es ihr zu sagen, ohne ihr wehe zu tun. Sie paßten nicht zusammen. Nein, *chérie,* wirklich nicht! Wahrscheinlich tauge er überhaupt nicht zur Ehe, wie so viele Franzosen. Astrid sei ein wundervolles Mädchen – elegant, klug, geschäftstüchtig. Mit einem Wort: viel zu gut für Herrn de Maury. Astrid war fünfundzwanzig Jahre alt; liege nicht das ganze Leben noch vor ihr? Sie sollte es nicht an der Seite eines Mannes vertrauern, der sie beständig unglücklich mache, ohne es zu wollen. So war es doch nun einmal.

»Ist es ein anderes Mädchen?« fragte Astrid. Sie spürte immer noch Dumpfheit im Kopf und einen Verlust an Substanz. Pierre erwiderte mit einem Anflug von Ungeduld, es wäre kein anderes Mädchen im Spiele. Verstand Astrid denn wirklich nicht, fragte er sich verzweifelt. Er hatte die ganze Quälerei aus Mitleid, Feigheit und Taktgefühl satt. Er hatte fünf Jahre lang Schwerarbeit geleistet. Wie hieß doch gleich dieser Bursche, der in der Unterwelt einen Marmor-Block einen Berg hinaufwälzen mußte? Sisyphus, richtig! – Nun, er, Pierre de Maury, war sein Nachfolger in Indochina. Natürlich sagte er das Astrid nicht; er sprach sehr sanft und schonend: ein Chirurg, der sein Messer mit Rosen bekränzt.

Astrid stand reglos wie Prinzessin Sita während ihrer Feuerprobe. Sie betrachtete starr und tränenlos das Bildfragment des Prinzen Rama, der ohne sichtliche Erregung darauf wartete, daß die Frau Gemahlin sich in die Flammen stürzte. So war es eben. So würde es immer sein. Frauen wurden einfältig, wenn sie liebten. Sie riskierten in ihrem Liebesdurst lebensgefährliche Kraftproben, wenn die Möglichkeit bestand, daß dies die erkaltete Liebe wieder anfachte. Wenn man während der Feuerprobe starb, war es auch recht, dachte Astrid und betrachtete die springlebendigen steinernen Affen, die sich zu Füßen des Prinzen Rama tummelten und sich über die Feuerprobe der liebenden Ehefrau köstlich amüsierten.

Astrid kniff die Augen zusammen, während sie scharf aber vergeblich über etwas nachdachte und Pierre weiter auf sie einsprach. Tante Helene hatte recht: er war ein Wunder an Beredsamkeit.

Der Kältestrom in Astrids Innerm drang in die Herzkammer. Ihre Augenlider schwollen langsam von unterdrückten Tränen an. Sie hoffte, daß sie träumte. Das konnte es doch nicht geben, daß jemand ihr vor fünf Jahren in Shanghai das Leben gerettet hatte, um es ihr jetzt zu nehmen? Astrid versuchte sich zusammenzureißen. Sie mußte ja nun allein und bis ins Herz gedemütigt, die Riesentreppe von Angkor Vat hinuntergehen, Stufe für Stufe, Schritt für Schritt. Sie hob den Kopf mit der hochmütigen Gebärde, die ihrer Mutter für solche Fälle zur Verfügung gestanden hatte; aber das Recken des Kopfes verursachte ihr einen so heftigen Schmerz, daß sie einen schwachen Laut ausstieß – das Echo eines gewaltigen Schreis, der die Ruinen von Angkor zum Bersten gebracht hätte. Mit einem Satz war Pierre an ihrer Seite.

»Hast du dich verletzt? Du stehst viel zu dicht bei der Geröllwand, Astride! Es wird dir noch ein Stein auf den Kopf fallen!«

Pierre hatte nicht die leiseste Ahnung, daß Astrid in den letzten zehn Minuten mehrere Felsblöcke auf den Kopf gefallen waren.

Männer sind doch idiotisch, dachte Astrid. Sie sah ihre Zukunft vor sich wie ein Sterbender die Vergangenheit im Zeitraffer erblickt: eine Ruinenwelt mit Radio und Pariser Hüten. Sie konnte natürlich den braven Dr. Lafitte heiraten, der sie aufrichtig liebte. Aber Astrid gab sich nun einmal nicht mit dem Zweitbesten zufrieden. Es war ihr nicht gegeben, sich behaglich in einer Ersatzwelt niederzulassen. So war es immer gewesen. Es mußte vor Jahren Tante Helene und nicht die Witwe von Aalesund sein, die das siebenjährige Kind in Trondheim lobte und liebte. Jetzt war eben Pierre de Maury Astrids erster und einziger Mann. Wenn sie Pierre nicht haben konnte, lebte sie bedeutend lieber als Steinbild in ihrer privaten Ruinenwelt.

»Sag etwas, Astride«, bat Pierre mit Baldrianstimme. Trotz der schwülen Nachtluft der Tropen wischte er sich den kalten Schweiß von der Stirn. *Mon Dieu*, was für eine Operation!

Was sollte Astrid sagen? Es fiel ihr ja nie etwas ein. Das wußte Pierre doch!

»Warum hast du mich nicht ein wenig belogen?« flüsterte sie endlich. Hatte Pierre vergessen, daß Astrid immer gern eine angenehme kleine Lüge hörte? Sie hätte ja trotzdem Bescheid gewußt. So wie sie als Kind in Shanghai Bescheid gewußt hatte,

wenn die gute Yumei ihr vorlog, daß sie »Kleine Missie« am liebsten mochte...
Pierre antwortete nicht auf diese seltsame Liebesklage. Sie schritten stumm durch Hallen und ornamentale Terrassen zur »Großen Treppe«. Dort wandte Astrid sich zum Gehen. »Leb wohl«, flüsterte sie. »Es tut mir leid, daß ich dich so viele Jahre gelangweilt habe.«
»Um Himmels willen, Astride! So können wir uns nicht trennen.«
Astrid sah ihn noch einmal an: das strenge Profil, das glänzende Haar, die hellen Raubtieraugen, den Mund, die feinen Hände... Nur sein Herz konnte sie nicht sehen. Es hatte einmal ihr gehört. Er hatte es in Shanghai gesagt. Sie hatte ihm so töricht geglaubt wie das dümmste Schneehuhn in Trondheim einem Drückeberger... Tante Helene würde Astrid wie ihre Schneehühner jetzt schelten und aufrichten, obgleich sie Mailin und Vivica viel lieber hatte. Astrid machte sich da keine Illusionen.
»Sieh mich nicht so an, Astride! Du weißt doch, wie sehr ich dich schätze! Du verdienst alles Glück auf der Welt.«
Astrid starrte Herrn de Maury weiter aus ihren hellen blauen Augen an. Die Rubinen ihrer Mutter waren der einzige Farbfleck an ihr.
»Du wirst einen guten Freund an mir haben«, beteuerte Pierre nervös. Warum machte Astrid ihm keine Szene? Darauf verstand sie sich bei allem Hochmut doch wie keine Zweite.
»Ein guter Freund...«, murmelte sie endlich. »Wie nett!«
Große Pause. Die übrigen Touristen hatten sich verlaufen. Astrid schien im Stehen zu schlafen. Sie war so blaß wie die mythischen Gestalten auf den Steinwänden von Angkor.
»Bist du krank, Astride? Möchtest du ein Aspirin?« Wie stets, führte Herr de Maury auf Vergnügungsreisen seine Hausapotheke mit sich. »Sag, daß wir Freunde bleiben wollen, Astride!«
»Es gibt eine ausgezeichnete Antwort auf diesen ehrwürdigen Scherz«, sagte Astrid. »Leider fällt sie mir im Augenblick nicht ein.«
Ohne sich umzublicken, schritt sie die große Treppe von Angkor Vat hinunter.

*

Als Fräulein Wergeland das Gesicht ihrer ältesten Nichte sah, wußte sie alles. »Mach' dir nichts draus«, sagte sie rauh. »Der Kerl ist's nicht wert.« Ihr Herz krampfte sich zusammen beim Anblick von Astrids feinem, erloschenem Gesicht mit der brüchigen Schminke des Stolzes! Nie hatte Fräulein Wergeland in ihrer langen Praxis ein Schneehuhn gesehen, das so grimmig um einen Drückeberger litt! Das Geheimnis des Leidens hatte eine groteske Kluft zwischen Astrids gesellschaftlicher Gebärde und ihrem verwundeten Herzen entstehen lassen.
»Geh schlafen, Astrid! Du mußt von der Reise erschöpft sein. Ich bringe dir heiße Büffelmilch mit Palmzucker hinauf!«
Keine Antwort. Astrid stand in ihrem neuen Reisekostüm und einem verspielten Nichts von einem Hütchen unbeweglich in der Verandatür und starrte ihre Tante an. Fräulein Wergeland wurde ganz kribbelig. Plötzlich erinnerte sie sich einer längst vergessenen Szene aus Astrids Kindheit. Damals hatte sie sie genauso starr angeblickt und ihr zugeflüstert, Mailin wäre »etwas schlechter« als die »weißen« Kinder. Auf diese Weise hatte sie um Helenes Liebe geworben und war dafür barsch angefahren und geohrfeigt worden. Alles hatte sich seit jenem Tage in Trondheim verändert; nur Astrid stand wieder reglos da und betrachtete die machtvolle Beschützerin ihrer Jugend mit dem gleichen hungrigen Blick.
»Wie kommt es, daß niemand mich lieben kann?« fragte sie plötzlich. Auch Astrid mußte an jenen Tag in Trondheim gedacht haben.
»Rede keinen Unsinn! Ich mag dich sehr gern.«
Fräulein Wergeland hätte sich selber ohrfeigen können, weil sie sich so flau ausgedrückt hatte. Astrid wollte Liebe haben!
»Ich danke dir, Tante Helene!«
Der demütige Ton schnitt Fräulein Wergeland ins Herz. Wenn Astrid doch nur eine Szene machen wollte! Aber sie stand da und bedankte sich, daß Fräulein Wergeland sie gern mochte ...
»Hier ist ein Brief von Hanna Chou aus Shanghai, Astrid! Sie lädt dich ein, sie zu besuchen.«
»Hast du etwa Hanna gebeten, mich einzuladen?« fragte Astrid mißtrauisch. Ihr Verstand begann wieder zu arbeiten.
»Bei dir piept's wohl?« sagte Fräulein Wergeland liebenswürdig. »Ich habe anderes zu tun. Unser dritter Pavillon ist zum Platzen voll mit ausgebombten Familien.«

Astrid atmete auf. Ihre einzige Freundin hatte sie noch nicht vergessen. Aber Astrid hatte im Augenblick keine sonderliche Neigung, glücklichen Ehefrauen zuzuschauen. Da war ihr Fräulein Wergeland mit ihrer Grobheit als Gesellschaft bedeutend lieber.
»Ich möchte jetzt nicht nach Shanghai fahren.«
»Wie du willst, aber Hanna wird enttäuscht sein.« Fräulein Wergeland hatte nur den einen Wunsch, Astrid aus Vivicas Nähe zu entfernen. Es wäre zu gräßlich, wenn das übermütige Kind Astrid jetzt necken würde. *Diese* Szene wollte Helene nicht gern erleben.
»Glaubst du wirklich, daß Hanna etwas an meinem Besuch liegt?«
»Starr mich nicht so an«, sagte Fräulein Wergeland aufgebracht. »Natürlich glaub' ich's.«
»Dann will ich hinfahren. Du bist so gut zu mir, Tante Helene!«
Fräulein Wergeland machte sich in der Pantry am Eisschrank zu schaffen. Dann rief sie mit ihrer lauten Stimme, die Astrid immer durch Mark und Bein ging, nach Yumei und gab ihr die Milch zum Erwärmen. Yumei verschwand gegen ihre Gewohnheit ohne Kommentar im Küchenhaus. »Ältere Schwester« sah wie ein Geist aus, der einem Tiger begegnet ist.
»Gute Nacht«, sagte Fräulein Wergeland und gähnte so herzhaft wie ein japanischer Reisbauer nach vollbrachtem Tagewerk auf einem dürren Felde. »Morgen sieht alles anders aus.«
Aber beide wußten, daß es morgen gar nicht anders aussehen würde. Astrid besaß unter ihren Pariser Hüten die nordische Neigung zum Grübeln und gab sich nicht mit Ersatz zufrieden. Unzählige Frauen aller Nationen heirateten einen Ersatzmann und wurden sogar glücklich mit ihm – schon weil sie wenig erwarteten und daher leicht mehr erhielten. Aber Astrid war wie jene großen Vögel, die sich nach dem chinesischen Sprichwort nicht »mit kleinen Körnern begnügen«.
Vielleicht brachte Astrids Ungenügsamkeit das Unglück ins Rollen. Vielleicht war es eine unbedachte Bemerkung von Dr. Lafitte, der sie in Saigon durch eine Nervenkrise hindurchbrachte, aber wahrscheinlich brach die Katastrophe über die Familie Wergeland herein, weil Astrid nach der Nacht in Angkor Vat an Tugend verlor. Es ist eine merkwürdige Sache um solchen Verlust; man bemerkt ihn nicht im täglichen Zusammenleben; er wird nicht in

den Zeitungen annonciert oder im Radio verkündet. Der Verlust der Tugend ist ein schleichendes Leiden, gefährlicher als Cholera oder Malaria und so verborgen wie ein Krebsgeschwür. Eine trockene Verzweiflung nagte an Astrids Seele; dies war um so verhängnisvoller, als sie in dem Wissen aufgewachsen war, daß Verzweiflung eine Sünde ist. Sie wußte um die Tyrannei der Sünde, sobald die Seele ihr einmal Einlaß gewährt hat; aber sie schritt weiter ihren dunklen Weg. Sie glaubte, liebte und hoffte nicht mehr. Sie verschloß die von ihrer Mutter ererbten Schriften der spanischen Theresia in eine Kiste aus Kampferholz. Sie blieb zum ersten Male in ihrem Leben der heiligen Messe fern; sie verließ die Heimstatt der Gnade hocherhobenen Hauptes – wie sie Angkor Vat verlassen hatte. Und doch hätte nur die göttliche Liebe Astrids Verstand erleuchten und ihren Willen im Kampfe gegen den Menschenhaß stärken können. Aber Astrid hatte sich vom Kreuze abgewandt. Sie war daher ratlos, als das Unglück drei Jahre nach ihrer Entlobung über die Familie Wergeland hereinbrach.

An diesem Tage saß Astrid ahnungslos in ihrem Büro im Zentrum der Stadt Bangkok, und Helene malte ihr tägliches Pensum im Orchideen-Pavillon herunter. Die neunzehnjährige Vivica war um die Stunde der Katastrophe im weißrussischen Schönheitssalon von Madame Ninette und Vera Leskaja, wo sie sich als Empfangsdame betätigte. Astrid hatte ihr die Stelle verschafft, und Fräulein Wergeland hatte nach langem Widerstand brummend ihre Einwilligung gegeben. Junge Europäerinnen konnten im japanisch-besetzten Ostasien nicht so wählerisch sein; und im Hause konnte Vivica auch nicht herumsitzen. Der Kobold brauchte Beschäftigung, und die Russinnen amüsierten Vivica, wie sie versicherte.

Der vierte April 1945 begann wie jeder andere Tag in Bangkok. Und doch war er ein Tag wie kein anderer. Die Alliierten zerbombten die beiden Kraftwerke der Riesenstadt am Menamfluß, so daß die Bevölkerung von einer Stunde zur anderen ohne Licht, Telefon, Straßenbahnen, Eisschränke und Radio dasaß.

Am selben Tage, der des Morgens so ausgesehen hatte wie jeder andere, erhielt Fräulein Wergeland ein paar Besuche, die ihr Leben innerhalb von zwei Stunden grauenhaft verwandelten. Und doch waren diese zwei Stunden nur das Endresultat einer Entwicklung, die in den Ruinen von Angkor begonnen hatte.

ZWEITES KAPITEL

# Die Verhaftung

FRÄULEIN WERGELAND hatte sich schon beim Frühstück am vierten April 1945 nicht wohl gefühlt. Die heiße Jahreszeit machte ihrem Herzen zu schaffen. Sie war nicht mehr die Jüngste, ignorierte aber diese Tatsache zu Astrids Mißfallen. Astrid, die jetzt fast ständig eine Brille trug und ihr Haar nicht mehr, um einem Manne zu gefallen, nach Art der Schäferinnen frisierte – Astrid hatte als Lebensinhalt nur noch das Kino, ihre mannigfachen Geschäfte und ihre geheimen Gedanken. Das ordentliche Fräulein Wergeland wäre entsetzt gewesen, wenn sie die gefährliche Unordnung in Astrids Innerm gesehen hätte; aber Astrid verschloß ihre Seele so sorgfältig wie ihren Schreibtisch und ihre Wertgegenstände, insbesondere die Rubine ihrer Mutter und eine Sammlung burmesischer Edelsteine. Sie atmete stets auf, wenn sie sich nach einem Disput mit Tante Helene in ihr Zimmer im ersten Stock des alten geräumigen Tropenhauses zurückziehen konnte. Wenn sich die Gelegenheit zu einem Disput oder einer Szene nicht bot, bewahrte sie auf der Familienveranda das frostige Schweigen einer entthronten Herzogin.
Fräulein Wergeland saß also in ihrem Malpavillon, anstatt im verdunkelten Zimmer der Ruhe zu pflegen. Das Mittagessen hatte sie allein verzehrt, wobei sie sich aus alter Gewohnheit von Yumei und nicht vom Koch bedienen ließ. Aber auch Yumei hatte Fräulein Wergeland nicht dazu bewegen können, sich nach dem Tiffin hinzulegen. In Trondheim hatte Helene niemals am Tage geruht, warum sollte sie es in den Tropen tun?
Sie mischte ein heftiges Violett auf ihrer Palette und nahm die nächste Orchidee auf der Leinwand in Angriff. Die exotischen Blüten sahen bei ihr diesmal wie Veilchen in Kriegsbemalung aus. Niemand außer Astrid wagte, Helenes Bilder zu kritisieren. Sogar der Konsul hatte nie ein Wort darüber verloren, sondern

Helenes Werk ohne Wimperzucken neben den herrlichsten Produkten Asiens in seinen Häusern in Peking, Tokio, Shanghai und Bangkok an die Wände gehängt.
Knut! - Fräulein Wergeland war auch heute noch nicht über seinen Tod hinweggekommen. Er fehlte ihr an allen Ecken und Enden, obwohl sie so oft heftige Auseinandersetzungen über seine Töchter gehabt hatten. Das heißt: Helene hatte gescholten, und der Konsul hatte gelauscht und war ihr in Gedanken entwischt. Genau wie Vivica! Wenn das Kind seine Tante aus grünen, rätselhaften Augen betrachtete und lächelnd das silberblonde Haar zurückwarf, dann war es jedem Einfluß unzugänglich. Fräulein Wergeland seufzte im Malpavillon. Sie liebte Vivica mit der gleichen beschützenden Liebe, wie sie sie Borghild vom ersten Augenblick an entgegengebracht hatte; aber Vivica ließ sich nicht lieben. Sie war in dieser Hinsicht Knuts Tochter. Sie hatte auch den sorglosen Charme seiner jüngeren Jahre. Sie konnte jeden - Mann oder Frau - herumkriegen, wenn sie es darauf anlegte. Selbst Helene war nicht ganz immun gegen Vivicas nachlässigen und geheimnisvollen Zauber; und das Kind erheiterte sie ein wenig. Das Leben war kein Picknick - Fräulein Wergeland wußte das besser als irgendeiner - aber die Abende in Astrids Gesellschaft hätten den stärksten Mann umgeworfen. Man konnte genausogut mit einem Eisschrank seine Freizeit verbringen. Natürlich war auch Fräulein Wergeland nicht gerade gesellig, und das Zusammenleben mit ihr war auch nicht einfach. Sie selbst allerdings fand sich recht umgänglich, obwohl Knut immer behauptet hatte, sie sei so geduldig wie eine Tigerin und so gesellig wie ein Maulwurf. Sie war nun sechzig Jahre alt geworden und nahm sich das Recht, von sich zu denken, was sie wollte. Gegen das Urteil der Mitwelt war sie bereits in jungen Jahren ziemlich gleichgültig gewesen; jetzt war sie völlig immun dagegen.
Helene ließ den Pinsel sinken und wischte sich den Schweiß von der hohen Stirn. Sie saß aufrecht und eigensinnig in ihrem weißen Kleide und dem schneeweißen Haar auf einem chinesischen Hocker ohne Lehne und dachte an den alten Olaf, an Knut und die Mädchen. Die Diener schliefen; die ausgebombten Familien im vierten Pavillon hatten endlich begriffen, daß die große strenge Missie etwas anderes unter »Ruhe« verstand als sie selber. Denn die Erholung einer chinesischen Familie besteht in unausgesetztem, ohrenbetäubendem Geplauder.

Wenn es aber um diese Stunde auch in Fräulein Wergelands Grundstück ruhig war, so drangen von der Straße irritierende Lärmwellen herein: die schrillen Gesänge der Straßenhändler, das in voller Lautstärke vom Nachbarhaus herübertönende japanische Radioprogramm, die pausenlosen Schreie der Gänse, die Schlangen und Diebe aus den Gärten verscheuchen sollten, und die Marschlieder der vorbeiziehenden japanischen Truppen – laute, rauhe Stimmen, die Klänge von heroischer Einförmigkeit in die vor Hitze vibrierende Luft schmetterten. Fräulein Wergeland schloß die Augen. Sie wünschte sich auf den Berg Aksla, der sich still und stolz über Aalesund erhob.

Helene stand schwerfällig auf und legte sich nun doch auf ihr Ruhebett, das mit einem Drahtnetz gegen die Moskitos gesichert war; aber ihre Gedanken hielten sie wach. Und dabei wußte sie, daß alles Nachdenken über Astrid und Vivica die Atmosphäre im Hause nicht erfreulicher machen konnte. Aber auch dieser Krieg würde einmal zu Ende gehen. Sie war entschlossen, dann mit Vivica nach Trondheim zurückzukehren und dort einen vernünftigen Mann für das unberechenbare Kind zu suchen.

Viel später erinnerte sich Helene, wie intensiv sich ihre Gedanken beim Einschlafen mit der Rückkehr nach Norwegen beschäftigt hatten. Es war, als ob das Schicksal einen wirkungslosen Warnruf in den Orchideenpavillon gesandt hätte.

Helene träumte und atmete schwer. Ein schwarzer Vorhang senkte sich um den Pavillon und begrub die Orchideen, den Garten und sie selbst. Plötzlich blies der Monsun den Vorhang fort; und Helene saß auf ihrem Balkon in der Villa Wergeland, sah zufrieden den wandernden Wolken nach und ruhte sich von Asien aus. Sie mußte Monate auf den Fjord geblickt haben: Astrid und Vivica waren angenehme unproblematische Schatten geworden. Plötzlich sah sie am Ufer eine Eiderente, oder war es Vivica? Das Traumgeschöpf blutete aus seinem zarten Gefieder und blickte sie so flehend an, daß Helene hinuntereilen wollte, um es zu bergen. Sie hatte immer geborgen und geholfen; dazu war sie auf der Welt. – Sie stöhnte im Traum, weil sie sich nicht bewegen konnte, und Tränen liefen über ihr Gesicht. Im wachenden Zustand weinte Fräulein Wergeland niemals. Vielleicht hatte das Kind etwas entwendet und – aber Vivica hatte niemals wieder gestohlen, nachdem sie sich als Kind Mailins Jadeglocke angeeignet hatte. Mailin hatte sie »Dritter Schwester« bei ihrer Hoch-

zeit geschenkt. Vielleicht glaubte sie, daß Vivica die Mahnung »Eile ist Irrtum« dringender brauchte als sie. –
Fräulein Wergeland fuhr mit einem Ruck aus dem Schlaf. Sie hatte das Gefühl, daß jemand sie im Schlafen beobachtet hatte. Aber da stand nur die gute Yumei in ihrer schwarzen Hose und der weißen, gestärkten Jacke und hielt Fräulein Wergeland eine Schale mit Eis und ein Handtuch entgegen.
»Es sind Besucher gekommen«, sagte sie sanft.
»Besucher?« fragte Fräulein Wergeland entsetzt. »Und noch dazu um die Mittagszeit?«
»Russendamen«, erklärte Yumei. »Russendamen, wo ›Dritte Schwester‹ ist. Wollen Missie dringend sprechen.«
»Unverschämtheit«, murmelte Helene. »Sie können doch schreiben.« Sie erfrischte sich eilig mit dem Eis. Yumei hatte die Bambusvorhänge zugezogen und reichte Fräulein Wergeland kniend ein frisches weißes Kleid. Sie war mit den Jahren Dienerin, guter Hausgeist und Vertraute in einer Person geworden. Ihr adrettes Aussehen und ihr gesunder Menschenverstand erfrischten Helene, wenn ihre Nichten es zu bunt trieben. Durch Yumei war sie viel fester an Asien gebunden, als sie selbst wußte; denn chinesische Treue ist stark und tröstlich.
Helene glaubte nun auch zu wissen, was Madame Ninette wollte. Vivica hatte ihr von einer großen Party erzählt, welche die fette Russin trotz der Bombengefahr geben wollte. Sie konnte sich die Mühe sparen. Fräulein Wergeland würde nicht teilnehmen. Aber sie würde der Russin bei dieser Gelegenheit sagen, daß Vivica nicht mehr in ihrem Schönheitssalon arbeiten sollte. Astrid mußte eine Stellung für sie bei ihren französischen Freunden in Bangkok finden. Madame Ninette schickte die neunzehnjährige Vivica beständig nach Indochina, um Kosmetik und Schmuck einzukaufen. Sie war ja so groß, so liebenswürdig und hatte einen Paß, vor dem die Grenzbeamten kuschten. Aber diese Reisen waren Helene ein Dorn im Auge. Das Kind war viel zu jung, zu leichtsinnig und zu schön, um allein in Saigon herumzustrolchen. Allein? Was wußte Helene von Vivicas Tun und Lassen, auch wenn sie aus alter Familienfreundschaft bei Professor Clermont, Astrids Großonkel, wohnte? Einmal hatte Vivica erzählt, Pierre de Maury sei in Saigon gewesen, und sie hätten einen herrlichen Abend in einem Nachtklub verbracht. Astrid hatte sie sprachlos angesehen. Dann war sie aufgestanden und in ihr Zimmer gegangen.

»Was hat Astrid?« hatte Vivica gefragt und Helene unschuldig-verschlagen angeblickt. »Pierre hat sie doch sitzenlassen. Darf er mit keinem Mädchen mehr tanzen?«
»Halte den Mund«, hatte Fräulein Wergeland heftig gesagt. Am liebsten hätte sie den Kobold geprügelt. Das war genau vor drei Monaten gewesen. – Vivicas Vergnügungsdurst kannte keine Grenzen. War sie ein Geschöpf der Tiefe, wie ihre unglückliche Mutter? Oder ein Luftgeist? Wie konnte man einen Luftgeist festbinden? Vivica war ein erwachsenes Mädchen, hörte sich lächelnd etwaige Vorhaltungen an und ging tanzen. *Molly Sun*, eine reiche junge Chinesin in Bangkok, lud sie beständig zu Parties ein, die bis tief in die Nacht dauerten. Vivica hungerte nach neuen Gesichtern und Plätzen, als ob das Leben zu kurz wäre, um alles zu sehen und zu erleben, was es an verborgenen Sensationen bot...
Helene und Astrid saßen grimmig in der Sathorn Road, wenn Vivica tanzte. Helene konnte nicht schlafen, bis sie das Kind wieder sicher zu Hause wußte. Sie schalt sich selbst, sie sei auf ihre alten Tage eine Glucke geworden; aber schlafen konnte sie trotzdem nicht. – Sie hätte noch weniger Ruhe gefunden, wenn sie gewußt hätte, mit wem Vivica so elfenhaft und leidenschaftlich bei ihrer Freundin Molly Sun tanzte. – Einmal war auch Astrid von Miss Sun eingeladen worden; sie hatte abgesagt und Vivica erklärt, sie setze sich nicht mit chinesischen Kriegsschiebern an einen Tisch. Vivica hatte erleichtert aufgeatmet und ihre in letzter Zeit, trotz der untadeligen Figur, so glanzlose Schwester mit sanftem Spott betrachtet. Ihr bildschönes Gesicht zeigte jenen Schatten von Überdruß, der ihr zu gewissen Zeiten eine zarte Traurigkeit gab. Arme Astrid! Wie lächerlich, sich immer als Gouvernante aufzuspielen. Sie sollte lieber ihr zu weiches Haar kunstvoll frisieren lassen und nicht so oft die Brille tragen. Kein einziger Mann war in sie verliebt. Vivica hatte einen Haufen Verehrer, die sie anmutig an der Nase herumführte. Bis auf Pierre de Maury natürlich. Er war der letzte, der sich an der Nase herumführen ließ. Auch nicht von einem bildhübschen kleinen Mädchen. Aber er konnte sehr amüsant sein. Und er fragte auch nicht um Erlaubnis, wenn er ein kleines Mädchen küssen wollte. Er küßte. –
Fräulein Wergeland hatte ihren Entschluß gefaßt: erst würde sie den Russinnen für Vivica, die noch nicht mündig war, kündigen, und dann höflich für die verdammte Einladung danken. Sie würde

es der alten Russin klarmachen, daß sie wie jeder andere gern einen lustigen Abend verlebte, aber die letzten vierzig Jahre keinen mitgemacht hatte. Nichts wahrer als das. Sie legte den Kamm beiseite und sagte Yumei, sie möchte Limonade für die russischen Damen bringen. Dann richtete sie sich zu ihrer imponierenden Höhe auf und schritt kampflustig und ohne die Spur eines höflichen Lächelns ins Empfangszimmer mit den heruntergelassenen Vorhängen. Das Zimmer war das letztemal bei Mailins Hochzeit benutzt worden. Knut hatte damals einen Arm um Mailins Schultern gelegt, als ob er sie nicht loslassen wollte, hatte aber strahlend gelächelt. Helene hatte ihn nicht ansehen mögen.
Das Empfangszimmer enthielt zwei bequeme Korbsessel für Ehrengäste, viele steife Stühle aus Ebenholz mit chinesischer Schnitzerei, eine große Vase aus der Ming-Periode und einige Bilder an weißgekalkten Wänden. Zwei Ölbilder von Fräulein Wergeland, die wilde norwegische Landschaften in Gespensterfarben zeigten, und dann das kostbare japanische Wandbild »Singvögel auf einem toten Zweig«, in der Manier des 17. Jahrhunderts von einem Schüler des großen Miyamoto Musashi gemalt. Vor diesem Bild hatte Yvonne in Shanghai ihre Szenen gemacht und der junge Herr Matsubara an Freundschaft mit Europäern geglaubt. Das war genau zwanzig Jahre her. Alles hatte sich gewandelt, nur nicht der Singvogel auf dem toten Ast. Er deutete, in einen öden Empfangsraum verbannt, eine typisch japanische Tugend an: den heroischen, für westliches Empfinden unsinnigen Willen, angesichts eines Todes, der bei einiger Vorsicht zu vermeiden wäre, in ekstatischen Gesang auszubrechen.
Dieses Bild betrachteten die beiden Russinnen, als Fräulein Wergeland eintrat.

\*

Madame Ninette hatte sich ungeniert in dem einen der beiden kissenbelegten Sessel für Ehrengäste niedergelassen, in dem bei Mailins Hochzeit die alte Madame Chou aus Shanghai bescheiden und würdevoll gesessen hatte. Die Jahre waren nicht allzu freundlich mit Madame Ninette umgegangen. Sie war heute ein Fettkoloß, zu dem die rosa geschminkten Bäckchen und das optimistisch-blonde Lockenchignon wenig paßten. Als sie vor acht Jahren Astrid in Shanghai für ihr Lunch mit Herrn de Maury

schön gemacht hatte, war sie eine füllige aber ansehnliche Scheherezade gewesen, die Astrid mit ihren würzigen Erzählungen über unbekannte Leute angenehm unterhalten hatte. Der Alkohol, fettes chinesisches Essen und ihre Abneigung gegen jede Art von Bewegung hatten Madame Ninette sehr verändert. Geblieben waren nur ihr Durst, ihre russische Abart von Sentimentalität und ihre Neigung, wildfremden Leuten dramatische Biographien über Unbekannte zu erzählen. Auch ihr behagliches Lächeln war noch vorhanden: trotz aller Gegenbeweise schien Madame das Leben immer noch für ein Picknick – mit viel Wodka – zu halten. Sie war jetzt etwa achtundfünfzig Jahre, hatte aber beschlossen, wie achtzehn auszusehen. Aus diesem Grunde trug sie ein rosa Flügelkleid mit einem so hektischen Blumenmuster, daß Fräulein Wergeland zunächst geneigt war, sie für eine besonders exzentrische Orchidee von übernatürlicher Größe zu halten.
Madame Ninette sprach gerade laut und sehr erregt auf Vera Leskaja ein, die wie in Shanghai in ihrem Beauty-Parlour das Amt einer Kassiererin, Sekretärin und Privatspionin ausfüllte. Madame Ninette wußte so wenig, daß Vera Leskaja in Shanghai für die Chinesen hinter den Japanern herspioniert hatte, wie daß ihre tüchtige Kraft nunmehr seit etlichen Jahren die Chinesenjagd im Auftrage Nippons durchführte: Chungking-Agenten waren ihr liebstes Wild.
Mit Vera Leskaja waren die Jahre ebenso unfreundlich verfahren. Sie wirkte jetzt wie eine Krähe; eine hagere Gestalt Mitte der Vierzig in einem grauen Kleid. Auch ihr slawisches Gesicht mit den hohen Backenknochen und den kleinen, gierigen mißtrauischen Augen war eher grau als weiß. Ihr bitterer Mund war festgeschlossen; aber ihre Nasenflügel zitterten wie Blätter im Monsun. Nur diese Nasenflügel gaben dem Antlitz aus grauem Ton ein wenig Leben. Fräulein Wergeland dachte bei sich, daß sie niemals zwei abstoßendere Erscheinungen gesehen hätte. Und mit solchen Frauen verbrachte Vivica einen großen Teil des Tages! Das mußte ein Ende haben.
Es war merkwürdig, daß die Krähe sich nicht setzte, sondern in unterwürfiger Haltung bei Madame Ninette stehenblieb und ihren Redestrom mit steinerner Resignation über sich ergehen ließ. So stand sie seit Jahren vor Madame Ninette, seit diese sie in den Hintergassen von Shanghai nach dem Tode ihres Vaters aufgelesen, gekleidet und dann beschäftigt hatte. Vera gehörte zu der

Armee jener intelligenten und wohlerzogenen Weißrussinnen, die im Fernen Osten seit Jahrzehnten mit ihren erfolgreicheren und gewöhnlicheren Schicksalsgenossen in einer qualvollen aber unlöslichen Gemeinschaft lebten. Madame Ninette hatte sich niemals den Kopf zerbrochen, woher das Geld für das elegante Beauty-Parlour damals in Shanghai und nun in Bangkok kam; sie wußte nur, daß Leskaja irgendwie die Summen beschaffte. Sie fand, Vera müsse sich dankbar dafür erzeigen, daß sie als junges Mädchen in Shanghai nicht verhungert war, mokierte sich ungehemmt über sie und behandelte sie abwechselnd brutal und zärtlich. So war die Beziehung zu Beginn gewesen, und so war sie nach außen hin noch heute. Vera Leskaja, die von den Japanern so viel Geld bekam, wie sie wollte, mußte ihre Gründe haben, weswegen sie immer noch mit der fetten Russin zusammenblieb. Diese Gründe waren so undurchsichtig wie die Maske ihrer Ergebenheit und Farblosigkeit. Für Madame Ninette war Leskaja zur Zeit unentbehrlich, da sie japanisch sprach. Es kamen viele Japanerinnen in den Schönheitssalon und zahlten Phantasiepreise – die Japaner druckten sich nämlich ihr eigenes Geld im besetzten Gebiet. Außerdem verhandelte Vera Leskaja mit japanischen Behörden, wenn man in Indochina Parfüms und Schmuck kaufen wollte und irgendwelche Dinge über die Grenze zu bringen gedachte, französischen Champagner zum Beispiel, den es in Bangkok nicht gab und der in bestimmten Kreisen bei den Parties in Strömen floß. Es gab vieles, was in diesen Jahren über die Grenze zwischen Siam und Indochina geschmuggelt wurde: Luxusartikel, Menschen und Informationen... Vera Leskaja erschien im Beauty-Parlour regelmäßig um sieben Uhr morgens und ging als letzte in ihr kleines Hotel im Chinesenviertel zurück. Selbst Madame Ninette wußte nicht, wo und mit wem die Krähe ihre einsamen Abende verbrachte. Es war ihr gleichgültig. Sie lud Vera niemals zu den lärmenden üppigen Parties ein, die Vivica so lustig fand. Madame war der Ansicht, sie könne genausogut einen Totenkopf einladen. Neben ihrer strotzenden Person erschien Vera noch farbloser und freudloser, als sie es ohnehin war. Sie freute sich darüber und betrachtete Madame Ninette mit verstohlener Verachtung; die wesentlichste Eigenschaft für eine Agentin im Geheimdienst war eben graue Unauffälligkeit.

Da Madame Ninette Fräulein Wergelands drohenden Schatten in der Tür noch nicht bemerkt hatte, fragte sie Leskaja mit ihrer

Alarmglockenstimme, ob es in diesem Hause nicht eine einzige Flasche Brandy gäbe. Madame Ninette sprach Französisch, in der Hoffnung, daß jemand lauschte. Fräulein Wergeland runzelte die Augenbrauen, trat näher und informierte ihren ungebetenen Gast liebenswürdig, daß ihr Heim keine Schenke wäre. In diesem Augenblick trat Yumei mit geeister Limonade ein, die von Madame Ninette mit einem russischen Hohngelächter zurückgewiesen wurde. Sie zwinkerte Leskaja satirisch zu und bemerkte auf russisch: »Sankt Julian der Gastfreundliche, wie er leibt und lebt!« Sie rollte den Buchstaben *r* wie Donnergrollen. Dabei fiel ihr eine Geschichte über eine abenteuerliche Gastgeberin in Shanghai ein, die sie ihrer Sekretärin in schnellem Russisch erzählte, während ihre hellen scharfen Augen die hochgewachsene alte Norwegerin abschätzten: eine ungemütliche Person – dieses Frrräulein Werrrgeland!

»Was wünschen Sie?« fragte Helene und trat einen Schritt näher. Madame Ninette erhob sich mit einiger Schwierigkeit aus dem Sessel für Ehrengäste und kam mit ausgestreckten Händen auf ihre stirnrunzelnde Gastgeberin zu.

»Liebste Freundin«, murmelte sie, »meine Seele dürstet nach Trrrost!« – Madame hatte viele liebste Freundinnen und kannte sie in der Regel auch nicht besser als Fräulein Wergeland. –

»Sagte ich Brandy?« fuhr sie in ihrem schnellen, harten Französisch fort. »Es kann natürlich auch Gin sein oder ein sanfter preiswerter Pfefferminzlikör. Meine Sekretärin wäre bestimmt damit zufrieden.«

Vera Leskaja verbeugte sich wortlos. Fräulein Wergeland bewahrte immer noch grimmiges Schweigen. Sie war so irritiert, daß ihr im Augenblick die Worte fehlten. Astrid hatte ihr seinerzeit gesagt, Madame Ninette wäre »in Ordnung«. Fräulein Wergeland hatte sich auf ihre Auskünfte verlassen und Vivica erlaubt, in dem Salon der Russinnen zu arbeiten. Helene nahm sich vor, heute abend ein ernstes, wenn auch möglichst höfliches Wort mit Astrid zu reden. Etwas stimmte da nicht. Die wählerische Astrid fand an Madame Ninette nichts auszusetzen? Vielleicht war sie wirklich trotz ihrer Geschäftstüchtigkeit durch ihr Unglück ein wenig verrückt geworden? Helene verwarf den Gedanken: Astrid hatte einen kühlen Kopf auf ihren Schultern sitzen. Helene Wergeland wußte eben nicht, wie sehr Astrid an Tugend verloren hatte.

Schließlich stellte Madame Ninette ihre Sekretärin vor. »Vera Leskaja, meine rechte Hand. Eine hübschere konnte ich nicht bekommen, ja?« Sie lachte dröhnend.
Fräulein Wergeland antwortete nicht. Die fette Person war eine Närrin, dies still brennende Geschöpf so zu provozieren. Vera Leskaja sah mit ihrem gezwungenen Lächeln in diesem Augenblick wie eine Märtyrerin aus, aber obwohl Helene mit ihrem ausgeprägten Gerechtigkeitssinn die Fremde in Grau bedauerte, fühlte sie Abneigung und Ungeduld. Sie hatte nun einmal für Russinnen keine Verwendung.
»Wenn Sie hierherkamen, um mich zu Ihrer Party einzuladen«, sagte sie brüsk, »dann muß ich mit Dank ablehnen. Ich besuche niemals Abendgesellschaften.«
Sekundenlang ließ der Koloß seine scharfen hellblauen Augen in sprachlosem Erstaunen auf der grimmigen weißhaarigen Gestalt ruhen. Dann brach der Sturm los.
»Hast du *das* gehört, Leskaja?« schrie Madame heiser auf russisch. »Diese alte Tigerin, die nicht einmal Pfefferminzlikör für ihre besten Freunde hat, redet von *Einladungen*! Barmherziger Himmel!« Madame Ninette sank in den Sessel für Ehrengäste. »Brrrandy«, stöhnte sie.
Fräulein Wergelands kleiner Vorrat an Geduld war erschöpft. Diese Personen waren unmöglich. Warum hatte sie Vivica nicht lieber in ihrem Zimmer eingeschlossen, als ihr zu erlauben, in dem »Salon« von solchen Frauenzimmern zu arbeiten. Astrid konnte etwas erleben, wenn sie heute aus ihrem Büro zurückkam!
»Wollen Sie bitte mein Haus verlassen«, sagte Helene kalt und betrachtete den Koloß mit wildem Mißfallen. In ihren stahlblauen Augen wetterleuchtete es. »Und darf ich Ihnen gleichzeitig mitteilen, daß meine Nichte *nicht* länger in Ihrem ... Betrieb arbeiten wird. Das ist endgültig. Guten Tag.«
Sie hatte gerade mit drei Riesenschritten die Tür erreicht, als sie einen leichten Druck auf ihrem Arm fühlte. Herumfahrend, blickte sie direkt in Vera Leskajas graue Augen. Ihr lebloses Gesicht trug einen unergründlichen Ausdruck.
»Madame«, sagte die Frau in Grau mit dem zeremoniellen Pathos der gebildeten Russinnen, »unsere Visite hat keinerlei gesellschaftlichen Anlaß. Meine Brotgeberin versuchte in der ihr eigenen Art Sie auf eine, hm, unangenehme Überraschung vorzubereiten, aber sie ist zu weichherzig.«

Der weichherzige Koloß nickte geschmeichelt und entzündete eine von Astrids französischen Zigaretten aus der annamitischen Silberdose auf dem Teakholztisch beim Ehrensessel.
»So muß *ich* Sie leider informieren«, fuhr Vera Leskaja langsam fort. »Es ist seit Jahrzehnten mein trauriges Los, die Überbringerin schlechter Nachrichten zu sein.«
Fräulein Wergeland starrte die graugekleidete Sekretärin gereizt an. Sie hatte so eintönig gesprochen, daß man dabei hätte einschlafen können. Daß diese Russinnen auch nie von der Leber weg reden konnten! Das traurige Los dieser Person interessierte Helene nicht sonderlich. Wie konnte man sich so übertrieben ausdrücken? Aber – hatte die graue Krähe nicht von einer unangenehmen Überraschung gesprochen? War Vivica etwas zugestoßen? Fräulein Wergeland wollte fragen, was zum Kuckuck passiert wäre, aber die Stimme gehorchte ihr nicht. Ihr war plötzlich trotz der Hitze kalt.
»Madame«, sagte die narkotische Stimme, »es fällt mir schwer Ihnen mitzuteilen, daß...« Sie zögerte und sagte dann hart und deutlich »Fräulein Vivica Wergeland ist vor einer Stunde von der Japanischen Geheimen Militärpolizei verhaftet worden.«
Die Möbel im Empfangszimmer tanzten vor Fräulein Wergelands Augen. Sie träumte wohl noch in ihrem Orchideen-Pavillon?
Der Koloß im Ehrensessel schien zu finden, daß die Situation nach einem russischen Gefühlsausbruch verlangte: plötzlich erschütterte ein gewaltiger Weinkrampf ihren Körper. Die Schminke rann in Bächen über ihre Hängebacken. Sie sah wie ein trostloser aufgeputzter Clown aus, während sie wimmerte, Vivica, ihr Täubchen, sei ihre einzige Freundin in dieser eiskalten Welt gewesen. Eiskalte Welt – eine kühne Behauptung bei vierzig Grad Celsius im Schatten!
»Mein Täubchen, Vivica«, wimmerte Madame. »So jung und schon eine Verbrecherin! Leskaja, gib mir ein Taschentuch!« Und dann sagte sie unmißverständlich, während sie sich geräuschvoll schneuzte: »Brrandy, oder wenigstens einen milden ›Rosa Gin‹! Dieses Haus ist lächerrrlich. Keine Drrinks, keine Musik, keine Lustbarkeiten. Tröste mich, Leskaja!«
Vera rührte sich nicht, da sie seit gut zwanzig Jahren an die Ausbrüche ihrer Brotgeberin gewöhnt war. »Trrröste mich«, schrie Madame Ninette wütend. »Steh nicht da wie eine Säulenheilige mit Sprechverbot!«

Aber einmal im Leben stand die schattenhafte Sekretärin nicht zu Madame Ninettes Verfügung. Sie läutete nach Eiswasser, um das ohnmächtige Fräulein Wergeland zu beleben.

*

Als Yumei sich dem Empfangsraum näherte, schlüpfte Vera Leskaja in die große Halle und kam schnell mit Handtüchern und Astrids Herztropfen zurück. Sie hatte eine übernatürliche Begabung, in wildfremden Häusern Badezimmer und Schreibtische zu finden. Dann versuchte sie mit Yumeis Hilfe, Fräulein Wergeland zum Bewußtsein zu erwecken.
Als Helene sich regte, flüsterte Madame Ninette auf russisch: »Sprich nicht länger mit diesem schrrrecklichen Tantchen! Sie wird uns alle in die Sache hineinziehen! Sie erinnert mich an Lisaweta Kruszowa, die grundsätzlich alle ihre Bekannten in ihre Affären verwickelte. Laß mich nachdenken, Lisaweta war die Nichte, nein, die Großcousine von...« Es folgte eine längere Erzählung über diese Dame. Dann flüsterte Madame: »Vera, höre gut zu! Du weißt, daß ich keine Ahnung davon hatte, daß der letzte Posten Saigon-Seiden Diebesgut war? Sie wurde mir angeboten, ich prüfte sie, ich kaufte...« Madame rezitierte den Vorgang wie die Fabel einer klassischen Tragödie. »Ich wußte nichts, gar nichts... erinnerst du dich?«
»Natürlich wußten Sie nichts, Nina Iwanowna! Wie hätten Sie es auch wissen sollen?«
Madame warf ihrer »rechten Hand« einen scharfen Blick zu. War da eine Nuance von Hohn in der narkotischen Stimme gewesen? Unsinn! Leskaja war zu dumm dazu.
»Ich halte die Augen offen«, versicherte Madame Ninette prahlerisch. »Die ganze Kolonie weiß es! ›Ninotschka hat Adleraugen‹, pflegte mein lieber, guter General in Shanghai zu sagen. Gott hab' ihn selig.« Sie legte etwas Puder um ihre Adleraugen. Fräulein Wergeland versuchte sich aufzurichten.
»Leskaja«, murmelte Madame eilig, »*was* sagte der Japaner mit dem kleinen Schnurrbart und der Krokodil-Aktenmappe – ich möchte wissen, was er dafür bezahlt hat? – was sagte er zu dir bei der Verhaftung der kleinen Wergeland?«
Vera Leskaja blickte ihre Brotgeberin erstaunt an. »Niemand sprach mit mir. Sie träumen, Nina Iwanowna!« Es klang wie

Geistermusik – überredend und fern, aber Madame war für die Magie von Angestellten ganz unzugänglich.

»Du sprachst mit ihm. Ich sah es«, erwiderte sie eigensinnig. Ihre heisere Stimme enthielt eine winzige Drohung.

»Sie meinen den mit dem kleinen Schnurrbart?« fragte Vera, um Zeit zu gewinnen. »Ich erinnere mich jetzt! Tatsächlich, Sie haben Adleraugen, Nina Iwanowna!«

»*Was* sagte er?«

Leskaja gab es auf. Sie murmelte lange, amtliche Sätze wie aus einem Protokoll: »Der Japs fragte, von wem Sie den Salon gemietet hätten und ob der siamesische Hauswirt über die neue pan-asiatische Wohlstandsgemeinschaft glücklich wäre. Ob er englische Bücher lese und das Radio der Alliierten abhöre. Es wären zwar nur Lügen, aber die Siamesen wären mit Nippon verbündet und sollten Loyalität lernen. Er fragte, wie lange wir in Bangkok wären und für wen wir vorher gearbeitet hätten.«

»Was heißt: ›für wen‹?«

»Ich fand die Frage auch merkwürdig, Nina Iwanowna! Ich sagte natürlich, wir hätten überall für uns selber gearbeitet. Wir wären arme Russen im Exil und hätten einen täglichen Kampf um ein Existenzminimum auszufechten.«

»Serr wahr und serr gut«, Madame Ninette klatschte mit ihren dicken, beringten Fingern Beifall, als ob sie einer Theatervorstellung beiwohne. »Aber das war doch nicht alles! Er plauderte fünfzehn Minuten mit dir, mein Täubchen.«

»Er fragte, wie lange Sie in China gelebt hätten. Und ob Sie die Chinesen den Japanern vorzögen.«

»Hoffentlich hast du ihm gesagt, Nina Iwanowna wüßte nicht, wen sie rrreizender fände! Was fragte er über die kleine Verschwörerin Vivica?«

»Ich habe es vergessen, Nina Iwanowna.«

»Dann denke nach! Aber serr schnell!«

»Er fragte nur, wie lange Mademoiselle bei uns tätig gewesen wäre. Und ob sie privat mit Ihnen verkehrt hätte. Und dann soll ich ihm bis heute abend eine Liste unserer Kunden anfertigen.«

»Nur über meine Leiche! Der Japs ist lächerrrlich.«

Vera Leskaja betrachtete den Einwurf nicht. Sie würde ihren Brotgebern abliefern, was sie verlangten. Die Kundenliste war die einzige wahre Einzelheit in Leskajas Bericht. Sie kniff die Augen zusammen und beschloß, Madame Ninette vorsichtig einen

Schreck zu versetzen: »Da fällt mir ein, der jüngere Offizier wollte zum Schluß noch wissen, wer die Seiden und Cremen in Saigon einkaufe und wie oft Ihre Einkäuferin in den letzten drei Monaten die Grenze nach Indochina passiert habe.«

Madame Ninette war sehr blaß geworden. »Weiter!« sagte sie heiser.

»Und ob Sie sich für Politik interessieren und worüber unsere europäischen Kundinnen, besonders die Deutschen, sprächen. Und ob Sie glauben, daß Deutschland vielleicht den nächsten Weltkrieg gewinnen könne. Und ob er eine Schönheits-Lotion für seine ›Trost-Dame‹ haben könne?«

»Wie hieß der ältere Offizier, der im Hintergrund stand und kein Wörtchen sagte?«

»Major Kimura, soviel ich weiß.«

»Dieser Kimura erinnerte mich an jemanden, Leskaja! Du hattest damals in Shanghai einen japanischen Schüler. Dem sah er ähnlich.«

»Sie sehen alle gleich aus, Nina Iwanowna«, murmelte Vera Leskaja. »Oh, der junge Offizier machte mich mit seinen Fragen total verrückt.«

»Dazu gehört nicht viel, Leskaja! – Hast du ihm gesagt, daß ich mich nicht im geringsten für Politik interessiere?«

»Wie konnte ich das sagen, Nina Iwanowna? Sie hören doch Tag und Nacht ›Radio Tokio‹!«

»Man sollte dich in heißem Kokosöl sieden«, erwiderte Madame mit einer harten, nüchternen Stimme. »Möchtest du uns alle in den Kellern der Kempetai sehen, du Schwachkopf? Hast du ihm auch verraten, worüber die Kundinnen plaudern, du gebildete Gans? Frauen, die schöner werden wollen, müssen vor allem den Mund halten. Schwatzen macht häßlich ... Man sieht es an dir!«

»Entschuldigen Sie, Madame, ich meinte es gut.«

»Da du so eine Plaudertasche bist: hast du den Japanern wenigstens gesagt, daß ich die Werrrgelands kaum kenne und den albernen Backfisch sowieso entlassen wollte?«

»Das höre ich zum ersten Male, Nina Iwanowna! Sie nannten doch immer Mademoiselle Vivica Ihr Täubchen! Sie sagten sehr oft, sie wäre Ihre einzige Freundin in dieser eiskalten Welt!«

»Nimm dich in acht, Leskaja!«

»Ich bin todunglücklich, wenn ich etwas Verkehrtes gesagt habe. Verzeihen Sie mir, Nina Iwanowna!«

»Verrrdammt sollst du sein«, sagte Madame in kalter Wut. Ihr sonst so behagliches Gesicht war verzerrt. Sie hatte wie jeder andere eine lähmende Angst vor der japanischen Militärpolizei. Jedes unbedachte Wort von Leskaja konnte sie den Kopf kosten. Grenzschmuggel in Kriegszeiten war ein schweres Verbrechen, auch wenn es sich nur um Seiden und kosmetische Artikel handelte.
»Du bist eine verdammte Plaudertasche, Leskaja«, sagte sie endlich mit Anstrengung. Sie durfte dieser Gans ihre Angst nicht zeigen. Täglich wurden mehr Europäer verhaftet.
»Bitte, verzeihen Sie mir, Nina Iwanowna!«
Der Koloß schenkte der »rechten Hand« einen langen, kalten Blick.
»Ich weiß nicht, warum ich so eine Plaudertasche ohne Grund und Profit in den Hintergassen von Shanghai aufgelesen habe«, sagte sie schließlich. »Ich möchte dich am liebsten...«
Madame Ninette verstummte. – Fräulein Wergeland war zu sich gekommen und blickte sie an.

\*

Fräulein Wergelands Ohren dröhnten, oder war es ihr Kopf? Sie war noch nie ohnmächtig gewesen und ärgerte sich über die lähmende Schwäche, die sie immer noch fühlte. Nur mit äußerster Anstrengung konnte sie sich besinnen, warum diese Russinnen in ihrem Empfangszimmer waren. Ihr Herz tat einige unruhige Schläge.
»Fühlen Sie sich besser, Madame?« fragte Vera Leskaja besorgt. Sie holte aus ihrer schäbigen Handtasche ein Kristallflakon mit französischem Cognac, den sie in den silbernen Becher goß, der als Verschluß diente. Es war eine kostbare Reiseflasche; offensichtlich ein Andenken aus dem zaristischen Rußland.
»Bitte, trinken Sie«, bat sie, als sie Fräulein Wergelands Abneigung bemerkte. »Sie werden Ihre Kräfte brauchen, Madame! Ich trage stets etwas Cognac bei mir. Madame Ninette ist so anfällig: sobald die Sirenen heulen, fällt sie um.«
Madame Ninette blickte geschmeichelt, riß Vera die Flasche aus der Hand und leerte sie in einem Zuge.
»Vera, mein Täubchen«, sagte sie gefühlvoll, »dein gutes Herz rührt mich zu Tränen. Laß uns fliehen, liebste Leskaja! Dies

Haus ist lächerrrlich! Keine Drrrinks, kein Gesang, keine Lustbarkeiten!«
»Beste Freundin«, wandte sie sich an das sprachlose Fräulein Wergeland, die noch nie erlebt hatte, wie wirklich guter Cognac auf die russische Seele wirkt. »Mein Herz weint Ihretwegen! Aber haben Sie etwas dagegen, wenn mein Täubchen Leskaja und ich diesen Ort des Grauens nun verlassen?«
»Ein vorzüglicher Vorschlag.« Fräulein Wergeland richtete sich zu ihrer vollen Höhe auf. Sie hatte sich erholt, war aber totenblaß. »Ich werde die Polizei auf jeden Fall aufsuchen«, fuhr sie schroff fort. »Ihr Beauty-Parlour muß geschlossen werden. Es ist eine öffentliche Bedrohung.«
Bevor Madame ihre »beste Freundin« erwürgen konnte, mischte sich Vera Leskaja höflich aber bestimmt ins Gespräch.
»Gestatten Sie mir, Ihnen einen wohlgemeinten Rat zu geben, Madame! Es ist nutzlos, meine Brotgeberin verantwortlich zu machen. Wir wissen nicht, warum Ihre Nichte verhaftet wurde.«
Es war in der Tat eine komplette Überraschung für Vera gewesen, da Major Matsubara, der sich offiziell »Kimura« nannte, nicht die Gewohnheit hatte, seine Maßnahmen mit seinen Agenten zu erörtern.
»Wollen Sie sich freundlichst daran erinnern, daß Madame Ninette Ihre Nichte zuerst nicht beschäftigen wollte? Mademoiselle Vivica hat einen anderen sozialen Hintergrund. Meine Chefin bestand auf Ihrer schriftlichen Erlaubnis zur Übernahme des Postens. Dieses Dokument ist in unseren Händen. Überflüssig zu erwähnen, daß wir es nur mit blutenden Herzen der Militärpolizei vorlegen würden, nicht wahr, Nina Iwanowna?«
Der Koloß nickte so heftig mit der goldenen Lockenpracht, daß das Chignon wie ein betrunkener Seemann schwankte. »Ich engagierte die Kleine mit düsteren Ahnungen«, bestätigte sie. »Mit grroßen, düsteren, tödlichen Ahnungen.«
Madame Ninette war in diesem Augenblick fest davon überzeugt, daß sie sich heftig gegen Vivica, ihr wirkungsvolles Aushängeschild, gesträubt hatte. Sie gehörte zu den glücklichen Geschöpfen, die nach Belieben vergessen können. So hatte sie denn auch die entzückten Schreie, die sie bei Vivicas Anblick ausgestoßen hatte, vergessen.
»Ihre Nichte paßte in keiner Weise zu uns«, bekräftigte Vera Leskaja. »Aber die junge Dame wollte bei uns ›Gesichter sam-

meln‹, wie sie es nannte. Sie nannte den Salon ihre ›Jagdgründe‹. Eine sehr merkwürdige junge Dame!«
»Nicht im geringsten merkwürdig«, unterbrach Fräulein Wergeland. Sie war bereit, Vivica auch wider ihre bessere Einsicht gegen die ganze Welt zu verteidigen. So hatte sie es auch mit Borghild gehalten. »Vivica ist ein unschuldiges Kind, daß sich nützlich machen wollte.«
Vera Leskaja lauschte respektvoll dieser Version von Vivica Wergelands Charakter.
»Ein unschuldiges Kind«, wiederholte Fräulein Wergeland halsstarrig.
»Sicherlich ist Ihre Nichte jung und unerfahren«, räumte Vera Leskaja diplomatisch ein. Sie blickte zur Tür, als ob sie jemanden erwarte. »Aber ich muß dennoch ergebenst gegen jeden Versuch Ihrerseits protestieren, den guten Namen meiner Brotgeberin in diese trübe Affäre hineinzuziehen«. Wenn Leskaja keine verborgenen Gründe hatte, Madame Ninette so eindeutig zu schützen, dann konnte nur die irrationale Haßliebe sie antreiben, welche die Russen im Exil zusammenkettet.
Ein unbehagliches Schweigen folgte den Worten der grauen Krähe. Es kam Helene so vor, als verdunkele sich das glühende Sonnenlicht, das durch die Ritzen der hölzernen Fensterläden strömte. Sie betrachtete verwundert das Gesicht aus grauem Ton. Warum mochte diese unsympathische aber sehr höfliche Russin wohl ihre grobe und boshafte Chefin so energisch verteidigen? Aber die Worte der jüngeren Russin rochen nach Wahrheit; und für die Wahrheit hatte Helene Wergeland immer eine feine Nase gehabt. Es war nutzlos und außerdem gefährlich, diese Sekretärin, die in Fräulein Wergelands Empfangszimmer höflich gefaßte Todesurteile verkündete, zum Zorn zu reizen. Helene richtete ihre ehrlichen Augen auf Vera Leskajas unbewegte Miene und sagte tapfer: »Entschuldigen Sie!« Die Russin verbeugte sich steif und wohlerzogen und reichte Madame Ninette ihren Arm zum Gehen. Während sie ihre Chefin zur Tür steuerte, fiel ihr etwas ein. Sie wandte sich zu Fräulein Wergeland um, die reglos in der Mitte des Zimmers stand. Sie erinnerte die Russin an einen Gletscher in seiner Einsamkeit. Helenes kühne Züge waren in Verzweiflung erstarrt; eine düstere Wolke lagerte um ihre hohe Stirn. Vera spürte eine Regung des Mitleids. Das war ihr in den letzten zwanzig Jahren nicht passiert. Auch sie hatte eine feine

Witterung für ehrliche Not. Es gab sie seltener, als man dachte. Die meisten Leute redeten sich einen Kummer eilfertig vom Leibe.
Vera Leskaja sagte beinahe sanft: »Gestatten Sie mir eine letzte Warnung, Madame! Falls Sie irgendwelche kompromittierenden Dokumente im Hause haben, sollten Sie sie vernichten, bevor die Geheimpolizei alles durchsucht.«
Helene fuhr ärgerlich auf. »Das ist die Höhe«, rief sie schroff. »Meinen Sie, wir seien eine Verschwörerbande? In meinem ganzen Leben ist mir so etwas...« Sie brach ab und lachte rauh; aber ihr Herz tat einen unregelmäßigen Schlag. Dann fuhr sie energisch fort: »Es mag Ihnen merkwürdig vorkommen, Mademoiselle, aber wir leben hier absolut ordentlich und ereignislos. Absolut *ordentlich*, haben Sie gehört? Unsere einzigen Dokumente sind unsere Pässe und die Geburtsurkunden.« Fräulein Wergeland lachte nochmals kurz auf. Es klang, als ob ein kranker Vogel in einem Käfig zu trillern versucht.
»Komm, Leskaja!« Madame Ninette stand ungeduldig an der Tür und summte ein düsteres russisches Lied; aber Vera Leskaja blickte immer noch Fräulein Wergeland an. Diesmal sprach wohl echtes Mitleid aus ihren sonst so kalten Augen. Zögernd öffnete sie ihre Handtasche und produzierte einen Bogen von Vivicas Briefpapier.
»Ich habe in Ihrem Interesse bereits Fräulein Vivicas Zimmer durchsucht«, erklärte sie mit der Unbefangenheit der Geheimagentin. »Meine Brotgeberin zeigte mir die Tür. Sie erinnerte sich von Fräulein Vivicas Geburtstagsfeier her an die Lage des Zimmers. Ich hatte nicht die Ehre, eingeladen zu sein. Kurz und gut: ich fand dieses Blatt. Ich sagte Ihnen nichts davon, weil Sie so erregt zu sein schienen, Madame! Es ist mein trauriges Schicksal, böse Nachrichten überbringen zu müssen.«
Helene betrachtete stumm Vivicas jadegrünes Briefpapier.
»Bevor ich Sie für immer verlasse, Madame, möchte ich Ihnen gestehen, daß ich Mademoiselle Vivica liebe. Ich sah nie zuvor ein so strahlend schönes, sorgloses Mädchen! Ich weiß, Madame, daß sie jung und unbedacht ist. Bitte, vernichten Sie dies Papier! Es könnte als belastendes Beweisstück betrachtet werden. Es könnte die Hölle für Ihre Nichte heraufbeschwören. Die japanische Militärpolizei stürzt sich in den besetzten Gebieten auf jedes Stück beschriebenes Papier.«

Fräulein Wergeland starrte benommen auf das grüne Papier, das mit unverständlichen Zeichen bedeckt war. »Ich danke Ihnen aufrichtig, Mademoiselle«, sagte sie schließlich. »Vivica braucht jetzt Freunde.« Ihre zurückgedämmte Liebe für das leichtsinnige Kind drohte sie zu ersticken. »Aber sind Sie nicht zu ängstlich? Wie sollte meine Nichte...« Sie brach ab und zog die Augenbrauen zusammen. Es war doch alles dummes Zeug. Ein Irrtum. Aber das wurde ihr zu ihrem eigenen Entsetzen klar: sie war zum ersten Male froh, daß Knut nicht mehr unter den Lebenden weilte.
Vera Leskaja untersuchte den Briefbogen mit einer Taschenlupe: sie war japanisches Fabrikat. Dann sagte sie seltsam feierlich: »Ich bin trostlos, Madame, aber dies ist ein Teil eines Geheim-Code. Ich weiß von Rußland her, wie so etwas aussieht.« Ohne Fräulein Wergeland um Erlaubnis zu bitten, verbrannte sie das Papier über einem Aschenbecher und streute sodann die Asche in alle Winde.
Helene rührte sich nicht. Sechzig Jahre lang hatte sie Szenen und Überraschungen verabscheut; aber sie war viel zu intelligent, um bei den Warnungen der Fremden nicht stutzig zu werden. Sobald die Russinnen gegangen waren, wollte sie selbst Vivicas Zimmer bis in den letzten Winkel durchsuchen. Es mußte doch alles ein Irrtum sein. Vivica war gerade neunzehn Jahre geworden – ein unwissendes junges Ding. Und sie selbst mit all ihrer Erfahrung hatte nicht einmal eine rechte Vorstellung von einem Code. Diese Russen müssen nun einmal entweder Verschwörungen anzetteln oder entdecken, sonst sind sie nicht glücklich, dachte sie müde.
Sie blickte auf die Uhr: Sie hatte seit ihrer Ohnmacht genau eine Viertelstunde mit Geschwätz vergeudet. Sie hätte die fette Trunkenboldin und ihre zu schlaue Begleiterin hinauswerfen sollen! Das heißt: sie wollte ja eigentlich ... *Was* wollte sie? Fräulein Wergeland zog die Augenbrauen noch dichter zusammen. Sie versuchte energisch den leichten Nebel aus ihrem Gehirn zu verjagen. Sie hatte etwas Wichtiges sagen wollen. Nun wußte sie es wieder. Sie hätte Vera Leskaja um Hilfe bitten sollen, anstatt die kostbare Zeit mit dem Gerede über den Briefbogen zu vergeuden. Es war natürlich schwer, diese unbekannte und nicht sonderlich angenehme Frau um Hilfe anzugehen. Fräulein Wergeland hatte bis zum heutigen Tage alle Schwierigkeiten mit ihrem

sparsamen, tapferen Lächeln besiegt; aber diese Situation war anders. Das Kind mußte in irgend etwas hineingeschlittert sein, wenn es sich auch bestimmt bald aufklären würde. Sie kannte doch Vivie! Die opferte sich nicht für eine politische Idee! Aber die Russin hatte gesagt, sie habe niemals ein so sorgloses Wesen gesehen! Ja, das war's. Sie mußte Vera Leskaja zwingen, Vivie zu helfen! Seite an Seite würden sie das unglückliche Kind gegen die alte geschminkte Trunkenboldin, gegen grausam lächelnde Japaner und angstbesessene, klatschsüchtige Europäer in Schutz nehmen; ganz zu schweigen von den liebenswürdigen und lethargischen siamesischen Beamten, die wie die Hasen vor jeder unangenehmen Situation davonliefen.

Madame Ninette war wieder in den Ehrensitz gesunken und schnarchte friedlich nach dem Genuß des Cognacs.

»Mademoiselle«, sagte Helene in ihrem rostigen Schulbuch-Französisch, das Astrids Mutter so auf die Nerven gegangen war, »wollen Sie mich bitte zur Kempetai begleiten? Sehen Sie ... ich bin nicht sehr gesellig – wenigstens behauptete mein verstorbener Bruder das immer – ich werde vielleicht nicht den richtigen Ton mit diesen Japanern anschlagen. Wir gehen am besten sofort! Wie in aller Welt sollte unsere Kleine zu einem Geheim-Code kommen? Das ist doch Unsinn!«

Fräulein Wergeland versuchte rauh und herzlich aufzulachen, aber es kam nur ein Echo erstickter Sorge heraus.

»Wohin haben sie das Kind wohl gebracht?« fragte sie heiser; plötzlich war ihr die grauenhafte Realität der Verhaftung klargeworden. Die Politik, um die sie sich nie gekümmert hatte, begann ihre ordentliche Welt zu zerstören und würde sie und Astrid zwischen den Ruinen lassen. Sekundenlang dachte sie, daß es ihnen nie so schlimm im eigenen Lande hätte ergehen können. Sie waren hiergeblieben, um der deutschen Besetzung zu entgehen; sie hatten in ihrer Unwissenheit eine japanische Besetzung für weniger gefährlich gehalten. Nun gingen sie hier – wie Tausende von Schicksalsgenossen – an ihrer Unwissenheit über den Fernen Osten zugrunde.

»Ich glaube, Mademoiselle Vivica ist augenblicklich in der Saladeng-Station. Es ist das frühere Büro einer englischen Firma. Die Kempetai benutzt es als Gefängnis für Neuankömmlinge. Es tut mir leid, Madame, aber ich kann Sie nicht begleiten! Bitte, verstehen Sie: diese Verhaftung hat uns alle verdächtig gemacht.«

»Sie sehen zu schwarz, Mademoiselle!«
»Ich gelte bei meinen Freunden als Optimistin«, sagte Vera Leskaja düster. »Übrigens möchte ich Sie nachdrücklichst bitten, nicht zur Kempetai zu gehen! Auch ich hoffe, daß Ihre Nichte aus Versehen verhaftet worden ist. Dagegen spricht allerdings dieser Code auf dem Briefpapier ... Aber vielleicht hat die junge Dame einen verschlüsselten Liebesbrief geschrieben. In ihrem Alter verschwendet man gelegentlich seine Zeit mit solchen Scherzen.«
Fräulein Wergeland nickte stumm. Die Russin betrachtete eine von Helenes norwegischen Landschaften, deren wilde Düsterkeit ihr zusagte. Dann bemerkte sie langsam und mit viel Nachdruck: »Man kann allerhand gegen die Japaner als Siegernation vorbringen; aber sie haben sich gegen die Zivilbevölkerung dieser Stadt durchaus korrekt verhalten. Im Augenblick sind sie natürlich nervös: Die Briten machen in Burma riesige Fortschritte; die Russen haben Schlesien genommen; die Bombenangriffe auf Nippon mehren sich, und kürzlich sind die Amerikaner in Luzon gelandet. Bedenken Sie, was Luzon für die Japaner bedeutet!«
Fräulein Wergeland hatte keine blasse Ahnung, was Luzon für die Japaner bedeutete, und wollte es auch gar nicht wissen. Was hatte das überhaupt mit Vivie zu tun? Sie kämpfte heroisch gegen einen Anfall von Ungeduld, während Vera Leskaja fortfuhr: »Es liegt ein Hauch von Befreiung in der Luft, Madame! Die Befreiung von Paris war ein Symbol für Entscheidungen im Fernen Osten. Italien ist zusammengebrochen. Deutschland wird bald folgen. Ich bin ziemlich sicher, daß ...«
»Wollen Sie bitte bei der Sache bleiben, Mademoiselle!«
Vera Leskaja, die wie alle Russen ungern bei der Sache blieb, nahm die Unterbrechung stirnrunzelnd zur Kenntnis. Sie starrte Helene an. Aus ihren grauen Augen sprach kein Leben, sondern nur eine Art von gieriger Todeslust.
»Natürlich wechseln viele Spione in diesem Teil der Welt das Lager«, fuhr sie fort. »Die Ratten verlassen das Schiff von Nippon. Verzeihung, Madame, ich schweife schon wieder ab. Politische Diskussionen sind ein russisches Laster.«
Helen hatte sich die ganze Zeit gewundert, warum die Russinnen nicht gingen, wenn sie ihr nicht helfen wollten. Sie wußte nicht, daß Russen von morgens bis Mitternacht in einem fremden Haus verweilen können, wenn sie erst einmal zu politisieren begonnen haben.

»Bedenken Sie, Madame, daß Sie Ihrer Nichte nur schaden, wenn Sie zur Kempetai gehen! Ein Arrest ist keine Gelegenheit für einen Familientag! Wenn Sie hingehen, werden die Japaner Ihre Nichte nicht freilassen, aber *Sie* verhaften.«

»Dummes Zeug«, sagte Fräulein Wergeland. Was konnte sie nur tun, um die Russin zu ihrer Verbündeten zu machen? Wollte diese Person, daß man sie auf den Knien anflehte? Sehnte sie sich nach dem billigen Triumph über die gesicherten Leute? Vielleicht verzeihlich. Helene war jetzt bereit, ihren Stolz zu opfern, war entschlossen, alles zu tun, um Vera Leskajas Hilfe für Vivie zu erlangen. Sie hatte sich doch schließlich als zivilisiert und sogar fürsorglich erwiesen. Sie hatte Vivies Briefbogen mit den verdächtigen Zeichen verbrannt; sie hatte Helene französischen Cognac angeboten und sie vor unbedachten Schritten gewarnt. Hatte sie nicht sogar gesagt, sie liebe Vivica? Warum hatte die gedankenlose Kleine diese Frau nicht zu ihrer Geburtstagsparty eingeladen? Sie schien die einzig wohlerzogene Person in diesem finsteren Schönheitszirkus. Mademoiselle Leskaja sah wie eine respektable Dorfschullehrerin aus – natürlich eine russische... Aber Helene, die wahrhaftig jeden Gefühlsüberschwang haßte, hatte nie jemanden getroffen, der so sehr jeglicher menschlichen Wärme entbehrte. Vera Leskaja war so geisterhaft kalt wie eine Kapelle, in der niemals gebetet wird. Und dennoch versuchte Helene eine letzte dringende Bitte. Es hatte bei den Wergelands sonderbare Menschen gegeben; aber nie hatten sie einen Feigling in der Familie gehabt.

»Mademoiselle«, sagte Helene mit einer Stimme, die rauh vor innerer Erregung war, »ich muß Ihnen... etwas... sagen! Meine Nichte Vivica – sie ist natürlich völlig normal – aber sie litt von Kind auf an...«

Fräulein Wergeland fuhr sich mit ihrer großen, kräftigen Hand über die Stirn, die sich mit kaltem Schweiß bedeckt hatte. Die zitternde Hand war ein merkwürdiger Anblick – als wenn ein Stück Eisen plötzlich zu zerfallen begänne.

»Was wollten Sie sagen, Madame?« fragte die Russin sanft. Sie blickte verstohlen nach der Tür; viel länger konnte sie hier nicht mehr warten, ohne daß es Fräulein Wergeland oder Madame Ninette auffiel. *Wo blieben sie nur?*

In Fräulein Wergelands Ohren war ein hohles Sausen, als ob erregte Wellen gegen die Inseln der Schären brandeten. Während

sie freundlos in der feindlichen Tropenstadt vor dieser Russin stand, vermeinte sie den verzweifelten Schrei der Wildgänse zu hören. Oder schrie Vivie in ihrer Zelle in Saladeng? Trotz der Tropenglut schienen eisige Nordwinde um Helene zu heulen, und sie hatte das Gefühl, von Felsen zu Felsen in die Tiefe zu stürzen. Sie schwankte, riß sich aber sofort zusammen: die frostigen, seltsam gierigen Augen der Fremden mußten sie hypnotisiert haben. Himmel, nun piepte es wohl auch schon bei ihr! Sie sagte brüsk:
»Meine Nichte kann es nicht in einem verschlossenen Raum aushalten. Sie wird im Gefängnis völlig außer sich geraten. Nun sehen Sie doch ein, Mademoiselle, daß wir sie unverzüglich befreien müssen?«
Damit schritt Helene zur Tür. Sie war so weiß wie die gekalkte Wand. »Bitte, kommen Sie, Mademoiselle!« Ganz entgegen ihrer Gewohnheit hatte sie leise und sehr höflich gesprochen. Sie hatte sich bisher nicht klar gemacht, wie höflich Leute sein müssen, wenn sie von anderen etwas wollen.
»Ich bin trostlos, Madame«, sagte die Stimme, die einlullte, ohne Trost zu spenden, »aber Sie verlangen Unmögliches. Ich bitte Sie, mir zu glauben, daß keine Militärpolizei auf der Welt einen Häftling auf solche Grillen hin entlassen würde.«
Grillen . . ., dachte Helene.
»Wenn politische Gefangene simulieren, werden sie ins Irrenhaus expediert und dort so lange festgehalten, bis sie sich vernünftig benehmen. Vor wenigen Tagen wurde ein chinesischer Kaufmann – Mr. Sun, glaube ich – samt seiner Tochter verhaftet, weil er ein Chungking-Agent war. Sie haben es gewiß gehört.«
*Sun*, dachte Helene. Hatte Molly Sun nicht Vivica zu ihren Parties eingeladen? Astrid hatte die Einladungen abgelehnt. Und sie selbst hatte das sorglose Kind nichtsahnend in die Höhle des Löwen gehen lassen. Sie preßte die Lippen fest zusammen. Familie Sun war vielleicht ein Anhaltspunkt. Sie würde es mit Astrid besprechen.
»Mr. Sun bat, entlassen zu werden«, teilte Leskaja mit, »haben Sie es nicht in der Zeitung gelesen? Es war sehr humoristisch.«
Fräulein Wergeland antwortete nicht. Es gefiel ihr nicht, daß Mademoiselle Leskaja sich am Unglück ihrer Mitmenschen aufheiterte.
»Mr. Sun sah in der Zelle Tiger oder Bankpräsidenten, so be-

hauptete er. Er wurde daraufhin ins Irrenhaus nach Thonburi überwiesen. Er wird in einer Woche wie ein Lamm in seine Zelle zurückgehen. Wie ein Lamm, Madame!«
»Kann ich meine Nichte freibürgen? Wir werden jede Summe aufzubringen versuchen.« Sie hatten Grundbesitz, Schmuck, eine Beteiligung in der Firma Sun. Der Bangkoker Partner des Antiquitätengeschäftes, an dem der Konsul sich vor Jahren beteiligt hatte, war vermutlich ein Vetter des Verhafteten. Oder auch nicht. Die Chinesen hießen ja alle Chang oder Sun, sahen alle gleich aus und rissen arglose Europäerinnen ins Unglück, dachte Helene müde und ungerecht. Sie konnte sich jetzt nicht mit den Suns beschäftigen. Dazu war Astrid da. Wie klug von Knut, dies Haus und das Grundstück zu kaufen! Grundbesitz stieg von Monat zu Monat im Wert. Von dem Erlös des Verkaufs konnten sie sicherlich die Kleine freikaufen.
Aber Mademoiselle Leskaja klärte Helene darüber auf, daß politische Gefangene nicht freigebürgt werden konnten, wenigstens nicht bei der Kempetai. Sie könnten sonst andere warnen, Beweismaterial vernichten und Spuren verwischen. Nur Raubmörder und Bankräuber hatten soviel Glück. Aber vielleicht konnte Mademoiselle Vivica freigebürgt werden, wenn die Verhöre abgeschlossen waren. Das ging manchmal sehr schnell.
»Wie schnell?« fragte Fräulein Wergeland.
»Haben Sie etwas von der japanischen Wasserkur und der Sonnenbehandlung gehört?« fragte Mademoiselle Leskaja. »Durch diese Methoden werden Verhöre nicht selten beschleunigt.«
Fräulein Wergeland hatte niemals von diesen Methoden gehört.
»Um so besser für Ihre Ruhe, Madame«, meinte die Russin fürsorglich. »Es ist mein trauriges Los, unangenehme Dinge erwähnen zu müssen. Die Welt hat leider heutzutage zum Teil sowjetrussische Methoden übernommen; ich meine: innerhalb der Staatspolizei. Lassen Sie mich den Kern des Systems in wenigen Worten erklären, Madame! Der Geist eines politischen Gefangenen arbeitet...«
Vera Leskaja unterbrach ihren lichtvollen Vortrag, um mit allen Sinnen zu lauschen: Vom Garten klangen die aufgeregte Stimme des indischen Torwächters, Kindergeschrei, das rasende Geschnatter der Gänse und die schrillen Kommandostimmen zweier japanischer Offiziere herauf. Sie befahlen dem Inder, das Tor weit zu öffnen, damit ihr riesiger amerikanischer Wagen ungehindert

einfahren könnte. Vera rannte zum Fenster. Endlich, dachte sie. Sie werden jetzt alle ihren Lohn bekommen.
»Wachen Sie auf, Nina Iwanowna«, schrie sie und rüttelte den schnarchenden Koloß am schweißtriefenden Oberarm. »Die Kempetai ist gekommen, um die alte Dame zu verhaften. Kommen Sie, schnell!«
Madame Ninette glotzte ihre Sekretärin verschlafen an. Als sie begriffen hatte, bekreuzigte sie sich dreimal hintereinander und öffnete die vollen, genußfreudigen Lippen zu einem russischen Schrei. Doch bevor sie ihn ausstoßen konnte, lagen Veras kalte Finger auf ihren Lippen.
»Sind Sie wahnsinnig geworden?« zischte die Sekretärin, ohne die übliche Demut.
»Wo ist ein Schrrank?«, wimmerte Madame Ninette hinter Veras Fingern. »In Rußland haben wir uns immer in einem großen gemütlichen Schrank versteckt: Papushka, Mamushka, Prinzchen Nikolai, seine schrreckliche Frau und ich. Sei rruhig, Leskaja. Schrreie nicht, Dummkopf!«
Aber da hatte Vera die fette Chefin bereits in ein Seitenzimmer gedrängt und sie, so gut es ging, in einem Vorratsschrank verstaut. Sie selbst kroch bescheiden hinter einen Vorhang. Keine Minute zu früh!
Major Matsubara und Leutnant Makoto Urata von der Kempetai verbeugten sich höflich vor dem versteinerten Fräulein Wergeland.

\*

Major Matsubara blickte mit der unersättlichen Neugierde des japanischen Touristen im Dienst um sich. Da er ein Ästhet war, verursachten ihm Helenes Landschaftsbilder aus Norwegen einen ganz leichten Magenkrampf, und er wandte seine dunklen Augen wie im Schmerz ab. Er hatte unter anderem damals auch »Kunst in Paris gelernt« und erkannte ein gutes Gemälde, wenn er eins sah.
»Sind Sie Fräulein Helene Wergeland, sechzig Jahre alt?« fragte er verstimmt. Der Name weckte ein schwaches Echo in seinem Gedächtnis, aber er konnte ihn noch mit nichts in Verbindung bringen. Helene nickte. Sie stand mit den beiden Besuchern in dem großen, ziemlich leeren Raum. Es fiel ihr jedoch nicht ein, sie zum Sitzen aufzufordern. Major Matsubara – streng und zünftig

in Uniform – blickte die hochgewachsene Norwegerin sekundenlang sinnend an. Erschien sie ihm reichlich alt für eine politische Verschwörerin, oder erweckte ihr Gesicht sowie ihr Name eine Erinnerung an irgendeinen Europäer in ihm?
»Wo ist Ihre Nichte?« fragte er abrupt.
»Meine Nichte, nun ... meine Nichte ...«
Fräulein Wergeland verstummte. Plötzlich war ihr der Hohn dieser Frage zum Bewußtsein gekommen. Wußte dieser kaltlächelnde Offizier nicht viel besser als sie, wo ihre unglückliche Jüngste sich in diesem Augenblick aufhielt? Machte er sich über eine gequälte alte Frau lustig? Helene preßte ihre schmalen Lippen fest zusammen. Sie sah plötzlich so störrisch aus wie in den besten Zeiten, wenn Knut etwas aus ihr herausschmeicheln wollte. Falls dieser Japaner dachte, daß *sie* ihm Informationen geben würde, dann hatte er sich verrechnet! Fräulein Wergeland war selbst in übersprudelnder Stimmung keine Schwätzerin.
Major Matsubara, der kein Auge von ihr gelassen und mit seinem Röntgenblick jedem ihrer Gedanken nachgeforscht hatte, lächelte etwas behaglicher. Er hatte blitzschnell den Schluß gezogen, daß diese zornige Riesin nichts von der ganzen Sache und dem Spionagering Sun wußte. Er konnte erkennen, ob jemand vor schlechtem Gewissen, rasender Angst oder gerechtem Zorn zitterte.
»Ich muß mich näher erklären, Madame«, sagte er in seinem wundervollen Französisch. »Warten Sie im Nebenzimmer, Leutnant«, befahl er seinem Begleiter.
Im Nebenzimmer ... dachte Helene. Dort waren die Russinnen.
»Sehen Sie, Madame«, erklärte Major Matsubara und nahm unaufgefordert auf dem Ehrensessel Platz, »das Hauptquartier hat sich entschieden. Die Sache drängt. Ich habe bereits mit Ihrer Nichte übers Telefon verhandelt. Ich rief sie vor zwei Stunden an – er blickte in sein Notizbuch – aber Mademoiselle Astrid Wergeland war nicht im Büro ... in der *Pra-hu-rat*«, buchstabierte er sorgfältig und sah, hinter seinem Notizbuch hervorblinzelnd, die alte Ausländerin scharf an: zeigte sie Erleichterung?
»So fragte ich den Torhüter nach der Privatadresse. Ich hätte gern gewußt, ob die uns von der Firma angebotenen Autos noch zu haben sind. Wir fanden sie reichlich teuer für solch alte Modelle. Wir bezahlen ja für alles zu viel in Thailand.«
Helene atmete tief auf. Die Russin hatte sie beinahe unter-

gekriegt. Sie würde mit diesem höflichen Offizier über Vivie sprechen. Sie brauchte nun nicht zur Kempetai zu gehen.
»Meine Nichte nahm wahrscheinlich gerade ihren Lunch in einem benachbarten Restaurant«, sagte sie mit ihrer normalen Stimme. »Wenn Sie jetzt in ihr Büro zurückfahren, wird sie dort sein.«
»Haben Sie kein Telefon hier in der Sathorn Road?«
»Der Himmel bewahre mich. Eine blödsinnige Einrichtung! Man hört nur den ganzen Tag überflüssiges Geschwätz.«
Fräulein Wergeland war beinahe wieder ihr altes liebenswürdiges Selbst. Major Matsubara hätte um ein Haar gelächelt bei der Vorstellung, daß eine japanische Dame sich so unhöflich über ihre geehrten Freunde äußerte.
»Ich danke Ihnen, Madame«, sagte er mit einer steifen Verneigung. »Ich werde sofort zur Pra-hu-rat zurückfahren. Ihre Nichte macht viele Geschäfte augenblicklich, nicht wahr? Kunsthandel, glaube ich. Oder irre ich mich?«
»Auch Kunsthandel. Mein Bruder nahm eine Verbindung auf.«
»Bangkok ist ein Treffpunkt des Ostens und Westens«, bemerkte Major Matsubara nachdenklich, »Inder, Chinesen – mit wem ist Ihre Nichte im Kunsthandel liiert?«
»Mit Sun und Co.«, sagte Helene und erschrak. Um Himmels willen, Vetter Sun war doch verhaftet worden? Oder irrte sich die Russin?
»Ich bewundere die Kunst der Chinesen«, bemerkte Major Matsubara schnell. Sein Ton ließ keinen Zweifel, daß dies das einzige war, was er an Chinesen bewunderte. »Wie viele Nationen sind in dieser Stadt beisammen: Franzosen, Deutsche, Russen. Eine Menge Weißrussen, glaube ich.«
»Ich nehme es an«, sagte Fräulein Wergeland kurz. »Ich habe niemals Gäste, dem Himmel sei Dank! Und ich mache mir nichts aus interessanten Städten. Niemals im Leben sah ich so unordentliche und extravagante Leute und Pflanzen wie in Siam.«
»Sie meinen *Thailand*, Madame«, verbesserte Major Matsubara. »Es bedeutet ›Land der Freien‹.«
»Tatsächlich? Ich finde es töricht, ein Land umzubenennen. Als ich im Jahre 1930 nach Siam kam, waren alle durchaus mit dieser Bezeichnung zufrieden. Die Menschen werden immer verrückter. Oh, möchten Sie etwas trinken? Ich vergaß ganz... Ich habe, wie gesagt, niemals Gäste. Man kann in diesem Klima ja Tonnen von Limonade trinken, nicht wahr?«

»Gewiß ist es heiß«, stimmte Major Matsubara mit einem leichten Stirnrunzeln zu. »Aber wir Japaner werden dazu erzogen, unsere Begierden zu zügeln. Immerhin, verbindlichen Dank, Madame! Es ist sehr freundlich von Ihnen. Ich werde nun Ihre Nichte aufsuchen.«
»Monsieur«, sagte Helene heiser, »darf ich... ich meine, könnten Sie mir sagen...« Sie stockte. Das Blut strömte ihr vom Herzen fort.
»Ist Ihnen nicht wohl, Madame?« Der Major schob ihr den zweiten Ehrensessel zu. »Was wollten Sie wissen?«
»Nichts. Es ist mir entfallen.«
»Sie sehen leidend aus, Madame! Warum bleiben Sie in einem Lande mit diesem Klima? Sie hätten doch im Jahre 1942 mit den anderen Norwegern repatriiert werden können. Waren Sie so interessiert am erwachenden Ostasien?«
»Nicht im geringsten«, sagte Fräulein Wergeland mit beinahe komischer Offenheit. »Ich bin eine dumme alte Frau und interessiere mich nicht für Politik. Ich führe meinen Nichten das Haus.«
»Haben Sie noch mehr Nichten?«
Fräulein Wergeland zuckte zusammen, als ob sie einen Schlag bekommen hätte. Er fragt mich aus, dachte sie. Er bringt mich noch dazu, Dummheiten zu sagen. Zorn stieg in ihr auf, aber sie bezwang sich und sagte ruhig, Astrid habe zwei Schwestern.
Der japanische Offizier schien nicht zuzuhören. Er starrte gebannt ein Wandbild an: »Singvogel auf einem toten Ast«. Ein Meisterwerk. Wo hatte er es schon gesehen? Sein phänomenales Gedächtnis begann zu arbeiten. Wie kamen Europäer zu einem solchen Schatz aus Nippon?
»Ein schönes Bild, Madame«, sagte er nachlässig. »Sammeln Sie japanische Malereien?«
»Es gehörte meinem verstorbenen Bruder.«
Bruder! – Wergeland. Ein... Teezimmer in Shanghai. Dort hatte Akiro als junger Mann mit Konsul Wergeland, seinem ersten und letzten europäischen Freunde, Tee getrunken. Der hatte sich im Jahre 1925 nicht einmal für einen Kimono aus dem kaiserlichen Kyoto bedankt. Und nun hatte er die Familie dieses Europäers in seiner Hand. Die Zeit für eine japanische Rache war gekommen. Je länger man auf sie warten mußte, desto süßer war sie.
»Ihr Herr Bruder war wohl immer in Bangkok? Oder hat er dieses Bild in Japan erworben?«

»Ich weiß es nicht. Er brachte es seinerzeit aus Shanghai nach Trondheim. Er liebte es.« Helene schloß erschöpft die Augen.
Es stimmte. Eine feine Familie! Mademoiselle Clermont, die in Shanghai und vor einigen Jahren in Angkor keinen Funken Interesse für japanische Poesie gezeigt hatte, hieß eigentlich Wergeland. Er würde herausbekommen, weshalb sie sich Clermont nannte. Vielleicht war es wichtig, vielleicht auch nicht. Hm ...
»Madame«, sagte Major Matsubara sanft wie ein Lamm, »gestatten Sie mir, Ihnen einen Ratschlag zu geben. Sie sollten Ferien machen und verreisen!« Helene blickte ihn sprachlos an. Warum sagte er so verzuckerte Sachen? Seine Sanftheit und Höflichkeit waren ihr unheimlich. Ein Instinkt hatte sie vorhin gewarnt, ihm Vivicas Angelegenheit vorzutragen. Astrid sollte hingehen. Sie war jünger und verstand sich auf das Parlieren.
»Die Bomben gehen Ihnen sicherlich auf die Nerven, Madame«, bemerkte der Offizier. »Warum besuchen Sie nicht für eine Weile die Berge von Indochina? Dalat ist ein idealer Erholungsaufenthalt, fern vom hektischen Saigon.« Es klang ganz träumerisch, wie Major Matsubara, der sich im Dienst »Kimura« nannte, von Dalat sprach. »Wir würden Ihnen sofort eine Reiseerlaubnis geben, Madame.«
»Indochina!« rief Helene und vergaß alle Vorsicht. Vivica hatte sich durch ihre Reisen nach Saigon im Auftrag der Russin verdächtig gemacht. »Da würde ich lieber in die Hölle reisen!«
»Sie reisen ungern, Madame?«
»Ich verabscheue es. Schwatzende Narren, schlechtes, teures Essen, und den ganzen lieben langen Tag nichts zu tun. Danke sehr.«
»Haben Sie hier soviel zu tun, Madame?«
»Alle Hände voll«, sagte Helene kurz und dachte an die Pavillons mit den Chinesen, die bei ihr Reis und Schutz gesucht hatten und in diesem Augenblick angstzitternd zu verschwinden versuchten. Vor dem Garten liefen die Armen japanischem Militär in Zivil direkt in die Arme. Major Matsubara hatte sein Plauderstündchen mit Fräulein Wergeland gründlich vorbereitet. Wo er erschien, da gab es kein Entwischen mehr.
»Sie waren niemals in Indochina, Madame?« fragte er beiläufig.
Helene hatte zwar durch Astrid öfter von der unersättlichen Neugierde der Japaner gehört, aber trotzdem rann ihr ein kleiner eisiger Schauer den Rücken herunter. Wenn er nun fragen würde, ob Vivie oder Astrid Saigon kannten? Nun, er konnte Helene

zum Galgen schleppen, von ihr würde er über Vivies Reisen kein Sterbenswort erfahren.
Aber Major Matsubara hatte nicht die Absicht, Fräulein Wergeland so melodramatisch zu ihrem Ende zu geleiten. Sie konnte seinetwegen gern in Frieden sterben. Einmal führte die Kempetai in der Regel keinen Krieg gegen Großmütter. Und dann war Fräulein Helene Wergeland die Ehrlichkeit selbst. Major Matsubara hatte das schon gleich nach ihren ersten Worten und einem verstohlenen Blick in ihre stahlblauen Augen festgestellt. Es war lachhaft, aber Fräulein Wergeland erinnerte ihn irgendwie an seine Großmutter in Tokio, obwohl Welten die beiden trennten. Die alte Baronin Matsubara von Itoh hätte sich eher in einen Krater gestürzt, als daß sie ihre Freunde in der Öffentlichkeit »Narren« oder »Schwätzer« gescholten hätte. Aber sie war so loyal und so ehrfurchtgebietend wie die alte Norwegerin, die ihre Lippen zusammengepreßt hatte, um ihre jüngste Nichte nicht zu »verraten«. Diese Naivität hatte dem Major beinahe ein Lächeln entlockt. Als ob er nicht alles und noch einiges mehr über Fräulein Wergeland und ihre Nichten wußte! Mailin und die Familien Chou in Singapore und Shanghai wurden bereits beschattet; genau wie der alte Professor Clermont, Astrids Großonkel, in Saigon. Die Besucherlisten der Häuser Chou und Clermont lagen im Schreibtisch des Majors. Nur *eines* hatte der Spürhund nicht gewußt: daß diese Wergelands die nächsten Angehörigen seines ehemaligen Freundes in Shanghai waren. Die Kunst des alten Japan hatte es ihm verraten. Es gab der Jagd erneute Würze. Die Sache mit dem Spionagering war noch nicht ganz geklärt; einige wichtige Spitzel der Alliierten wurden krampfhaft gesucht. Der Ring hatte dem im heiligen Krieg begriffenen Nippon unsäglichen Schaden zugefügt. Oberst Saito hatte sich sehr ungehalten dahingehend geäußert, Major Matsubara sei in den letzten zwei Jahren kaum weitergekommen. Dabei war er seit Angkor Vat unleugbar weitergekommen; aber er hatte sich gehütet, den Spitzelverein vorzeitig auffliegen zu lassen. Auf diese Mitteilung hin hatte Oberst Saito seine drei Vorderzähne gezeigt und seiner besten Kraft zufrieden zugenickt. Wer nicht zu warten verstand, hatte in der Kempetai nichts zu suchen. Sie würden jetzt keine Nachsicht mit den Schuldigen haben.
»Wir senden Ihnen ein Reise-Permit, Madame«, sagte Major Matsubara sanft. Er wollte die Frau, die ihn an die geehrte Groß-

mutter erinnerte, tatsächlich in Sicherheit bringen und ihr Dinge ersparen, die ihr wahrscheinlich das Herz brechen würden. Akiro hatte zwar einen kalten, raffinierten Verstand, aber eine sensitive Seele. Fräulein Wergeland hatte, ohne es zu ahnen, an diese Seele appelliert. Die alte Baronin Matsubara hätte sich in der gleichen Situation genauso benommen. Sie hätte sich für Akiro unverzüglich totschießen lassen! Nur hätte sie sich bedeutend höflicher geäußert.
Der Major machte eine letzte zeremonielle Verbeugung. Er blickte in den Garten, wo sein Leutnant in strammer Haltung neben dem amerikanischen Polizeiauto wartete. Es schien Fräulein Wergeland nicht aufgefallen zu sein, daß Leutnant Urata im Nebenzimmer die beiden Russinnen nicht entdeckt hatte. Die Kempetai wollte eben Vera Leskaja und ihre stupide Chefin nicht entdecken.
In diesem Augenblick entfuhr Fräulein Wergeland ein merkwürdiger Ton – ein Mittelding zwischen Schluchzen und Husten. Der Japaner war im Begriff zu gehen, und sie wußte immer noch nicht, ob sie ihm etwas über Vivie sagen sollte. *Wenn er ihr half, konnte Vivie mit ihr reisen.* Und zwar zu Laura, der früheren »Witwe aus Aalesund«, die ruhig und sicher mit ihrem dänischen Gatten im Norden des Landes lebte. Sie waren immer Freunde gewesen.
»Monsieur«, sagte Helene heiser zu dem eleganten Offizier, »ich danke Ihnen für das Permit zur Reise! Ich ... ich möchte aber meine jüngste Nichte mitnehmen.«
»Dann werde ich es für Sie und Ihre Familie ausstellen lassen, Madame«, sagte Major Matsubara mit unbewegtem Gesicht und machte eine allerletzte zeremonielle Verbeugung. »Darf ich mich verabschieden, Madame? Ich wünsche Ihnen gute Erholung auf Ihrer geehrten Reise! Ich werde jetzt noch einmal versuchen, Mademoiselle Clermont-Wergeland zu erreichen.« Und dann war er gegangen.
In vorsichtigem Abstand folgte dem großen Auto eine Rikscha mit einer Chinesin in mittleren Jahren, die zwei gedeckte Kochtöpfe und den jüngsten Sohn bei sich hatte. Yumei hatte von dem Rikscha-Kulu von Madame Ninette, der im Schatten einer Fächerpalme ruhte, alles erfahren. Sie hatte sofort Hühnerleber mit Reis und Mango-Chutney bereitet, weil »Dritte Schwester« diese Speisen liebte. Yumei wollte so lange mit ihrem Kochtopf und dem

Chutney-Glas im Gefängnis warten, bis irgendeine Wache sich erweichen lassen und »Dritter Schwester« das Essen bringen würde. Unter Yumeis blauem Arbeitskittel hing eine Kette aus schwerem norwegischen Silber. Fröken Wergeland hatte sie vor fünfzehn Jahren durch Kapitän Lillesand der jungen Yumei zur Geburt des ältesten Sohnes nach Bangkok geschickt. Mit dieser Kette wollte sie die Wachen bestechen. Wenn Missie Vivica Hühnerleber und ihren Chutney erhielt, würde sie wissen, daß ihre alte Amah weiter für sie sorgte, wie all die Jahre, nachdem Missie Borghild so krank und vom Master nach Dalat gebracht wurde. Fröken Wergeland würde heute abend Yumei auf die Schulter klopfen, wenn sie erfuhr, daß »Dritte Schwester« gut verpflegt worden war! Yumei würde ihr jeden Tag ihr Lieblingsessen bringen, denn sie wußte als Chinesin, daß eine Gefängnisregel, die einmal »durch Silber gebrochen« worden ist, für lange Zeit gebrochen bleibt... Natürlich würde Yumei ihrem Fröken niemals sagen, um welchen Preis Missie Vivica verpflegt wurde, wie sie es gewohnt war. Wie jede Chinesin fand Yumei, daß ein wenig Freude in dunklen Tagen mit einem Silberschmuck nicht zu teuer bezahlt war.
Da hielt schon ihre Rikscha vor dem temporären Gefängnis der Kempetai in Saladeng. Yumei stieg aus der Rikscha und preßte Sohn und Kochtopf fest an sich.
Von dieser Fahrt kam sie nicht mehr lebend in das alte Haus in die Sathorn Road zurück.

\*

Nachdem Major Matsubara gegangen war, stand Helene Wergeland tatenlos im Empfangszimmer und versuchte, ihre Gedanken zu sammeln. Der Japaner hatte trotz seiner Höflichkeit ein Fluidum von unterirdischem Schrecken verbreitet. Plötzlich zerbrach irgendwo Glas, und dem lauten Krach folgten unbestimmbare Geräusche und ein russischer Fluch. Auf ihrer Suche nach einem Brandy mußte Madame Ninette im Vorratsschrank zusammengebrochen sein. Kurz darauf erschien sie im Empfangszimmer. Sie sah durch die Jodflecken auf ihrem geblümten Kleid nicht verlockender aus. »Dieser Schrank ist lächerlich«, knurrte sie. »Wozu bewahren Sie so viele Flaschen dort auf, wenn nichts zum Trinken drin ist?«

Madame war wütend und hüpfte wie eine durstige Hyäne mit Übergewicht herum. Schließlich ließ sie sich knarrend, aber geschickt in den Sessel für Ehrengäste fallen. Nun, da die Gefahr vorüber war, sah sie nicht ein, warum sie forteilen sollte. Keine Russin sah so etwas ein. Sie war maßlos erstaunt, daß Fräulein Wergeland nicht verhaftet war. Mit halbgeschlossenen Augen summte sie irgendein Wolga-Liedchen.
»Starker Kaffee täte mir gut«, verkündete sie. »Ich trinke ihn ohne Sahne und Zucker.« Sie summte weiter in der angenehmen Erwartung starken Kaffees und eines Plauderstündchens.
»Leben Sie wohl!« sagte Fräulein Wergeland gastfreundlich. »Vielleicht beenden Sie Ihren Gesang in Ihrem eigenen Hause.«
Madame Ninette sang weiter und rief zweimal: »Leskaja, wo steckst du? Der Kaffee kommt gleich!«
Fräulein Wergeland öffnete die Tür und sagte: »Hinaus mit Ihnen! Aber schnell!« Dabei zitterte sie so heftig, und in ihren Augen blitzte jenes Gefahrensignal auf, das Yvonne und Astrid zu warnen pflegte, daß Fräulein Wergeland nun genug von einem Disput oder einer Überraschung hatte.
»Halten Sie den Mund«, donnerte Helene die trillernde Madame Ninette an. »Nur Sie allein sind schuld an Vivicas Unglück! Sie werden dafür bezahlen.«
»Wie meinen Sie das, liebste Freundin?«
»Sie haben das arme Kind wegen Ihrer schmutzigen Geschäfte nach Saigon geschickt! Ich werde bei der Kempetai dafür sorgen, daß Ihnen das Singen ein für allemal vergeht.«
Totenstille folgte Fräulein Wergelands Worten. Madame Ninette sang nicht mehr und lächelte nicht mehr, sondern sah die aufrechte weißhaarige Norwegerin an. Es war ein langer und unangenehmer Blick. Dann fragte sie ihre Sekretärin, die in diesem Augenblick mit einem Bündel Briefe aus dem Vorratsraum auftauchte, mit harter, nüchterner Stimme:
»Hast du das gehört, Leskaja?«
Die Frau in Grau nickte. Ihre Nasenflügel bebten wie Blätter im Monsun.
»Überlaß mir das, mein Täubchen«, flüsterte Madame Ninette auf russisch. »Nina Iwanowna wird dem schrecklichen Tantchen eine tödliche Lektion erteilen.« Sie reckte sich im Sessel für Ehrengäste. Sie war für die große Szene fertig. Allerdings wußte sie nicht, wie sehr Fräulein Wergeland Szenen verabscheute.

»Madame«, sagte der Koloß mit gänzlich veränderter, harter Stimme, die einer anderen Person zu gehören schien, »Sie sind verrückt, total verrückt. Ich muß Sie in Ihrem Interesse warnen, mich nicht weiter herauszufordern.«
Zum ersten Male im Leben gab Fräulein Wergeland keine scharfe Antwort auf eine so dreiste Ansprache. Sie starrte die neue Madame Ninette an. Sie war ihr unheimlich. Sie sah nicht einmal mehr komisch aus, trotz des Chignons, unter dem die grauen Haare hervorlugten. Irgendwie wirkte sie gefährlicher als die gespenstische Sekretärin, aber Helene hätte nicht sagen können, warum.
»Hüten Sie sich, weiter solche albernen Märchen über mich zu verbreiten! *Ich* habe Ihre saubere Nichte nicht nach Saigon geschickt. Nie, niemals, haben Sie verstanden?«
»Sie haben Vivica nicht dorthin geschickt?« stammelte Helene entsetzt. »Aber wer denn? Vivica sagte mir immer, daß...«
»Sie ist eine Lügnerin«, erklärte Madame Ninette, »eine Vagabundin.«
Vagabundin! Eine Glocke der Erinnerung ertönte. Ein kleines, blasses Mädchen, Astrid, steht an Helenes Bett in Trondheim. »*Maman* nannte die Tante mit dem Geigenkasten *une vagabonde*. Ich glaube, sie hatte *maman* etwas gestohlen.« ... Und Knut hatte kurz vor der Katastrophe von Borghild geschrieben, sie sei »ein Geschöpf des Chaos und ihre Kunst ein Produkt der Tiefe«. Nie hatte Helene diese harten Worte vergessen können. Vielleicht war gerade aus Knuts Härte, die Borghild in den Tod getrieben hatte, Helenes besorgte Liebe zu Vivica erwachsen. Um Himmels willen ... was hatte das Kind nur angestellt?
»Wer hat meine Nichte nach Saigon geschickt«, fragte Fräulein Wergeland tonlos.
»Woher soll ich das wissen? Fragen Sie lieber Ihre junge Verbrrrecherin!«
»Sie haben es wirklich nicht getan?«
»Ich hätte mich schwer gehütet! Ihre Nichte ist eine Verschwenderin, eine verwerfliche Geldausgeberin.«
»Wer hat Ihre Kosmetik eingekauft, wenn nicht meine Nichte?«
»*Ich* habe natürlich für Madame Ninette eingekauft«, bemerkte Vera Leskaja. Sie hatte keinen Blick vom Gesicht ihrer Brotgeberin gewandt.
»Genauso ist es! Vera Leskaja ist meine kommerzielle Agentin

für Saigon, Tantchen! Sie ist praktisch, sie ist nicht zu schön und verbringt ihre Abende nicht in Tanzbars. Das ist wichtig bei einer Einkäuferin.«
Nachdem der Koloß das Gesetz für Einkäuferinnen niedergelegt hatte, blinzelte er seine Sekretärin mit freundlicher Bosheit an.
»Ich sagte Ihrer Nichte mehrere Male, sie sei eine kleine Vagabundin. Aber sie erklärte, sie stähle nun einmal für ihr Leben gern Männerherzen«, bemerkte Madame Ninette. »So jung und schon so verworfen! Eine Füchsin – diese Vivica!«
Madame Ninette schwieg und fragte dann: »Hörtest du das, Leskaja?« Sie wiederholte, daß Vivica eine Füchsin wäre, so bezaubert war sie von ihrer eigenen Formulierung.
»Raus!« befahl Fräulein Wergeland. »Sie können der Kempetai Ihre russischen Märchen erzählen! Ich möchte wissen, wer meine Nichte in ihr Unglück geschickt hat, wenn nicht Sie!«
Die beiden Besucherinnen wechselten einen Blick. Dann trat Vera Leskaja dicht an Helene heran. Die alte Norwegerin mußte ein für allemal zum Schweigen gebracht werden, sonst würde sie der weißrussischen Kolonie zum Verhängnis werden. Die Kempetai war unberechenbar; sie hatte kürzlich in Shanghai einen ihrer eigenen Agenten auf eine Denunziation hin erschossen. Das hatte Vera herausbekommen. Sie richtete ihren gierigen leblosen Blick, aus dem der letzte Funke Mitgefühl geschwunden war, auf Fräulein Wergeland.
»Ich versichere Ihnen zum letzten Male, Madame, daß meine Chefin nichts mit der Verhaftung Ihrer Nichte zu tun hat. Wir werden dafür sorgen, daß *Sie* verhaftet werden, wenn Sie Nina Iwanowna nochmals beleidigen oder verdächtigen! Unsere Geduld ist zu Ende, Madame!«
»Raus«, sagte Fräulein Wergeland heiser.
»Machen Sie sich keine Illusionen, weil der ältere Offizier Sie vorhin nicht verhaftet hat«, fuhr Vera Leskaja fort. »Vielleicht interessiert es Sie, zu erfahren, daß Major Kimura persönlich die Verhaftung Ihrer Nichte in unserem Salon vornahm. Oder glaubten Sie, er besuchte Sie zu einem Plauderstündchen?«
»Ohne Brrandy, ohne Gin, ohne Kaffee... lächerlich«, warf Madame Ninette ein. »Dieses Haus ist ein Haus des Todes.« Sie zündete sich Astrids letzte Zigarette an.
Fräulein Wergeland sagte kein Wort.

»Die Kempetai hat meist keine Eile, Madame! Im Gegenteil, sie zieht es vor, eine belastete Familie zu beobachten und zu beschatten. Das gleiche gilt für eine Gruppe, eine Partei, ein ganzes Volk.«
Vera Leskaja ließ keinen Blick von Fräulein Wergeland. Sie mußte Major Matsubara-Kimura geschickt dahin bringen, die alte Norwegerin unschädlich zu machen. In den Kellern der Kempetai konnte sie Verleumdungen ausstoßen, soviel sie wollte. Vera war erstaunt, daß der Major diese grobe Dame nicht gleich mitgenommen hatte. Wahrscheinlich würde er sie später holen. Man wußte nie, was der »Spürhund« vorhatte. Auch sie nicht, obgleich sie seit Jahren seine Star-Agentin war.
»Wenn Sie durchaus wissen möchten, Madame, wer Ihre Nichte nach Saigon kommen ließ, und zwar zweimal jeden Monat, könnte ich Sie eventuell aufklären«, bemerkte Mademoiselle Leskaja nachlässig. Fräulein Wergeland neigte ihr Gesicht vor, als ob sie schwerhörig wäre. Auch Madame Ninette horchte auf.
»Es ist mein trauriges Los, die Überbringerin schlechter Nachrichten zu sein«, sagte die Russin. »Aber es ist wohl besser, Sie erfahren es. Ich hörte mit an, was die beiden Offiziere in unserem Salon sagten, als sie Ihre Nichte verhafteten. Ich verstehe ein wenig Japanisch ...«
»Du Tausendsassa«, sagte Madame Ninette und klatschte in die Hände. »Du nützlicher, geliebter Geheimniskrämer!«
»Möchten Sie mir nicht endlich sagen...«, unterbrach Helene den Ausbruch des Entzückens.
»Die Offiziere nannten einen Mann in Verbindung mit den Reisen Ihrer Nichte, einen Franzosen. Sie sagten, er wäre der heimliche Verlobte von Mademoiselle Vivica. Sie ist ja jung, blendend schön und versteht es wohl mit den Männern, nicht wahr, Madame?«
»Wer?« fragte Helene heiser. »Um Gottes willen, nun sagen Sie es doch endlich!«
Vera zog mit sadistischer Langsamkeit ein fettiges Notizbuch aus ihrer Handtasche und blätterte darin.
»Ich schrieb mir den Namen auf. Aha, hier: Der Verschwörer und Feind des japanischen Weltreiches heißt Pierre de Maury. Mit-Herausgeber der japanfreundlichen Zeitschrift *L'Indochine*. Wie gesagt, der heimliche Verlobte Ihrer Nichte Vivica.«
»Sind Sie wahnsinnig geworden?«

Vera Leskaja nahm die Beschimpfung achselzuckend hin. Sie reichte statt aller Antwort Fräulein Wergeland einen Packen Briefe. »Ich fand diese Briefe zusammen mit dem grünen Papier im Zimmer Ihrer Nichte. Mademoiselle Vivica muß sehr unordentlich sein, wenn sie so vertrauliche Briefe unverschlossen im Schreibtisch herumliegen läßt. Ich nahm mir die Freiheit, sie zu lesen, während Sie sich mit dem japanischen Major unterhielten, Madame! Ich muß schon sagen, Monsieur de Maury schreibt Briefe, die jedem jungen Ding den Kopf verdrehen könnten. Guten Tag, Madame!«
Die beiden Russinnen verschwanden bemerkenswert plötzlich. Helene Wergeland stand regungslos im Empfangszimmer. Die Briefe, die Pierre de Maury an Vivica geschrieben hatte, waren ihrer Hand entfallen.
Schließlich bückte sie sich und sammelte die Briefe wie eine Ährenleserin ein. Dann ging sie in ihr Zimmer und verschloß sie in ihrem Sekretär, Astrid durfte diese Briefe niemals zu Gesicht bekommen. Sonst würde sie sagen, die Tochter der Vagabundin habe ihr den Mann gestohlen. Fräulein Wergeland wußte nicht, daß Astrid den Inhalt der Briefe Wort für Wort kannte. In den langen Nächten, in denen Vivica in fremden Gärten unter dem grünen Tropenmond tanzte, hatte Astrid Pierres Briefe an ihre Halbschwester beinahe auswendig gelernt, so oft hatte sie den Inhalt studiert. Sie hatte kein Wort vergessen, dank ihrem »empörenden Gedächtnis«. Aber Helene wußte das alles nicht, denn bei Astrid kostete bekanntlich jedes Wort einen Taler.
Fräulein Wergeland wollte gerade zu ihr ins Büro fahren, als die Sirenen aufheulten. Der schlimmste Luftangriff, den die Stadt am Menamfluß seit 1941 erlebt hatte, begann. Unzählige Menschen, Tiere und Behausungen wurden vom Erdboden fortgefegt. Yumei hatte schon über eine Stunde im Gefängnishof auf die Möglichkeit gewartet, Vivica ihr Lieblingsessen zu bringen. Eine Bombe, die mitten ins Haus einschlug, sandte ihre Todessplitter bis zu Yumei. Sie starb ohne Laut, mit dem Kochtopf und dem Sohne in ihren Armen. Die neuangekommenen Gefangenen – Chinesen, Inder, Europäer – waren zum Teil beim Verhör, teils in den Kellern des provisorischen Gefängnisses, das drei geheime Ausgänge an der einer Straßenfront entgegengesetzten Seite besaß.
Als die Sirenen das Endzeichen gaben, waren Bangkoks beide

Kraftwerke zerstört. Die Stadt würde bis zum Ende des Krieges ohne genügend elektrisches Licht und ohne fließendes Wasser in den Baderäumen sein, ohne ausreichende Telefonverbindung, ohne Eis und Straßenbahnen – eine gelähmte Riesin in der brütenden Tropenhitze.
Über das Schicksal der Gefangenen von Saladeng herrschte Unsicherheit. Die Kempetai gab weder über Lebende noch über Tote Auskunft – über Tote schon gar nicht, denn solche Nachrichten ermutigten erfahrungsgemäß überlebende Verschwörer, der Geheimpolizei Lügen aufzutischen, welche die Toten nicht mehr dementieren konnten.
Als Fräulein Wergeland nach dem Luftangriff aus ihrem Luftschutzkeller im Garten ins Haus zurückging, wußte sie nicht, daß die treue Yumei ums Leben gekommen war. Auch hatte sie keine Ahnung, ob Astrid und Vivica lebten.
Es war fünf Uhr nachmittags, als die Überlebenden in ihre Häuser zurückkrochen – die Zeit der Teestunde. Wenn Astrid im Zentrum der Stadt dem Bombenregen entkommen war, mußte sie jeden Augenblick erscheinen.

\*

Astrid erschien aber erst am Abend in der Sathorn Road. Sie hatte zunächst geholfen, den älteren Herrn Sun nach Hause zu bringen. Sein Laden brannte, und mit ihm gingen die Sachwerte der Wergelands in Flammen auf: Wandbilder, Jadeschmuck, Porzellane, geschnitzte Schränke ... Herr Sun hatte seit der Verhaftung seines Vetters einen Nervenschock und wollte mit seinen Kunstschätzen zugrunde gehen. Astrid hatte ihm mit Hilfe des Personals das Leben gerettet.
Als sie zerschlagen und halbverdurstet zu Hause ankam – es war sieben Uhr abends geworden – trat Fräulein Wergeland ihr im Treppenhaus mit einem Öllicht entgegen.
»Wir haben keinen Strom und kein Wasser! Dem Himmel sei Dank, daß du gesund zu Hause bist!«
Sie sah im flackernden Lichtschein wie ein Geist aus. Das riesige Treppenhaus war von zitternden Schatten erfüllt.
»Ist Vivica zu Hause?« fragte Astrid beklommen.
»Nein, sie ist nicht zu Hause. Sie kommt auch nicht.«
»Was fehlt dir, Tante Helene?« schrie Astrid erschreckt. Fräulein

Wergeland hatte ohne jede Betonung gesprochen. Es war, als habe das Leben in den letzten fünf Stunden diesen kraftvollen Körper und den energischen, ewig sorgenden Geist verlassen und als stehe nur die Hülle der alten Helene Wergeland im flackernden Öllicht vor Astrid.
»Ist Vivica etwas passiert?« Ein Gefühl von Unwirklichkeit überfiel Astrid. Was in aller Welt war mit Tante Helene los?
»Ich weiß es nicht, Astrid«, sagte Fräulein Wergeland tonlos. »Vielleicht ist Vivica noch am Leben. Wir müssen nachfragen.«
»Wo denn?« fragte Astrid tief erschrocken.
»Ich habe dir etwas Reis warmgehalten. Komm ins Eßzimmer, Kind! Yumeis Mann wird servieren. Yumei...« Fräulein Wergeland stockte. Im Küchenhaus lag Yumei. Der Kochtopf in ihrem erkalteten Arm hatte Helene alles verraten. Sie hatte sich neben Yumei gekniet und hatte ihr mit der großen bebenden Hand das blutverkrustete Haar aus der Stirn gestrichen. Yumei, die mit den Jahren eine behaglich-füllige chinesische Familienmutter geworden war, hatte immer noch die runde, glatte Kinderstirn, die sie so oft in Trondheim in rührender Ergebenheit an Helenes Knie gelehnt hatte. Der »Hühnermann«, der sie vom Saladeng-Markt her kannte, hatte sie heulend und zitternd heimgebracht. Wen – Yumeis Ehemann und der Koch der Wergelands – stand reglos neben den Leichen seiner Frau und seines Sohnes. Warum war sie ohne ihn fortgegangen? Er hätte sie doch begleitet und auf sie und den Sohn aufgepaßt. Yumei war klein und fruchtbar wie eine Dattelblüte gewesen.
Trotz Wens und der übrigen Dienerschaft respektvoller Proteste hatte Helene die Tote eigenhändig gewaschen und in ihre besten Gewänder gehüllt. Zum Schluß hatte sie ihr den Silberschmuck umgehängt. Das leuchtende norwegische Silber und das leuchtende chinesische Rot des Gewandes sahen festlich und schön aus. Der Anblick hätte Yumei gefreut... Der Schmuck war ein letzter, stummer Dank von Fröken Wergeland aus Trondheim. Er sollte Yumei dorthin begleiten, wo ihre Vorfahren sie erwarteten.
Im Speiseraum mit den flackernden Öllichtern erfuhr Astrid dann, wann und wie ihre Familienwelt zusammengebrochen war. Sie saß wie eine Bildsäule vor ihrem erkalteten Reis. Wie in aller Welt war Vivica in diese Falle geraten? Wer hatte sie ins Unglück gerissen?
Astrid hatte die Brille abgenommen und starrte die Tante an.

Fräulein Wergeland hatte ihr über alles berichtet, nur von den Briefen von Pierre de Maury, der nach Aussagen der Russin ein Feind Nippons unter der Maske eines projapanischen »Mitarbeiters« gewesen war, hatte sie nichts gesagt.

»Iß, Astrid«, sagte Helene müde, aber Astrid konnte nicht essen. Ein entsetzliches Geheimnis – sie hatte ja schon als Kind immer Geheimnisse gehabt, die sie dann Tante Helene auftischte – nahm ihr den Appetit. Aber wie sie so das erloschene Gesicht im flackernden Öllicht betrachtete – immer noch kühn, aber tödlich erschöpft –, wußte Astrid, daß sie *dieses* Geheimnis für sich behalten mußte, und wenn sie daran erstickte.

»Warum ißt du nichts? Wir werden unsere Kräfte brauchen«, murmelte Fräulein Wergeland. Sie mußten sich doch im Morgengrauen auf den Weg machen, um Vivie zu suchen, falls das Kind noch lebte. Vielleicht zeigte die Kempetai Erbarmen. Helene war noch nicht über den Schock hinweggekommen, daß der höfliche und gefällige Offizier sie zum Narren gehalten hatte. Er selbst hatte Vivie verhaftet! Und sie wußte nicht einmal seinen Namen. Sie konnte die Russinnen unmöglich danach fragen: sie hatte sie aus dem Hause geworfen.

»Gute Nacht«, sagte Astrid mit brüchiger Stimme. Sie war schneeweiß im Gesicht; Fräulein Wergeland sah es trotz der Finsternis. Sie stand auf und strich Astrid das Haar aus der Stirn. »Werde nicht krank, Kind, ich habe nur noch dich!«

Vielleicht hätte Helene nicht liebevoll sein sollen, denn Astrid zerbrach unter der seltenen Liebkosung. Sie brach vor ihren Augen sozusagen in Stücke. Sie wich mit ausgestreckten Händen zurück und stöhnte: »Sei nicht gut zu mir! Ich . . . ich bin an allem schuld.«

»Geh schlafen, Astrid«, sagte Fräulein Wergeland unheimlich sanft, weil ihre feine Witterung und ihr scharfer Verstand eine entsetzliche Ahnung in ihr aufsteigen ließen. »Wir sprechen morgen weiter.«

Sie legte ihren Arm um das Mädchen, das sich fassungslos schluchzend an sie klammerte, und brachte es in ihr eigenes Schlafzimmer. Dort zog sie Astrid aus, deckte über den erschreckend abgemagerten Körper eine weiße Wolldecke und mischte ein Schlafpulver mit abgekochtem Wasser. Es war Mitternacht. Bevor sie in einen fiebrigen Schlaf sank, schlug sie noch einmal die hellen, kurzsichtigen Augen auf und murmelte: »Ich wußte es nicht . . . Tante Helene! Du mußt es mir glauben!«

Was hatte Astrid nicht gewußt? Es war einerlei in dieser Stunde. Helene war nur dazu da, das Gebrochene zu flicken und Knuts Töchter zu bergen und zu stützen.
»Ich glaube dir«, murmelte sie und wandte sich ab.
Sie selbst legte sich zum Schlafen auf ihre Couch, von der aus sie Astrid im Auge behalten konnte. Sie zog die Moskito-Vorhänge zusammen und seufzte unter der riesigen Tüllwolke wie jemand, der nach einer Wüstenwanderung keine Oase, sondern eine neue Wüste zu seinen Füßen findet. Das große Tropenhaus mit den verödeten Pavillons für die chinesischen Flüchtlinge war unheimlich leer. Yumei war tot; Vivica war verschollen; Mailin lebte im japanisch-besetzten Singapore in einer ähnlichen Gefahrenzone. Es war eine typisch asiatische Gefahr, die sie alle bedrohte – eine sanfte, unmerklich heranschleichende Vernichtungswelle, die sich spielerisch kräuselte, bis sie im rasenden Hochsprung alle und alles verschlang. Nur Astrid und sie waren noch da, und das leere Haus schien bis in alle Winkel von Astrids furchtbarem Geheimnis ausgefüllt. Was hatte Astrid nicht gewußt? Warum hatte sie gesagt, daß sie an allem schuld wäre? Welche Wege war ihr verstörter Geist in den langen Nächten geschritten, die sie in ihrem Zimmer in grimmiger Ausgeschlossenheit von der Liebe durchwacht hatte? »*Wer ist Astrid?*«, fragte sich Helene in der Stille der Nacht.
Sie schloß die Augen in tiefer Erschöpfung und lauschte. Sie vernahm ein Geräusch wie von einer chinesischen Geistertrommel. Allmählich wurde es Helene klar, daß dieses dumpfe, eindringliche Hämmern ihr eigener Herzschlag war. Eine fremde Empfindung, ein lebensfeindlicher Strom rann durch ihren Körper; sie fühlte, wie ihre Knie weich wie Watte wurden, ihr Herz immer dringender schlug und ihre großen tüchtigen Hände, die stets Zerbrochenes geflickt und Friedloses gebettet hatten, zu Eis erstarrten.
Ich habe *Angst*, dachte Fräulein Wergeland erstaunt.

DRITTES KAPITEL

# Variationen der Angst

Astrid stand im Morgengrauen auf und verließ das Haus ohne Frühstück. Fräulein Wergeland schlief den Schlaf der Erschöpfung. Astrid hatte sie einen Augenblick mit merkwürdigem Ausdruck betrachtet: noch wußte Tante Helene nicht, was sie, Astrid, getan hatte. Sie selbst mußte sofort etwas zu Vivies Rettung unternehmen. Ihr Kopf arbeitete wieder klar und logisch. Ihr Gefühlsausbruch gestern abend, nur weil Tante Helene ihr liebevoll übers Haar gestrichen hatte, war sehr unangebracht gewesen. Sie, die sich heftiger als andere Mädchen nach Liebe gesehnt hatte, schien sie nicht mehr zu vertragen. Sie war auch nicht mehr eifersüchtig wie damals mit sieben Jahren in Shanghai, als sie den Vogel Goldpirol ermordete; oder später im Pensionat in Lausanne, wo sie bestimmte Kinder mit ihrer Liebe quälte, wie sie stets ihren Vater, Tante Helene und dann später Pierre de Maury gequält hatte. Ihre Eifersucht und ihr Liebeshaß waren nach dem Ausflug nach Angkor wie die Flüsse Babylons gewesen; sie hatten die Bruchstücke der Tugend mit sich fortgerissen. Wenn Vivica etwas geschah, war sie, Astrid, schuld, obwohl sie es nicht gewollt hatte. Sie hatte als Kind auch nicht den Vogel Goldpirol totdrücken wollen, aber plötzlich hatte ein lebloses Ding in ihrer kalten Hand gelegen. Damals hatte sie geschrien, und Papa hatte sie getröstet, so wie Tante Helene sie gestern abend schützend in den Arm genommen hatte. Aber der Vogel Goldpirol blieb tot, und eine Bombe hatte gestern nachmittag in dem Hause eingeschlagen, in dem die Japaner Vivica gefangen hielten. Astrid hatte nicht geahnt, daß Vivica mit dem Spionagering Sun etwas zu tun hatte. Oder war alles nur ein grausiger Irrtum der Kempetai, die von Monat zu Monat nervöser und damit gefährlicher wurde? Vivica hatte doch nur auf Molly Suns Parties unter dem Tropenmond getanzt. Astrid hatte indessen mit Tante Helene auf der verdun-

kelten Terrasse gesessen und geschwiegen. Dann hatte sie »Gute Nacht« gesagt und war in Vivicas Zimmer gegangen. Mit der Brille auf der Nase hatte sie Pierres Liebesbriefe an Vivica studiert. Er hatte *ihr* niemals solche Briefe geschrieben! Sie hatte nicht geahnt, daß er zärtlich und geradezu berauscht von Mädchenschönheit sein konnte. Er schien die Stunden zu zählen, bis er die kleine »Vivienne« in Saigon wiedersah. Nur in Saigon wollte er sie treffen, denn in Bangkok würde Astrid hinter ihnen herschnüffeln. So ähnlich hatte Pierre es gemeint, nur hatte er es höflicher ausgedrückt: er wolle Astrid nicht unnötig verletzen.
Ja – das alles hatte sie gelesen, bis sie die Briefe Wort für Wort auswendig wußte. Sie hätte gern über die Zärtlichkeiten ein paar Tränen vergossen, wie es Mauerblümchen in der ganzen Welt tun, aber diese kostenlose Erleichterung war ihr von der Natur versagt. Das war schade, denn dadurch verwandelte sich ihr Kummer in ein Geschwür, das an ihrer Tugend fraß. Ihr Herz war so verdorrt wie ein Reisfeld in der heißen Zeit. Sie brannte vor trockenem Schmerz und vor Scham, daß sie wegen einer jungen Vagabundin beiseite geschoben worden war. Denn Astrid war überzeugt, daß die Affäre begonnen hatte, als Vivica vor Pierre tanzte.
Eines Nachts – drei Wochen vor Vivicas Verhaftung – hatte Astrid sich in ihrem elektrisch gekühlten Büro hingesetzt und einen kalten, klaren Brief an eine Stelle geschrieben, die keine Gnade walten ließ, wenn sie »Informationen« erhielt, selbst wenn solche Briefe anonym und mit einer chinesischen Schreibmaschine geschrieben waren.
Und nun war jemand verhaftet worden, an den Astrid nicht im Traum gedacht hatte: ihre Halbschwester Vivica! Wie war das möglich? Die Kempetai verhaftete die Männer, die man ihr als »Feinde Nippons« nannte, verhörte sie und verfuhr dann nach Gutdünken mit ihnen; aber sie verhaftete doch nicht die Vögel, die den Männern Liebeslieder vorsangen, oder junge Mädchen, die in einem Nachtklub in Saigon verliebt mit ihnen tanzten! Dann hätte sie ja Frauengefängnisse einrichten müssen. Die Japaner verachteten die Frau als geistiges Wesen zu sehr, um sich die Mühe von Massenverhaftungen zu machen. Es ging ihnen um die Männer.
Astrid hatte nur Pierre de Maury als Feind Nippons bei der Kempetai denunziert.

So fuhr Astrid denn in ihrer ratlosen Verwirrung im Morgengrauen zu Madame Ninette. Es verstieß gegen jedes Gesetz der Höflichkeit, eine Dame um halb sieben Uhr morgens aufzusuchen; aber Astrid brannte darauf, von ihr so schnell wie möglich alle Einzelheiten zu erfahren. Sie waren seit Shanghai gut miteinander bekannt; Madame hatte Astrid fortlaufend mit den Biographien von wildfremden Leuten unterhalten, und Astrid hatte gern dafür bezahlt. Nun mußte sie aber mit der Russin nicht über einen wildfremden Menschen, sondern über Vivica sprechen.

Der Boy, der verschlafen zur Tür geschlurft kam, erklärte, seine Dame sei gestern nachmittag zur Erholung verreist. Astrid war so entsetzt, daß sie vergaß, dem Boy ein Trinkgeld zu geben. Daraufhin schlug er ihr die Tür vor der Nase zu. Sie bestieg ihren kleinen Sportwagen und fuhr davon.

Hinter den Vorhängen des Frühstücksraumes saßen Madame Ninette und Vera Leskaja und sahen Astrid wegfahren. Die lachten. Madame grölte wie ein animierter Bierkutscher, und Vera Leskaja lachte leise. Beide waren für Mitglieder der Familie Wergeland nicht mehr zu sprechen.

»Das war urkomisch, nicht wahr, Vera, mein Täubchen?« Vera Leskaja nickte. Sie hatte die Nacht bei ihrer Chefin verbracht, da Madame Ninette noch so aufgeregt über Fräulein Wergelands Ungastlichkeit gewesen war. Während der Koloß schnarchte, war Leskaja, welche die neue Villa noch nicht kannte, ins Wohnzimmer geschlichen und hatte im Schreibtisch ein bißchen aufgeräumt. Sie besaß, wie gesagt, eine übernatürliche Fähigkeit, in wildfremden Wohnungen auf Anhieb Badezimmer und Schreibtische zu finden und das Passende daraus zu entnehmen.

Sie verharrten während des Frühstücks, das Madame Ninette mit einem Brandy begann, in einem Schweigen, das in befremdlichem Gegensatz zu ihrer Heiterkeit bei Astrids Niederlage stand.

»Du ißt nichts, du trrinkst nichts, du sitzt da wie Säulenheiliger mit Mandelentzündung«, murrte Madame Ninette. »Was hast du, Leskaja?«

»Angst...«

»Vor wem?«

»Wenn ich *das* wüßte, hätte ich keine Angst mehr«, sagte Vera Leskaja leise.

Astrid fuhr verzweifelt in ihr Büro in die Prahurat. In dieser indischen Seiden- und Goldhändlerstraße herrschte trotz der frü-

hen Stunde Hochbetrieb. Hochgewachsene Inder mit leuchtenden Turbanen öffneten die Holztüren ihrer Läden und legten die prunkenden Seiden und Brokate auf den Tischen vor den Türen aus. Die Goldhändler legten wohlweislich nichts aus: es gab zu viel Diebe in der Prahurat. Das Leben ging weiter – auch wenn die Welt der Wergelands zusammengebrochen war.
Astrids kleines Büro, in dem sie Geschäfte aller Art vermittelte und sehr gut verdiente, lag zwischen einem Goldladen und einer Wechselstube eingeklemmt. Von ihrem Fenster aus konnte sie direkt in den ersten Stock eines indischen Restaurants sehen, wo sie öfters ihren Lunch einnahm. Das Essen der Inder war das einzige, was ihr noch Tränen in die Augen treiben konnte... Es war gewürzt, süß und brannte nachhaltig wie die Sehnsucht einer verschmähten Frau. In diesem Lokal hatte Astrid auch gestern gegessen, während ein Mitarbeiter der Kempetai – als Siamese vom Elektrizitätswerk getarnt – angeblich die Leitungen in der alten Bude repariert und bei dieser Gelegenheit in Astrids Büro ein Mikrophon eingebaut hatte. Die Vorhänge waren wegen der Mittagssonne geschlossen gewesen, und der Herr hatte auch noch Zeit gefunden, Astrids Schreibtisch zu durchstöbern. Er hatte nur harmlose Geschäftsnotizen entdeckt, was ihm als altem Kempetai-Hasen sofort verdächtig vorkam. Von nun an mußte er überdies einen anderen Vorwand erfinden, wenn er Büros bearbeiten wollte: die Alliierten hatten gestern nachmittag die Elektrizitätswerke weitgehend außer Betrieb gesetzt.
Als Astrid am Morgen nach Vivicas Verhaftung in dies Haus in der indischen Seidenstraße trat, ertönte eine schrille japanische Stimme aus ihrem Büro. Sie hörte bereits am Tonfall, daß es nicht chinesisch war, was sie als Kind in Shanghai gelernt hatte.
Sie holen mich ..., dachte sie erlöst. Sie wünschte sich nichts sehnlicher. Was sollte sie noch zwischen den Ruinen ihrer Existenz? In diesem Augenblick war sie plötzlich fest davon überzeugt, daß Vivica nicht mehr am Leben sei. Sie lief auf ihre Bürotür zu – der Stimme entgegen – und riß die knarrende Tür auf, die niemals vom Boy geölt wurde. Der Boy Yu-schui lernte Japanisch, anstatt aufzuräumen. Zur Zeit saß er vor dem Radio, aber als Astrid das Zimmer betrat, setzte gerade die Tokio-Sendung in englischer Sprache ein. Englisch hatte er von den Weißen Göttern gelernt. Yu-schui war von typisch chinesischem Lerneifer beseelt: *was* er lernte, war ihm vollständig gleichgültig.

Die Stimme vom Radio Tokio erklärte mit voller Lautstärke:

>»Die Vereinigten Staaten von Amerika sind eine geflickte Bettdecke; die Flicken sind die vielen Völkerschaften auf ihrem Terrain. Es fehlt den Flicken nationaler Stolz und jener Geist der todbereiten Treue, der Nippon seit Jahrtausenden erfüllt. Wenn Amerika nicht endlich seine schwache Hoffnung auf den Sieg aufgibt, wird es in brodelnde Unruhe und geistige Verwirrung stürzen.«

Astrid stellte die Rede von Admiral Sankichi Takahashi ab und setzte sich steif und mit einem aus der trivialen Situation erwachsenen hohlen Gefühl in ihren Schreibtischsessel. Sie grübelte darüber nach, warum ihr alles im Leben schiefging. Sie hatte leidenschaftlich gehaßt und wurde nicht bestraft. Sie haßte Pierre de Maury nicht mehr; sie fragte sich müde, wie sie ein solches Verbrechen hatte begehen können. Ein Mädchen hetzte doch nicht die Militärpolizei auf einen Mann, nur weil er ihre Liebe nicht mehr erwiderte. Astrid seufzte in grenzenloser, stumpfer Betrübnis; sie hatte keine Ahnung von den Abgründen ihrer Eifersucht gehabt. Sie hätte ihr Leben gegeben, wenn sie die Denunziation und alles andere hätte ungeschehen machen können; aber sie lebte unter einem ungünstigen Wind. Es war zu spät. Ihr Haß hatte sie Gott und den Menschen entfremdet. Sie vegetierte in einer Wildnis mit Radio und Schreibmaschine. Sie wäre gern auf den Wagen der großen Wandlung gesprungen, aber niemand reichte ihr eine helfende Hand. Sie saß in ihrer Identität wie in einem Kerker. Sie konnte und durfte Tante Helene nicht mit ihrem furchtbaren Geheimnis belasten. Es war das einzige, was sie noch für ihre Familie tun konnte, da niemand sie verhaften wollte. Sie wünschte sich Sturm, und er brach nicht aus.

Astrid entzündete eine Zigarette, weil sie nicht länger untätig dasitzen konnte. Sie hatte den Boy nach Saladeng geschickt; er sollte etwas über das Schicksal der Gefangenen in Erfahrung bringen. Sie stellte das Radio wieder an; wieder schlug ihr Nippons Haß gegen den Westen entgegen. Ein einziges Gefühl beherrschte sie plötzlich und drohte ihren klaren Verstand zu verwirren. Etwas Lebensfeindliches drang von der Radiostimme in ihr Inneres, während sie reglos dem Wortstrom lauschte: *Angst um jede Minute, die nutzlos verrann*, eine der schlimmsten Ängste, welche die Menschen kennen. Diese Angst bekam im Fernen

Osten etwas Dämonisches, weil dort der Europäer, der etwas tun wollte, in einem Ozean von Gleichgültigkeit und lethargischer Resignation ertrank. Niemand half; niemand beeilte sich; niemand gab einen Rat, nur weil die Kempetai die verkehrte Person verhaftet hatte.

Astrid saß steif vor ihrem Schreibtisch. Wen konnte sie um Hilfe angehen? Plötzlich fiel ihr Baron Matsubara ein. Er war zwar ein Ästhet – wenn auch ein unsympathischer –, aber er konnte doch bei der Kempetai nachfragen. Sie hatte ihn neulich im Trocadero-Hotel gesehen, als sie dort mit einem dänischen Kunden lunchte. Im Trocadero wohnten alle vornehmen Japaner mit oder ohne Uniform. Baron Matsubara schien immer noch Zivilist zu sein. Sie würde Pierre nicht erwähnen – sie waren ja schließlich seit zwei Jahren voneinander geschieden – und Matsubara einfach bitten, sich nach Vivicas Schicksal zu erkundigen. Sie mußte leben! Vielleicht war sie nach Beginn des Luftangriffs in ein anderes Haus überführt worden. Das war vor einigen Wochen mit einem Haufen von Indern geschehen. Keiner war ums Leben gekommen. Die Kempetai brauchte ihre Gefangenen doch für Auskünfte. Leichen gab es nur, wenn nichts mehr zu erfahren war. Und auch dann nicht immer. Es kam vor, daß die Kempetai bestimmte Gefangene auf freien Fuß setzte. Ihre Absichten verriet sie dabei weder dem Gefangenen noch seiner Familie. Sie baute heimlich ein Mikrophon in das Haus des Betreffenden ein – etwa durch einen chinesischen Agenten, der Seidenbilder zum Verkauf anbot – und hörte dann ab, was der Befreite berichtete und nach wem er sich erkundigte. Es war einfach, auf diese Weise doch noch zu erfahren, was halsstarrige Gefangene nicht verraten hatten.

Als Astrid in diesem Zusammenhang an Baron Matsubara dachte, fiel ihr das *Haikku* ein, das der poesieliebende Baron im Grand-Hotel von Siem-Reap nach dem Gespräch über den Cao-Daiismus rezitiert hatte. Astrids empörendes Gedächtnis funktionierte wie in den besten Tagen. Sie sah die tropische Hotelhalle vor sich – die Pflanzen in kostbaren Keramiktöpfen, die wackligen Tische und Stühle, den schweigenden älteren Japaner mit den drei großen Vorderzähnen und Baron Matsubara, Pierres alten Kulturfreund aus Shanghai und Tokio. Auf der Tischplatte hatte Staub gelegen; drei japanische Touristen in der Ecke der Halle hatten Astrids Pariser Hütchen mit verzehrender Neugierde angestarrt;

draußen hatte sich die verschlafene Stadt gedehnt, die nach einer glänzenden Vergangenheit und verfaulten Fischen roch. Eine sehr asiatische kleine Stadt – liebenswürdig verwahrlost und friedliebend. Das Grand-Hotel stand wie eine Herausforderung des Westens außerhalb dieser ländlichen und eigensinnig glücklichen Stadt mit den jungen Mädchen in leuchtenden Sarongs, dem chinesischen Spielsalon, dem kambodianischen Theater und den Moskitos.
Die Champagner-Cocktails hatten nach Moder geschmeckt. Baron Matsubara hatte mit einem Lächeln der Entschuldigung das Radio Tokio-Programm abgestellt: »die leidige Politik, die Feindin der Poesie, nicht wahr«? Dann hatte er ein *Haikku* gesprochen:

>»Laut, als sähe sie
>ihres Käfigs Stäbe nicht,
>singt die Nachtigall.«

Wieso hatte Astrid damals den düsteren Sinn nicht erfaßt? Wie hatte sie nur im Shanghai von 1937 diese hintergründige Poesie ein »Spiel für Kinder« nennen können? Aber in diesem Augenblick, wo sie ratlos an ihrem Büroschreibtisch darüber nachdachte, wie man Vivica und Pierre retten könnte, kam ihr durch die Macht der Erinnerung eine Eingebung, ein Blitz der Erkenntnis – irrational und unvermittelt. Sie wußte plötzlich ohne Beweis, daß Baron Matsubara niemals Pierres Freund gewesen war.
Und sie beschloß, ihn *nicht* im Trocadero aufzusuchen. Sie schloß ihre Bürotür zu und begann, systematisch ihren Raum zu durchsuchen. Nach einiger Zeit fand sie das Mikrophon und verbarg es in ihrer Handtasche. Sie würde es später, in Fruchtschalen gehüllt, in den geduldigen Menam-Fluß werfen.
In diesem Augenblick schrillte das notdürftig reparierte Telefon, Astrid nahm zitternd den Hörer ab und lehnte sich dann enttäuscht in den Korbsessel zurück. Aber die Gewohnheit war stärker als ihre Verwirrung: unbewußt nahm sie die Haltung an, die ihr den Spitznamen »die Herzogin« eingetragen hatte. Ihr strenges weißes Kleid mit einem Schatten von Lila gab ihr ein untadeliges, kühles Aussehen. Die lila Nuance der Seide suggerierte jene hochmütige Resignation, die auch Yvonnes Waffe nach jeder Erschütterung gewesen war. Astrid hatte die Brille abgenommen, weil sie Kopfschmerzen hatte und es nichts zu sehen gab. Es veränderte sie auffallend. Ihr vornehmes, reserviertes Gesicht, jetzt

farblos und still vor Kummer, barg ein tragisches Element von Schönheit, welches die Brille mehr oder weniger zerstörte.
Mit klarer Stimme, die nichts von ihrer Zerfallenheit mit sich selbst verriet, orientierte Astrid einen französischen Kunden über den heutigen Goldpreis. Er war zu schwindelnder Höhe angestiegen. Nein, Monsieur solle lieber nicht verkaufen! Weder sein Zinn noch sein Gold. Sie hatte doch vor einigen Wochen sein Gold sehr günstig eingekauft, nicht wahr? Ach nein, Astrid war deshalb noch lange kein Genie! Das »Gold-Spiel« wurde ja heutzutage von chinesischen Babys im Kinderzimmer gespielt. Ja ... seltsame Zeiten! Chinin? Gewiß, Astrid konnte ihm etwas verschaffen. Aber nur auf dem chinesischen »Schwarzen Markt« und zu einem sündhaften Preis. *Pardon? Naturellement*, Medikamente zu solchen Preisen zu verkaufen kam dem Verkauf der eigenen Seele gleich, Monsieur hatte ganz recht. Wie bitte? Diese verfluchten japanischen Truppen hätten Malaria nach Saigon gebracht?
Astrid hielt den Atem an und fragte Monsieur Duval, ob er kürzlich in Saigon gewesen wäre? War dort alles in Ordnung? Wie ging es ihrem Großonkel, Professor Clermont? Nein ... kein besonderer Anlaß. Astrid fragte nur aus alter Gewohnheit. Wie bitte? Es wäre jemand aus Saigon bei Monsieur Duval, der sie sprechen wolle? Wer?
»Bitte, bleiben Sie am Apparat, Mademoiselle! Herr de Maury kommt!«
Es gab einen Knacks im notdürftig reparierten Apparat, dem die Bomben schlecht bekommen waren.
Astrid rief verzweifelt: »Pierre! Ich muß dich sprechen!«
Im neuen Büro der Kempetai legte Baron Matsubara Monsieur Duval aus Saigon eigenhändig wieder die Handschellen um. »*Wo ist Monsieur de Maury?*« fragte er heiser vor Wut.
»Ich weiß es nicht. Ich habe ihn seit zwei Monaten nicht mehr gesehen. Ich schwöre es Ihnen!«
Ein Hagel von Ohrfeigen war die Antwort. Monsieur Duval wurde in den Keller zurückgebracht. Major Matsubara lächelte hinterlistig. Mademoiselle Clermont-Wergeland hatte für heute morgen ihre kleine Aufregung weg. Der Major hatte das Briefpapier in Astrids Büro und die Maschinenschrift, die sein Mitarbeiter gestern mittag aufgesetzt hatte, mit dem Denunziantenbrief von vor drei Wochen verglichen. Nur sein Instinkt hatte

ihm die Möglichkeit in Betracht ziehen lassen, daß Mademoiselle Clermont, die eigentlich Wergeland hieß, ihren Ex-Verlobten angezeigt hatte.
Nicht, als ob es der Anzeige von Astrid bedurft hätte! Die Agentin Yuriko hatte schon im Januar des Jahres genügend Material geliefert, um de Maury zu verhaften. Aber sie hatten gezögert, weil sie wissen wollten, wer der Chungking-Agent *Fuchsgesicht* war, der Pierre de Maury mit Informationen aus Bangkok und dem weiteren Thailand versorgte.
Es war ratsam, daß Mademoiselle Clermont-Wergeland dachte, Herr de Maury wäre auf freiem Fuße. Er war es übrigens auch, denn er war ihnen im Februar entwischt. Sie suchten ihn seitdem mit der Laterne. Aber die Kempetai würde ihn finden.
Astrid legte endlich den Hörer nieder und blickte so verstört um sich, als ob sie nicht ihr Büro mit den weißgetünchten Wänden und dem Teakholzschreibtisch vor sich sähe, sondern eine von Drachen bevölkerte Landschaft. Unten auf der Straße pries ein Chinese für seine Stammkunden seine frische Hühnersuppe an. Unbegreiflich, daß es Menschen gab, die an Hühnersuppe dachten! Astrid hatte nicht gefrühstückt, aber sie hätte nichts heruntergebracht. Vivica war anders: sie konnte immer essen, ob Drachen zusahen oder nicht. Astrid trat vom Fenster fort, setzte sich wieder an den Schreibtisch und stützte ihren Kopf in die Hände mit den blauen Adern und dem Rubinring ihrer Mutter. Zu ihren Füßen rollte etwas; sie hob es mechanisch auf: es war der goldene Bleistift, den sie aus der Handtasche genommen hatte, um eine Verabredung mit Pierre aufzuschreiben. Der zierliche Bleistift war sein erstes Geschenk gewesen, ein Erbstück. Er lag für gewöhnlich in einem bestimmten Fach ihrer Handtasche zusammen mit einem anderen Erbstück – Yvonnes Rosenkranz.
Astrids Augen weiteten sich, als sie den goldenen Bleistift, den sie so lange nicht mehr benutzt hatte, in das Reißverschlußfach zurücklegte. Ihre Hände tasteten mit den Bewegungen einer Blinden nach den Elfenbeinperlen, die schon Großmutter Clermont in stillen Stunden fromm berührt hatte. Ein Schluchzen schüttelte ihren abgemagerten Körper. Um elf Uhr vormittags, mitten in der Geschäftszeit, umklammerten ihre Hände das zarte Seil, das die Seele in der Wüste des Lebens an den Himmel bindet. »Heilige Maria, Mutter Gottes«, flehte Astrid Thérèse Wergeland, »bete für uns Sünder jetzt und in der Stunde des Todes.«

Es klopfte hart an der Tür. Astrid sprang auf, schloß eilig ihre Handtasche und öffnete. Ihr Boy Yu-schui stand atemlos auf der Schwelle. Seine Augen glitzerten vor Mitgefühl und vor unbesieglicher chinesischer Lust am Gerücht.
»Sie sind alle fort, Missie«, rief er und warf sein glattes schwarzes Haar wie ein Füllen zurück. »Niemand weiß, wohin. Vielleicht Dschungel, vielleicht Gefangenen-Lager, vielleicht andere Stadt.«
»Ich danke dir, Yu-schui.« Astrid suchte nach einem Tical, um den »Bürodiener« von vierzehn Jahren zu belohnen. Aber Yu-schui schüttelte heftig den Kopf. »Belohnung erst, wenn Yu-schui weiß, wo ›Dritte Schwester‹ ist«, sagte er fest. Er zog aus der Tasche eine verstaubte, klebrige Zuckerstange und reichte sie Astrid. »Für Missie Nai Hang (Kaufmann-Dame)«, und schoß aus der Tür. Es gab nichts auf der Welt, so dachte der junge Yu-schui, was nicht durch eine zinnoberrot und knallgelb gefärbte Süßigkeit an Bitterkeit verlor.

\*

Zehn Tage waren vergangen. Fräulein Wergeland und Astrid saßen jeden Abend stumm bei einem Öllicht im Balkonzimmer. Sie hatten nichts über Vivicas Schicksal in Erfahrung bringen können. Niemand wußte, wo die Kempetai augenblicklich residierte. Im Trocadero-Hotel gingen mittlerweile japanische Offiziere so ein und aus wie in der »Weißen Chrysantheme« in Shanghai. Diese Hotels waren inoffizielle Hauptquartiere und wurden außer von Japanern von den wenigen Europäern bewohnt, die noch im besetzten Ostasien herumreisten oder Geschäfte zu machen suchten.
Fräulein Wergeland hatte Astrid nie nach ihrem Geheimnis gefragt. Sie wußte nicht, woran ihre älteste Nichte schuld oder nicht schuld war. Es hatte keinen Sinn, über begangene Fehler zu sprechen, meinte Helene bei sich. Der eigentliche Grund war ihre Angst vor Astrids Enthüllungen. Denn die Gewißheit würde vielleicht eine Kluft schaffen, die sie beide nur sinnlos quälte. Sie mußten erfahren, was aus Vivica geworden war; das war alles, was im Augenblick noch Bedeutung hatte. Trotz Astrids Bitten weigerte Fräulein Wergeland sich standhaft, zu der »Witwe aus Aalesund« nach Nord-Siam zu fahren; sie ließ Astrid nicht allein,

obwohl diese nichts sehnlicher wünschte. Helene bestand darauf, daß die Familie, soweit sie noch vorhanden war, in einer solchen Notzeit zusammenblieb. Die Abende waren für beide eine Nervenprobe. Helene sagte wenig, und bei Astrid kostete jedes Wort drei Taler. Aber sie fragte sich oft, ob Helene wußte, wie krank sie in ihrer Seele war, wenn sie die aufrechte weißhaarige Gestalt stumm häkelnd am Tisch sitzen sah; sie war nicht mehr grob, sondern behandelte Astrid mit herzzerbrechender Höflichkeit. Sie hatte in den letzten zehn Tagen nicht ein einziges Mal gefragt, ob es bei Astrid piepte.
Fräulein Wergeland sagte auch nie, ob sie glaube, daß Vivica noch am Leben sei; sie betrachtete nur nachts mit zusammengepreßten Lippen die alten Fotos. Am Tage malte sie, sorgte mit Yumeis Mann für den Bruchteil der ausgebombten Chinesen, die sich nach dem Unwetter nach und nach zu »großer Missie« zurückschlichen, und häkelte des Abends kleine Jacken für Mailins Söhnchen und Hanna Chous Zweijährigen. Sie strickte auch Wollsachen für Hannas Jungen, denn Shanghai hatte eisige Winter. Astrid las, aber nahm immer wieder die Brille von den matten, geröteten Augen. Es war nicht heiter in der Sathorn Road.
Eines Abends fuhr eine Riksha in den Garten. Beide Frauen sprangen auf. Helene wurde noch einen Schein blasser, und Astrid bekam kreisrunde rote Flecke auf den Wangen. Wer konnte sie um neun Uhr abends besuchen wollen? Europäer wie Chinesen ihrer Bekanntschaft mieden das von der Kempetai gezeichnete Haus wie die Pest. Man konnte sie nicht tadeln: es wurden zu viele Menschen auf den leisesten Verdacht hin verhaftet.
Yumeis Mann, der jetzt Koch, Boy und Beschützer »seiner Ladies« in einer Person war, brachte Helene eine Visitenkarte. Sie sah einen hochgewachsenen Europäer und einen chinesischen Knaben langsam auf das Haus zuschreiten und starrte sprachlos auf die Visitenkarte, die sie ohne Brille lesen konnte:

Ernst August Freiherr von Zabelsdorf<br>Deutsch-Asiatische Bank – Shanghai

Fräulein Wergelands erster Impuls war, den Besucher abzuweisen. Sie empfingen keine Deutschen: Diese Leute wirtschafteten seit Jahren im Auftrag ihres »Führers« in Trondheim herum. Sie drehte die Karte unschlüssig in der Hand. Dann erst bemerkte sie einige Zeilen in englischer Sprache:

*»Im Auftrag von Mrs. Hanna Chou, Shanghai.
Mit wichtigen Nachrichten.«*
»Von Hanna«, rief Helene fast in alter Lautstärke. »Astrid, unsere kleine Hanna schickt uns eine Nachricht.«
Astrid stand mit verkrampften Händen da und brachte keinen Laut heraus. Sie hatten noch Freunde in der Welt! Ihre Gebete waren also nicht ohnmächtig verhallt. Es war nur Gestammel in tiefer Seelennot gewesen; aber die göttliche Barmherzigkeit gab wohl nichts auf guten Stil.
»Ich lasse bitten«, sagte Fräulein Wergeland ruhig und legte schützend den Arm um die zitternde Astrid. »Immer mit der Ruhe«, flüsterte sie, »wir wollen doch Gewißheit, nicht wahr?«
Doch bevor Astrid antworten konnte, verbeugte sich der Fremde mit dem langen gescheiten Pferdegesicht vor ihnen und sagte in seinem Oxford-Englisch:
»Bitte tausendmal um Verzeihung wegen der späten Stunde! Wo können wir unbelauscht sprechen, Madame?«
Den kenne ich doch, dachte Astrid verwundert. Ihr Gedächtnis begann zu arbeiten. Wir sind einmal zusammen gefahren von Saigon nach Bangkok. Aber damals hatte er seinen rechten Arm noch.
»Das ist Lifu (Kleiner Tiger)«, erklärte Herr von Zabelsdorf und schob mit dem linken Arm einen freundlich grinsenden Chinesenjungen in den Öllichtkreis. »Er ist ein Schlingel und heißt bei uns *Rechter Arm.*«
Er wiederholte Lifu in schnellem Chinesisch, was er den Missies gesagt hatte. Lifu verbeugte sich feierlich und reichte Fräulein Wergeland mit beiden Händen eine kleine Blechkiste.
»Von Missie Hanna Chou«, murmelte er ehrfürchtig und machte drei Verbeugungen für die Familie Chou; sie hatte soviel Gesicht in Shanghai, daß etwas von dem Glanze auf Lifu fiel. In der Kiste war schlesischer Streuselkuchen, der Fräulein Wergeland bei Mailins Hochzeit so gut bei den Chous geschmeckt hatte.
»Vielen Dank, Lifu«, sagte sie rauh vor Rührung. »Wir sprechen am besten im Orchideen-Pavillon«, schlug sie dann vor. »Falls meine Bilder Sie nicht stören, Baron! Zum Entsetzen meiner Nichte Astrid male ich gelegentlich.« Dann stellte sie Astrid vor.
»Kennen wir uns nicht?« fragte Ernst August von Zabelsdorf. Das war doch die Stumme von Portici! Du lieber Himmel, wie be-

lämmert sah das Mädchen aus! »Sind wir nicht Anno 37 auf einem französischen Kahn zusammen von Saigon nach Bangkok gefahren? Oder irre ich mich?«
»Ich kann mich nicht erinnern«, sagte Astrid und sah den Besucher nicht an.
Vivica lebte. Sie war im Augenblick im Militärgefängnis in Shanghai. Hanna Chou hatte es auf seltsamen Umwegen herausbekommen. Ein Freund ihres Mannes hatte erzählt, daß sein Taxigirl verhaftet und von der Kempetai wieder entlassen worden sei. Sie hieß Kuei-lan und arbeitete – wie ehemals Madame Chou Tso-ling – im »Emporium des Blauen Lotos«. Hanna war heimlich in das Lokal gegangen, zweimal, viermal, zehnmal. Endlich hatte sie Kuei-lan erwischt. Sie kannte durch einen Freund von Tso-ling die ungefähren Umrisse der Wergeland-Tragödie und hatte daher die Tänzerin Kuei-lan trotz ihrer Angst zum Reden gebracht, indem sie »ihre Handflächen vergoldete«, wie es chinesischer Brauch ist. Dann hatte Hanna Tag und Nacht nachgegrübelt und den schmutzigen Zettel angesehen, den Vivica der Tänzerin zugesteckt hatte. Auf dem Zettel stand nur: »Hilfe! Vivica«; aber obwohl Vivica ihr dafür die Jadeglocke gegeben hatte, war Kuei-lan zu ängstlich gewesen, mit der Botschaft zu Mrs. Chou zu gehen, wie sie Vivica im Gefängnis versprochen hatte. Hanna hatte durch einen jener Zufälle, die das Rad unseres Geschicks vorwärtsstoßen, von Kuei-lans Existenz und Schicksal erfahren. Sie hatte dem Mädchen die »Jadeglocke« abgekauft, und Herr von Zabelsdorf zog sie nun mit der linken, gesunden Hand aus einer Brusttasche. Warum er nach Bangkok gekommen sei zu den Wergelands, sei nun wohl klar, wie? Die Hanna konnte ja unmöglich schreiben, da Briefe an Europäer kontrolliert wurden. Sie konnte ihren chinesischen Mann nicht schicken, denn prominente Chinesen wurden von der Kempetai, wo sie gingen und standen, bespitzelt. Hanna selbst hatte nun auch einen chinesischen Paß und zudem drei Söhne, die nicht in Gefahr gebracht werden durften. Aber Zabelsdorf, als alter Freund des Hauses Chou – die Mädels, sein Annchen und die Hanna, die waren ja immer unzertrennlich gewesen – na, kurz und gut, sie alle hatten beschlossen, daß nur Ernst August sich eine Fahrt zu Fräulein Wergeland und Astrid leisten könne. Wenn die Achse auch wackelte wie eine alte Dschunke im Sturm, Herr von Zabelsdorf war als Deutscher mit Nippon seit Jahren sozusagen auf du und

du. Er konnte fahren, wohin er lustig war. Tja, meine Gnädige, soweit wären wir nun.

Herr von Zabelsdorf schwieg, weil er die Dankbarkeit in Helenes und Astrids Augen nicht vertragen konnte. Die beiden waren ja mehr doot als lebendig. Ein Wunder war es nicht. Was hatte die Krabbe, die Vivica, bloß angestellt? Er blickte verstohlen zu Lifu hinunter, der zu seinen Füßen hockte. Der »Ernstel« hatte Durscht und solchen Hunger! Gleich würde ihm die Puste ausgehen. Aber da sagte Helene Wergeland bereits: »Bitte, essen Sie erst einmal etwas! Dann wollen wir weitersprechen.« Sie rief: »*Wen*, Dinner für fremden Master!« mit einer Kommandostimme, die Ernst August an seinen Potsdamer Onkel, den ollen General, erinnerte. Er sprang dankbar auf. Fräulein Wergeland war goldrichtig. Sie wußte, daß der Mensch bei Weltuntergängen was Solides im Magen haben muß. Herr von Zabelsdorf war noch lange nicht am Ende von seinem Latein. Nur pflegte ihm eben ohne Essen die Puste etwas auszugehen. Er war sofort vom Hafen in die Sathorn Road gestürzt. Er war vielleicht ein dußliger Hund in vielen Sachen, aber er wußte, was Warten heißt.

»Die Damen Wergeland sahen aus, als hätten sie seit geraumer Zeit von der Luft gelebt«, erzählte Herr von Zabelsdorf seiner Frau nach seiner Rückkehr aus Bangkok. »Aber sie rührten trotzdem nischt von Wens tadellosem Dinner an.«

»*Du* hast dann wohl alles allein aufgefuttert, Ernstel?« fragte Annchen. Er war gerade zurückgekommen und hatte seine Frau und die »Jöhren« im Kinderzimmer überrascht. Anna badete den zweijährigen Sohn Carl Friedrich, Kasperle genannt, und Krümel, die fünfjährige Tochter, half dabei mit Begeisterung. Krümel hieß eigentlich Luise nach Großmutter Zabelsdorf; aber niemand hatte sie jemals so genannt. Im Augenblick schnupperte Krümel an ihrem Papa herum; sie suchte nach Schokolade und entdeckte sie dann in der rechten Rocktasche, wo der leere Ärmel hing. Statt des Armes hatten sie »Kleinen Tiger« aus Yangtzepoo, den Bruder von dem Baby der Familie Wu, das Herr von Zabelsdorf Anno 37 aus einem brennenden Hause geholt hatte. Zwei Monate nach seiner Hochzeit war Familie Wu in der Feiertagsgarderobe bei Zabelsdorf im französischen Viertel erschienen und hatte dienernd und mit sämtlichen Goldzähnen grinsend »Kleinen Tiger« vorgeschoben. »Masters rechter Arm – Lifu«, hatte Vater Wu kurz und bündig erklärt und keinen Widerspruch geduldet. Seit-

dem war Lifu im Hause Zabelsdorf »Rechter Arm«, Spielgefährte der Kinder und »Missies kleine Haustochter«. Er nähte, stopfte, schneiderte entzückende Kleidchen für Krümel und bediente den Master so taktvoll und geschickt, daß Ernst August seinen rechten Arm kaum mehr vermißte. Lifu war immer zur Stelle, wenn es was zu heben oder zu reparieren gab – wie der Schlingel das anstellte, wußte niemand. (Er hatte im Hause Wergeland viel Gesicht gewonnen, als er erzählte, wodurch sein Master den rechten Arm verloren hatte. Nach Lifus Erzählung hatte Master nicht nur das Baby, sondern die ganze Familie »Stück für Stück« aus der brennenden Schneiderwerkstatt in Yangtzepoo geholt.)
Im Augenblick war Lifu in der Küche verschwunden, um die neuesten Nachrichten über Masters Bangkok-Reise zu verbreiten. Auch drinnen im Kinderzimmer wurde weiter berichtet.
»Du wirst lachen, Annchen«, Herr von Zabelsdorf zupfte Krümel zärtlich an ihren langen Zöpfen – kleine Mädchen mußten Zöpfe haben; er haßte Bubiköpfe – »na ja, es schien noch ein ganz gemütlicher Abend zu werden. Ich hatte alles aufjefuttert. Es wäre ein Jammer um die Peking-Ente und den Rest gewesen, und der Koch hätte Gesicht verloren, meinst du nicht auch, Annchen?«
»Natürlich! Und was geschah dann? Hast du ihnen Hannas Plan erklärt?«
»Wir tranken Kaffee, und der Koch brachte Papaofan (Pudding aus glasigem Reis, mit Lotoskernen, ›Drachenaugen‹ und anderen eingemachten chinesischen Früchten garniert). Kleiner Tiger hat ihm das Rezept abgeluchst, Annchen! – und ich wollte gerade loslegen, was man in Shanghai nun für die kleine Vivica tun könnte. Da kommt ein Militärwagen reingesaust. Japanische Flagge. Uffjehende Sonne. Und ich mittenmang...«
»Um Himmels willen, Ernstel!« Annchen war sehr blaß geworden.
»Ick bin ja hier«, sagte Herr von Zabelsdorf trocken. »Det waren ja schließlich unsere Achsenbrüder! Und man darf doch wohl noch Freunde besuchen! Aber ich will dir 'n Jeheimnis verraten, Annchen: ich hatte richtiggehende Angst. Beene wie Watte. Ich dachte außerdem still bei mir, daß es schon fast mehr war, als die alte Dame abkonnte. Ich hab' sie gern, Annchen. Sie is rauh, aber herzlich; jenau wie Onkel Zabelsdorf in Potsdam! Kann saugrob werden und läßt sich für die unjeratene Familie in Stücke zerhacken. Also da saßen wir wie Lehmann im Sarg – ick aß noch

schnell den Rest vom Reispudding... Bloß nischt umkommen lassen, dachte ick mir.«
Anna strich ihrem Mann übers Haar. Sie war sehr stolz auf ihn und sagte daher: »Du bist ein schrecklicher Vielfraß, Ernstel!«
»Und *wer* spaziert zur Tür herein und ganz ohne anzuklopfen? *Baron Matsubara!* Haste Töne, Annchen? Frollein Astrid, die lange Latte – Stil hat se wie 'ne Herzogin, aber nicht mein Fall, Annchen! Se is so unjemietlich – also die lange Latte sagt zu Tante Helene, sie sollte ruhig schlafen gehen; *sie* würde schon mit dem Baron reden. Er war in Uniform – und dabei dachte ich immer, er is'n Zivilist und hats mit der Kultur – na, was soll ich dir sagen? Tante Helene weicht so wenig vom Fleck wie Onkel Jeneral, der mal in Potsdam drei SS-Brüder eigenhändig aus der juten Stube warf, und unser lieber Baron Matsubara – ich lade ihn nicht mehr ein, Annchen, ich habe de Neese voll! – der sagt süß wie saurer Sirup, er bäte Fräulein Astrid Clermont-Wergeland mal eben – hastenichtjesehn! – zu einer ›Gegenüberstellung‹ mit einem Franzosen allerhöflichst in die Kempetai.«
»Wie grauenhaft!«
»Ich ging auf Matsubara zu und fragte ihn, was der Zirkus zu bedeuten habe. Wir kennen uns schon lange; er ist ja meistens in Shanghai, und die Deutsch-Asiatische Bank hat ihm ooch schon mal nen kleenen Dienst erwiesen... Und er sagte – französisch parliert der Kunde wie ein Pariser –, daß die lange Latte –«
»Sagte er ›lange Latte‹, Ernstel?«
»Nee, det sahre ick. – Er versicherte uns, daß Frollein Astrid in einer Stunde wieder zu Hause sein würde. Und er bäte vielmals um Entschuldigung wejen der späten Stunde, aber der Franzose wäre soeben erst... Na ja, se hatten ihn wohl jrade jeschnappt, und nu sollte ihm dat Jenick jebrochen werden.«
»Wie benahm sich Hannas Freundin?«
»Jroßartig! Alle Achtung! Det Mädel hat Schneid, wenn se auch unjemietlich is. Die Vivica, die Krabbe – ich sah ihr Foto, ich sage dir, Annchen, die kann den stärksten Mann mit einem Lächeln umlegen, son raffiniertes kleenes Aas is det, ich meine, nach dem Foto zu urteilen, se sitzt ja hier im Kittchen – also: Frollein Astrid ging hocherhobenen Hauptes mit Matsubara quer durch die Mitte ab. Ich kann mir nich helfen, es sah so aus, als ob sie jarnich beese wäre, daß se se holten – und sie schritt nicht wie ein Lamm, sondern wie 'ne Herzogin zur Schlachtbank.«

Er wischte sich mit der linken Hand die Schweißtropfen von der Stirn; das tat er immer, wenn ihm etwas an die Nieren ging und er die Erschütterung mit Hundeschnauze totredete.
»Und was war dann, Ernstel?«
»Na – ich blieb bei Fräulein Wergeland, obgleich ich ja eigentlich noch nachts wieder nach Shanghai segeln wollte. Ick bin doch so 'n Haushund, Annchen! Aber ich blieb in der Sathorn Road, obwohl Tante Helene mich diverse Male rausschmeißen wollte... Ich erzählte ihr von dir und unseren Jöhren und von ihrem Goldstück Hanna und der Chou-Bande. Die Zeit verging, und wir wurden gute Freunde.«
»Hanna wird außer sich sein. Wir haben uns doch alles so gut ausgedacht. In zwei Stunden kommt Monsignore Lavalette.«
»Prima«, sagte Herr von Zabelsdorf. Der Monsignore hatte die Jöhren getauft und war Bibis erste nähere Bekanntschaft innerhalb der römischen Kirche.
»Fräulein Wergeland sah gelegentlich nach der Uhr; das war alles. Ich quasselte weiter. Einmal lächelte sie. Na, ich sah weg... Und dann, Annchen, wir wollten uns jrade zur Ruhe begeben –›Kleiner Tiger‹ hatte schon in der Villa Wergeland Besitz vom besten Fremdenzimmer ergriffen und mein Rasierzeug ausjepackt, der Schlingel! – in tiefer Ruh lag Babylon – da kommt das Militärauto wieder zurück. Jetzt holen se mich, oder die alte Dame, oder beide, spekulierte ich und nahm eenen Schluck aus Frollein Astrids Pulle mit französischem Cognac. Einheizen is nie schlecht, wenn's um die Wurscht geht, was meinste, Annchen!«
»Du hast ganz recht, Ernstel.« Anna hatte die Augen voller Tränen und drückte Kasperles Köpfchen mit dem silberblonden Flaumhaar an ihre Brust. Kleene Madonna, dachte ihr Mann.
»Stell dir vor, Annchen: Frollein Astrid kommt ohne Handschellen aus dem Auto rausspaziert, nickt dem Chauffeur jnädig zu und erscheint kühl wie 'ne Gurke in Dill. Dann schwenkte sie ihrer Tante ein Papier vor de Neese herum, ein Permit für Shanghai. Sie meinte, sie könnte einiges aufklären in dem Fall: de Maury und der Spionagering Sun. Se suchen ja immer noch den Chef der Sache. Det Mädchen hat Mut wie zehn japanische Todesflieger. – Und dann haben wir alles in Ruhe besprochen. Fräulein Wergeland wollte nun endlich ihre Klamotten packen und eine Cousine besuchen, die mit einem Dänen in Nord-Siam verheiratet ist.«

»Und Astrid?«
»Tja – Astrid hatte ja nun ihr Permit für Shanghai. Hier hat sie Freunde. Hanna will durchaus, daß sie wieder bei ihnen wohnt.«
»Das ist nicht möglich in diesem Fall. Erinnerst du dich nicht, daß Tso-ling neulich andeutete, er habe beständig Unannehmlichkeiten mit den chinesisch-japanischen Spinnereien in Shanghai und im Hinterland? Die Japaner möchten ihm gern die Sabotage-Akte der chinesischen Arbeiter in die Schuhe schieben. Hanna schwebt dauernd in Angst, daß Tso-ling eines Tages nicht zum Abendreis kommt.«
»Reg dich ab, Annchen! Frollein Astrid, die weiß das; auf'n Kopp is se noch nich mal aus Versehen jefallen. Sie will natürlich hier in ein Hotel gehen. Und das erlaubt dein Hannele wieder nicht. Der Kuckuck hol euch schlesische Dickköppe.«
»Ach, Ernstel...« Anna von Zabelsdorf legte das Kasperle behutsam in sein Bettchen. Der Kleine lag einen Moment still auf dem Rücken und sah mit seinen scharfen Zabeldorfschen Augen an die Decke. Dann legte er sich resolut zum Schlafen hin – alles genau wie der Herr Papa, der auch abends an der Zimmerdecke die Lösung der Welträtsel suchte.
»Was wolltest du sagen, Annchen?«
»Wir können Astrid Wergeland nicht in ein Hotel gehenlassen. Nicht in ihrer Lage, Ernstel! Ich lernte sie vor zwei Jahren bei Hanna kennen, gerade nachdem sie sich entlobt hatte. Sie ist einsam und unglücklich und frißt alles in sich hinein.«
»Ich bin immer für Krakeel, wenn's Herz brechen will. Det einzig Richtige! Da können se alle was von uns Berlinern lernen.«
Anna lächelte schwach und strich ihm zart über den leeren Ärmel. Sie mußte sich immer Mühe geben, dem Ernstel nicht zu zeigen, wie lieb sie ihn hatte und wie er ihr imponierte. In den ganzen Jahren hatte sie nie ein Wort der Klage über den Arm gehört, nur faule Witze: »Besser een Arm als zwee Beene wech«, war sein einziger Kommentar gewesen, als er aus dem Krankenhaus zurückkam. Dann dachte Anna wieder an »Frollein Astrid«, und ihr Lächeln erstarb. In Gedanken war sie wieder in Breslau. Sie und die Muttel warteten, aber der Vatel kam nicht. Der war von der Gestapo verhaftet worden und stand im KZ für die, die umfielen, und für die Gewerkschaft gerade. Niemand wagte mehr zu ihnen zu kommen, nicht aus Gleichgültigkeit: aus Angst. Die Ge-

stapo hatte das Haus gezeichnet. Sie waren über Nacht Aussätzige geworden, genau wie die Wergelands im Augenblick. So konnte die Welt doch nicht bleiben, mit diesen Variationen der Angst von Land zu Land.
»Wir können Astrid nicht in ein Hotel gehen lassen«, wiederholte Anna fest. »Außerdem sind die Hotels mit Japanern überfüllt. Das weiß doch selbst das Kasperle! Oh, Ernstel warum hast du nicht ein bissel nachgedacht?«
»Sie werden es nicht für möglich halten, werte Dame«, erwiderte Herr von Zabelsdorf, »aber ich habe nachgedacht, obwohl es gegen meine Gewohnheiten geht.« Er räusperte sich und trat an Kasperles Bett; mit der linken Hand zog er sein Töchterchen sanft an den Zöpfen, die Krümel als kleines Mädchen auswiesen.
»Frollein Astrid, die lange Latte, is nebenan im Gastzimmer«, erklärte er und sah seine Frau nicht an. »Hanna hilft ihr jerade beim Auspacken. Herbert, der Stolz des Hauses Chou, is natürlich ooch da. Er hilft ooch beim Auspacken...«
Anna blickte den Ernstel nur an. Ihre Augen leuchteten, und ihre Lippen zuckten. Dann sagte sie milde: »Soso, der Herbert ist auch da! Der kommt nur wegen schlesischem Streuselkuchen! Ich kenne doch den Bertel!«

\*

Als Monsignore Lavalette zu Zabelsdorfs ins Wohnzimmer trat, sah alles nach einem gemütlichen Familienkaffee aus. Selbst Astrid hatte sich entspannt und unterhielt sich auf chinesisch mit dem achtjährigen Herbert Chou und mit Krümel, die mit ihren sechs Jahren ein drolliges Kauderwelsch von deutsch, französisch und chinesisch sprach. Astrid liebte Kinder, obwohl niemand ihr das ohne weiteres zugetraut hätte. Sie hatte ihre Brille abgenommen und sah jung und entsetzlich verwundbar aus. Hanna hatte viel reden müssen, bis Astrid die großmütige Einladung ihrer besten Freunde angenommen hatte. Nun war Astrid beinahe heiter: sie hatte Kinder um sich und wußte Tante Helene in Sicherheit bei der Witwe aus Aalesund. Astrid und Helene Wergeland schätzten sich, verstanden sich aber nicht; sie gehörten nur auf eine nervenangreifende und unlösliche Weise zusammen.
Monsignore hatten die Jahre wenig anzuhaben vermocht; er war nur etwas gebeugter, und seine Stimme war heiserer geworden.

Er warf Hanna Chou einen raschen Blick zu und nickte. Das bedeutete etwas: Hanna atmete auf. Sie hatte vor einigen Tagen den Monsignore besucht und ihm einen Vorschlag gemacht, den er nach langem scharfen Nachdenken akzeptiert hatte. Von der Tragödie im Hause Wergeland hatte er erst durch sie erfahren, da Astrid seit zwei Jahren nicht mehr Verbindung mit ihm gehalten hatte. Nun war er hier in diesem behaglichen deutschen Wohnzimmer mit den Bildern aus Breslau und Berlin und erschrak ein wenig, als er Astrid sah. Ganz so schmal und zerrüttet hatte er sie sich nicht vorgestellt. Sie war doch erst sechsundzwanzig Jahre und wirkte schon ausgehöhlt vom Geschäft des Lebens.
Der Monsignore begrüßte die Anwesenden und blickte sich dann um: im Türrahmen erschien zögernd ein Japaner, den er mitgebracht hatte. Ein Japaner war das Letzte, was Astrid als Gast in diesem Hause und in dieser Situation erwartet hätte. Wußte der Monsignore denn nicht Bescheid? Nun, er hatte Dr. Yamato hierher gebeten, *weil* er Bescheid wußte. Der kleine, sanfte Dr. Yamato, der eine japanische Privatklinik in Shanghai leitete, war die einzige Hoffnung in Vivicas Angelegenheit. Er gehörte zu den ältesten Mitgliedern der katholischen Gemeinde von Shanghai und war ein persönlicher Freund des Monsignore. Natürlich kannte er alle Japaner in Shanghai, ob sie nun brave Wasserbüffel oder Kempetai-Tiger waren.
Dr. Yamato stammte aus einer Kaufmannsfamilie in Kobe und hatte sich mühsam und beharrlich zum Glauben durchkämpfen müssen. Daheim waren sie alle Buddhisten und besuchten außerdem Shinto-Schreine. Er hatte es nicht so leicht gehabt wie Oberst Saito aus Urakami, der ein »Wiegen-Katholik« war.
Dr. Yamato war klein und beweglich und sah so unvorteilhaft wie möglich aus. Daheim, im weichen, seidenen Kimono wirkte Dr. Yamato beinahe ehrfurchtgebietend. Aber zu seinem Besuch bei den Ausländern hatte er seinen Cutaway angezogen, und der untersetzte Körper sah merkwürdig in dieser Kleidung aus, die seine Beine grotesk verkürzte und nicht zu seinem Gesicht paßte. Er hatte weder Baron Matsubaras elegante Figur noch Oberst Saitos stämmige Bulldoggenkraft; er war eine kleine, absurde Gestalt im Cutaway und mit einem apostolischen Herzen.
Er schritt schüchtern auf Anna von Zabelsdorf zu und überreichte ihr mit tiefen Verbeugungen ein in ein seidenes Tuch gehülltes Päckchen, das *habutai* (weiße, taftähnliche Seide) enthielt. Die

gleiche Seide hatte der junge Herr Matsubara der jungen Borghild Lillesand Anno 25 ins Cathay-Hotel bringen wollen, aber wenn Major Matsubara im Jahre 1945 nachgerade fast alles wußte, was die Familie Wergeland anbetraf, so wußte er doch nicht, daß das Mädchen Vivica, das er gefangen hielt, die Tochter jener Geigerin war, die im Salon des Konsuls seine Seele mit ihrem geehrten Spiel erschüttert hatte. Vielleicht war auch der mächtige Major Matsubara nur eine Puppe auf der Drehbühne des Ostens.
Anna bedankte sich so herzlich für das kostbare Geschenk, daß Dr. Yamato sein faltenreiches Sorgengesicht mit den tiefen melancholischen Augen verlegen abwandte. Leider fiel sein Blick auf einen japanischen Holzschnitt, den Annchen aus Höflichkeit für den Gast aufgehängt hatte. Dr. Yamato hatte niemals Entsetzlicheres gesehen: es war die Imitation einer Imitation von Hokusai, der nun einmal der Geschmack der Ausländer war. Dr. Yamato fand nichts wahrhaft Edles an diesem populären Künstler; er konnte sich nicht mit Yeitoku oder Kiyonaga messen. Ein seltener Kiyonaga hing in der Bild-Ecke in seinem Shanghaier Heim gleich unter der Statue der Gottesmutter.
»Gefällt Ihnen der Holzschnitt?« fragte Anna mit bescheidenem Stolz.
»Sehr schön, sehr gescheit, Madame«, erwiderte Dr. Yamato in wahrhaft christlicher Nächstenliebe. Er hatte jeden Schimmer der milden Verachtung, die er für den Kunstgeschmack der Fremden empfand, aus seiner Stimme verbannt. »Sehr schön, sehr gescheit«, wiederholte er, denn er hatte die irritierende Gewohnheit, seine Aussprüche zu wiederholen, und wandte sich nach einer Höflichkeitspause erfreulicheren Anblicken zu. Er setzte sich bescheiden neben Hanna Chou und lächelte Krümel so rührend sanft an, daß sie sich zutraulich auf seinen Schoß zu setzen versuchte, woraufhin Dr. Yamato mit einem erstickten Schreckensschrei aufsprang. Er fühlte sich ganz gewiß in Harmonie mit jeder christlichen Seele des Universums; aber kleine Mädchen, die einem ehrenwerten Gast ungeniert auf den Schoß sprangen – das war zuviel für Dr. Yamato! Der Monsignore hatte den Zwischenfall bemerkt und zog Krümel zu sich heran, bevor sie in ein erschrecktes Geschrei ausbrechen konnte. Er wollte einmal gelegentlich mit seinem Freunde Yamato über das »Lasset die Kindlein zu mir kommen« sprechen.
Dr. Yamato war zweifellos ein wahrer Christ. Er führte eine vor-

bildliche Ehe ohne Besuch von Geishahäusern und Herren-Abenden in der »Weißen Chrysantheme«, aber trotz aller gebotenen Hochachtung vor seiner Gattin hörte er grundsätzlich nicht hin, wenn Madame Yamato eine Ansicht äußerte, was selten genug vorkam. Rom war nicht an einem Tag erbaut; und ein japanischer Christ der ersten Generation konnte den Ansichten seiner Frau beim besten Willen kein Interesse entgegenbringen... Er saß in seinen knappen Freistunden in einer ruhigen Ecke des Hauses und malte ein wenig – mit dem natürlichen Talent seines Volkes, Entspannung durch künstlerische Betätigung zu finden – oder er las versunken *»La Petit Voie«*, der *»Bienheureuse Thérèse de l'Enfant-Jésus«*. Diese zarte, unauffällige französische Heilige war Dr. Yamatos große Liebe; sie hätte eine Japanerin sein können; sie war das Regenrock-Insekt des Himmels.

Der kleine gütige Arzt, der Welteroberung und Gewalt verabscheute, erkundigte sich nun bei Astrid und Herrn von Zabelsdorf nach den Einzelheiten der Verhaftung. Die Melancholie in seinem Blick verstärkte sich wie Nebel auf der Seta-Brücke, während ein Plan in seinem Kopfe entstand, ein sehr japanischer, fein gesponnener Plan mit einem Prozent Aussicht auf Erfolg und neunundneunzig Prozent Risiko für Dr. Yamato. Aber diese entsetzlich lange und dünne Ausländerin betete vor dem gleichen Altar wie Dr. Yamato und seine Gattin; man mußte versuchen, ihr zu helfen.

»Wer hat den Fall in den geehrten Händen?« fragte er nach einer langen Pause, während sein Plan Umrisse gewann.

»Soviel ich weiß: Baron Matsubara«, erwiderte Astrid und starrte Dr. Yamato hungrig nach Rettung an. »Er nennt sich auch ›Kimura‹, hörte ich.«

»Baron Matsubara stammt aus einem großen Hause«, erwiderte Dr. Yamato tief betrübt. »Das trifft sich günstig«, fügte er tröstend hinzu, weil es sich nicht ungünstiger hätte treffen können. Ausgerechnet *der Tiger* der Kempetai! Ja, es träfe sich günstig... wiederholte er höflich und völlig geistesabwesend.

»Haben Sie einen Plan, mein Freund« fragte der Monsignore, der Dr. Yamato zu gut kannte, um seine Worte nicht richtig zu verstehen.

Ja, Dr. Yamato hatte einen Plan; er entwickelte ihn und blickte bescheiden zu Boden.

»*Das* wollen Sie für uns tun?« fragte Astrid überwältigt.

»Überlegen Sie gut, mein Freund«, riet der gewissenhafte Monsignore. »Sie kennen doch die Kempetai!«
Aber der kleine Dr. Yamato murmelte eigensinnig und heldenhaft, daß es sich günstig träfe, und erhob sich in einer veritablen Psychose der Angst vor Astrids Dank. Er schritt zur Tür – eine absurde, kurzbeinige Gestalt in gestreiften Hosen, einem schrecklichen schwarzen Cutaway und mit einem apostolischen Herzen. Er zog aus der Tasche des Cuts ein in ein geblümtes Tuch gehülltes Bildchen des heiligen Regenrock-Insekts und überreichte es Astrid mit drei tiefen feierlichen Verbeugungen. *»La Sainte de Lisieux«*, murmelte er sanft. »Ich werde ihr heute nacht meine stupide Bitte vortragen.«
Dann war er mit der Herrin des Hauses verschwunden. Er hatte oftmals während der heiligen Messe in der Kathedrale neben Frau von Zabelsdorf gekniet. Jetzt drückte Annchen ihm so kräftig die Hand, daß Dr. Yamato beinahe aufgeschrien hätte – vor Schmerz und aus Kummer über den Verstoß. *»Que le Bon Dieu vous bénisse«*, flüsterte Anna.
Doch der kleine, häßliche Mann huschte fort und murmelte noch einmal, daß es sich günstig träfe. Er hatte, wie gesagt, die Gewohnheit, seine Feststellungen zu wiederholen.
Drinnen saßen nur noch der Monsignore und Astrid an dem Kaffeetisch mit dem Rest des schlesischen Streuselkuchens. Astrid hatte den blonden Kopf tief gesenkt. Die entsetzliche Starre der letzten Wochen löste sich von ihrer Seele; etwas Reines stieg aus dem Gebirge der Schuld. »Ich verdiene es nicht«, schluchzte sie. »Ich bin so furchtbar schlecht, Monsignore!«
Doch der Monsignore war anderer Meinung. Bei Astrids Ausbruch aus dem Kerker der Schuld war die große Hirtenangst um diese von jeher gefährdete Tochter von ihm abgefallen. Denn wenn etwas der himmlischen Liebe noch wohlgefälliger als die Demut der Demütigen ist, dachte der Monsignore, dann ist es die Demut der Stolzen.
Von der Hoffnung belebt, verließ der alte französische Geistliche dieses Heim in Shanghai, wo sich im Entscheidungsjahr 1945 Mitglieder von deutschen, japanischen, französischen, norwegischen und chinesischen Familien um einen Kaffeetisch versammelt hatten, um sich wider jede politische Vernunft im Schatten des Kreuzes zu lieben.

*

»Eines ist klar: Amerika hat den Krieg verloren. Alles, was Nippon in Zukunft tun muß, ist die Bewahrung des unbezähmbaren Shinto-Geistes dem Feinde gegenüber.
Der westliche Geist wird natürlich der Riesenmacht des Orients nicht entkommen können. Der Westen wird an seiner materialistischen Angst zugrunde gehen.«
(Tokio-Radio)

Major Matsubara stellte die Sendung aus Tokio stirnrunzelnd ab, obwohl er doch hätte erfreut sein müssen. Er sah sich einen Augenblick wild im Büro der Kempetai in Shanghai um und vertiefte sich dann in die Akten, die sich auf seinem Schreibtisch türmten. Es war zehn Uhr abends; alle Familien in Shanghai waren zu Haus und hofften auf eine ereignislose Nacht. Major Matsubara las die letzten Berichte über den Spionagering Sun. Man hatte den Chungking-Agenten Fuchsgesicht, der von Bangkok aus Informationen über japanische Fabrikanlagen und Truppentransporte nach Saigon weitergegeben hatte, noch nicht gefunden. Es sah immer noch so aus, als ob diese Informationen durch Vivica Wergeland – mit oder ohne ihr Wissen – nach Saigon zu Pierre de Maury gelangt wären. Leider war es nicht Herr de Maury, den der Major Astrid in Bangkok gegenübergestellt hatte, sondern nur Dr. Gaston Lafitte von der Klinik Saigon, der Astrid in Bangkok hatte besuchen wollen.
Nun war Mademoiselle Clermont in Shanghai.
Major Matsubara hatte seine Gründe gehabt, ihr ein Permit für Shanghai auszustellen. Es war ein bewährtes Prinzip der geheimen Polizei, nicht alle Mitglieder einer Familie zur selben Zeit einzusperren. In dieser Beziehung hatte Vera Leskaja vor einigen Wochen Fräulein Helene Wergeland korrekt informiert.
Major Matsubara sah übernächtig aus. Es war kein Wunder, denn die Verhaftungen mehrten sich in dem Maße, wie Nippons Sonne sank. In einer Seitentasche seiner Uniform steckte ein Telegramm von seiner Familie aus Tokio. Matsubara Ito, sein älterer Bruder, war als Kommandeur eines Kamikaze-Corps (japanische Todesflieger) im Pazifik den Samurai-Tod gestorben. Nippon hatte das Heldencorps *kamikaze* genannt, denn dies war der »göttliche Wind«, der das Land der Aufgehenden Sonne im 13. Jahrhundert vor der Invasion des Genghis Khan gerettet hatte. Der göttliche Wind hatte damals tatsächlich geweht und die Angreifer zer-

streut. Nun war der heldenhafte ältere Bruder tot, und Nippons Sonne war im Untergehen. Akiro war zu klug, um nicht die Nachrichten von den Kriegsschauplätzen unabhängig von der Shinto-Propaganda zu deuten. Dennoch glaubte er in manchen Stunden an das Wunder des göttlichen Windes und der kaiserlichen Chrysantheme.

Der ehrenvolle Tod seines Bruders hatte Akiro neuen Auftrieb gegeben. In diesem kritischen Monat, wo es in Deutschland dem Ende entgegenging und das Volk in Italien, dem zweiten Achsenland, seinen Führer Mussolini aufgehängt hatte, die Russen Königsberg nahmen und Wien befreiten, und die Vereinigten Staaten unglaublicherweise Okinawa überfielen – in diesem Monat der Katastrophen gab der Heldentod seines Bruders dem Tiger der Kempetai jenen irrationalen Stolz zurück, der ihn mit Bushido-Geist (Sehnsucht, in der Schlacht zu sterben; Bereitschaft zum Tod für den Tenno) erfüllte. Er beneidete Ito; sein eigenes Tun erschien ihm plötzlich ehrlos, wenn auch notwendig. Denn sie mußten bereits Japaner verhaften, die »gefährliche Gedanken« dachten und verbreiteten. Nach ihnen gab es Schöneres, als für den Tenno in der Schlacht zu sterben. Zu diesen Ketzern gehörte ein Leutnant. Er war nach einem Verhör »Dritten Grades« am »Herzschlag« unrühmlich verschieden. Genauso unrühmlich wie Herr Sun aus Bangkok, dessen Tochter Molly die gelbhaarige Vivica zu Spionage-Cocktails eingeladen hatte. Auch Herr Sun war in Bangkok nach einem dritten geehrten Verhör durch Major Matsubara zu keinem neuen mehr erschienen, aber er hatte niemals zugegeben, den Agenten Fuchsgesicht zu kennen. Fuchsgesicht mußte ein außerordentlich schlauer und vorsichtiger Mann sein, ein Kerl, der den Bambus wachsen hörte, auf jeden Fall schlauer und vorsichtiger als Herr Sun, der so schrecklich und würdelos verstorben war, obwohl er aus einer Shanghaier Familie stammte, die vor lauter Gelehrsamkeit »nach Büchern geduftet hatte...« Molly Sun war freigelassen worden: sie hatte soviel Verstand wie ein lärmender Frosch im Teich. Sie wurde nun auf Schritt und Tritt beschattet.

Major Matsubara befahl seinem Leutnant, die Gefangene Nr. 83 zu ihm zu bringen. Als Vivica erschien, blickte er nicht auf, sondern blätterte, um sie noch unsicherer zu machen, zehn Minuten in den Akten. Heute abend würde er Schluß machen mit dieser Kreatur. Er würde herauskriegen, wieviel sie von Fuchsgesicht

wußte. Vivica stand mit gesenkten Augen da: sie hatte gelernt, daß sie den mächtigen Herrn Major nicht ansehen durfte. Er klatschte plötzlich in die Hände. Die Agentin Yuriko erschien.
»Niederknien! Verbeugen! Aufstehen! Niederknien!« befahl er barsch.
Vivica gehorchte; auf ihrem bezaubernden Gesicht lag ein Schatten von Überdruß. Sie lebte seit einigen Wochen in den Bezirken der Unwirklichkeit und hatte sich eingewöhnt. Aber wenn alles hier vorbei war, wollte sie eine kleine Reise nach Saigon machen und neue Gesichter sammeln. Sie hatte zum Verhör das Kleid angezogen, in dem sie verhaftet worden war: ein lichtgrünes Leinenkleid. Es hatte Flecke und Risse, ihr offenes Haar fiel ihr in die Stirn; sie hatte sich nicht die Mühe gemacht, es zu kämmen. Aber die leichte Verwahrlosung, deren Astrid sich niemals schuldig gemacht hätte, brachte Vivicas Schönheit nur eklatanter zum Vorschein. Sie hatte einen nachlässigen, ein wenig hinterlistigen Zauber, sie war wie eine nordische Nymphe ohne Make-up. Jetzt waren ihre grünlichen Augen leicht verschleiert; auf ihrer zartgewölbten Stirn standen von der Anstrengung des Bückens, Aufstehens und Verbeugens ein paar Schweißperlen. Ihre vollen Lippen waren wie die Lippen eines Kindes geöffnet, das sich nach Küssen oder Süßigkeiten sehnt. Vivica fand die Freiübungen, die der Major in der eleganten Uniform anstellte, langweilig und albern. Nicht eine Minute war sie sich der Lebensgefahr bewußt, in der sie schwebte. Etwas in ihr hatte stets dem Abgrund zugestrebt — mitten im Spiel und im Triumph des Lebens. Nun war er gefährlich nahe gerückt: Sie brauchte nur die Befehle nicht mehr auszuführen, und der Abgrund würde seine Arme öffnen und sie aufnehmen.
Tante Helene und Astrid waren für sie Schattenfiguren geworden, Gestalten aus einer anderen Epoche, einer anderen Wirklichkeit, einer anderen Laune der Existenz. Vivica wußte nicht mehr genau, wie Tante Helene aussah; ihr Gedächtnis war ein wenig verschleiert, seitdem sie die ersten zwei Nächte hinter der geschlossenen Tür so geschrien hatte, daß die Wachen sich schief lachten. Diese ausländischen Kröten waren wirklich belustigend! Welche Japanerin hätte in einer Zelle auch nur geseufzt? Eine Japanerin zeigte in jeder Lebenslage untadelige Manieren und eine stoische Gleichgültigkeit gegen äußere Widrigkeiten. Wenn das Leben unerträglich wurde, machte sie ihrem elenden und un-

wichtigen Leben ein Ende, wie Lady Tatsue, die unbeweinte Gattin des Majors Matsubara, es getan hatte. – Dann schien Vivica sich zu beruhigen: die Wachen hörten kein Geschrei mehr, nur leisen Gesang oder unverständliche Reden. Vivica hatte sich einen kleinen Gefährten ausgedacht, der Halvard hieß und mit dem sie sich unterhielt... alles durch diesen seltsamen Schleier...
Aber Halvard war immer bei ihr, er war es auch jetzt, während Major Matsubara sie anbrüllte. Sein wunderbares Französisch klang wie Hundegebell, und Vivica hätte sich gern darüber amüsiert. Sie hatte so lange nicht gelacht. Sie wollte nach dem Verhör mit Halvard verstohlen über den Major lachen...
»Rückwärts bis zur Tür! Verbeugen!«
Vivica war so in Gedanken versunken, daß sie den Befehl überhörte. Sie besaß Borghilds verhängnisvolle Gabe, sich aus ihrer Umwelt durch einen Akt der Phantasie zurückzuziehen. Bei der Kempetai waren solche Talente wenig geschätzt. Der elegante Major sprang geschmeidig auf. Seine Augen waren halb geschlossen. Er ging auf Gefangene Nr. 83 zu und gab ihr eine Ohrfeige, eine mittlere Ohrfeige, eine sanfte Mahnung zur Aufmerksamkeit, nicht eine, die dem Häftling das geehrte Trommelfell zerriß.
»Rückwärts bis zur Tür! Niederknien! Aufstehen! Verbeugen!« wiederholte er bedeutend leiser. Er hatte die verwahrloste Nymphen-Kreatur zum ersten Male geohrfeigt; es hatte ihm Spaß gemacht. Er wartete auf die billigen Tränen der ausländischen Kröte, aber sie kamen nicht. Vivica war so erstaunt, daß sie zu weinen vergaß. Sie war noch nie geschlagen worden, obwohl eine schattenhafte Tante Helene es ihr manchmal angedroht hatte. Was pflegte sie noch in der anderen Existenz zu tun, um der Strafe zu entgehen? Vivica dachte angestrengt nach. Sie hatte die gebietende Gestalt, von der ihr Wohl und Wehe abhing, umschmeichelt.
»Ich bin sehr unglücklich, daß ich so unaufmerksam bin«, flüsterte Vivica und hob ihre Augen zu der Gebieter-Gestalt empor. Der Major blickte direkt in die rätselhafte smaragdene Tiefe; er sah die Schweißperlen auf der kindlichen Stirn, die gewölbten Lippen, den flatternden Geist. Wenn sie lächelte, würde sie wie eine junge Füchsin aussehen... dachte er plötzlich. *Füchsin?* Es gab ihm einen Ruck. Fuchsgesicht nannte sich der Agent – *oder die Agentin* –, der Informationen an Monsieur de Maury, die-

sen Kulturverbrecher, weitergeleitet hatte. Der Major warf Yuriko, die als chinesische Arbeiterin verkleidet in schwarzer Satinhose und zerrissener blauer Jacke wimmernd in der Ecke kniete, einen verstohlenen Blick zu. Der erste Akt sollte beginnen.
Eine neue »Gegenüberstellung«. Diese dreckige Chinesin, so informierte der Major die Gefangene Nr. 83, hätte endlich gestanden ... schrilles, virtuoses Aufheulen der knienden Yuriko, worauf der Major sie so brutal mit dem Fuß fortstieß, daß sie einen Schmerzensschrei ausstieß. »*Shikata ga nai*«, flüsterte sie entschuldigend. (Japanisch: »es war nicht möglich«.) Es war die Erklärung, die Japaner gaben, wenn das Maß des Erträglichen in einer Krise des Gefühls überschritten war. Mit diesem Ausspruch auf den Lippen schritten sie auch in den Tod. »*Shikata ga nai*« – man kann nicht anders – Yuriko hatte in einer Krise des Gefühls geschrien, denn Akiro-san (Herr Akiro), ihr Geliebter, kümmerte sich in letzter Zeit nicht mehr um sie. Er gebrauchte nur noch ihre Geschicklichkeit. Er hatte das Mädchen Yuriko wie die Maulwurfsgrille in tiefer Erde begraben. Und nun hatte Yuriko aus dem Grab der Liebe aufgeschrien. Sie konnte nicht anders: Ein quälender Verdacht bedrängte sie. Sollte Akiro-san sich in das ausländische Mehlgesicht verliebt haben? Nie würde er es zeigen; dazu hatte er zuviel *jicho* (Selbstachtung). Er kam aus großem Hause (wie Dr. Yamato an diesem Nachmittag betrübt bemerkt hatte), und die Männer aus großem Hause – so hatte Yuriko schon als Kind in der Schule gelernt – hatten eine Selbstachtung wie ein »Schwergewicht«; nicht »ein leichtes, schwebendes Selbst«, wie Yurikos Vater und Bruder, die nur Handelsleute in Tokio waren.
Falls die Ausländerin ihr Akiro-sans Liebe gestohlen hatte, würde Yuriko sie töten, und zwar so, daß niemand auf sie Verdacht haben würde. Es gab so gefällige Gifte, die man ins Essen tun konnte. Yuriko brachte den Gefangenen gelegentlich das Essen, um sie zu Geständnissen zu ermuntern. Sie erreichte es manchmal durch sanfte Fragen und überraschende kleine Geschenke: ein Schüsselchen Reis mit gehacktem Entenfleisch, Kürbiswürfeln und gezuckerten Nüssen für die ewig eßlustigen Chinesen; einen kleinen billigen Holzschnitt von Hiroshiges: »Plötzlicher Regenguß bei Ohasi« für die japanischen Gefangenen, die zu edel oder zu hysterisch waren, um in gutem Essen Trost zu finden ... Sie wurden wirklich und wahrhaftig von der Kunst

satt. Wenn Yuriko die Ausländerin vergiften mußte – *shikata ga nai*! Aber sie hoffte, daß Akiro-san sich ihr wieder zuwenden würde. Sie behauptete daher, Vivica wäre zu dumm, um eine Spionin zu sein. Daraufhin gab Akiro-san Yuriko eine Ohrfeige: er hatte sie durchschaut! Verliebte Agentinnen waren eine Last.
Nach bewährter Methode ließ Major Matsubara der Gefangenen Wergeland keine Zeit zum Nachdenken; er feuerte ihr seine Fragen in rasendem Tempo entgegen, so daß sie keine Zeit hatte, ihre Antworten zu frisieren. Er verwickelte sie raffiniert in Widersprüche und teilte ihr nebenbei mit, daß die dreckige Chinesin (Yuriko) endlich gestanden hätte, daß Vivica die Agentin Fuchsgesicht wäre. Er hatte die Methode des pausenlosen Verhörs dem *Deuxième Bureau* in Paris abgelauscht, als er dort Kunst studierte. Die kombinierte »Tiger- und Lamm-Methode« war allerdings eine Spezialität der Kempetai. Sie wurde nicht – wie Verhöre im Westen – von zwei Beamten ausgeführt, sondern von Major Matsubara ganz allein, der es mit unerhörter Virtuosität verstand, von der »Tiger-Haltung« in die »Lamm-Haltung« überzugehen, und so die Gefangenen mit seiner urplötzlichen Sanftmut in einen Paroxysmus der Angst versetzte. Sie dachten dann, sie träumten oder hätten den Verstand verloren; und letzteres war nun wirlich das Schlimmste, was einem Gefangenen der Kempetai passieren konnte. Denn nur der Verstand hielt ihn vom Abgrund einer Bekenntnis-Orgie zurück. Major-san war ein geistiger Quäler ersten Ranges; er verachtete heimlich die groben Foltermethoden, die er gelegentlich anwenden mußte. Es stimmte nicht – wie später behauptet wurde –, daß jeder Kempetai-Offizier die Gefangenen körperlich marterte. Die meisten taten es, aber nicht Major Matsubara. Er hatte Herrn Sun so raffiniert mit den Waffen des Geistes gemartert, daß das bißchen verbrannte Fingerspitzen gar nicht gezählt hatte. Die Lamm-Methode hatte am Ende Herrn Suns Herzschlag herbeigeführt.
»Wer ist Fuchsgesicht?« fragte er nun scharf.
»Die Person da«, schrie Yuriko und zeigte heulend auf Vivica.
»Sie lügt«, sagte Vivica leise. Der Nebel in ihrem Hirn verdichtete sich.
»Dann sagen *Sie* mir, wer Fuchsgesicht ist.«
»Ich weiß es nicht.«
Major Matsubara lachte so schrill, daß es Vivica kalt über den Rücken lief. Und diese entsetzliche Chinesin! Sie hielt Yuriko für

eine Chinesin, was fatal war. Das wäre Astrid nie passiert. Die kannte Shanghai-Chinesen von Kindheit an, ihre Bewegungen, ihre Stimmen, ihre Art zu lächeln, zu gehen und zu hocken.
»So, so, Sie wissen es nicht«, sagte Major Matsubara, nachdem er sich von seinem Lachanfall erholt und Yuriko mit einem Blick Ruhe befohlen hatte. »Sie wollen also behaupten, daß diese ehrliche Chinesin hier, die zuerst aus Angst gelogen hat, jetzt die Wahrheit lügt.«
»Ich verstehe Sie nicht, Herr Major.«
»Sie spricht die Wahrheit und sie lügt. He?«
Vivica schwieg. Sie wollte schlafen. Oder sich mit Halvard unterhalten. Er war nicht mehr im Zimmer; er hatte wohl Angst vor dem uniformierten Tiger mit den glitzernden Augen bekommen.
»Antworten Sie gefälligst!«
»Ja, Herr Major.«
Major Matsubara verwickelte Vivica in ein Gespräch über Saigon und erfuhr dabei, wie oft sie in den letzten Monaten die Grenze überschritten hatte. Er hatte Yuriko abführen lassen und war allein mit der Gelbhaarigen.
»Warum besuchten Sie Monsieur de Maury in Saigon?«
»Wir haben zusammen getanzt.«
»Tanzen Sie gern?«
»Wenn ich nicht müde bin.«
»Möchten Sie jetzt tanzen? Mit mir?«
Vivica antwortete nicht. Sie haßte die Scherze des Tigers.
»Nannte de Maury sich Fuchsgesicht?«
»Ich weiß es nicht, Major-san.«
»Lügen Sie die Wahrheit?«
»Ich weiß es nicht, Major-san.«
»Sie wissen nicht, ob Sie lügen? Soll ich Sie ins Irrenhaus sperren lassen? Wie oft sind Sie mit Fuchsgesicht zum Tanzen gegangen?«
»Zehnmal, Major-san. Ich meine: mit Monsieur de Maury.«
»Aha, Sie sagen jetzt die Wahrheit! Warum sagten Sie nicht gleich, daß Monsieur de Maury sich Fuchsgesicht nennt?«
Vivica starrte Major-san entsetzt an. *Was* hatte sie gesagt?
»Das habe ich nicht gesagt, Major-san«, sagte sie heiser.
»Also lüge ich? Wollen Sie behaupten, daß ich lüge! Behaupten Sie es!« schrie Major Matsubara und trat dicht an Vivica heran.

»Nein«, Vivica hob beide Hände wie ein Kind, das Schläge erwartet.
»Sie gehorchen nicht? Sie wollen nicht sagen, daß ich lüge?«
»Sie lügen, Major-san.« Riesige Schweißtropfen standen auf Vivicas kindlicher Stirn.
Major-san gab Vivica eine Ohrfeige, weil sie gesagt hatte, daß er löge. Dann ging es weiter, kreuz und quer, einmal hin und einmal her. Tiger und Lamm; Lamm und Tiger-san. –
»Ist Ihre Schwester Astrid ›Fuchsgesicht‹?«
»Nein, Major-san.«
»Dann wissen Sie also, wer Fuchsgesicht ist! Sie wissen ja auch ganz genau, wer es nicht ist. Sie wissen, wer es ist! Lüge ich? Lügen Sie? Wer lügt hier die Wahrheit, he?«
»Ich kann nicht mehr, Major-san.«
»Sie können nicht mehr lügen? Gut, sehr gut! Sie dürfen sich setzen! Nun wollen wir uns wie Freunde unterhalten, Mademoiselle! Sie wollen gestehn! Das ist gescheit. Das ist schön.« Major Matsubara schob Vivica einen Stuhl hin. Ihr war so schwindlig, daß sie sich an den Kopf faßte.
»Möchten Sie rauchen, Mademoiselle?«
Ohne die Antwort abzuwarten, bot Major-san der Gefangenen eine Zigarette an. Er begann zu plaudern, als ob sie in einem Salon im Faubourg St. Germain säßen.
Dazwischen fragte er nochmals, wer Fuchsgesicht wäre und ob Vivica fände, daß alle Chinesen lügen? Was sie von den Japanern hielte? Er teilte ihr – ebenfalls im Plauderton – mit, daß sie Pierre de Maury zu einem Geständnis gebracht hätten. Er beobachtete sie dabei; sein Röntgenauge durchbohrte die kindliche Stirn. Natürlich war es nur ein Versuchsballon. Sie suchten diesen Kulturverbrecher verzweifelt, ob er nun der Agent Fuchsgesicht war oder nicht. De Maury unterhielt japanfeindliche Verbindungen zu der Cao-Dai-Sekte und war in letzter Zeit mehr in Saigon als in Hanoi gewesen. Die wichtigste Gruppe der Widerstandskämpfer kam aus dieser Sekte, die man nicht greifen konnte, ohne einen Skandal im besetzten Indochina zu entfachen. Skandal war das Letzte, was Nippon jetzt brauchen konnte.
Seit Vivicas Verhaftung und Pierres Flucht waren die Informationen nicht mehr durch den Geheimsender in Saigon weitergegeben worden. Fuchsgesicht hatte wohl Angst und saß still in seinem Bau. Die hektische Suche nach dem Kulturverbrecher de

Maury war gewissermaßen eine Privatrache des Majors. Er, Major Kimura – wie Matsubara sich in der Kempetai nannte –, hatte diesem Franzosen jahrelang getraut und war wie ein Anfänger von diesem Gaukler der Tugend genarrt und getäuscht worden. Sein aristokratisch gezüchteter, dämonischer *jicho* (Selbst-Respekt, Umsicht, Vorsicht) verlangte eine Rache, die sich sehen ließ. Er würde Monsieur de Maury – sobald er ihn hatte – erst einmal mit der brennenden Zigarette die Fingerspitzen verbrennen und ihn dann der Wasserbehandlung aussetzen. Ein Tropfen Wasser auf den Kopf des Verräters, noch ein Tropfen ... noch ... ein.... Tropfen und immer noch ein Tropfen, bis der Gefangene dreiviertel wahnsinnig war und gestand. Mildere Methoden waren bei Pierre de Maury nicht angebracht. Schmerzlose aber tiefe Demütigungen genügten allenfalls für den harmlosen Dr. Lafitte aus Saigon. Der war entlassen worden, nachdem er vor dem Major kniend dreißigmal »*kata-jikenai*« gesagt hatte. Es bedeutete »Danke für die Beleidigung«, denn es hieß gleichzeitig: »beleidigt und dankbar«.

Der Major starrte vor sich hin. Vivica Wergeland hatte Pierre de Maury nähergestanden. Seine Rache mußte auch sie treffen. Ihre Haare glänzten wie das Gold der Zigarettendose, die ihm de Maury in den Jahren der kulturellen Verständigung geschenkt hatte.

Vivica hatte gierig geraucht. Der Major bot ihr eine zweite Zigarette an; es waren Opiumzigaretten. Sie hatten den Zweck, den Gefangenen die Angst vor der Angst zu nehmen und sie dadurch unvorsichtig zu machen. Major-san hatte bei den Chinesen gute Erfolge damit erzielt. Für jede Gefälligkeit mußten sich die Gefangenen verbeugen und das rätselhafte »*kata-jikenai*« murmeln, was außer »durch Wohltaten beleidigt« und »Dankbarkeit« noch bedeutete, daß Gefangene abgrundtief *beschämt* waren durch die empfangenen Wohltaten: Schläge, Beschimpfungen, Zigaretten, Wasserkuren und Sonnenbehandlungen. Wer sich nicht höflich bedankte, dem wurden von der Kempetai Manieren beigebracht. In Vorkriegszeiten hatten sich altmodische Ladenbesitzer mit dieser Redensart dafür bedankt, daß die geehrten Kunden ihren Laden aufgesucht hatten, und die Kunden hatten ihrerseits *kata-jikenai* in dem schrillen Geflüster vorgebracht, worin in Japan Höflichkeiten ausgetauscht werden. Die Kunden baten in dieser Form um die geehrte Rechnung, die stets »viel zu niedrig«

für die unübertreffliche Qualität des gekauften Gegenstandes war. Die Kempetai brachte in ihrer Güte den Gefangenen, soweit sie nicht Japaner waren, Manieren bei, obwohl sie das keineswegs verdienten.

Vivica erhob sich zur Verbeugung und dem Dank-Ritual, auf dem Major-san nun einmal bestand, aber die Opiumzigarette hatte sie betäubt, da sie den ganzen Tag kaum etwas gegessen hatte. Sie hatte allerdings verbrannten Reis und Teewasser bekommen, und nur das Teewasser getrunken und den Reis stehenlassen. Sie unterhielt sich lieber mit Halvard, dem ausgedachten Gefährten. Nun taumelte sie und wollte sich höflich entschuldigen, aber sie vermochte nicht zu sprechen. Lähmende Müdigkeit überfiel sie, es war ein halluzinatorischer Zustand, in dem der Körper schlaftrunken und die psychische Wahrnehmungskraft erhöht ist. Sie war sich plötzlich der Waffe bewußt, welche die Natur ihr verliehen hatte, ihrer Macht, Träume zu geben, wenn sie auch nichts ahnte von ihrer unschuldig-raffinierten Grazie, leicht verwahrlost und den Abgründen des Eros entstammend. Sie brauchte nicht Borghilds Geige, um die Phantasie eines Mannes anzuregen. In dem Blick ihrer leicht verschleierten Augen, in ihrem Lächeln, das zarten Überdruß und wollüstige Verschlagenheit andeutete, war alle Musik der Welt.

Vivica ließ sich mit nachlässiger Anmut direkt in Major Matsubaras Arme fallen. Ihre tatsächliche physische Schwäche ließ diese Imitation einer Ohnmacht glaubwürdig erscheinen. Sie lag in seinen Armen, als ob sie dorthin gehörte; sie ließ sich mit geschlossenen Augen und angehaltenem Atem in den Abgrund fallen, in den Major-san sie hatte stoßen wollen, und war ihm gerade durch diese Schwäche gefährlich.

Major Matsubara legte Vivica auf die harte Couch, die für Schwächezustände der Gefangenen vorgesehen war. Er holte Brandy und ein mit kaltem Wasser getränktes Tuch. Er würde die Freundin des Herrn de Maury schon zu Geständnissen erwecken! Aus einem anderen Raum klang Gebrüll herüber: seine Unteroffiziere verhörten geringere Insekten. Er war ganz allein mit dem Mädchen, von dem er nicht wußte, ob sie schuldig oder unschuldig war, ob sie Fuchsgesicht kannte oder nicht, ob sie wußte, wo Pierre de Maury sich versteckte.

Er hatte Macht über sie; sie war die erste Europäerin, die ihm in einem nächtlichen Raum vollständig ausgeliefert war. Ihm ge-

fiel die Situation, aber sein Gesicht blieb hart, und seine Augen glänzten gefährlich, als er sich nun über sie beugte, ihre Stirn mit Wasser benetzte und versuchte, ihr Brandy einzuflößen. Dabei mußte er die ausländische Kröte mit den Metallglanz-Haaren berühren. Er schob seinen Arm unter Vivicas Kopf, wunderte sich sekundenlang über das seidige Haar und setzte die Brandyflasche an ihre Lippen.
Vivica trank einen Schluck; dann öffnete sie die Augen, schloß sie wieder wie ein schläfriges Kind und legte wie im Traum ihren Kopf an Major Matsubaras Brust, als ob es dort Schutz und Friede für sie gäbe. Matsubara Akiro war so fassungslos, daß er vergaß, die Gefangene brutal abzuschütteln. Vivica rührte sich nicht. Major-san rührte sich ebenfalls nicht. Es war das erstemal in seiner Spürhund-Existenz, daß eine politische Gefangene zärtlich an seiner Brust ruhte und plötzlich zu ihm aufsah, als ob sie etwas Ungewöhnliches erblicke – einen *Mann* an Stelle eines uniformierten Tigers.
Mit einem einzigen Blick aus ihren verschleierten Augen, in denen sich die schwermütige Traumlust des Nordens mit der Verführungsmacht der Aphrodite mischten, erinnerte Gefangene Nr. 83 den im Dienste Nippons erstarrten Polizeimajor daran, daß er ein Mann von einundvierzig Jahren war – ein Mann, der nur die sterile Lady Tatsue und die liebeskranke Agentin Yuriko intimer kannte. Natürlich kannte er auch japanische Blumenmädchen, die ihren Körper mechanisch und respektvoll verkauften, und die prächtig verpackten Geishas, die für Unterhaltung sorgten; sie waren Brauselimonade mit einer Sekt-Etikette. Aber romantische Liebe kannte Akiro nur aus den Film- und Romanlügen des Westens und hatte sie stets belächelt; denn solche Liebe, oder vielmehr eine dieser Liebe günstige Situation, hatte er niemals erlebt. Aus den verschleierten, rätselhaften Blicken der Goldhaarigen sprach etwas Wildes und Unordentliches, das den historischen Liebesromanzen Nippons fremd war. Dort liebte man wohlerzogen und tötete sich geziemend nach einigen traditionellen Lied- und Gedichtvorträgen. Nymphe und Aphrodite waren beurlaubt, wenn Japanerinnen auf der Bühne und in der Wirklichkeit »romantisch« liebten. Niemals gelang es ihnen, einen Mann ins Chaos einzuladen, mochten sie auch tausend Jahre lang wie Lady Tatsue demütig verzichten oder wie die Agentin Yuriko demütig fordern.

Vivica blickte Major-san in der Höhle der Kempetai an, und die von Sadismus und glanzmüden Chrysanthemen geprägte Umwelt versank – ein ohnmächtiger Spuk, eine stupide Halle der Zehntausend Pflichten. Matsubara Akiro, ein entarteter Samurai, ein lasterhafter Ausfrager, in dessen Wortschlingen sich früher oder später jeder Gefangene verfing, blickte sprachlos in Vivicas Augen, anstatt ihr mit schrillem Polizeigelächter einige wohlverdiente Ohrfeigen zu verabreichen.
»Ich bin müde...«, flüsterte Vivica. Sie hatte jetzt ihre Augen groß aufgeschlagen und machte keine Anstalten, aufzuspringen und sich zu verbeugen. »Ich sterbe...« murmelte sie und wirklich überzog tödliche Blässe ihr bezauberndes Gesicht.
Major Matsubara flößte ihr noch einmal Brandy ein und beugte sich so tief zu ihr hinab, daß seine Augen sekundenlang starr in ihre Nymphenaugen schauten. Vivica trank, ohne den Blick von ihm zu lassen. Zum ersten Male sah sie Major-san in nächster Nähe: das schmale, hochmütige Gesicht wie aus Goldbronze mit den tiefliegenden, glühenden Augen, der feinen Nase und den vollen, grausamen und doch asketischen Lippen. Aus den Augen des Majors traf sie ein Blick, den sie sobald nicht vergessen sollte – die stumme Trauer, die tödliche und arrogante Langeweile des japanischen Mann-Gottes, den immer nur zwitschernder Gehorsam und gehorsames Zwitschern auf der Liebesmatte erwarten. Der Blick des Majors war dunkle, brennende Schwermut und hoffärtige Resignation. Und noch etwas war in diesem Blick, der nur einen Herzschlag lang in den schimmernden Mädchenaugen versank: ein Erstaunen darüber, daß eine Frau des Westens schön war; von einem weißleuchtenden Glanz wie Kirschblüten in Kyoto; zart wie der Morgennebel über dem Fuji, mit langen, geraden Gliedern und triumphierenden Brüsten und so erschütternd wie Musik von Beethoven-san und Mozart-san... Vor diesem Blick packte Vivica die Angst. Ihr spielerischer Geist und ihre junge Sinnlichkeit erschraken vor der maßlosen Einsamkeit, die von Major-san in dieser Sekunde wie eine lebensfeindliche Substanz ausströmte. Sie war plötzlich hilflos vor dieser verschachtelten Wildheit und dem Aufflammen der begrabenen Sucht anzubeten, was doch nur Geschlecht, Stupidität und Chaos war... hilflos vor der rasenden japanischen Gefühlskraft, die sich an Vulkanen entzündet und sich von der dunklen Liebe zum Tode nährt.

Vivica schrie auf wie eine Kreatur in höchster Gefahr; sie schlug die Hände vors Gesicht, um diesen Blick nicht mehr zu sehen, den sie ahnungslos herausgefordert hatte. Und dabei geschah ihr nicht das geringste: Major-san ohrfeigte sie nicht, entkleidete sie nicht und küßte sie nicht einmal. Er blickte sie nur an.
»Ich werde Ihnen etwas zu essen bringen lassen«, erklärte er schließlich. »So schnell stirbt man nicht! Sie sind sehr hungrig, das ist alles. Sie können in aller Ruhe essen, Mademoiselle! Nachher plaudern wir weiter.«
Vivica nahm das Essen nicht in ihrer Zelle ein, sondern ein Leutnant brachte sie in einem geschlossenen Auto ins Hotel »Weiße Chrysantheme«, wo ihre Mutter Borghild vor zwanzig Jahren mit dem jungen Herrn Matsubara soupiert hatte. Während Vivica, in einen Gastkimono gehüllt, belebende, scharf gewürzte Speisen und Suppen aß und nun überwach das Samurai-Bild in der *tokonoma* (ornamentale Wandnische) betrachtete, betrat Major-san den Raum der feinen Lebenskunst und der geistigen Tortur. Er ließ sich geschmeidig neben Vivica nieder und bestellte *saké*. Mit einem winzigen Unterton von Hohn und der traditionellen Höflichkeit des vornehmen Japaners fragte er nach ihren Wünschen. Er spielte den Gastgeber nicht in Uniform, sondern war nun ebenfalls im Kimono. Vivica wagte nicht aufzublicken; sie war jetzt etwa zwölf Jahre alt, solche Angst hatte sie vor Major-san. Und dann kam *saké* – der heiße Reiswein, und mit ihm die traditionelle, lyrische Stimmung.

>»Laut, als sähe sie
>ihres Käfigs Stäbe nicht,
>singt die Nachtigall«

»Warum trinken Sie nicht, Mademoiselle?« fragte Major-san gefährlich sanft und gab ihr einen mittleren Vulkanblick. Vivica war ein wenig schwindlig und vergoß beim Trinken ein paar Tropfen. Sie wollte den Fleck mit ihrem Taschentuch von dem grünen Gastkimono reiben – Fräulein Wergeland hatte ihr schließlich doch ein Rudiment von Ordnungsliebe beigebracht –, aber Major-san zog ein seidenes Tuch aus dem Ausschnitt seines Kimonos und trocknete zuerst den kostbaren Lacktisch und dann die wertlose Gefangene ab, wobei er Vivica hintergründig anlächelte und dann das Seidentuch wie einen Schmetterling in die Ecke flattern ließ. Er vollführte dies alles außerordentlich schnell

und mit einer tänzerischen Anmut, die der kostbare Kimono noch erhöhte.
»Hat der Franzose so hübsch mit Ihnen gespielt, *ma petite*, daß Sie ihn nicht verraten wollen?« fragte er väterlich und reichte ihr lächelnd die henkellose Tasse mit heißem *saké*.
»Welcher Franzose?« fragte Vivica, die plötzlich schlaftrunken lächelte. Das Opium hatte sie in einen angenehmen Schwebezustand zwischen Todesangst und Verzücktheit versetzt. Alles war verschwommen und dann wieder glänzend deutlich – der bestickte Kimono von Major-san, sein hintergründiges Lächeln, das weiße Seidentuch in der Ecke ...
»Welcher Franzose?« fragte Vivica zum zweiten Male und lächelte ein wenig mehr. Sie war sich niemals zugleich so mächtig und so hilflos, so verwahrlost und so schön vorgekommen. Es mußte an Major-sans Blicken liegen.
»Ah ... Sie hatten mehrere französische Freunde, Mademoiselle?« fragte Major-san und lächelte ausgiebig. Fleisch, dachte er, Staub ... Stupidität, Chaos ..., aber so siegreich schön! Sein wollüstiger und doch asketischer Mund verzog sich wie im Schmerz. Er begehrte diese Schönheit und wußte, daß die Macht der Meditation vor diesen Meerwunder-Augen und den goldglänzenden Locken versagen mußte. Er erhob sich von der Matte, zog mit einer tänzerischen und leidenschaftlichen Gebärde das schöne Mädchen zu sich empor und murmelte in dem hastigen, schrillen Flüstern japanischer Leidenschaft »*kino do'ku*«. (Ausdruck des Dankes; wörtlich: Oh, dieses vergiftende Gefühl!) Sein Französisch war vergessen, als er mit wachsender Erregung der Gefangenen Nummer 83 höflich für den Genuß ihres Anblicks dankte und gleichzeitig eine vergiftende Scham empfand, weil er einem so niedrigen Geschöpf zu Dank verpflichtet war.
Matsubara Akiro, der bisher jede erotische Lockung mit Hilfe der Zen-Disziplin überwunden hatte, stand vor dem fremden Mädchen und wiederholte: »*kino do'ku, kino do'ku*«. Er flüsterte immer schriller und hastiger; die Wildheit des japanischen Liebhabers brach sich Bahn. Er mußte dies Bündel Glanz, Geschlecht und Stupidität sofort, in dieser Sekunde genießen, um es dann fortwerfen zu können. Denn nach der Umarmung kam regelmäßig die läuternde Reue über den Verlust an männlicher Kraft und Disziplin; die brutale Gleichgültigkeit gegen die Spenderin der Lust und die Heimkehr des japanischen Mannes in den »rei-

nen Raum«, wo der letzte Rest ungestillter Begierde durch die züchtigende Macht des Geistes abfiel. Aber vorläufig konnte Akiro das vergiftende Gefühl, das ihn so unvermutet überfallen hatte, nur dadurch überwinden, daß er vor Vivica niederkniete und unaufhörlich »*kino do'ku, kino do'ku*«, stöhnte. Seine Stimme klang ihm selbst vollkommen fremd und rauh: sie mußte vor Schmerz oder Wonne gebrochen sein. Er wollte die Ausländerin für sich haben, eine falsche Flucht arrangieren und seine Lust befriedigen, wann immer er wollte. Wilde Pläne rasten durch sein Hirn, während er vor Vivica kniete, mit dem Kopf heftig auf den Boden schlug und »*kino do'ku*« stöhnte.

Vivica starrte Major-san entsetzt und verständnislos an. Welches junge Geschöpf aus dem Fernen Westen hat je einen Japaner in der Raserei der Liebe gesehen, hat solch qualvolles Stöhnen vernommen? Welche Frau des Westens hätte ohne tödliches Erschrecken die Tränen gesehen, die wie Rauch aus dem Berge Asama aus Akiros Innerem aufstiegen und sich in seinen glühenden schwarzen Augen sammelten?

»*kino do'ku, kino do'ku*...«, Dank, Dank; oh, dieses vergiftende Gefühl, diese Scham... diese Seligkeit! Ich liebe dich, du Bündel Schönheit und Stupidität, du Göttin, du niedrige, gehirnlose Angebetete; *ai... ai...* (japanische Liebe eines Hochgestellten zu Untergebenen.)

Major-san schlug wiederum mit dem Kopf auf die *tatami* (Matte). Sein glattes glänzendes Haar hing ihm in Strähnen in die Stirn, der Schweiß rann ihm in Strömen in Hals und Nacken. Er war so entsetzlich, so wildfremd und irgendwie in Vivicas Augen so grotesk, daß sie einen Augenblick buchstäblich gelähmt war. Aber als der große, rasende Japaner in seinem flatternden Kimono dann unverständliche Worte und gräßliche Geräusche ausstieß, begann Vivica aus purer Angst und Überreizung durch Gefangenschaft, Opium und *saké* zu lachen. Dies hysterische Lachen war nichts als ein quälendes Schluchzen; ähnlich hatte Vivica bei der Beerdigung ihres Vaters plötzlich vor Kummer gelacht, und Fräulein Wergeland hatte sie eilig ins Auto packen müssen. Aber nun lachte sie aus Angst, denn sie hatte ahnungslos mit einem Vulkan geflirtet.

Sie wollte natürlich nicht lachen. Es war eine Reaktion, über die sie keine Gewalt hatte; aber vielleicht lachte sie, um nicht den Verstand zu verlieren. Wie Wellen stieg das Lachen aus ihrem gequälten Innern, stiegen die Tränen in ihre übermüdeten, krankhaft glänzenden Augen. Plötzlich ging ihr Glucksen und Keuchen in Husten über, dann in einen schmerzenden Schluckauf; und schließlich sank sie – schluckend und lachend – auf die Matte nieder. Es war sehr schlimm. Man durfte Japaner verabscheuen, belügen, betrügen, foltern und töten, aber man durfte unter keinen Umständen über sie lachen. Bei einer Abendgesellschaft, die Konsul Wergeland vor rund zwanzig Jahren in Shanghai gegeben hatte, lachte ein gewisser Mr. Baily in Unkenntnis der japanischen Psyche über den jungen Herrn Matsubara. Dieser Amerikaner hatte infolgedessen erst sein Geschäft und zu Beginn des Krieges sein Leben verloren.

Noch lachend sah Vivica, wie ein Tigermensch auf sie zustürzte. Major-sans geehrte Pupillen waren wie bei alten Samurai-Bildern in die äußersten Augenwinkel gerutscht: das Weiße glänzte wie bei einem Blinden oder einem Epileptiker, der im Krampf die Augen verdreht. Er packte das neunzehnjährige Bündel Schönheit, warf es zu Boden und begann es methodisch zu prügeln, wie man Männer prügelt. Dann weckte er Vivica brutal aus der barmherzigen Ohnmacht und schleifte sie an den Haaren in dem schönen halbleeren Raum herum. Zu diesem Zeitpunkt trug Major-san wieder seine Uniform, die er in einer Nische verborgen gehabt hatte; sein Haar lag glatt und glänzend um sein regloses Gesicht. Aber als Vivica die Augen aufschlug, stand er groß und schrecklich über seinem Opfer, das zerbrochen auf der Matte stöhnte, und sagte unter Fußtritten in seinem wundervollen Französisch: »Sterben ist zu schön für Sie, Mademoiselle! Sie sollen leben und es jede Minute bedauern!«

Der Major klingelte. Zwei Offiziere traten mit tiefen Verbeugungen ein und grinsten, als sie das stöhnende Bündel Frau am Boden sahen.

»Zurück in die Zelle mit ihr! Keine ärztliche Behandlung, ich glaube, ich habe bei unserem Plauderstündchen herausgehört, wo dieser de Maury sich versteckt!« Major Matsubara wollte sofort ein Telegramm an Oberst Saito aufgeben, der in Laos Sonnenuntergänge bewunderte. Pierre de Maury mußte sich in Angkor verstecken. Es war nicht weit von Laos entfernt. Bis er in Shanghai zum Hauptverhör eintraf, würde Monsieur de Maury einer Ruine zum Verwechseln ähnlich sehen. Der Gedanke erheiterte den Major. Lächelnd setzte er den Termin für Vivicas nächstes

Verhör fest. Der Ort war Zimmer 12, die Folterkammer der Kempetai. Zwei Wochen sollte sie warten und zittern. Die Langnasen haßten bekanntlich das Warten. Sehr schön, sehr günstig! Dann fehlte nur noch Fuchsgesicht. Sie würden ihn nun fangen, *sono uchi* (bald), meine Herren.

Major-san grüßte zeremoniell und verzog sich in seine Privatsuite in der »Weißen Chrysantheme«. Er würde Puppe Nr. 83 auseinandernehmen und sehen, wieviel Geheimnisse und Sägespäne sie noch enthielt. Und Herrn de Maury wollte er das Einmaleins der Angst beibringen.

In der matt erleuchteten Halle der »Weißen Chrysantheme« stand eine Japanerin und beobachtete, wie die beiden Handlanger der Kempetai die ohnmächtige Vivica in ein Polizeiauto trugen. Yuriko nickte befriedigt. Sie hatte sich in ihrer Stupidität eingeredet, Akiro-san habe sich in die Gelbhaarige verliebt. Dabei hätte sie als langjährige Agentin der Kempetai doch wissen sollen, daß Akiro-san eben diesmal zuerst die »Lamm-Methode« und erst dann die »Tiger-Methode« angewandt hatte. So sollte es allen Mädchen ergehen, die ihr Akiro-san beim heißen Reiswein stehlen wollten.

Yuriko schlich in das Stockwerk, wo der ewig Geliebte und Unnahbare seine Privatträume hatte. Sie betrat den Vorraum mit den Samurai-Holzschnitten. So leise ihre Schritte waren – Yurikos Körper war immer noch federleicht –, Akiro hatte sie gehört und erschien in seinem Schlafkimono. Yuriko wich bei seinem Anblick zurück.

Er sah aus, als ob er sie in der nächsten Sekunde erwürgen wollte. Das Wort erstarb ihr auf den sorgfältig geschminkten Lippen, die vor Sehnsucht nach Küssen trocken wie Reisstroh waren. In Akiro-sans geehrten Augen glitzerte eitel Finsternis.

Yuriko verbeugte sich höflich und schritt mit dem Rücken zur Tür – das Gesicht ihrem Gebieter zugewandt – zum Ausgang des Vorraums. Sie blickte Akiro-san nicht mehr an. Und mit der Erbangst der Japanerin in ihrem enttäuschten Herzen murmelte Yuriko höflich und verzweifelt:

»*kata-jikenai!*« (Ich danke – Ich bin beleidigt. Ich danke für die Beleidigung). Yuriko wollte sich in dieser respektvollen Form auch dafür bedanken, daß Akiro-san sie nicht auf der Stelle erwürgt hatte. Sie fuhr ins Hinterhaus des Hotels und weinte sich in den Schlaf. Die Liebe der Frauen war einfach und einfältig –

sie war nicht von dem komplizierten Ritual der Männerliebe angekränkelt. Yuriko wollte gern für ihren Mann kochen, Kimonos nähen, den zeremoniellen Tee bereiten, ihm Söhne schenken und seine Umarmungen mit demütigem Dank empfangen. Natürlich war sie auch bereit, für Akiro-san zu sterben, wenn die Gelegenheit sich bot. Es wäre eine unverdiente Ehre, dem Geliebten auf diese Art nützen zu dürfen! So einfach, so stupide, so großartig war Yurikos Liebe – die Liebe einer durchschnittlichen Japanerin in einer Niedergangsperiode.

Yuriko erhob sich von ihrer *tatami*, weil sie ein Papier am Boden bemerkte. Es war das geheime Schreiben eines annamitischen Spitzels in Saigon, mit dem sie von Amts wegen geschlafen hatte, um Informationen zu erhalten. Diesen Brief, der ein seltsames Gemisch von formellen Liebesschwüren und politischen Nachrichten enthielt, hatte sie Major Matsubara vorhin bringen wollen, ihn aber auf der Flucht wieder mit in ihren Schlafraum genommen. Er war aus dem Jackett ihres Sportkostüms gefallen. Auf den Straßen von Shanghai trug Yuriko prinzipiell westliche Tracht, um nicht von Chinesen angerempelt zu werden. Die Tracht war ihr Unglück: sie brachte alle Nachteile ihrer Erscheinung und keinen ihrer Vorteile zur Geltung. Es war für Akiro-san, diesen Militär-Ästheten, ein körperlicher Schmerz gewesen, nach Vivicas Anblick seine kleine Landsmännin in einer Kleidung zu sehen, die für lange gerade Beine und eine schmale Taille gedacht ist.

Es tat Yuriko leid, Pierre de Maury der Kempetai ausliefern zu müssen. Der annamitische Agent teilte ihr in diesem Brief das Versteck der Langnase mit. Monsieur Langnase war immer freundlich und nett mit Yuriko gewesen. Er hatte ihr Pillen aus seiner Hausapotheke gegen ihre Kopfschmerzen geschenkt. Sie machte eine kleine zeremonielle Verbeugung zum ehrenden Privatandenken an Monsieur Langnase, aber sie liebte Akiro-san und Nippon. Sie mußte den Feind Nippons unverzüglich ausliefern.

Matsubara Akiro, der zu diesem Zeitpunkt Herr über Tod und Leben einiger tausend Ausländer in Ostasien war, stand nach Yurikos Rückzug reglos in seinem Schlafzimmer. Es war Mitternacht. Er blickte die Samurai-Holzschnitte an, die zur Ermunterung über seinem Lager hingen. Er konnte sie nicht richtig erkennen – diese wilden Krieger mit den erstarrten Zügen, den geschwungenen Schwertern und den in die Augenwinkel gerutschten Pupillen. Tränen verdunkelten seinen Blick. Er sank auf seine Schlafmatte und weinte verzweifelt darüber, daß er zerstören mußte, was er liebte und anbetete. Viele Männer trauern im geheimen um eine Frau, die sie schon verloren haben, bevor sie sie umarmen konnten. Aber die Tränen des vierten Baron Matsubara im kriegsverwüsteten Shanghai waren besonders bitter, weil kein anderer Mann zwischen den sieben Ozeanen ein solches Talent zum Anbeten und zum Zerstören besitzt wie der Japaner.

Akiro war gerade eingeschlafen, als es an die Tür zu seinem Empfangsraum klopfte. Die beiden Offiziere, die Vivica abgeführt hatten, brachten ihm eine dringende Meldung der Agentin Yuriko.

Major Matsubaras Augen brannten in einem düsteren Feuer, als er den Brief des annamitischen Spitzels durchflog. Um ein Uhr nachts hielten sie eine Beratung ab. Oberst Saito war noch in Laos; das Telegramm an ihn war noch nicht abgegangen. Er mußte sofort nach Saigon kommen.

Um fünf Uhr morgens flogen Major-san und die beiden Offiziere ebenfalls nach Saigon. In der Zwischenzeit hatte Akiro noch einige Verhaftungsbefehle für Shanghai unterzeichnet. Unter den Genannten befand sich auch Mademoiselle Astrid Clermont-Wergeland, Adresse in Shanghai: Freiherr von Zabelsdorf, *French Concession*.

Die große Jagd nach Fuchsgesicht war im Gange.

VIERTES KAPITEL

# Flucht nach Laos

DREI Meilen von Saigon liegt die chinesische Vorstadt Cholon – ein Ort voll Fabriken, gutgelaunten chinesischen Bettlern und Finanzleuten, Restaurants und nächtlichen Stätten der Lebensfreude. Zu diesen gehörten einige Tanzbars und Spielklubs, die Pierre de Maury in glücklicheren Zeiten oft besucht hatte. Herr An T'ai, dem der Spielklub und das Restaurant zur »Glückseligen Ente« gehörte, war seit Jahren ein Freund der Saigoner Franzosen. In seinen Vorzimmern servierte er glückselige Enten, wie man sie sonst nirgends bekam; hinten hatte er einen von der Regierung verbotenen Spielsalon und ein kleines staubiges Opiumzimmer mit einer breiten geschnitzten Ebenholz-Couch, einigen preiswerten Wandbildern und dem Mädchen Ku-ying, das im Restaurant gedämpfte Krabben servierte und im Opiumzimmer für die Kunden die Mohnkügelchen über der blauen Flamme erwärmte. Wenn jemand einem Manne die Träume austreiben konnte, dann war es das Mädchen Ku-ying. Es war verwachsen, hatte eine rauhe, laute Stimme und schlurfte auf zuverlässigen Plattfüßen zwischen Restaurant und Hinterzimmer herum. Ku-ying war trotz mangelnder körperlicher Reize in dem Etablissement »Glückselige Ente« unentbehrlich. Beklagte sich ein Gast über den Preis der Krabben, so belehrte ihn Ku-ying, daß auch die Krabben teuer würden, wenn die Fische knapp geworden wären; kam ein japanischer Offizier, um zu speisen und zu schnüffeln, teilte Ku-ying ihm demütig mit, daß die »Glückselige Ente«, die Spezialität des Hauses, gerade ausgegangen wäre und sie untröstlich seien, da sie Nippon dienen wollten. Fragte der Japaner nach einem bestimmten Chinesen, dann war er monatelang nicht mehr im Lokal gewesen. Ku-ying war im zarten Alter von Herrn An T'ai gekauft worden; er und das Lokal mit den Stammgästen waren ihre ganze Welt. Sie war niemals in Saigon gewesen, obwohl die Stadt des Glanzes nur wenige Meilen von Cholon entfernt war. Wie der Vogel hatte sie sich ihren Baum gewählt. Unter diesem Baume diente sie ihrem Herrn und seinen Gästen; sie lebte unter ihm bis Ende April 1945 und starb in seinem Schatten, als Major Matsubara der »Glückseligen Ente« alle Federn ausriß, weil er im Opiumzimmer den Geheimsender entdeckte, mit dem Herr de Maury den Alliierten Nachrichten über Kriegsmaterial und Truppenverschiebungen Nippons gesendet hatte. Sie fanden alles beisammen: den raffiniert getarnten Geheimsender, den letzten Rest geröstete Entenhaut in der Küche, Herrn An T'ai, der blubberte und zitterte und nichts zu wissen beteuerte, und das bucklige Mädchen Ku-ying, das weder zitterte noch blubberte, aber ebenfalls nichts wußte.

Major Matsubara fand daher alles – nur nicht Fuchsgesicht, alias Pierre de Maury. Er konnte ihn aus zwei Gründen nicht finden: einmal war Herr de Maury nicht der Chungking-Agent Fuchsgesicht, er hatte nur dessen Informationen aus Bangkok in der »Glückseligen Ente« weitergesendet. Und sodann war der Franzose eben nicht in dem Lokal.

»Wo versteckt er sich?« fragte Major-san und verbrannte Herrn An T'ai die Fingerspitzen mit seiner Zigarette, während er der einfältigen Kellnerin ein paar assortierte Fußtritte gab. Er stand in der Gaststube des Verräter-Lokals und starrte rasend vor Wut den Sinnspruch der »Glückseligen Ente« an, der als Transparent über der Theke hing:

»Kein Gläubiger auf der Schwelle, kein Arzt im Haus, das ist das Glück.«

Seine Enttäuschung war so unerträglich wie sein Magenkrampf; er hatte in Saigon in der Eile Fisch in *nuóc-mâm*, ein Nationalgericht in Cochin-China, geschlürft; der in Gärung übergegangene Fischsaft machte ihn in Verbindung mit der großen Jagd nach Fuchsgesicht krank. Aber so elend er sich auch fühlte, merkte er doch, daß er aus Herrn An T'ai und seiner buckligen Kellnerin nichts herausbekommen würde. Er kannte dieses chinesische Pack mit den lächelnden Lippen, den starren Gesichtern, dem demütig gebeugten Nacken: weder die schweigende Kellnerin noch der babbelnde Wirt der »Glückseligen Ente« würde ihm, falls sie es überhaupt wußten, sagen, wo der französische Verräter sich aufhielt. Auf alle Fälle ließ er Herrn An T'ai erschießen, weil in seinem Lokal mit oder ohne sein Mitwissen ein Geheimsender im Interesse der Alliierten bedient worden war. Die Kellnerin Ku-ying erlitt das gleiche Los, damit sie nicht etwa nachträglich über Major-sans Mißerfolg lächeln konnte. Ku-ying starb lautlos; ihr Mund mit den vollen Lippen und den Zahnlücken öffnete sich nur ein wenig in ungläubigem Erstaunen, daß sie vor ihrer Zeit sterben sollte! Sonst ging doch eine Lampe nur aus, wenn das Öl verbraucht war! Sie war allerdings die ganzen letzten Monate auf einem Tiger geritten, das hatte sie gewußt. Aber Pierre de Maury war der einzige Mensch in Ku-yings kleiner Arbeitswelt gewesen, der ihr etwas geschenkt hatte: einen billigen silbernen Armreifen, den Ku-ying Tag und Nacht trug. Unter ihrer Arbeitsjacke hatte dieser Reif geglänzt. Sie hatte oft in sich hineingekichert, wenn sie an den verborgenen Schmuck dachte, während sie von den annamitischen Gästen, die Chinesen nicht leiden konnten, unhöflich behandelt wurde. Es tat ihrem chinesischen Herzen wohl, den großen Glanz vor aller Augen zu verbergen, so wie ja auch die besten Restaurants sich gern in schäbigen Seitengassen verbergen. Da Ku-ying von Arbeit und Gerüchten lebte, hatte sie erfahren, daß man dem Franzosen auf der Spur war. Sie hatte blitzschnell gehandelt. Und nun starb sie und nahm ihr Geheimnis mit ins Grab. Pierre de Maury war in Sicherheit. Ku-ying hatte ihm zu diesem Versteck geraten. Der Geldsack der Armen ist zwar leer, aber ihre Klugheit ist ein Silberschatz.

Oberst Saito und Major Matsubara überlegten, was nun zu tun blieb. Der Major mußte nach Burma fliegen, wo die Karenstämme einen Aufstand gegen Nippon angezettelt hatten. Alles verschwor sich gegen sie. Er dachte an Vivicas Lachen und fühlte wieder die mörderische Wut und dunklen Schmerz. Die Rolle, welche die Gelbhaarige bei der Übermittlung der Bangkoker Informationen wissentlich oder unwissentlich gespielt hatte, war im Augenblick nebensächlich. Sie saß im Gefängnis der Kempetai in Shanghai und wurde langsam vor Angst verrückt. Das nahm Major-san jedenfalls an. – Er berichtete Oberst Saito von der Verhaftung der Schwestern Wergeland, die beide in enger Verbindung mit Pierre de Maury gestanden hatten. »Jawohl, Herr Oberst, Mademoiselle Clermont ist gleichzeitig Mademoiselle Wergeland!«

»Ist *sie* vielleicht ›Fuchsgesicht‹?« fragte Oberst Saito und legte seinen derben Bauernfinger an die Nase. »Ich werde sie in Shang-

hai persönlich verhören«, schloß er. Er war auf dem Wege nach Shanghai, wo sich bereits ein neuer Chungking-Ring gegen Nippon bildete. Diesmal handelte es sich um schwere chinesische Sabotage in den japanisch-chinesischen Spinnereien. Nippon war glorreich, aber arm; es brauchte jeden Fetzen Stoff aus dem »Größeren Ostasien«.
Schließlich kam Matsubara die große Eingebung, wo Kulturverbrecher de Maury sich vermutlich versteckte. Der Gedanke war so einfach, daß er seinem gewundenen Geiste nicht sofort eingeleuchtet hatte. Er teilte ihn Oberst Saito mit, der ihn mit offenem Munde anstarrte.
»Ich fahre morgen früh hin, Major! Sie müssen recht haben! Sechs Offiziere in Zivil werden mich begleiten. Jetzt werde ich keine Rücksicht mehr nehmen. Meine Langmut diesen Spionen gegenüber ist zu Ende!«
Es klang, als ob Oberst Saito von der Kempetai der Bevölkerung Indochinas seit Nippons Einmarsch zarteste Rücksicht und übernatürliche Langmut bewiesen hätte.
Major Matsubara verbeugte sich zeremoniell. Es war sein glorreichster Abend im besetzten Südostasien geworden. Von Rache, verschmähter Leidenschaft und Magenkrämpfen aufgerüttelt, hatte er in einer hellsichtigen Trance kombiniert und die Lösung des Rätsels wie auf einem Transparent über einer chinesischen Theke abgelesen. Sie konnten ganz Cholon absuchen und würden de Maury nicht finden, aber wenn Oberst Saito von Saigon aus ein wenig in nördlicher Richtung fuhr – gar nicht sehr weit, der Weg nicht sehr beschwerlich und ein idyllischer Ausflug obendrein – dann holten sie den Kulturverbrecher aus seinem Fuchsloch heraus! Sofort sterben war viel zu schön für ihn. Wie Vivica sollte Monsieur de Maury leben und es jede Minute bedauern.

*

Oberst Saito erwachte um halb fünf Uhr früh aus einem Alptraum. Wie so häufig in dieser Niedergangsperiode, die kein Japaner als solche anerkennen wollte oder konnte, war Joseph Kitsutaro Saito im Traum in seinen Heimatort Urakami zurückgewandert, wo seine geliebte Gattin mit Sohn und Tochter das Ende des glorreichen Krieges abwartete. Dort, am lieblichen Urakami-Fluß, in der Nähe der Stadt Nagasaki, arbeitete und betete die Familie Saito mit Tausenden von guten japanischen Katholiken um ein rasches, siegreiches Ende des Krieges und um die Heimkehr der geehrten Familienangehörigen... Denn auch sie gaben dem *Tenno*, was dem *Tenno* zukam. Das hatte ja der Gottessohn ausdrücklich befohlen.

Joseph Kitsutaro Saito hatte im Traum mit Frau und Kindern ein Picknick mit Tee, Reis und *manju* (Bohnenkuchen) am Fluß gemacht. Frau und Tochter trugen die unkleidsamen *mompé*, weite Baumwollhosen, die an den Fußgelenken zusammengebunden wurden. Im Frieden trugen hauptsächlich die Bäuerinnen die *mompé*; aber während des Krieges und der allgemeinen Stoffknappheit trugen auch Madame Saito und ihre Tochter die patriotischen Hosen. Oberst Saito sah es genau im Traum; so hatten ihn Frau und Tochter schon bei seinem letzten Urlaub im Jahre 1943 empfangen. Dem Oberst war es gleich im Leben wie im Traum; sein Glaube hatte ihn gelehrt, den äußeren Tand zu verachten und auf das Herz einer Frau zu blicken. Und das Herz der plumpen und häßlichen Madame Saito war das Herz einer Heiligen; es schlug für Joseph Kitsutaro, die Kinder, den Herrn Jesus Christus und für alle Armen und Notleidenden in Urakami – in der angegebenen Reihenfolge.

Sie wollten gerade den Bohnenkuchen und die delikaten *tempura* verzehren, als plötzlich ein mächtiger Blitz die Gegend schauerlich erhellte. Ein riesiger Wind – ja, ein »apokalyptischer Wind«, dachte Oberst Saito im Traum – erhob sich und fegte die Familie Saito und die Reste der Mahlzeit hinweg. Über den hohen, grünen Bergen erhob sich ein feuriger Ball – oder war es ein Baum? – der anschwoll, sich gräßlich ausdehnte und in den Himmel von Urakami wuchs. Die Helle schmerzte so sehr, daß Oberst Saito im Traume stöhnte, mit seiner derben Hand die Augen bedeckte und mit den Füßen die Schlafdecke fortstieß. Der Feuerbaum wurde grau, dann kohlschwarz. Joseph Kitsutaro sah im Angsttraum, daß es fettige, schwarze Bohnen regnete. Alles sah plötzlich fett und schwarz aus – die Landschaft und die Speisereste; auch das *mugimeshi* (Reis mit Weizen gekocht), das er so gern aß, war eine fette, schwarze Masse. Aber dann sah Joseph Kitsutaro, daß das schwarze Zeug gar nicht das *mugimeshi*, sondern das Gesicht und der Körper seiner Frau waren; seine Tochter und sein Sohn, der ein so guter Schüler war und Priester werden wollte, mußten in den Fluß gelaufen sein. – Oberst Saito konnte

sie nicht entdecken. Im Traum kniete er bei der schwarzen Masse, die seine liebe und geehrte Gattin gewesen war, und schrie: »Takeo! Takeo!« So hieß seine Frau.
Mit diesem heiseren Schrei erwachte er. Die Tränen liefen ihm in Strömen über das derbe Bauerngesicht mit der breiten Nase, den Lachzähnen und den schönen, traurigen Augen, die so gar nicht zu seinem grimmigen Geschäft paßten. Er kniete nieder, den mächtigen Rücken vor Schreck und Demut gebeugt, und sandte ein Stoßgebet für seine Familie zu Gott empor. Das Kruzifix, das Oberst Saito stets über seinem Lager hängen hatte, wo immer er auch den Feinden Nippons nachjagte, verbreitete in der Morgendämmerung von Saigon einen fahlen Glanz. Aber der Anblick des Gekreuzigten sandte einen Strom von Ruhe und Fassung in die Seele des von furchtbaren Traumgesichten gequälten Japaners. Sein Flehen nahm gottgefällige Form an. Joseph Kitsutaro Saito bat den Himmel, seine ihm vor Gott angetraute Gemahlin möge ihm erhalten bleiben, sollte jedoch die göttliche Vorsehung ihren Tod bestimmt haben, so möge es ein heiliger und gottgefälliger Tod sein, wo immer er »Marina (Maria) Saito Takeo« erwarte.
Er erhob sich von den Knien, verpackte das geehrte Kruzifix in sein schäbiges Suitcase und fuhr zur Beichte und zur Frühmesse in die Kirche der Franzosen. Überall war der gleiche Altar, das gleiche Licht, der gleiche Trost.
Danach begab Oberst Saito sich an sein Tagewerk. Er mußte dem *Tenno* geben, was des *Tennos* war. Er bezweifelte seine schreckliche Pflicht nicht einen Augenblick. Nur sein Kopf und seine riesigen Bauernhände waren damit beschäftigt; sein einfaches Herz sträubte sich gegen den tödlichen Zwiespalt seiner geistlichen und weltlichen Existenz. Dieser Zwiespalt, der Heilige und Sünder gleichermaßen bedrängt, kennt nur *eine* wirkliche Lösung – die konsequente Abkehr von einer Welt, die das christliche Wort zwar noch erlaubt, aber die christliche Tat verhindert. Jedoch die Pflicht, die jeden Japaner von Kindesbeinen an so unentrinnbar umstrickt, hielt Oberst Saito fest in dem vom Staate geknüpften Netz. Er fuhr mit sechs Offizieren nach *Tay-Ninh*, in die Hochburg der Cao-Dai-Sekte, in deren Mauern, von der Privatarmee der Sekte bewacht, der Nipponfeind Pierre de Maury Schutz vor seinen Verfolgern gefunden hatte: Major Matsubara hatte richtig kombiniert.

Wie in dem vergangenen Jahrzehnt erschienen Oberst Saito und seine Helfer als Touristen. Sie wollten angeblich dem Papst der Sekte und der Kathedrale einen kleinen »Lernbesuch« abstatten. Sie waren alle in Zivil, trugen aber Revolver in ihren weißen Tropenanzügen. Es wäre günstig gewesen, wenn Oberst Saito als chinesischer Besucher hätte kommen können; aber er sah so urjapanisch aus, daß eine Verkleidung wie ein Jahrmarktsscherz gewirkt hätte. So kam er als kleiner Kaufmann nach Tay-Ninh. Er betrieb angeblich in Saigon einen Laden mit japanischem Kinderspielzeug, das noch billiger und schlechter als alles andere Spielzeug der Welt war. Es gab in der Tat so einen Laden im japanisch-besetzten Saigon; manchmal explodierte das eine oder andere Spielzeug in einem chinesischen Familien-Haus, so ein lieber kleiner Laden war das! Aber es geschah den Chinesen recht, wenn sie so unpatriotisch waren, in japanischen Läden zu kaufen, nur weil die Artikel dort so billig waren. Das wenigstens war die chinesische Volksmeinung.

Oberst Saito war in besonders grimmiger Laune, einmal weil diese Ketzer-Sekte einen prominenten französischen Widerstandskämpfer schützte, der anstatt in seinem Museum in Hanoi Bruchstücke aus dem Dschungel abzustauben, den Annamiten in den vergangenen Jahren neue Untergrund-Methoden beigebracht und obendrein einen Geheimsender in Cholon bedient hatte! Oberst Saito nahm es den Cao-Daiisten außerdem persönlich übel, daß sie ihre Organisation nach den Richtlinien der römischkatholischen Kirche aufgebaut hatten. Und ganz und gar unverzeihlich war es in seinen Augen, daß diese Ketzer den heiligen Bernhard und Johannes den Täufer sowie die Jungfrau von Orléans in ihrem Heiligen-Kalender neben Victor Hugo, dem Jadekaiser und einem Franzosen namens »de la Rochefoucauld« aufführten.

Seine drei Heiligen hatten nichts in dieser Gesellschaft zu suchen, fand Oberst Saito.

\*

Die erste Enttäuschung in Tay-Ninh war, daß der »Papst« der Cao-Daiisten die japanischen Touristen nicht empfangen konnte. Er war stets nur für hohen Besuch zu sprechen; zudem befand sich »Seine Heiligkeit« in einer Periode der Meditation, die selbst

höchster Besuch nicht unterbrechen durfte. Die Leibwache des noch jugendlichen Cao-Dai-Papstes hielt ihm jede Störung fern. Der Administrator, ein alter Annamit in einem chinesischen Mandarinmantel, lächelte mit zahlreichen Goldzähnen, als er Oberst Saito und den sechs Touristen diese Auskünfte gab, in gutem Japanisch übrigens, denn er war ein sprachgewandter Herr und gewohnt, Gäste aus aller Welt zu empfangen. Er haßte Touristen und lächelte daher mit überirdischer Freundlichkeit.
Oberst Saito, der »Nummer Eins-Tourist«, warf seinen Begleitern einen warnenden Seitenblick zu, da sie Anstalten machten, den Palast des Administrators zu durchsuchen und notfalls zu besetzen. So würde man den Fuchs nicht fangen! Oberst Saito, der auch nicht von vorgestern war, hatte im Grundstück des alten Mandarins reichlich viele Sekten-Anhänger bemerkt: der Administrator schien ebenfalls eine Leibwache zu besitzen. Mit der »Privatarmee« der Sekte war bestimmt nicht zu spaßen. Oberst Saito, dem militärische Disziplin von Natur zusagte, konnte dagegen gerechterweise nichts einwenden. Er verbeugte sich erst einmal und murmelte: »*arigato*«. Es hieß »Danke« und hieß außerdem: »Oh, diese Schwierigkeit...«, wobei die deutungsreiche japanische Sprache es offenließ, ob Oberst Saito sich für die Auskunft oder für die neuen Schwierigkeiten bedankte. Es paßte ihm gar nicht, daß der alte Schlaukopf im Mandarinmantel so gut Japanisch sprach; er zwang ihn, sich mit seinen Offizieren durch Zeichen zu verständigen.
Der Administrator forderte zum Sitzen auf und ließ Fruchtsäfte und Süßigkeiten servieren. Er sprach mit den drei Dienern in schnellem Annamitisch, das Oberst Saito leider nicht verstand. Er sprach ein wenig zu lange; das war nicht günstig. Das Gespräch mit den Japanern dauerte fünfzehn Minuten; jeder Versuch der Japaner, den Empfangsraum zu verlassen und zur Kathedrale zu wandern, wurde von dem Alten in dem leuchtenden Mantel höflich aber eisern unterbunden. Er gab den japanischen Gästen umständliche Erklärungen über das Wesen der Sekte im allgemeinen und die Vorzüge der vegetarischen Kost im besonderen; auch die europäischen Gäste erkannten bereits, »daß ein Mann mit wenig Wünschen seine Gesundheit wahrt«.
Oberst Saito erkundigte sich, ob sich augenblicklich Europäer in der Residenz der Sekte aufhielten. Vielleicht, meinte der Administrator ein wenig zögernd; in einer Viertelstunde beginne die

Cao-Dai-Messe; dazu kämen öfters Franzosen aus Saigon mit ihren Gästen. Nach der Messe bewirte er öfter die Freunde des Marschall Pétain mit Champagner, bemerkte er wohlwollend; die Franzosen liebten Champagner fast so sehr wie ihre Logik... Es war der reine Hohn, fand Oberst Saito und erhob sich brüsk. Er sagte dem zurückweichenden alten Mann in schroffem Ton, wer er wäre, und daß er unverzüglich die Kathedrale bis in den hintersten Winkel durchsuchen werde. Und zwei seiner Touristen müßten den Palast Seiner Heiligkeit, natürlich unter Wahrung aller Regeln des Respektes, durchsuchen; es würde schnell und unauffällig vor sich gehen.
Der Administrator war unter seiner lächelnden Maske grau geworden; er ersuchte den japanischen Tiger von der Militärpolizei, keinen Skandal zu verursachen; das würde einen Aufstand in Cochin-China zur Folge haben. Wenn Oberst Saito die Kathedrale durchaus in diesem Augenblick zu betreten wünschte, dann möchte er die Messe mit Respekt anhören; nachher würde der Administrator persönlich bei der Suche nach Monsieur de Maury helfen. Ihm wäre ein Franzose dieses Namens wohl erinnerlich, bemerkte er schlau und langsam, aber wann er das letztemal studienhalber hier gewesen wäre – das wüßte er nicht. Er wäre ein alter Mann, sein Gedächtnis ließe nach, und sähen nicht alle Langnasen gleich aus? Oberst Saito nahm sich nicht die Mühe zu antworten; er hatte sich Herrn de Maury vor zwei Jahren in der Hotelhalle von Siem-Reap genau angesehen und würde ihn schon wiedererkennen. So zogen sie denn mit dem alten Mandarin zur Kathedrale.
»Wo kein Streit ist, gibt es keinen Aufstand, Herr General!« flüsterte der Administrator. Er wurde von Oberst Saito keiner Antwort gewürdigt. Sie hatten seit 1941 genug Gras in Indochina ausgerissen, nun kamen endlich die Wurzeln dran. Wenn man ein Gras mit der Wurzel ausreißt, sagt eine japanische Bauernweisheit, dann bleibt nur tote Erde zurück. Ohne nach rechts oder links zu sehen, wo Scharen von Büßern zur Kathedrale wanderten, um ihren großen, asiatischen Hunger nach dem Übersinnlichen zu stillen, betrat Oberst Saito in stummer Wut die prunkvolle und absurde Glaubenshalle der Sekte. Die Leibwache des Administrators folgte in respektvollem Abstand. Die »Messe« der Cao-Daiisten hatte begonnen.
Nie im Leben sollte Joseph Kitsutaro Saito den Abscheu verges-

sen, der ihn vor und in der »Kathedrale« erfaßte. Er war zunächst sogar stärker als sein Jagdfieber. Er hatte seine billige Stahlbrille auf die breite Bauernnase gesetzt und blickte stumm umher. Es war ihm klar, daß er während der Messe keinen Skandal verursachen konnte; möglichst wollte er hinterher auch keinen machen. Die Gebethalle der Sekte war von außen eine unselige Mischung aus einer chinesischen Pagode und einer schlechten Barockkirche: Barock im Verfallsstadium — dem Ornament auf lasterhafte Weise zugetan. Was den japanischen Christen aber am meisten empörte, war eine ketzerische Gruppe von Statuen: Herr Jesus Christus wurde von dem chinesischen Weisen Lao-tzu (Laotse) auf den Schultern getragen und trug seinerseits Konfuzius und Buddha auf den Schultern. Oberst Saito bekreuzigte sich innerlich bei diesem unsagbaren Anblick; er bat den Himmel um Verzeihung, daß er in Ausübung seiner Pflicht solche blasphemischen Scheußlichkeiten betrachten mußte. Verwundungen und Verstümmelungen seiner Soldaten hatten ihn nicht so erschüttert wie die Steinbilder über dem Portal der Kathedrale von Tay-Ninh.
Drinnen thronte der Papst der Sekte unter dem traditionellen goldenen Sonnenschirm. Er hatte seine meditative Siesta unterbrochen, um der Andacht seiner Anhänger Genüge zu tun. Er saß wie ein Götzenbild in einem wallenden Gewande und trug den Marschallstab, der böse Geister vertrieb. Allerdings mußte dem Marschallstab des Cao-Dai Oberhauptes nur begrenzte Kraft innewohnen, denn so deutlich er ihn auch in Oberst Saitos Richtung schwenkte, der japanische Tourist wich und wankte nicht.
Zunächst sah Oberst Saito durch seine ordinäre Stahlbrille nur Schlangen in gräßlichen Verzerrungen zwischen den Gruppen der knienden Frommen. Allmählich merkte er, daß die Schlangen sich um hohe Säulen wanden und eine weitere Dekoration in diesem überdekorierten Tempel darstellten. Die gewölbte Decke der Bethalle war mit mystischen Zeichen bedeckt. Links in der Ecke der Decke bemerkte Oberst Saito das Zeichen des Kreuzes, ebenfalls von Schlangenlinien umwunden. Er schloß einen Augenblick wie im Übermaß des Schmerzes die schönen, traurigen Augen. In dieser Schlangenhölle kam einem anständigen Christen das ganze Elend der irregeleiteten Glaubensleidenschaft Ostasiens zum Bewußtsein. Oberst Saito hatte noch einigermaßen Respekt vor den Buddhisten, die wenigstens, wie der Schuster bei seinen Leisten, bei

den Lehren des großen Lehrers Buddha Gautamo blieben. Für die Cao-Dai-Sekte und ihre Karnevalsreligion empfand er nur Abscheu, um so mehr, als sie in Indochina täglich an Anhängern gewann und schon sehr viel länger als Oberst Saito im Lande war.
Während er die knienden Annamiten einen nach dem anderen anblickte und vergeblich nach einem Europäer in der Menge suchte, durcheilten seine Offiziere die Nebenräume und Tempelgründe, wie geschulte Spürhunde zu tun pflegen. Die Diener des Administrators hatten den Palast nicht verlassen, während der Mandarin mit dem Oberst plauderte: eine Warnung an die Anwesenden hatte also noch nicht erfolgen können. Einmal stutzte Oberst Saito, und eine Blutwelle stieg ihm zu Kopf: einer der Knienden im weißen Gewande und der mit Symbolen geschmückten Kapuze hatte hellere Haut! Dann sah er genau hin und erkannte einen Euro-Asiaten mit mongolischem Gesichtsschnitt und asiatischen Augen bei hohem Wuchs und heller Haut.
Alle anderen waren bronzegetönte Annamiten. Sie hatten die Blicke gesenkt; einige trugen Brillen. Es gab viele Augenleiden in Cochin-China.
Die Messe ging zu Ende, der Papst war mit seinem Gefolge in seinen Vatikan zurückgefahren, als die Handgranate vor dem Portal explodierte und Oberst Saito zerrissen hätte, wenn er nicht blitzschnell in die Halle zurückgesprungen wäre. Ein unbeschreibliches Chaos folgte. Der Oberst schoß, seine Offiziere schossen, und die Leibwache des Administrators, der den Streich wahrscheinlich angezettelt hatte, schoß ebenfalls. Eine wilde Jagd begann; jeder Winkel der Kathedrale, der Paläste der Sekte und des ganzen Ortes wurde in den folgenden Stunden von japanischem Militär durchkämmt. Aber Pierre de Maury fanden sie nicht, obwohl er die ganze Zeit in Oberst Saitos unmittelbarer Nähe gekniet hatte! Wie war das möglich? Asiatische Pflanzensäfte hatten seine Haut dunkelbraun gefärbt; die Brille verbarg seine blauen Augen; das Gewand verbarg seine Figur und sein Herz; und die Kapuze bedeckte das kurzgeschorene, schwarzgefärbte Haar.
Oberst Saito und seine Offiziere hatten einen Europäer gesucht; er hatte vor ihrer Nase gekniet und hatte kein Zeichen von Unruhe gegeben. Die Sekte hatte den französischen Widerstandskämpfer geborgen und eingekleidet; sie arbeitete seit mehreren Jahren mit Pierre de Maury zusammen gegen die Oberhoheit

Nippons in Südostasien. Der Rat der kleinen Kellnerin in Cholon war ein weiser Rat gewesen: das Rom der Cao-Dai-Sekte war der beste Zufluchtsort für den Erzfeind Nippons. Der Administrator hatte den Franzosen in die Gewänder der Cao-Daiisten gekleidet, sein Äußeres mit chinesischer Pflanzenmagie verändert und erklärt, die Polizei finde stets nur denjenigen, der sich vor ihr verstecke. Wer in ihrer Reichweite sitze, sei vor ihrem Zugriff so gut wie sicher! Denn das Offensichtliche sei der Polizei stets zu offensichtlich, um einer genauen Beobachtung unterworfen zu werden. In dem Administrator steckte etwas von dem hintergründigen Witz und der paradoxen Weisheit des Lao Tzu, der ja zu den Heiligen der Sekte zählte. Hätte Pierre de Maury sich einige Meilen von Tay-Ninh entfernt in jenem Berggelände verborgen, dessen dichte Bewaldung und uralte, auf den Abhängen gelegene Höhlen zum Verstecken einluden, Oberst Saito hätte ihn am Ende bestimmt gefangen! Die Japaner durchsuchten nach dem Vorfall in Tay-Ninh wochenlang den Berghang.

Oberst Saito allerdings flog einige Tage nach seiner Niederlage nach Shanghai, um die Helferinnen von Fuchsgesicht zu verhören. Er konnte sich nicht vorstellen, daß man nicht alles aus stupiden Mädchen herauspressen könne. Am Abend vor seiner Abreise saß er düster in Saigon und las einen Brief von seinem alten Freunde Dr. Yamato aus Shanghai. Dr. Yamato hatte durch deutsche Freunde vom Schicksal der Schwestern Wergeland erfahren und erbat die Hilfe des Obersten. Er hatte viermal versucht, einen gewissen Major Kimura, der Vivica Wergeland verhörte, zu sprechen, aber der Major hatte ihn leider nicht vorgelassen. Das letztemal hatte Major-san dem kleinen Arzt ausrichten lassen, er könne augenblicklich eine Zelle beziehen, wenn es ihn so sehr nach der Gesellschaft der Kempetai gelüste. Letzteres erwähnte Dr. Yamato nicht in seinem Brief. Er schrieb statt dessen, er wisse nicht, ob sein alter Freund Joseph Saito eine Verbindung zur Kempetai habe, aber es müsse einem so hohen Offizier doch möglich sein, den Fall Vivica Wergeland mit Major Kimura, der im Range unter ihm stehe, zu diskutieren. Kürzlich sei übrigens auch die ältere Schwester der Gefangenen – Mademoiselle Clermont-Wergeland – von Dr. Yamatos geehrten deutschen Freunden fortgeholt worden, und niemand kenne ihren jetzigen Aufenthalt. Er bäte also seinen hohen und werten Freund um Christi Willen, den unglücklichen jungen Damen zu helfen, um so mehr, als Mademoiselle Clermont-Wergeland eine Tochter der heiligen Kirche sei. Er erwarte mit »respektvoller Ungeduld« die angekündigte Ankunft seines werten Freundes Saito in Shanghai; Madame Yamato sende demütige und von Herzen kommende Grüße.

Oberst Saito las den Brief mit großer Aufmerksamkeit und rückte dabei diverse Male seine Stahlbrille zurecht. Schließlich zerriß er den Brief seines werten Shanghaier Freundes in Stücke.

*

Ende Mai landete ein Sanitätsflugzeug aus Saigon in der friedlichen Stadt Vientane in Französisch-Laos. Die Stadt war ein Zentrum des Buddhismus und des schweigenden Widerstandes gegen Nippon; sie wies zahlreiche alte Pagoden auf und einige gute Krankenhäuser, welche die Franzosen eingerichtet hatten. Vientane lag in der schönsten und stillsten Provinz von Laos, dem »Königreich der Elefanten und des weißen Sonnenschirms«. Mit dem wilden Me-kong-Fluß, den alten Heldenlegenden und den noch älteren buddhistischen Heiligtümern hatten sich die Franzosen immer ausgezeichnet vertragen; die Angehörigen der Aristokratie von Vientane und Luang Prabang, der alten Residenzstadt, hatten zum großen Teil in Paris studiert, besaßen das Kreuz der Ehrenlegion und hatten bis zum Erscheinen der Japaner in Südostasien die Verwaltung des Landes nach französischem Muster eingerichtet. Aber die Vergnügungen, der Hang zum süßen Nichtstun, die Lust an der lächelnden Intrige und die buddhistische Legendenluft waren durchaus keine Importen.

Für politische Flüchtlinge war Laos ein Paradies; denn das Königreich der Elefanten bot ihnen außer der Lust an der Intrige das Gebiet der Bergvölker, das zur Regenzeit unpassierbar war. Selbst eine japanische Armee von Tigern und Spürhunden konnte in den nördlichen Bergwäldern nichts ausrichten. Zudem lag dort überall die Cholera in der Luft, denn selbst in so französischen Städten wie Vientane und Luang Prabang hatten die Einwohner von Laos eine eingewurzelte Abneigung gegen Injektionen und eine eingewurzelte Zuneigung zu Zauberdoktoren aus den Dschungeln, chinesischen Ärzten und einem ungestörten Übergang ins Nirwana.

Es war die höchste Zeit für zwei Mönche in dunkelroten Roben, in ihr Laos-Dorf zurückzukehren, aber der Abflug des Flugzeugs war immer wieder verschoben worden, weil Herr Ninh, der annamitische Pilot, vom Wahrsager den geplanten Reisetag als »ungünstig« bezeichnet bekommen hatte. Herr Ninh war ein guter Pilot, der eine kindliche Freude an den westlichen »Metallvögeln« der Lüfte hatte; er war ein Musterschüler der *Air France* von Saigon; aber was günstige und ungünstige Flugtage betraf, ließ er sich nicht hereinreden. Was wußte ein französischer Offizier von den vielen Dingen, die ein annamitischer Pilot beachten mußte, damit die Geister des Windes seinen Metallvogel nicht zerstörten? Herr Ninh war in seiner fröhlichen Weise ein Sklave des annamitischen Kalenders. So wie er an »glücklichen Tagen« heiraten durfte, dem Buddha ein Opfer bringen, für eine große Erbschaft beten oder Medizinen brauen – wobei er es allerdings streng vermeiden mußte, sich den Kopf zu waschen –, so waren Unglückstage nur dazu gut »zur Jagd zu gehen«. Eine Arbeit an solchen Tagen zu beginnen, war unratsam, »vor die Tür gehen« war gefährlich, und eine Flugreise oder einen Ausflug im Büffelkarren zu unternehmen, war an Unglückstagen glatter Selbstmord. Nun gab es im annamitischen Kalender aber so viel Unglückstage, auch »Nichts-tun-Tage« genannt, daß die beiden Mönche in den dunkelroten Roben des Nordens schon an der Möglichkeit ihrer Rückreise nach Laos gezweifelt hatten. Und dabei rückte die Regenzeit immer näher. Herr Ninh hatte am 5., 18. und 23. des Monats April wie seine Reisbauer-Familie auf dem Lande gemurmelt: »*Mong nam, muroi tam, ham ba-Di dau tha cir o nha cho xong.*« (Es ist besser, zu Haus zu bleiben, als auszugehen); am dritten Mai durfte er nicht von einer Reise zurückkehren und am siebenten Mai nicht abreisen. Über all den Nichts-tun-Tagen und Verboten war es nun Ende Mai geworden. Ganz plötzlich hatte nun Herr Ninh den Passagieren erklärt, daß sie in drei Stunden »oder so ähnlich« nach Laos starten könnten. Er hatte versprochen, sich *nicht* den Kopf zu waschen, und noch einiges andere, wofür er ein mildes Lächeln und eine ansehnliche Belohnung von dem alten Herrn im Mandarinmantel, dem Administrator der Cao-Daiisten, erhalten hatte. Dieser hatte auch für Pierre de Maury ein Reisepapier besorgt, denn mit seinem eigenen Paß konnte der Verfolgte so wenig »vor die Tür gehen« wie mit seiner eigenen weißen Haut. Pierre hatte mit seinem Begleiter das

Flugzeug als letzter bestiegen, die Blicke unter der Sonnenbrille gesenkt. Nur einige chinesische Kaufleute und der Pilot mit dem ungewaschenen Kopf waren mit von der Partie. Das Sanitätsflugzeug trug das Zeichen »Passagiere choleraverdächtig«, und jeder annamitische Beamte freute sich, wenn der Metallvogel weiterflog. Pässe wurden von schlanken braunen Händen wie lästige Moskitos fortgewedelt; auch sie waren choleraverdächtig; kein Beamter riskierte seine Gesundheit um seiner Pflicht willen.
In Vientane verabschiedete sich der Administrator von Tay-Ninh von seinem französischen Reisegefährten. Er wollte Freunde aufsuchen, sagte er und lächelte mit sämtlichen Goldzähnen. Als Pierre de Maury sich leise bedanken wollte, wehrte der listige und weise Beschützer aller Japanfeinde mit seiner feinen Hand ab und bemerkte, daß »große Bäume bei Regen ein guter Zufluchtsort wären!« Er wünschte Herrn de Maury an der Pforte eines entlegenen *Wats* (buddhistisches Kloster) eine angenehme Regenzeit und entschwand, um die dunkelrote Robe des Buddha mit einem seidenen europäischen Anzug zu vertauschen. Der Administrator flog als chinesischer Kaufmann nach Saigon zurück; eine Verkleidung, die Oberst Saito sich nicht hätte leisten können, weil er zu Wasser, in der Luft und zu Lande ein japanischer Inselbauer in hohen Ämtern blieb. Pierre sah den Administrator nie wieder; aber das lag an der Kempetai und nicht am Administrator. Zwei Wochen vor Kriegsende war für den Alten im Mandarinmantel kein Baum groß genug zum Unterstellen gewesen.
Pierre blieb über Nacht in dem entlegenen Wat und reiste am nächsten Morgen in Begleitung eines laotischen Mönches nach Luang Prabang weiter. Dort sollte die Expedition ins Ungewisse verläufig enden, wenn der Plan, den er in rastlosen Nächten ausgeklügelt hatte, gelang. Er kannte in Luang Prabang einen sehr einflußreichen Mann, der in Paris studiert hatte. An ihn wollte er sich wenden.
Die Fahrt nach Luang Prabang behielt für den Flüchtling ein Element des Unwirklichen. Des Morgens verhüllte kalter Nebel die mächtigen Berge von Laos; die Mittagssonne brannte und ließ die immergrünen Wälder wie Smaragde leuchten. Die Lao-Ruderer sangen; der unbekannte Mönch meditierte, fastete und lächelte seinen Begleiter abwesend an. Pierre wußte nicht mehr, wieviel Tage sie schon fuhren, er wußte nur, daß dies Gleiten durch das

schönste und stillste Südostasien eine Galgenfrist war. Nur des Nachts wagte er es, die schwarze Sonnenbrille von den blauen Augen zu nehmen: die Augen hätten den Ruderleuten etwas verraten.
Sie langten im schützenden Dunkel der Nacht in Luang Prabang an und wanderten auf ihren staubigen Sandalen zum Wat Xieng-Mouane. Fröhliche Familien hockten im Schein eines brennenden Öfchens auf ihren Hacken, aßen den Abendreis und sangen; denn Laos ist voller Musik aus alten, glanzvollen Zeiten. Über den Hütten und Palästen erhoben sich unzählige Tempeltürme: Luang Prabang ist eine Stadt des Buddha. Regen lag in der von Weihrauch geschwängerten Luft. Die Welt war ganz leer, sogar ohne Drohung. Am Fluß knieten drei alte chinesische Frauen und entzündeten Weihrauchstäbe im Ufersand. Jede alte Frau warf einen irdenen Topf, der mit rotem Seidenpapier bedeckt war, in die Wasser des Me-kong-Flusses. Auf diese Weise flehten sie die Flußgeister um einen passenden Schwiegersohn an. Pierre wandte die Blicke ab: was gab es doch alles noch in dieser orientalisch-französischen Oase!
Eine große Müdigkeit überkam ihn; er fühlte sich in dieser friedlichen Dämmerstunde, wo die Welt leer von Schrecken war, beinahe versucht, sich seinen Verfolgern auszuliefern. Vieles kam ihm sinnlos vor. Hatte er nicht für Frankreichs schwindenden Ruhm, für die sterbende Epoche des Austausches von Kultur gegen Rohmaterialien zu viel geopfert – seinen inneren Frieden, seine Forschertätigkeit in Hanoi und Pnom-Penh, seine Sicherheit und – die Sicherheit anderer? In dem Augenblick, da er mit dem schweigsamen Laos-Mönch an seiner Seite den Garten von Wat Xieng-Mouane betrat, zweifelte er, ob das Resultat den Einsatz gelohnt hatte. Astrid und Vivica Wergeland hatte er nur Konflikte und Unruhe gebracht. – Von ihrer Gefangenschaft wußte er nichts. Er lebte ja seit Wochen und Monaten in einer leeren Welt.
Er verbrachte die Nacht als Gast des Klosters auf einer Strohmatte unter einem Moskitonetz; er hing die dunkelrote Robe über das Netz, um noch besser beschützt zu sein. So schlief er wie unter einem Vorhang von geronnenem Blut. Auch die Zelle war so leer wie die Welt des politischen Flüchtlings: nur einige primitive Kisten und Kästen, ein Bild aus dem Heimatdorf des Mönches, der sein Lager für den Gast gegeben hatte – und lastende Stille.

Pierre de Maury war dankbar für die Galgenfrist. Er konnte nicht in Wat Xieng-Mouane bleiben; wie ein Fuchsgesicht brachte er Gefahr und Tod mit sich, wo immer er auftauchte.

Wenn Exzellenz Tran-Ky versagte, dann gab es keine Rettung mehr für Pierre de Maury, der als junger Idealist in das weltferne Tropenfrankreich gekommen war, um kulturelle Anregungen zu verbreiten und eventuell zu empfangen. Jetzt hing sein Steckbrief überall in Indochina, Kambodscha und Laos. Die Kempetai arbeitete präzise. Der für seinen Kopf ausgesetzte Preis war so hoch, daß ein mittlerer Beamter, falls er das Glücksspiel aufgab, zwei Jahre, ein Reisbauer drei bis fünf Jahre davon leben konnte. Und in Laos sang und tanzte man lieber, als daß man arbeitete.

*

Exzellenz Tran-Ky war in Luang Prabang als Sohn eines einflußreichen königlichen Beamten geboren worden. Er hatte zuerst im College von Sisovath in Pnom-Penh und dann in der *École Coloniale du Havre* studiert, war mit dem französischen Diplom nach Indochina zurückgekehrt und hatte einen hohen Verwaltungsposten nach dem anderen eingenommen. Er war Ritter der französischen Ehrenlegion und hatte in Laos den königlichen »Orden der Millionen Elefanten und des Weißen Sonnenschirms« erhalten. Im Augenblick war er Polizeikommissar von Luang Prabang. Um sich von den »Staubschleichern« des Amtes zu reinigen, hatte Exzellenz Tran während der letzten Regenzeit im Kloster von Xieng-Mouane meditiert und gebetet. Er war für drei Dinge bekannt: seine alte Freundschaft mit den Mitarbeitern der *»École Française d' Extrême-Orient«*, zu denen auch Pierre de Maury seit Jahren zählte, seine drei Opiumpfeifen am Abend und seine Frau, Kankharî, die in Luang Prabang etwas Einmaliges darstellte. Madame Tran war ein Abkömmling der *Miao*, des sagenhaften südchinesischen Bergvolkes in den weltfernen Hochgebieten von Siam, Französisch-Laos und Tongking. Die Miaos heirateten in der Regel nur untereinander; daher war Madame Tran nicht wegen ihrer strengen Schönheit, sondern schon durch ihre Herkunft eine Sehenswürdigkeit dieser bezaubernden Stadt der Tempel und Beamten.

Wann immer Pierre in Luang Prabang geweilt hatte, war er

stets Gast im Hause der Exzellenzen gewesen. Nun überlegte der von der Kempetai durch Indochina und Laos gehetzte Franzose, ob die glückliche Erinnerung eine Brücke zur Gegenwart sein könnte. Sie hatten viele Gespräche in der von sanftem Opiumduft umhüllten Villa der Trans geführt; der noch jugendliche Polizeichef hatte eine unausrottbare Vorliebe für die Literatur, die Küche und die Orden und Ehrenzeichen der »großen Mutter« in Europa. Beim Fall von Paris hatte Exzellenz Tran seine übliche Opiumration um ein Bedeutendes überschritten.

Als der zierliche Herr mit der hohen gewölbten Stirn, den schlauen und doch verträumten schwarzen Augen, der zu kleinen Nase und den kräftigen, vollen Lippen seinen Freund Pierre de Maury in Wat Xieng-Mouane in so prekärer Lage vor sich sah, zog er stumm seine dichten, kühn geschwungenen Augenbrauen in die Höhe. Sie saßen im Privatraum des Abtes; Pierre hatte die Brille abgenommen; seine hellen, von Anstrengung geschwächten und das Tageslicht nicht mehr gewohnten Augen funkelten wie Irrlichter in dem tiefbraunen Gesicht unter der kunstvoll getönten Kopfhaut.

»Es gibt einen Weg, mein Freund«, sagte Exzellenz nach einem langen Schweigen. »Ich werde mit Madame Tran sprechen.«

»Aber ist es nicht sehr gefährlich für Madame und Euer Exzellenz?«

Der laotische Beamte lächelte strahlend. In seinen gescheiten und doch träumerischen Mongolenaugen war ein undefinierbarer Ausdruck von Ironie und Erbarmen.

»Es gibt für einen Mann nur zwei gefahrlose Zustände, *cher ami*«, sagte er sanft. »Der eine ist im Leibe unserer Mutter, der andere im Nirwana.«

Dann sprach er gelassen über die moderne französische Literatur und schien keine Eile zu haben, seinen Freund zu retten. Ganz nebenbei erwähnte er, daß Luang Prabang von Spitzeln der Japaner wimmele. So wäre es am besten, wenn Monsieur de Maury nach Anbruch der Dunkelheit zu ihnen käme. Eine passende Verkleidung würde er durch einen zuverlässigen Diener ins Wat senden. Im Morgengrauen müßte es dann weitergehen. Monsieur de Maury dürfe keinen Tag länger in Luang Prabang bleiben, wo jeder jeden kenne.

»Hoffentlich bereuen Sie es nicht schon morgen früh, daß Sie mir haben helfen wollen, Exzellenz«, sagte Pierre mit einem An-

flug seiner alten Ironie. Aber Exzellenz lächelte nur. Was war denn Reue, wenn nicht das »Morgenrot der Tugend«?
Als Exzellenz Tran bei seiner weißen Villa am Me-kong-Fluß vorfuhr, stürzte ihm sein Privatsekretär entgegen. Ein Japaner warte seit einer halben Stunde auf Seine Exzellenz. Niemand wisse, was er wolle. Der Sekretär zitterte. Seine großen sanften Tier-Augen waren so weit aufgerissen, als ob er in die Hölle blicke. Sie hatten alle furchtbare Angst vor den Japanern.
Im Empfangsraum verneigte sich ein kleiner untersetzter Japaner mit Intelligenzbrille. Er sei von der Zeitung *Nichi Nichi* und mache eine Reportage über Laos, Cochin-China und Kambodscha. Was Exzellenz Tran von der japanisch-laotischen Prosperitäts-Gemeinschaft halte. Er feuerte seine Fragen wie Pistolenschüsse ab. Seine schrägen, wachsamen Augen überflogen die Bibliothek des laotischen Aristokraten, die alte Landeschroniken und die modernste französische Literatur enthielt. Die von Baron Matsubara gegründete, mit künstlerischer Sorgfalt ausgestattete »Touristen-Bibliothek« war nicht vertreten. Dabei gaben die Bändchen, die 1937 Pierre de Maury in Shanghai entzückt hatten, über japanische Kleinkunst, Malerei, Erziehung, über das japanische Theater und Familienleben, über Blumen und den Buddhismus Auskunft. Der kleine untersetzte »Journalist« – er war von Saigon nach Kambodscha und sodann nach Laos geflogen – kniff die Augen zusammen, bis sie nur noch Schlitze waren. Er wußte nun, was Exzellenz Tran-Ky von der japanisch-laotischen Freundschaft hielt.
Schließlich mußte Exzellenz Tran die Frage nach der pan-asiatischen Wohlstands-Gemeinschaft (Zentrale Tokio) beantworten, denn sie hing wie eine Drohung in der Luft. Er wies darauf hin, daß große Segnungen erst nach vielen Jahren ihr wahres Gesicht zeigten. Man äße ja auch nicht die Reisschößlinge, sondern das gereifte Korn. Da gegen diese Bemerkung alles und nichts einzuwenden war, verabschiedete sich der japanische Reis-Esser mit formeller Höflichkeit. In der Tür bemerkte er, gewisse laotische Beamtenkreise zeigten »wenig Zuneigung« zu Nippon. Was Exzellenz Tran dagegen zu unternehmen gedenke.
»Beeinflussung«, erwiderte sein Gegenspieler schnell. Der Journalist vom *Nichi Nichi* schien zufrieden zu sein. Natürlich: Beeinflussung! Wie richtig gedacht und wie schlau von Exzellenz! Er empfahl dem lächelnden Polizeikommissar von Luang Prabang

eine japanische Methode zur Beeinflussung der Bevölkerung: »Ein Wink für den Weisen, ein Peitschenhieb für das störrische Pferd.«
Der Journalist lachte schrill. Exzellenz lächelte sanft. Es war wirklich ein reizendes Plauderstündchen geworden.
Beim Abschied fragte der Journalist nach dem Wege zu dem berühmten Wat Xieng-Mouane. Er wolle einen Bericht darüber schreiben . . . Man interessiere sich in Nippon für die verborgenen Sehenswürdigkeiten des »größeren Ostasiens«.
»Es ist alles verloren«, sagte Madame Tran fünf Minuten später zu ihrem Mann. »Wir bekommen Monsieur nicht mehr fort.«
»Vielleicht war er wirklich nur ein Journalist vom *Nichi Nichi*«, meinte der Polizeikommissar. »Diese Leute schwirren überall herum.«
»Was sollen wir tun? Kannst du Monsieur de Maury noch warnen?«
»Man zeigt nicht mit der brennenden Kerze auf einen verborgenen Gegenstand! Monsieur Pierre sieht sehr verändert aus. Falls der Besucher ein Kempetai-Mann ist, wird er einen weißen Mann suchen.«
»Wann wollte Monsieur Pierre zu uns kommen?«
»In vier Stunden, nach Einbruch der Dunkelheit. Der Abt von Xieng-Mouane ist im Bilde. Er wird sein Möglichstes tun.«
Madame Tran ging zur Veranda und betrachtete stumm den wilden Me-kong-Fluß. Ein Schiffer im Sampan sang. Die Palmen und Blumen ihres großen Gartens hatten einen Metallglanz, denn die Sonne brannte stark um diese Nachmittagsstunde. Ein leichter Opiumdunst hing in der Luft. Es war schön und friedlich, aber ihr war eng um die Brust. Sie sehnte sich nach den Bergen, wo sie ihre Kindheit verbracht hatte. Wo die Asphaltwege von Luang Prabang endeten, begann die Freiheit der Berge.
»Die Japaner bringen Unruhe und Leid«, sagte sie schließlich.
»*Bo pen nhang*« (ist unwichtig; man kann es nicht ändern), murmelte Exzellenz Tran. Mit diesem Opiumwort erwartete man in Laos das Schlimmste und hoffte auf das Beste.

\*

Sie bekamen niemals heraus, ob der japanische Besucher ein Journalist oder ein Spürhund der Kempetai gewesen war. Jedenfalls hielten sich einige Japaner in Zivil in der Nähe des Wats auf, als Pierre de Maury, als chinesischer Markthändler verkleidet, mit seinen Fruchtkörben an der Bambusstange und einem spitzen Bambushut das Wat durch eine Hintertür verließ. Er ging langsam zum Marktplatz. Von dort wollte er sich am Me-kong-Fluß entlang zur Villa der Trans schleichen. Auf dem Marktplatz begegnete er als erstem einem leprösen Bettler, der seine fingerlose Hand in die Dämmerluft reckte. Pierre nahm es für ein schlechtes Zeichen, schüttelte aber sofort über sich selbst den Kopf. Er mußte todmüde sein, wenn er wie Herr Ninh an »schlechte Tage« zu glauben begann. Sein Kopf war in der Tat eine Bleikugel; seine Füße waren Lehmklumpen. Er fühlte sich uralt, älter als die Berge von Laos. Er hätte sich am liebsten lang ausgestreckt – neben dem Leprösen und einem Knaben, der flaschengrüne Früchte verkaufte. Er hatte kein Mitleid mit sich selbst, nur mit der Welt, die er durch die dunkle Brille betrachtete. Vielleicht war er schon tot und träumte nur, daß er zu Exzellenz Tran wandern müsse? Seine Müdigeit wob schwebende Schleier um alles, was er ansah – um den Leprösen, die flaschengrünen Früchte, um Asiaten in weißen Tropenanzügen. Oder waren es Leichenträger, die in Luang Prabang auf ihn gewartet hatten? Irgendwo brannte ein Holzkohlenfeuer für den Abendreis; es brannte nicht für ihn. Ein Mädchen mit weißen Blüten im Haar und in dem langen, engen Brokatrock der Laotinnen summte ein Lied – nicht für ihn. Sein Geist schwebte in der Luft wie eine chinesische Ampel – gedämpft, leicht, spielerisch bunt. Das mußte das Opium sein. Er hob die Bambusstange von seinen müden Schultern und stellte die Körbe mit Ananas neben sich. Die Marktleute packten schon ihre Waren zusammen. Da mußte er auffallen – ein Chinese, der mitten auf dem Markt schlafen gehen wollte! Aber wahrscheinlich war er tot, und es war nicht wichtig. Nichts war wichtig, außer dieser überwältigenden Müdigkeit. »*Bo pen nhang!*« Das hätte er sich vor gut zwei Jahren sagen sollen, als er begann, gegen Nippon zu arbeiten. Jemand stieß ihn mit dem Fuß an und lachte. Er sprang auf und nahm die Körbe. Wie lange hatte er dagesessen? Er schwankte wie ein Schwerkranker. Ging der Lepröse wie sein verseuchter Schatten neben ihm? Zeigte er mit seiner gräßlichen Hand auf ihn? Pierre hatte plötzlich rasende Angst vor dem Leprösen und rannte in die Richtung des Flusses davon.

Zu spät. Hände griffen nach ihm. Man schleppte ihn in ein geschlossenes Auto. Ein asiatisches Gesicht beugte sich über ihn. Jemand riß ihm die Brille von den verräterischen blauen Augen. Eine Stimme sagte: »Er ist es. Schnell nach Pak-Hou!
Er hätte gern geweint, weil alles umsonst gewesen war – seine Liebe zu Frankreich, sein Spiel mit dem Tode, die Verkleidungen: Cao Dai-Priester, Mönch in der gelben Robe, chinesischer Fruchthändler. Aber es hatte keinen Sinn zu weinen, wo Tränen verboten waren. Außerdem war er doch tot.
Später wußte er, daß er mit geschlossenen Augen auf einem Feldbett lag und daß jemand ihn beobachtete. Pierre de Maury war niemals feige gewesen; aber jetzt konnte er sich nicht entschließen, die Augen aufzumachen. Er fühlte sich nicht fähig, Major Matsubaras Anblick zu ertragen. So lag er steif vor Grauen. Er wußte nicht, wo er war und wie lange er so dagelegen hatte. Im Auto hatte jemand ein Tuch mit einem Betäubungsmittel auf sein Gesicht geworfen. Der Scheintod war angenehm für die Gehetzten.
Schließlich schlug er jedoch die Augen auf: Madame Tran beugte sich über ihn. Alles drehte sich: der Raum, die roten Tropenblüten auf dem Lacktisch, sein Gehirn. Es *war* Madame Tran! Er war schon eine Woche auf ihrem Sommersitz in Pak-Hou. Sie hatten ihn beim Marktplatz abgefangen, weil eine halbe Stunde nach dem Besuch des Journalisten vor der Villa der Trans japanisches Militär aufmarschiert war. Irgend jemand im Kloster mußte von den Japanern bestochen worden sein und den Besuch aus Vientane gemeldet haben. Madame Tran war keine weiche, verspielte Laotin; sie war eine Tochter der Berge. Das Volk der Miao ist ein südchinesisches Bergvolk, das vor Jahrhunderten von Yünnan nach dem Norden von Französisch-Indochina wanderte. Madame Tran hatte die chinesische Begabung zur Freundestreue und den Freiheitsdurst der Nomaden. Sie war ihrem Manne nach Luang Prabang gefolgt, weil er eben dort lebte und dort seinen Reis verdiente, und weil die chinesische Frau unter dem Baum ruht, den die Vorfahren des Ehemannes gepflanzt haben.
Einige Tage vergingen an diesem lieblichen Zufluchtsort in dem abgeschiedenen Bungalow der Trans. Zwei tausendjährige Berghügel wuchsen aus den Windungen eines Nebenflusses des Me-kong in einen Himmel, der schon die Ahnung des großen Regens barg. Ein Sandsteinkliff gegenüber den Berghügeln schloß

die Welt ab. Vor zehntausend Jahren war nur der wilde Me-kong-Fluß gewesen, wo nun Reisfelder, Hütten und eine Tempelgrotte mit einer weißen Buddhastatue standen. Eine kleine Bambusbrücke führte von den Felsen und den Reisfeldern fort in die Berge. Über diese Brücke schritten eines Abends Madame Tran und ihr französischer Freund in die Freiheit. Niemand konnte ihnen folgen, denn sie beschritten Dschungelwege und befuhren Flüsse, welche die Japaner noch nie beschritten und befahren hatten.
Madame Tran, das Sandsteinkliff und das Bergvolk der Miao waren eben viel länger in Laos als Oberst Saito und Major Matsubara.
Auf den Berghöhen von Laos galten andere Jagdgesetze.

*

In der Freiheit der Berge, in der vollständigen Abgeschiedenheit des Miao-Dorfes fand Pierre de Maury nicht nur sich selbst, sondern etwas, was Exzellenz Tran »das Frührot der Tugend« genannt hatte. Er bereute, daß er Vivica auf den gefährlichen Weg gezogen, und daß er Astrid in einer Nervenkrise verlassen hatte. Das große Versteckspiel der Politik hatte ihm keine Zeit gelassen, über seine Gefühle und seine Pflichten nachzudenken.
Er wußte nicht, wie es den beiden Schwestern ergangen war; er wußte nur, daß er beide verloren hatte. Natürlich lag das nicht nur an ihm. Astrid hatte ihn zu sehr und Vivica zu wenig geliebt. In der Stille, unter dem mächtigen Rauschen des Bergregens, gestand sich Pierre mit nüchterner Melancholie, daß er weit weniger von der Liebe verstehe, als er sein Leben lang angenommen hatte. Das war keine angenehme Erkenntnis, besonders für einen Franzosen. Aber er zuckte nur die Achseln, denn ein politischer Flüchtling ist zunächst einmal ein Flüchtling, dann ein Nervenbündel, dann eine Weile ein Neutrum und dann erst wieder ein Mann, der vor Jahrhunderten Mädchen geküßt hat. Pierre dachte an Astrid und Vivica, wie man an Verstorbenes denkt – ohne das süße Fieber der Begierde, ohne die Erinnerung an die Erfüllung, ohne den Gedanken an ein Wiedersehen. Er dachte sehr selten an die merkwürdigen Schwestern, die in allem ungleich gewesen waren; aber wenn er an sie dachte, dann sah er Astrid, wie sie in Shanghai gewesen war: ein strahlendes Mädchen – ohne Brille. Er

war bestimmt auch an der Brille schuld; das tat ihm besonders leid. Aber in einem irrte er sich – er hatte Astrid *nicht* verloren. Er hatte ihr soviel Leid zugefügt, daß er an sie gekettet war. Die Freuden der Liebe vergehen und verwelken wie die Pflaumenblüten im Reiswein; es sind unleugbar die Leiden, die Mann und Frau zusammenbinden; sie sind der Zement dieses unbegreiflichen und unaufhörlichen Zustands: Liebe! Auf den weiten Höhen von Laos, in einem der Urdörfer Asiens liebte Pierre de Maury die einsame Astrid, wie sie geliebt werden wollte.

Die Tage vergingen und wurden zu Monaten! Madame Tran, ihre Miao-Amah und die beiden Diener, die mit ihnen auf engen Dschungelpfaden, auf schmalen Booten und zum Schluß auf Yünnan-Mauleseln in das Bergdorf gepilgert waren, lebten längst wieder das Leben der Städte in Luang Prabang. Pierre war allein in einer Gemeinde von höflich lächelnden seltsamen Gestalten in abenteuerlicher Tracht. Die »schwarzen Miáos«, denen er bis zur Regenzeit im Juni beim gemeinsamen Reisbau geholfen hatte, trugen schwarze Jacken und Hosen, scharlachrote Schärpen und schweren Silberschmuck. Auch die zierlichen, aber kräftigen Frauen trugen schwarze Hosen, leuchtend karierte Schärpen zu beiden Seiten der Hüften und Silberketten, die sich wie Schlangen um ihren schlanken braunen Hals wanden. Sie trugen einen Haarknoten mitten auf dem Kopf, wie eine Burmesin oder eine extravagante Hollywood-Schönheit; aber um den Knoten wand sich wieder eine silberne Schlange, die solch ein junges Mädchen von Generationen von Miao-Müttern geerbt hatte. Des Abends hockten sie alle mit dem Ausländer um das Herdfeuer in der Hütte und sangen ihre Stammeslegenden, die immer von ihren mythischen Wanderungen handelten.

Pierre lernte ihre Sprache und machte sich Notizen über ihre Gebräuche; wenn der Krieg einmal zu Ende gehen sollte, würde er seinen Landsleuten in Paris von den Bergvölkern erzählen. Sein Geist schärfte sich allmählich wieder in der Bergeinsamkeit. Er war nicht sentimental genug, um ewig bei diesem Naturvolk bleiben zu wollen. Zum Gauguin hatte er auch kein Talent. Er war ein Mann der Städte. Er fand nicht, daß die Legenden der Miaos, ihre Freiheit und ihr abenteuerliches Wanderleben in der Trockenzeit ein genügender Ausgleich waren für den Schmutz, in dem sie mit heiterer Würde lebten. Er war aber ruhig und zufrieden, solange er bei diesen abgehärteten und fröhlichen Nomaden weilte.

Sie pflanzten und verkauften den Mohn des Vergessens: Opiumduft hing wie Morgennebel über dieser abgeschiedenen Bergwelt.
Die Regenzeit war Rettung und Prüfung; die Wege des Dorfes waren nicht nur aufgeweicht, sondern die Schweine und Hühner hatten den Boden so aufgewühlt, daß man die Steine, die zur Nachbarhütte führten, nur im Luftsprung erreichen konnte. Pierre saß mit dem Häuptling und seiner Sippe, der Madame Tran entstammte, unter dem Bambusdach und starrte ins Herdfeuer. Die eiserne Kochschale für den Reis war fest in den Herd eingemauert; alles war anders als im übrigen Südostasien. Der *Ferang* (Fremde) war ein hochgeehrter Gast; einmal kam er von Madame Tran, die zwar als junges Mädchen das damalige Miao-Dorf verlassen hatte, aber bis in alle Ewigkeit zur Sippe gehörte; und dann hatte der Ausländer Salz als Gastgeschenk gebracht, das war das Wertvollste, was es in dieser Einöde gab. Salz gehörte zum Leben und zur Liebe wie der Mohn des Vergessens, die Gesänge und der behagliche Schmutz.
An dem Tisch in der Hütte des Häuptlings Lao Tou machte Pierre seine Aufzeichnungen. Ein junges Miao-Mädchen mit ergebenen mongolischen Augen und kunstvollem Kopfputz brachte ihm durch Zeichensprache eine Reihe von Worten und Ausdrücken bei. Madame Tran hatte für Schreibutensilien und Medizinen gesorgt. In einem Reissack hatte tief verborgen ein Gruß ihres Mannes gelegen: die in Paris erstandenen Schriften von Montaigne. All die Jahre hindurch hatte Exzellenz Tran seines Freundes Vorliebe für diesen Schriftsteller im Gedächtnis bewahrt und hatte ihm nun seine Werke mitgegeben, damit »Monsieur sich gelegentlich von der Natur erhole«. Exzellenz Tran schwärmte, wie gesagt, für die französische Küche, Konversation und Literatur. Für französische Kolonialpolitik schwärmte er weniger; aber darüber hatte er mit Herrn de Maury niemals diskutiert.
Pierre hatte jeden Sinn für Zeit verloren; er wußte nicht, wie es um den Krieg stand. Die Miaos kümmerten sich nicht um das Treiben in den Tälern; sie hatten ihren Mais und ihr Opium für drei Jahre angebaut und sahen einer guten Ernte entgegen. Danach würden sie den erschöpften Boden verlassen und mit ihren scharlachroten Schärpen und ihren Gesängen in ein anderes Bergdorf ziehen. Aber im Juni 1945 waren sie noch seßhaft und boten dem Franzosen ihre Hütte und ihre Frauen an. Das Mädchen mit

dem Kopfputz, das zu seinen Füßen saß und ihm Legenden vorsang, war das Gastgeschenk des Häuptlings. Es war jung, schön und gänzlich gleichgültig; das war sehr angenehm für den Gast. Es brachte als höchsten Liebesbeweis einen Holzbottich für Badewasser und erhitzte ihn unter beständigem Kichern. Die Kleine und die anderen Miaos hätten sich niemals einer so lebensgefährlichen Beschäftigung wie Baden hingegeben. Sie ölten sich und dufteten daher nach Pflanzen. Als Pierre seine kleine Freundin jedoch fotografieren wollte – ein fahrender Händler hatte in der vorigen Trockenzeit eine Kamera dortgelassen –, floh sie in panischem Schrecken. Nur ein unwissender Fremder war sich nicht darüber klar, daß eine Kamera die Seele des Menschen stiehlt und Cholera und frühen Tod verursacht. Aus diesem Grunde brachte das junge Mädchen der Kamera, die auf einem hölzernen Altar im gemeinsamen Wohnraum thronte, viele Bittopfer – kleine Figurinen von Tieren, den Zipfel einer Frauenschärpe und einmal ein phallisches Symbol. Um es ganz gut zu machen, streute sie Herdasche vor die Tür, um die Dämonen des Dschungels fortzuscheuchen. Pierre bekam niemals heraus, warum niemand die Kamera in den Dschungel warf, wo sie doch alle solche Angst vor dem westlichen Dämon in dem kleinen Kasten hatten; aber nicht einmal der *oa ning*, der Zauberdoktor des Dorfes, hätte gewagt, sich den Dämon, der Seelen stahl, so unvorsichtig zu verfeinden.

Eines Nachts erwachte Pierre mit einem gellenden Schrei. Entweder war ihm der dunkelrote Reiskuchen nicht bekommen, oder er war im Schlaf ins Tal zurückgewandert. Im Tal waren Major Matsubara und – Fuchsgesicht. Das junge Miao-Mädchen rieb ihn mit dampfenden Tüchern ab und massierte ihn. Es war kein Wunder, wenn der freundliche Fremdling im Schlafe schrie; er hatte am Tage die Kamera in die Hand genommen, und der Dämon hatte sich über die Respektlosigkeit geärgert. Sie würde den Zauberdoktor bitten, am nächsten Tage ein Opfer vor dem Altar der Miaos zu bringen. Das Trommeln der Gongs würde den Kamera-Dämon schon gehörig einschüchtern!

Pierre de Maury schwieg und blickte über das ergebene Miao-Kind hinweg in die Welt, die er in Gefahr und Chaos zurückgelassen hatte. Er wußte nun wieder, daß er eine vertraute Gestalt auf dem Totenbett gesehen hatte: Astrid! Deshalb hatte er aufgeschrien. Es erschien ihm jetzt unverzeihlich, daß er das einzige Mädchen, das ihn leidenschaftlich und aufopfernd, wenn auch

manchmal irritierend liebte, in der Steinlandschaft von Angkor Wat dem langsamen Absterben ausgeliefert hatte. Aus diesem Grunde war die Bergwelt der stillen, hilfreichen Miaos kein asiatisches Eden für ihn, sondern ein Fegefeuer. Dagegen half kein Opfer auf fremden Altären.
Er wanderte in Gedanken in die Täler der Welt zurück und landete im Beauty-Parlour der Madame Ninette in Bangkok. Dort hatte er Fuchsgesicht getroffen. Dort hatte Fuchsgesicht ihm vorgeschlagen, die junge Vivica mit Informationen für die Alliierten nach Saigon kommen zu lassen. Niemand würde in dem schönen verspielten Mädchen die Überbringerin lebenswichtiger Nachrichten vermuten. Pierre war auf den Vorschlag eingegangen. Fuchsgesicht oder seine Helfer hatten jedesmal die Informationen geschickt in Vivicas Gepäck versteckt. Pierre und Vivica hatten in Saigon getanzt, geflirtet, geplaudert. Natürlich war er vorübergehend Vivicas undefinierbarem Zauber erlegen, aber ihre nordische Versponnenheit und ihre Duzfreundschaft mit dem Chaos waren seinem klaren lateinischen Geiste zu fremd; wirklich geliebt hatte er sie nie. Es war eine charmante kleine Affäre – allerdings am Rande des Chaos, das jeder Franzose instinktiv mied...
Astrid mit ihrem klaren Verstand, ihrer Haltung und ihren Hütchen, die bei aller Extravaganz genau auf der richtigen Stelle des Kopfes saßen, war ihm weit wesensverwandter. Vivicas Aufzug hatte ihn jedesmal empört, wenn ihn auch das Lächeln der unschuldig-raffinierten Aphrodite immer wieder für Stunden bezwang. Aber er hatte sich nicht gebunden gefühlt und sich nicht gescheut, Vivica zu politischen Zwecken zu gebrauchen. Er kannte sie instinktiv, wie ein Franzose eben Frauen versteht. Wenn er alle ihre Wünsche erfüllt hätte – Vivica hatte ihm mit ihren verschleierten Blicken ziemlich unverschleierte Einladungen zugefunkt –, dann wäre sie seiner rasch überdrüssig geworden, und Pierre de Maury hätte keine Informationen mehr von Fuchsgesicht erhalten.
Jetzt, in der Einsamkeit der Berge, machte er sich jedoch bittere Vorwürfe, weil er ein junges Mädchen, das durch seine Duzfreundschaft mit dem Chaos gefährdeter als andere Mädchen war, ohne ihr Wissen als Kurier benutzt hatte. Die Reisen hatten Vivica großes Vergnügen gemacht: sie sammelte eifrig Gesichter und tanzte begeistert mit »Onkel Pierre« – aber daß sie am Abgrund entlang tanzte, ahnte sie nicht.

Und nun, aus der Ferne, von der Welt abgeschnitten, sah für Pierre alles anders aus: Er hatte die Methoden der Kempetai kennengelernt. Und so wünschte er ohnmächtig und leidenschaftlich, er hätte Madame Ninettes Schönheitssalon niemals betreten. Er sah ihn vor sich, wie er in dem Miao-Hause auf der Bambuscouch lag und das Frührot der Tugend im Osten dämmerte: Madame Ninette – ewig schwatzend und mit schlauen, lustigen Äuglein; Vera Leskaja – grau, verschlagen, unheimlich intelligent und verbittert; Vivica und die anderen »Empfangsdamen«, Kundinnen und Stammgäste aller Nationen, die im Augenblick nicht interniert waren: Schweden, Dänen, Weißrussen, Deutsche, Schweizer und Pétain-Franzosen von der Legation in Bangkok. Eine Gestalt in diesem Reigen war Fuchsgesicht gewesen. Pierre graute ...
Er hatte Astrid im Traume auf der Totenbahre gesehen. Und was mochte Vivica geschehen sein? Von Astrid wußte er, wie Vivicas Mutter ihr Leben beendet hatte. Astrid hatte es ihm lange vor dem Abschied in Angkor Wat erzählt. Dort hatte sie ihn nur gebeten, keine altehrwürdigen Scherze zu machen.
Er lag auf dem harten Lager und schickte seine Gedanken im Kreise. Es war härter, zu leben als zu sterben. Was war mit Astrid? Was war Vivica geschehen? Er wußte es nicht hinter der großen Regenmauer von Laos.
Nur Fuchsgesicht wußte über alles Bescheid und konnte weder sterben noch getötet werden. Nach der chinesischen Auffassung war Fuchsgesicht überall und nirgends und nährte sich vom Unglück der anderen. Pierre hätte es wissen müssen. Vivica konnte es nicht wissen. Sie »sammelte Gesichter«, wie sie zu sagen pflegte. So war sie eben auch »Fuchsgesicht« begegnet.
Als Pierre de Maury über Vivicas Schicksal nachgrübelte, ging ihm auf, daß seine Flucht nach Laos in mancher Hinsicht umsonst gewesen war. Man konnte wohl der Kempetai, aber nicht sich selbst entfliehen.

FÜNFTES KAPITEL

## Nachhilfestunden für Spione

»Und dann sagte mein Onkel, der Großfürst: ›Katharina‹, sagte er, ›nimm doch einen doppelten Brandy!‹«
Die Kundin blickte verträumt zu Madame Ninette auf, die ihr Rouge auf die prominenten slawischen Backenknochen legte.
»Lächeln Sie«, befahl sie. »Sonst sieht das Rouge unnatürlich aus.«
»Nicht unnatürlicher als mein Lächeln, Nina Iwanowna!«
»Lächerrrlich«, sagte Madame Ninette. »Lächeln kann jeder. Sind Sie Bardame oder Leichenbestatter, Katharina Krylowna?«
Sie sprach wie immer sehr laut und kniff ihre scharfen, hellblauen Äuglein zusammen. »Haben Sie etwas gehört?« flüsterte sie plötzlich. Die Kundin wollte gerade etwas sagen, als Madame Ninette blitzschnell ein dampfendes Tuch auf das optimistische Make-up warf.
»Warten Sie, wir machen es noch einmal! Sie sehen aus wie ein Harlekin im Klosterrr.«
Vera Leskaja war so unhörbar herangekommen, daß Madame Ninette sie nur mit ihrem sechsten Sinn für Schleicher bemerkt hatte.
»Was soll Madame Krylowna gehört haben?« fragte sie. Sie trug das gleiche graue Kleid, das sie getragen hatte, als sie Fräulein Wergeland Vivicas Verhaftung mitteilte. Ihre glanzlosen, gierigen Augen schienen das weiße Tuch zu durchbohren, das der Kundin den Mund verschloß.
»Wo sollte Katharina schon etwas gehört haben?« sagte Madame Ninette. »Ihre Bar ist ein Massengrab. Wenn sie ›cheerio!‹ sagt, möchten die Gäste in dem Menamfluß sprringen! Schlechte Drrinks, schlechter Gesang, keine Lustbarkeiten, meine liebe Krylowna!«
»Die ›Modestraße‹ im Prahurat Distrikt ist von den Alliierten

zerbombt worden«, verkündete Katharina Krylowna unter dem Tuch.

»Prahurat«, sagte Vera Leskaja sinnend, »ist das nicht die Inderstraße, wo Mademoiselle Astrid Wergeland ihr Büro hatte?«

»Was geht mich das Dämchen und ihr schrreckliches Tantchen noch an?« fragte Madame Ninette einen alten chinesischen Mandarin, der in Seide gestickt über der Kasse hing. »Kundschaft, Leskaja!«

Ein erregter Wortwechsel entspann sich an der Kasse zwischen Vera Leskaja und einer deutschen Dame, während Madame Ninette sich wieder zu der weißrussischen Kundin umwandte. »Was sagtest du, Krylowna? In Shanghai? Schrrrecklich, schrrrecklich! Aber es geschieht dem gräßlichen Tantchen recht. Sie bot Nina Iwanowna nicht einmal einen sanften Pfefferminzlikör an, als Täubchen Vivica verhaftet wurde. Verrückt sagtest du? Das ist serr schlimm, Krylowna! Verrückte schwatzen. Aber vielleicht trägt Vivica die Verrücktheit als eine Maske: denke an unsere Jurodivyje (heilige Narren) daheim in Rrrußland! Eine Maske, Krylowna! Die Kleine hört das Gras wachsen.« In diesem Augenblick kehrte Vera Leskaja zurück.

»Unsinn, meine süße Krylowna«, sagte Madame Ninette, »achtundvierzig Jahre ist das schönste Alter für eine Frau! Als Ninotschka achtundvierzig Jahre war, bekam sie jede Woche drei Heiratsanträge. Nicht als ob sie sie angenommen hätte! Brrrandy ist ihr lieber als ein Mann.« Madame Ninette hatte die Gewohnheit, von sich selbst wie von einer wildfremden Person zu reden.

»Was gibts, Leskaja?« fragte sie in dem harten und herrischen Ton, den sie ihrer ältesten Freundin und Angestellten gegenüber anzuschlagen pflegte.

»Die deutsche Kundin will die neuen Preise für Gesichtsmassage nicht zahlen, Madame!«

Madame Ninette prustete vor Lachen, bis sie mohnrot im Gesicht war. Jedes Fältchen in dem behaglichen Vollmondgesicht bebte vor maliziösem Vergnügen.

»Hast du das gehört, Krylowna? Zu teuer! Madame Ninette, eine Wohltäterin alternder Dämchen, ist zu teuer! Und das zwei Monate nachdem die Deutschen ihren Krieg verloren haben! Sage Madame Schulze oder Kiesewetter, daß Kunden, die einen Krieg verlieren, so viel zu zahlen haben, daß es auf etwas mehr oder weniger in unserem *Beauty-Parrlour* nicht ankommt.«

»Ich werde es ausrichten, Madame!«
»Aber schnell! Steh nicht herum wie Iwan der Schrrreckliche nach dem Blutbad von Nowgorod.«
»Warum wollen Sie mich eigentlich wegschicken, Nina Iwanowna?« Veras Antlitz aus grauem Ton hatte sich leise gerötet.
»Was sagen Sie dazu, Krylowna? Ich Leskaja wegschicken? Niemals im Leben, mein Täubchen! Wie ist der Goldprreis heute? Hast du gekauft?«
Vera Leskaja hatte für Madame Ninette vorteilhaft gekauft. Jeder kaufte. Das Geld stieg, während die Sonne Nippons sank. General Mac Arthur hatte vorgestern die Philippinen befreit. Der Regenmonat Juli schlich dahin, die Kempetai verhaftete und erschoß weiter, und die fernöstliche Drehbühne machte den größten Ruck, den die Weltgeschichte je gesehen hatte. Nur in Madame Ninettes Salon schien sich bis auf die Preise nichts geändert zu haben. Frauen wollen schön und möglichst auch jung aussehen – ob die Welt in einem Monat untergeht oder nicht. Ein großess Kaufen und Verkaufen ging bei Madame Ninette vor sich. Die Kundinnen brachten Schmuck und Medizinen, silberne Spucknäpfe, Möbel – alles, was sie in den vergangenen Kriegsjahren gehamstert hatten. Leskaja kaufte und verkaufte alles. *Senglee,* wie die Chinesen es nannten (Dinge verkaufen), war Trumpf in diesen letzten Wochen vor Nippons Untergang. Die Chinesen nannten Vera *Miss Senglee.* Bald würde man anfangen müssen, Pässe und Gesinnungen zu verkaufen.
Eine Japanerin betrat den Salon und wurde von Madame Ninette so überschwenglich höflich wie in der Siegerzeit begrüßt. Madame war eben stets für Nippon gewesen; das durfte jeder sehen. Vera Leskaja sah die Begrüßungsszene schweigend mit an. Sie dachte: ›Fuchsgesicht ist ein dummer Name. So sollten Europäer sich nicht nennen.‹ Vera war entsetzlich nervös und durfte es niemand merken lassen. Die Sonne Nippons sank und sie mit ihr.
Ein Chinese betrat geduckt den Salon und sah sich nach Miss Senglee um. In einem seidenen Tuche trug er einen Stein, der ihm zur Flucht in den Dschungel verhelfen sollte. Er hatte auf Nippon gesetzt und verloren.
»Jade«, flüsterte er mit seiner lungenkranken Stimme. »Bitte, kaufen Sie, Miss Senglee!«
Vera zog aus ihrer Handtasche die Lupe, mit der sie vor einigen Monaten Vivicas grünes Schreibpapier untersucht hatte.

»Für Konfuzius war Jade das Sinnbild der Tugend«, flüsterte der Chinese.
»Der Stein ist wolkig«, entschied Miss Senglee, auf welche die Anspielung keinen Eindruck gemacht hatte. »Zwanzig Ticals!«
Es war ein Hohn auf das Sinnbild der Tugend. Herr Li-feng verbeugte sich höflich und legte den herrlichen Stein in das Seidentuch zurück.
»Wieviel?« fragte Vera Leskaja kurz. Tausend Ticals wäre nicht zu wenig für diese Jade gewesen. Die Ausländer hatten vor dem Kriege Phantasiepreise gezahlt und würden sie nach dem Kriege wieder zahlen. »Dreihundert Ticals«, bot Miss Senglee.
Herr Li-feng sah sie mitleidig an. »Ich möchte meinen Stein behalten, Lady«, murmelte er in gutem Englisch. »Ich respektiere meine Jade, Lady!«
Er verbeugte sich nochmals und verließ gebeugt und doch erleichtert den Salon der Fremden Teufel. Er war ein miserabler Kerl, ein bezahlter Spion in Nippons Diensten; aber er hatte eine Tugend von seinen ehrenwerten Vorfahren übernommen: er »respektierte« seine Jade – so sehr, daß er sie mit ins Jenseits zu nehmen beschloß. Er würde heute abend aus dieser schrecklichen Welt hinausgehen, wie man ein dürres Reisfeld verläßt. Seine Jade würde er zwischen den kalten Lippen mit ins Jenseits nehmen, damit er nicht jeder Tugend beraubt vor den Ahnen erscheinen mußte. Sein Sohn würde alles arrangieren. Herr Li-feng trat auf die feuchtglühende Straße und fühlte sich ruhig und beinahe heiter. »Eine gute Anwandlung sühnt tausend schlechte Taten«, hatte er in seiner Jugend gelernt. Er war lange Zeit im Käfig Nippons gewesen, nun hatte er zu sich selbst zurückgefunden.
Vera Leskaja war sehr blaß geworden. Sie ahnte, daß der Chinese nicht wiederkommen würde, und das gemahnte sie daran, daß sie vor Jahren auf das falsche Pferd gesetzt hatte. Sie mußte noch heute mit Madame Ninette sprechen, denn die alte Russin war ihre letzte Hoffnung. Sie hatte wochenlang nichts von Baron Matsubara erhalten: keine verschlüsselte Botschaft, keinen Auftrag, kein Geld. Seitdem der Kreis um Fuchsgesicht von der Kempetai gesprengt worden war, hatte Vera nichts mehr von ihrem Auftraggeber gehört. Es war noch beängstigender als der Gedanke an ihre Zukunft. Was machten Spioninnen, die aufs falsche Pferd gesetzt hatten? Vera schloß einen Augenblick die Augen. Sie wußte es.

Endlich waren die letzten Kundinnen gegangen. Auch Madame Krylowna schickte sich widerwillig zum Gehen an, was eine weitere halbe Stunde in Anspruch nahm. Madame Ninette erzählte inzwischen Kurzbiographien unbekannter Personen, und Madame Krylowna erkundigte sich nach Einzelheiten.

»Soll ich wieder anschreiben, Madame?«, fragte Vera Leskaja, wobei sie das Wort »wieder« stark betonte.

»Der Teufel hole die Person, welche die hohen Absätze erfunden hat«, sagte Madame Krylowna als Antwort auf die Ermahnung, bar zu bezahlen. Sie nickte Vera herablassend zu, küßte und umarmte Madame Ninette, als ob sie sich die nächsten zwanzig Jahre nicht wiedersehen würden, und lieh sich noch schnell ein paar Ticals für die Rikscha. Dabei sah sie trotz der Schminke und der ausgeplätteten Falten älter aus, als ihre Jahre rechtfertigten. Auf den hohen Absätzen schwankend, verließ sie den Salon Ninette. Ihre blondgefärbten Haare hingen ihr als kindliche Mähne in die Stirn; so war Katharina Krylowna vor Jahrzehnten aus einer russischen Provinzstadt geflohen. Sie gehörte zu den Frauen, für die Frisuren zu den permanenten Dingen im Leben gehören. Sie sah wie ein versorgtes Kind aus, das aus unerfindlichen Gründen Altersfalten und erfahrene Augen hat.

Madame Ninette ließ sich krachend auf den Rohrsessel in ihrem Privatbüro fallen, während Vera Kasse machte. Sie tranken jeden Nachmittag um fünf Uhr zusammen starken Tee mit Konfitüren und rauchten. Danach pflegte Madame Ninette in ihre Villa nach Bangkapi zu fahren, und Mademoiselle Leskaja suchte ihr Hotel im Chinesenviertel auf. Diese gemeinsame Viertelstunde bei starkem, süßem Tee und Opiumzigaretten war der geheimnisvolle Klebstoff, der diese ungleichen Gefährtinnen zusammenkittete. Auf die Atmosphäre dieser Viertelstunde baute Vera Leskaja an einem Julitage im Jahre 1945, einige Wochen vor dem Abwurf der ersten Atombombe der Welt über Hiroshima, Nagasaki und dessen Vorort Urakami.

»Du bist blaß, Leskaja«, bemerkte Madame Ninette. »Das steht dir nicht.«

»Was macht es aus? Ich habe Sorgen, Nina Iwanowna.«

»Sorgen? Lächerrrlich, Leskaja! Durch meine Güte führst du ein rreizendes Leben.« Madame Ninette legte den Kopf schief auf die Seite und lächelte mit behaglichem Hohn. »Du hast Geld genug für Drrinks, Gesang und Lustbarkeiten.«

Geld genug? Vera spitzte die Ohren. War das etwa eine Anspielung auf die Nebeneinnahmen durch die Japaner? Aber Madame Ninette wußte nichts davon. Sie mußte Miss Senglees Privatgeschäfte meinen. »Was gibt es Neues?« fragte Madame Ninette gähnend.

»Allerhand, Nina Iwanowna. Ich ... ich möchte Sie ...«

»Unterhalte mich nicht auf Abzahlung, Leskaja! Sprich, wenn du wirklich einmal etwas zu sagen hast!«

»Es ist mein trauriges Schicksal, die Überbringerin schlechter Nachrichten zu sein.« Vera Leskaja richtete ihre todesgierigen Augen starr auf Madames Vollmondgesicht. »Erinnern Sie sich, daß wir vor einiger Zeit über den Chungking-Agenten Fuchsgesicht sprachen? Damals, als Mademoiselle Vivica verhaftet wurde.«

»Nun – was ist mit dem Fuchsgesichtchen? Treibt es immer noch sein Unwesen gegen Nippon? So nannte sich doch Vivica, die junge Krrriminelle, wenn ich mich recht besinne.«

»Mademoiselle Vivica war nicht Fuchsgesicht. Sie wurde nur hineingezogen. Man hat aber mittlerweile den Agenten entdeckt, Nina Iwanowna.«

»Brravo, brravo!« Madame Ninette klatschte in die Hände. »Ist es dies lange Mädchen Astrid Wergeland? Ich hatte sie immer im Verdacht.« Madame griff in die Schreibtischschublade und nahm einen Zigarettenkasten heraus. Dies war ein Zeichen, daß sie keine Eile hatte oder daß Veras Eröffnungen sie interessierten. Auf dem Grunde des Kastens lag ein Revolver. Madame Ninette war manchmal noch spät im Büro, lange nachdem Vera Leskaja nach Hause gefahren war. Es gab wie Sand am Meer in dieser Stadt. Der Revolver gab der dicken Russin Sicherheit.

»Brravo«, wiederholte sie und zuckerte sich ihren Tee mit Erdbeerkonfitüre. »Schlaues, verwerfliches Fuchsgesichtchen! Nun wird es im Keller brummen. Keine Drinks, keinen Gesang, keine Lustbarkeiten.«

»Noch nicht, Nina Iwanowna.«

»Du sprichst in Rätseln, Leskaja. Aber Nina Iwanowna hat keine Zeit für deine Rätsel.«

Madames Ton war härter geworden. Auch die Luft in dem Privatkontor hatte sich verändert. Vera atmete mühsam.

»Die Kempetai weiß noch nichts von der Entdeckung, Nina Iwanowna. Aber *eine* Person weiß jetzt, wer Fuchsgesicht ist.«

»Und wer wäre es, du Geheimniskrämerin?«
»Ich, Nina Iwanowna!«
»Du?« Madame Ninette bekam einen Lachanfall, daß sie beinahe erstickte. »Du gebildete Gans hast herausgefunden, wer Fuchsgesicht ist? Du hast Fieber, Leskaja! Du brauchst kalte Umschläge und Tabletten, mein armes Täubchen!« Madame Ninette sprach sehr schnell und lachte immer lauter. »Darf man fragen, wie und wo du diese Entdeckung gemacht hast?«
»Damals in Ihrem Hause, Nina Iwanowna. Nach der Verhaftung von Vivica Wergeland.«
Madame Ninette sprang so hastig auf, daß sie eine Teetasse und das Konfitürenglas umriß. Sie lachte nicht mehr. In ihren kleinen hellblauen Augen funkelte ein gefährliches Licht.
»Hüte dich, Leskaja«, sagte sie hart. »In meinem Hause gibt es keine Spione.«
»Wirklich nicht... Nina Iwanowna?«
Irgend etwas kroch unsichtbar auf Madame Ninette zu... eine entsetzliche Ahnung... eine unglaubhafte Wahrheit... ein Hauch von Tod und jahrelangem Verrat. Sie betrachtete Vera Leskaja, als ob sie sie zum ersten Male sähe: das graue reglose Gesicht, die dünnen, verkniffenen Lippen, die todessüchtigen Augen. Miss Senglee...
»Was hast du mit der Affäre zu tun?« fragte sie hart. »Wen hast du bei mir belauscht und bespitzelt? Mademoiselle Wergeland kam im Morgenrot angefahren. Ich ließ sie nicht vor. Ich war mißtrauisch geworden. Erinnerst du dich?«
Schweigen.
Madame Ninette trat auf Vera zu und packte sie brutal am Arm. Die Jüngere wich vor dem Blick der kleinen hellblauen Augen zurück.
»Du kommst mir nicht aus diesem Zimmer, bis du dein Liedchen gesungen hast.« Madame Ninette schloß blitzschnell die Tür ab. »Heraus mit der Sprache!«
Vera Leskaja öffnete statt aller Antwort ihre schäbige Handtasche und gab Madame Ninette ein in Maschinenschrift geschriebenes Dossier.
»Bitte lesen Sie, was ich aufgeschrieben habe, Nina Iwanowna! Ich... ich habe seit Jahren für die Japaner gearbeitet.«
»Du hast seit Jahren für die Japaner gearbeitet«, wiederholte Madame Ninette und ließ sich krachend in ihren Sessel fallen.

Ihre fette, beringte Hand umklammerte die Zigarettendose, auf deren Grund der Revolver lag. »Soso... Du hast seit Jahren für die Japaner gearbeitet. Das ist lustig, Vera! Serr, serr lustig.«
»Ich mußte leben, Nina Iwanowna.«
»Ich sehe keinen zwingenden Grund dafür, mein Täubchen.« Madame Ninette sah ihre beste Hilfskraft unter halbgesenkten Augenlidern an. »Niemandem liegt etwas an deinem Leben. Nicht einmal dir selbst. Boris wußte, warum er dich vor fünfzehn Jahren in Shanghai verließ. Man heiratet keine Scheintote.«
»Hören Sie auf, Nina Iwanowna!« Vera schwankte ein wenig. Sie hatte Boris längst eingescharrt, aber sie betete heimlich noch die Erde an, die sie über dieses Grab geschaufelt hatte.
»Ich höre nicht auf, ich fange erst an«, bemerkte Madame Ninette und öffnete das Dossier. »Sie hat seit Jahren für die Japaner gearbeitet«, murmelte sie. Ihr Unterkiefer zitterte wie bei einem Clown, der plötzlich vom Publikum nicht mehr belacht wird. Vera Leskaja hatte sie offenbar seit Jahren nicht mehr erheiternd gefunden. Wie war die graue Sekretärin Fuchsgesicht nur auf die Spur gekommen? Hatte es vor Jahren in Shanghai begonnen?
Nina Iwanowna las, während Vera in der gewohnten demütigen Haltung vor ihr stand und nicht zum Sitzen aufgefordert wurde. Vera hätte gern eine Zigarette geraucht, um die Spannung zu mildern, aber Madames fette beringte Hand lag schwer auf dem Zigarettenkasten. Warum erwähnte sie Boris nach zwanzig Jahren? fragte sich Vera. Nina Iwanowna hatte es immer verstanden, einen Menschen zu quälen. Ihre Behaglichkeit war eine Maske vor ihrem Fuchsgesicht.
Kein Laut war zu hören, während Nina Iwanowna das Dossier studierte. Es gibt Augenblicke, wo selbst der Wind vor den Fenstern keine Kraft zum Wehen mehr findet.


Geheimes Dossier

An: *Major Kimura* (Militärische Geheimpolizei.)
    Augenblicklich: *Rangoon;* Burma.
Von: »Agentin V. L.«
Inhalt: Person und Aufenthalt des Chungking Agenten, namens Fuchsgesicht

Die Agentin V. L. gestattet sich folgende Beobachtungen zu Protokoll zu geben:

Der seit Monaten gesuchte Agent *Fuchsgesicht*, der den gegen Nippon arbeitenden Spionagering *Sun* (Shanghai-Bangkok-Saigon) aufgezogen und bis zu den Verhaftungen im April 1945 intakt gehalten hat, ist *kein Chinese*, wie allgemein angenommen worden ist. Auch der immer noch gesuchte Franzose namens Pierre de Maury ist nicht Fuchsgesicht selbst, sondern sein prominentester Mitarbeiter im Gebiet Hanoi-Saigon. Fuchsgesicht ist *eine Frau*. Die Agentin V. L. hat diese Frau jahrelang in ihren Aktivitäten beobachtet und zögerte immer noch, weil schlüssige Beweise für die Anti-Japan-Tätigkeit der Spionin fehlten. Fast alle im Schönheitssalon der Madame Ninette anwesenden Besucherinnen – einschließlich der Norwegerin Mlle. Vivica Wergeland – sind mit oder ohne ihr Wissen auf raffinierte Weise in den Ring gezogen worden. Fuchsgesicht versteckte stets die Informationen im Gepäck von Mlle. Vivica Wergeland, wenn diese ihren Freund Pierre de Maury in Saigon besuchte. Die Agentin V. L. ist der Meinung, daß Mlle. Vivica nicht wußte, was sie in ihrem Handgepäck mit sich führte.

Name der Agentin »Fuchsgesicht«: *Nina Iwanowna Borin*.
Alter: 65 Jahre.

Besondere Kennzeichen: Fettleibigkeit.

Auftraggeber: Chungking-Chinesen des Generalissimus Chiang Kai-shek.

Fuchsgesicht hat es jahrelang verstanden, ihre Mitarbeiterin im Beauty Parlour *Chez Ninette* (erst Shanghai, dann Bangkok) über ihre Tätigkeit zu täuschen. Die Maske einer behaglichen Menschenfreundin verdeckte ihre Schlauheit, Geldgier und Grausamkeit.

Die Agentin V. L. bekam die ersten Beweise der antijapanischen Tätigkeit von »Fuchsgesicht« von der Agentin *Katharina Krylowna*, welche V. L. der Kempetai für Beobachtung und Beschattung Nina Iwanownas vorgeschlagen hatte. Da die Iwanowna die Agentin V. L. grundsätzlich nicht zu ihren Abendgesellschaften einlud, bestach diese einige Monate vor der Verhaftung Vivica Wergelands besagte Krylowna, ihr jeweils eine genaue Beschreibung der Gäste und der Unterhaltung zu liefern.

So bekam die Agentin V. L. allmählich heraus, daß Monsieur Pierre de Maury aus Indochina häufig bei diesen Parties erschien und mit Mlle. Vivica Wergeland heftig flirtete. Es war der Agentin V. L. sofort klar, daß der viel ältere Franzose andere als verliebte Absichten mit diesem Flirt verfolgte, da er öfters im Schlafzimmer der Nina Iwanowna verschwand und dort mit ihr Gespräche führte, wobei die lauschende Krylowna einzelne Worte und Namen aufschnappen konnte: »Waffendepots in Thailand, Benzinfabriken in Bangkok, japanische Truppenverschiebungen« und ähnliches. Die von V. L. inszenierte Szene im Hause des Fräulein *Helene Wergeland* in Bangkok (4. April 1945) verstärkte die Annahme, daß Nina Iwanowna selbst *Agent Fuchsgesicht* und Organisator des Spionageringes Sun wäre. Die Iwanowna lachte und scherzte laut und hektisch, während Fräulein Helene Wergeland von der Verhaftung ihrer Nichte erfuhr. Als Agentin V. L. der Iwanowna eine Zigarette anzündete, bemerkte sie ihre kalten Hände und den zitternden Unterkiefer – beides Zeichen hochgradiger Erregung und Angst bei Nina Iwanowna. Als einmal, im Winter des Jahres 1925, chinesische Polizei bei Nina Iwanowna in Shanghai eindrang, um sie und einen alten General wegen Opiumverkaufs zu verhaften, hatte die Iwanowna ebenfalls kalte Hände und einen zitternden Unterkiefer. Als V. L. ein von ihr selbst beschriebenes Stück grünes Briefpapier dem Fräulein Helene Wergeland als »Geheimschlüssel« vorlegte, den sie angeblich in Vivica Wergelands Zimmer gefunden hatte, war Nina Iwanowna, die der Kleinen ständig insgeheim verschlüsselte Nachrichten auf solchem grünen Briefpapier ins Gepäck nach Saigon gesteckt hatte, einer Ohnmacht nahe und mußte von Vera Leskaja mit echtem französischen Cognac gestärkt werden. (Rechnung reichte Agentin V. L. seinerzeit ein.)

Als Major Kimura – wie verabredet – bei Fräulein Helene Wergeland erschien, bekam die Iwanowna in einem Schrank im Seitenzimmer einen Erstickungsanfall. V. L. brachte sie zu sich. Dabei hatte sie Gelegenheit, den Pompadour der Iwanowna zu durchstöbern und einige Adressen zu entwenden. Sie forschte den Adressen nach, konnte aber keine Helfershelfer ausfindig machen. Es müssen Decknamen gewesen sein. Erst in der Nacht vom 4. April 1945 hatte V. L., während die Iwanowna nach der Aufregung einen schweren Alkoholrausch ausschlief, Gelegenheit, den Schreibtisch der Chungking-Agentin zu durchstöbern. Die Schlösser waren – wie überall in Bangkok – von Chinesen gemacht und daher ohne Schwierigkeiten zu öffnen. Fuchsgesicht fühlte sich offenbar so sicher, daß sie von einem Europäer angefertigte Geheimschlösser für überflüssig hielt. Im Schreibtisch befanden sich beiliegende Dokumente. Da V. L. stets ermahnt wurde, eine Spur erst *längere* Zeit zu verfolgen, um nicht die Verhaftung der falschen Person als Fuchsgesicht herbeizuführen, verfolgte sie zunächst die Fährten, welche die Korrespondenz im Schreibtisch der Iwanowna aussichtsreich erscheinen ließ. Infolgedessen gelang es der Kempetai, etwa fünfzig Chungking-Agenten in den Gebieten Shanghai, Saigon und Bangkok zu verhaften. Es waren nur fünf Adressen, aber jeder Verhaftete verriet im Verhör andere Mitarbeiter, wie zu erwarten war. Sollte die Iwanowna auf den alten Trick verfallen und etwa die Agentin Vera Leskaja beschuldigen, eine »Doppelagentin« zu sein, so wird Leskajas langjährige Tätigkeit für Nippon dem hochgeehrten Herrn Major Kimura Gewähr dafür sein, daß es sich um eine Verleumdung handelt, die zudem dem schlauen und grausamen Charakter von Fuchsgesicht entspricht.

Resumé: Nina Iwanowna ist besonders gefährlich, weil sie den Narren und den Biedermann spielt. Agentin V. L. wäre niemals auf den Verdacht gekommen, daß sich »Fuchsgesicht« unter dieser Maske verbirgt, wenn Nina Iwanowna nicht nach der Verhaftung der Vivica Wergeland den Fehler gemacht hätte, in ihrer übergroßen Erregung die Agentin V. L. mit in ihr Haus in Bangkok zu nehmen, da sie einen neuen Erstickungsanfall befürchtete und daher nachts nicht allein sein wollte. Sie hatte es immer aus guten Gründen vermieden, V. L. zu sich ins Haus zu laden, hatte aber diesen Verstoß stets mit scherzhaft sadistischen Bemerkungen glaubhaft gemacht: V. L. wäre zu schäbig, zu häßlich, zu langweilig für diese Parties. Fuchsgesicht ist ahnungslos. Eine Verhaftung wird keine Schwierigkeiten machen, da die Iwanowna nicht an Flucht denkt. Sollte sie wider Erwarten die Flucht ergreifen, wird Agentin V. L. sich an die Fersen der Iwanowna heften.

Nachtrag: Es war V. L. nicht möglich, Klarheit über die Schritte von Mlle. Astrid Clermont-Wergeland zu erlangen. Kurz nach der Verhaftung ihrer Schwester verschwanden die Damen Wergeland aus Bangkok; Agentin V. L. kann den Aufenthaltsort nicht ermitteln.

Gezeichnet: V. L., Bangkok
Juli 1945

Beilagen: Spesen-Aufstellung für die Monate von April bis Juli 1945
Korrespondenz der Iwanowna; von V. L. ergänzt und zum Teil entschlüsselt.

Foto der Iwanowna — geliefert von Katharina Krylowna (Blitzlichtaufnahme)

Foto ihrer Villa — aufgenommen von V. L.

Namen ihrer gegenwärtigen Dienerschaft.

Neue Kundenliste des Salons »*Chez Ninette*«, Bangkok.
Eine Probe des grünen Briefpapiers, das die Iwanowna bei einer Party, die Mlle. Vivica gab, entwendet haben muß, um die Kleine zu belasten, falls die Informationen in deren Handgepäck gefunden werden würden. Es ist das gleiche Papier, auf dem V. L. bei ihrem Besuch in der Villa Wergeland im April angeblich einen *Code* entdeckte.

gezeichnet: V. L., Bangkok

Madame Ninette legte die Blätter sorgfältig zusammen und deponierte sie neben der Zigarettenkiste.
»Soso«, sagte sie dann mit unheimlicher Ruhe, »das hast du also alles herausgefunden, du Plaudertäschchen.«
Vera Leskaja rührte sich nicht.
»Weißt du, was Nina Iwanowna mit Nattern macht, die sie an ihrem Busen genährt hat?« Madame Ninette klopfte sich heftig auf ihren geräumigen Busen, während ihre Gedanken hin- und herjagten. »Hast du die Sprache verloren, Leskaja?«
»Es ist nichts mehr zu sagen.«
»Wann hast du das Dossier abgeschickt?«
»Ich habe es noch nicht abgeschickt, Nina Iwanowna.«
»Denke dir fünf Minuten vor deinem Tode eine klügere Lüge aus, du gebildete Gans!« Madame Ninette zog den Revolver aus dem Zigarettenkasten.
»Ich habe ihn entladen, Nina Iwanowna! Ich weiß in allen Ihren Schreibtischen Bescheid.«
»Du verläßt diesen Raum nicht lebend, verrfluchter Spitzel!«
»Das wäre schlimm für Sie! Was Sie in den Händen halten, ist nur eine Kopie, die wie ein Original aussieht. Nur Amateure arbeiten mit einem Schreibmaschinen-Durchschlag.«
»Sehr richtig.«
»Wenn Sie mich jetzt irgendwie umbringen – Sie haben ja riesige Kräfte, Nina Iwanowna, und ich bin eine ausgehöhlte Reishülse –, dann schickt Herr Cheong, mein chinesischer Hauswirt, das Original des Dossiers morgen früh nach Burma an Major Kimura. Er heißt in Wahrheit anders, aber das spielt keine Rolle.«
Vera Leskaja lächelte lebensmüde. Aber dann schrak sie, sensitiv und intelligent, wie sie war, vor dem brutalen Mordblick ihrer weit vitaleren Brotgeberin zurück.
Madame Ninette war aufgesprungen und riß den Rest des Teegeschirrs zu Boden. Beim Anblick der Scherben kamen ihr sadistische Assoziationen. So eine verfluchte, heimtückische Denunziantin hatte sie also ohne Nutzen und Profit vor sechsundzwanzig Jahren in den Hintergassen von Shanghai aufgelesen! Sie dachte scharf nach. Falls Leskaja die Wahrheit sprach – und es sah so aus –, dann gab es noch eine Chance für Nina Iwanowna. Sie setzte sich und lächelte ihr Fuchslächeln – dieses so behagliche, fette Lächeln einer biederen Frau.

»Setz dich, Vera«, sagte sie ruhig, schob ihrer »Rechten Hand« einen Sessel hin, nahm neue Teetassen aus einem Wandschränkchen, entzündete den kleinen Kocher mit dem Kokosöl und schien nicht zu merken, daß Vera Leskaja zitterte.
»Kennst du Lisaweta Korsky?« fragte Madame Ninette.
»Nein.«
»Sie betrog und verriet ihre Wohltäterin – daheim in Rußland. Ihre Wohltäterin nahm eine Menge kleine scharfe Scherben – sagen wir von zerbrrochenen Teetassen, hahaha! – und –«
Vera Leskaja stöhnte. Wie viele Intellektuelle, hatte sie furchtbare Angst vor körperlichen Schmerzen. »Haben Sie Mitleid, Nina Iwanowna! Erschießen Sie mich!«
»Das hätte ich getan; aber du hast selbst den Revolver entladen, du gebildetes Plaudertäschchen! Wann wird dein Bericht in Burma sein? Sagen wir: bei Baron Matsubara? Das ist doch dein Major Kimura, nicht wahr?«
»Ja, Nina Iwanowna«, sagte Vera Leskaja. Sie rannte zu der fetten Russin und umklammerte ihre Knie. »Das Dossier ist noch nicht abgeschickt. Glauben Sie mir doch, Nina Iwanowna!« Sie schluchzte wild und heiser.
»*Dir* glauben?« erwiderte Madame Ninette nicht ohne Sarkasmus, »für wie einfältig hältst du Fuchsgesichtchen eigentlich, Leskaja?«
»Ich wollte es abschicken. Und dann . . .«
»Und dann besannst du dich darauf, mich zu fragen, ob etwas zu korrigieren wäre! Du amüsierst mich, Leskaja!«
Vera blickte den Koloß an. Es war alles verloren. Sie konnte Nina Iwanowna ihren Vorschlag nicht mehr unterbreiten, denn die glaubte ihr nicht. Das war zwar vernünftig und plausibel, aber in ihrer Beziehung zueinander war sonst nichts vernünftig und plausibel. Es war Haßliebe auf den ersten Blick gewesen.
Nina Iwanowna sah die verräterische Kreatur nicht einmal mehr an. Sie hatte gespielt und verloren, aber – Leskaja hatte *auch* gespielt und verloren!
Vera Leskaja sagte stumpf: »Sie haben recht, Nina Iwanowna.«
»Der Krieg geht schlecht für Nippon aus, Plaudertäschchen«, bemerkte Madame. »Du hast mich angezeigt. Schön und gut!«
»Noch nicht, Nina Iwanowna!«
»Schön und gut«, wiederholte Madame Ninette, die sich ungern von ihren Angestellten unterbrechen ließ. »Ich werde hängen.

Lange werde ich mich vor dem Spürhund Matsubara nicht verstecken können: ich bin zu fett für eine Verkleidung! Aber du wirst auch hängen, Plaudertäschchen! Ich will mir meine Hände an dir nicht beschmutzen. Ich überlasse es den Alliierten, dich aufzuknüpfen! Das kann nicht mehr lange dauern.«
Vera blickte die fette alte Russin wieder an. In ihre leblosen Augen kam ein schwacher Schein von Wärme – von Verlegenheit – von der dämonischen und unlöslichen Verbundenheit zwischen russischen Emigranten. Sie strich sich das Haar aus der Stirn. Sie war plötzlich ganz ruhig.
»Bringen Sie mich um oder nicht, Nina Iwanowna, Sie werden sich trotzdem überzeugen müssen, daß ich Sie nicht verraten habe. Das Original des Dossiers liegt versiegelt bei meinem Hauswirt. Fahren Sie hin, fragen Sie ihn!«
Etwas in Veras Ton ließ Madame aufhorchen. Das klang wie Wahrheit, oder sie wollte verdammt sein.
»Warum hast du es noch nicht abgeschickt? Wolltest du mir zeigen, wie klug du bist?«
»Ich wollte Ihnen zeigen, wie dumm ich bin!« Wieder blickte sie die alte Schicksalsgenossin an und senkte dann den Kopf. »Ich konnte es nicht«, stammelte sie. »Ich ... liebe Sie zu sehr, Nina Iwanowna!«
Sie kroch demütig auf den Knien an die geliebte Feindin heran und küßte ihre fetten, beringten Hände. Der Nagellack war abgesplittert. Vera bekam ein paar Splitter in den Mund und hustete.
»Steh auf«, sagte Madame Ninette rauh. »Steh auf, Liebchen! Wir fahren zu mir und machen uns frischen Tee. Wir werden alles besprechen, Liebchen Leskaja! Ich wußte ja, du wirst deine arme, alte Ninotschka, die dich in Shanghai auf der Gasse aufgelesen hat, nicht an die verdammten Inselzwerge verraten, he?«
Vera schluchzte fassungslos zu ihren Füßen. Alle Tränen, die sie in den letzten dreißig Jahren bei ihrem finsteren Geschäft nicht hatte weinen dürfen, strömten aus ihren überanstrengten Augen. Sie weinte, wie nur Russinnen weinen können – leidenschaftlich, schamlos, mit tiefem Genuß.
»Ich werde dich retten, Leskaja«, sagte Madame Ninette und begann ebenfalls zu schluchzen. Sie nahm ein riesiges Taschentuch aus ihrem Pompadour und wischte erst die Augen und dann die

geblümte Seide ihres Kleides ab, die Vera mit ihren Tränen durchtränkt hatte. Es war teure Seide; Vera sollte lieber auf billigerem Material weinen: sie warf ihr im Bogen ein Taschentuch zu.
»Laß mich nachdenken, Vera! Der Krieg liegt in den letzten Zügen. Dein armes Fuchsgesichtchen wird ganz grrroß nach dem Kriege werden. Die Alliierten lassen sich nicht lumpen... Willst du, daß die alte Nina Iwanowna dich rettet, du Bücherwurm, du gebildetes Gänschen?«
»Ich bin es nicht wert!«
»Da hast du recht, mein Täubchen! Aber du niederträchtiges Plaudertäschchen, du essigsaurer, hinterlistiger Tausendsassa bist meine einzige Frrreundin in dieser eiskalten Welt. Bist du es oder bist du es nicht, Leskaja?« schrie Madame Ninette plötzlich mit derber, überschwenglicher Zärtlichkeit.
»Ich bin es, Nina Iwanowna! Bitte lassen Sie mich los! Mir ist schwindlig.«
»Schwächling, Bücherleserin«, sagte Madame Ninette mit gutmütiger Verachtung. »So etwas will Fuchsgesicht in die Quere kommen! Nun, du bereust, und Nina Iwanowna verzeiht dir. Sie ist grrroßmütig, hört das Grrras wachsen und opfert sich für ihre wertlosen Freunde.«
Madame Ninette schwieg einen Augenblick, da sie von Rührung über ihren Edelmut ergriffen war. Dann wischte sie sich energisch die strömenden Tränen ab und sagte nüchtern: »Der Krieg kann nur noch wenige Wochen dauern. Die Alliierten werden Japan ein Ultimatum stellen. Es werden Verhöre stattfinden, gegen welche die Verhöre der Kempetai ein Kinderspielchen sind, Leskaja! Ich werde aussagen, daß mein Liebchen Leskaja als *Doppelagentin* gearbeitet hat. Sie hat den Japanern frisierte Informationen gegeben, welche die Chungking-Agentin Fuchsgesicht ihr gab. Leskaja hat auf diese Weise den Alliierten grrroße, geheime Dienste geleistet. Sie verdient eine Dekoration, wird Nina Iwanowna aussagen. Nun, wie gefällt dir das, Leskaja?«
Madame Ninette zwinkerte verschlagen.
»Etwas Ähnliches hatte ich Ihnen heute vorschlagen wollen, liebste Iwanowna«, murmelte Vera Leskaja.
»Warum hast du es dann nicht gesagt?« fragte Madame Ninette. »Du bist doch sonst ein Plaudertäschchen!«
Sie fuhren Arm in Arm zu Nina Iwanowna, um Tee zu trinken, die Einzelheiten von Veras Stellungswechsel zu besprechen und

die restlichen Rührungstränen zu weinen. Vera brauchte Nachhilfestunden, dachte Madame Ninette im stillen. Sie hatte als Agentin zwei unverzeihliche Fehler begangen: sie hatte in einer jener Minuten der Panik, wo die Ratten das sinkende Schiff zu verlassen pflegen, ihre Karten aufgedeckt. Und sie glaubte, daß alte Freundschaft so zuverlässig ist wie alter Haß...
Madame Ninette brachte Vera Leskaja fürsorglich in ihrem von Chungking bezahlten Auto in ihr Chinesenhotel zurück. Sie trug Sorge dafür, daß Herr Cheong, der Hotelbesitzer, sie Arm in Arm in Veras Zimmer wanken sah. Sie hatten den Tee reichlich mit Wodka verbessert. Madame Ninette verabschiedete sich mit einem russischen Kuß, der ihrem Liebchen Leskaja beinahe den Atem benahm. Sie verbrannten gemeinsam das Dokument, das Vera an Major Matsubara adressiert hatte, und küßten sich wieder. Vera schlief glücklich ein. Sie lächelte im Traum weniger lebensmüde als sonst.
Am nächsten Morgen wurde Vera Leskaja auf ihrem Wege zum Beauty-Parlour *Chez Ninette* von einem chinesischen Auto überfahren, als sie den belebten Fahrweg von Sampeng kreuzen wollte. Sie war auf der Stelle tot.
Die ganze weißrussische Kolonie von Bangkok kam zum Begräbnis, obwohl die meisten Vera Leskaja jahrelang nicht gesehen und niemals geliebt hatten. Aber sie war eine der Ihren gewesen, und ihr Tod war ein Verlust für diese vaterlandslosen Russen. Madame Ninette vergoß Tränenströme und sagte jedem, daß Vera Leskaja ihre einzige Freundin in dieser eiskalten Welt gewesen wäre. Sie warf drei Schaufeln Erde auf das frische Grab, wischte sich den Schweiß von der Stirn – es waren 28 Grad im Schatten – und fuhr mit hartem Gesicht nach Haus.
Sie ging diesen Nachmittag nicht in den Salon, sondern machte Inventur. Sie dachte an die vielen Jahre, die sie mit Vera verbracht hatte – an die vielen Teestunden nach der Geschäftszeit – an Veras Fleiß, ihre Bücherwurmbildung – an ihren Verrat, ihre Tränen, ihre Liebe, ihre Torheit. Eine Agentin, die an Verzeihung glaubt, ist wie ein roter Fuchs, dem es an List gebricht.
Als der Diener einen Besucher meldete, erhob sich Madame Ninette schwerfällig aus ihrem Sessel. Es war Herr Ling, der Vera Leskaja überfahren hatte. Er hatte es für China getan, da Vera Leskaja eine Agentin Nippons gewesen war. Herr Ling war auf dem Weg nach Shanghai.

»Melden Sie Fuchsgesicht, daß die gefährlichste Agentin Nippons von uns zur Strecke gebracht worden ist«, sagte Madame Ninette hart. »Ich glaube nicht, daß wir jetzt noch etwas zu fürchten haben.«

»Mademoiselle Leskaja hat eine hölzerne Glocke geläutet, Madame«, flüsterte Herr Ling. Er meinte, daß Vera einen Versuch gemacht hatte, der von vornherein vergeblich war. Sie war ein Hase gewesen, der sich mit dem Fuchs hatte messen wollen.

»Vera Leskaja glaubte tatsächlich, *ich* wäre Fuchsgesicht«, erklärte die alte Russin. »Ich hatte den Fehler gemacht, sie nach der Verhaftung der kleinen Vivica in meine Villa mitzunehmen.«

Herr Ling schwieg. Fehler machten sie alle von Zeit zu Zeit; und der Mensch von überlegenem Charakter sah es sogar ein.

»Von Zeit zu Zeit blicke ich ein wenig zu tief ins Glas«, bemerkte Madame Ninette euphemistisch. Hätte sie sich nach dem Schock über Vivicas Verhaftung nicht sinnlos betrunken, so hätte Vera niemals ihren Schreibtisch durchstöbern können.

»Sie schwebten in großer Gefahr, Madame.« Herr Ling betrachtete die alte fette Europäerin, die jahrelang ein kühnes Spiel getrieben hatte, aus müden klugen Augen und verbeugte sich zeremoniell. »Aber Sie haben gewonnen, Madame«, schloß er dann sanft. »Tausend glückselige Jahre für Sie und ein freies China!«

Es war der übliche Chungking-Gruß, aber für Nina Iwanowna lag eine furchtbare Ironie darin. Gewiß, sie hatte die Natter zertreten, die sie an ihrem umfangreichen Busen genährt hatte. *Sie* hatte ihre Karten nicht aufgedeckt, hatte nicht verraten, daß Fuchsgesicht ein einflußreicher Shanghai-Chinese war, der einen imponierenden Apparat mit Star-Agenten gegen Nippon aufgezogen und geleitet hatte. Wie hätte eine heimatlose Weißrussin soviel Verbindungen wie ein berühmter Shanghaier Finanzmann haben können? Er kannte Arme und Reiche, Europäer, Japaner, Chinesen. Er kannte seit vielen Jahren Nina Iwanowna, Baron Matsubara, den Freiherrn von Zabelsdorf und die Familie Wergeland.

Die »tausend glückseligen Jahre« streckten sich gähnend vor Nina Iwanownas innerem Auge: sie hatte ihre langjährige Gefährtin liquidieren müssen. Nun war sie allein in der Fremde – so allein wie die junge Vivica, der schöne, ahnungslose Lockvogel, in einer Zelle der Kempetai in Shanghai – so allein, wie Astrid im selben Gefängnis, wie Helene Wergeland in Nord-Siam, wie Pierre de Maury hinter der Regenwand von Französisch-Laos. Der Krieg hatte sie alle auseinandergerissen.

In der Nacht erwachte Madame Ninette aus einem unruhigen Schlaf. Der Monsunregen trommelte eintönig gegen die Fensterläden der »Chungking-Villa« in Bangkok. Nina Iwanowna riß die von der schweren Tablette verquollenen Augenlider auf und blickte wild und schlaftrunken um sich. »Vera!« rief sie heiser, »wo bist du, mein Täubchen? Komm zur alten Ninotschka! Sie macht dir frrrischen Tee!« – Als sie endlich ganz wach war, rannen dicke Tränen über ihr behagliches, abgeschminktes Clownsgesicht. Sie stöhnte und bekreuzigte sich furchtsam. Die tausendgesichtige Einsamkeit lag ihr so schwer wie ein voller Reissack auf der Brust. Sie taumelte aus dem Bett, zerriß das Moskitonetz und trank einen Schluck Wodka. Sie sah sich dabei im Toilettenspiegel ungläubig zu – war sie wirklich so allein, so alt, so traurig, so erbarmungswürdig siegreich? – Ihr optimistisches Lockenchignon lag auf dem Nachttisch. Sie murmelte eine russische Verwünschung, warf es zu Boden und trampelte darauf herum. Dann hob sie die Lockenfrisur auf und bürstete sie reumütig, während die Tränen tiefe Rinnsale auf ihren fetten Backen bildeten und ihr Unterkiefer bebte. Sie schlich trostlos ins Bett zurück: eine alte, einsame Füchsin unter anderen Füchsen.

»Der Hase stirbt, und der Fuchs trauert um ihn«, sagt ein chinesischer Bauernspruch. So erging es Nina Iwanowna in der Stunde ihres Triumphes über den Hasen, der sich mit dem Fuchs hatte messen wollen.

Am nächsten Morgen lärmte und schwatzte Madame Ninette wie üblich mit ihren Kundinnen im Beauty-Parlour *Chez Ninette*. Sie sah auch wie üblich aus – nur etwas aufgedunsener, als ob sie wieder zuviel getrunken hätte. Kurz vor Ladenschluß erschien Madame Krylowna, die Vera Leskaja nach den Parties in der Chungking-Villa im Auftrage von Madame Ninette mit falschen Nachrichten versorgt hatte.

»Du hast gut gearbeitet, Katharina«, sagte Madame Ninette. »Wir sind mit dir zufrieden.« Sie ging schwerfällig in ihr Büro, wo der Samowar, der Tee und die Opiumzigaretten waren, und schrieb einen Scheck aus. Madame Krylowna stand verlegen da und wich und wankte nicht.

»Nun?« fragte Madame Ninette ungeduldig. »Was gibt es noch?«

»Ich bin todmüde von dem weiten Weg, Nina Iwanowna! Wollen wir nicht eine Tasse Tee zusammen trinken?«
Madame Ninette starrte sie an. »Was sagst du da? *Du* willst mit *mir* Tee trinken?«
»Aber was ist dir, Nina Iwanowna? Bist du der Kaiser von Japan, daß man nicht mit dir Tee trrrinken darf?«
Madame Ninette nahm ihren schweren Pompadour und warf ihn nach der mageren, schäbigen Agentin mit der idiotischen Haarmähne und den zu hohen Absätzen.
»Rrraus!« schrie sie außer sich, »wie kannst du es wagen, mit mir in diesem Zimmer...« Sie schnappte nach Luft und sah sich plötzlich allein. Madame Krylowna war geflohen, als sie die blutunterlaufenen Augen und die mächtige schwankende Gestalt, die noch im Verfall von russischer Bauernkraft strotzte, auf sich zukommen sah.
Nina Iwanowna sank erschöpft auf ihren Sessel. Kalter Schweiß stand auf ihrer Stirn. »Tee trinken! In *unserem* Zimmer«, keuchte sie. »Hast du das gehört, Leskaja?«

SECHSTES KAPITEL

# Astrid und Vivica

AM TAGE NACH Vera Leskajas Beerdigung wurde Astrid wieder einmal von Oberst Saito verhört. Es war das fünfte Verhör nach ihrer Verhaftung, und es war so fruchtlos wie ein verdorrtes Reisfeld. Astrid wußte nicht, wo Pierre de Maury war, und Oberst Saito wollte es durchaus von ihr erfahren. Dies ist eine der Grundsituationen in dem trübseligen Drama der politischen Verhöre, und der Ausfrager pflegt dabei nie genug Phantasie zu haben, um an den seltenen Fall zu glauben: die Unschuld des Gefangenen. Bei Astrids der Wahrheit entsprechenden Erklärung, sie habe Pierre de Maury in einem Anfall von Eifersucht angezeigt, lächelte Oberst Saito mit Hilfe seiner drei Vorderzähne, schlug mit der Faust auf den Tisch und zerbrach dabei Astrids Brille, die sie bei den Verhören stets ablegte, weil sie Oberst Saito nicht so genau sehen wollte. Dies war das einzige Gute, was der Oberst der »Gefangenen Clermont« antat. Astrid mußte sich wieder gewöhnen, die Umwelt ohne Brille zu sehen, und es ging. Es war eigentlich nur eine Lesebrille gewesen, aber zu lesen hatte Astrid in ihrer Zelle nichts; sie hatte nur ihre Gedanken. Da ihr nichts Neues einfiel, erging sie sich in Erinnerungen. Sie saß aufrecht und reglos auf dem kleinen chinesischen Hocker und dachte an ihre Kindheit in Shanghai, an ihre Verlobung im Bombenregen und an das Finale in Angkor. Niemand konnte behaupten, daß an Astrid infolge der Haft auch nur ein Schimmer von Verwahrlosung zu entdecken war, auch nur das leiseste Anzeichen von jener Auflösung und Zerrüttung, die Vivica eine Nacht lang für Major Matsubara unwiderstehlich gemacht hatten; er war der gepflegten Geishas so überdrüssig! Astrid saß kühl und in sich gekehrt auf ihrem Hocker und empfing in der Haltung einer von der Welt vergessenen Herzogin ihre Gäste aus der Vergangenheit: Papa, ihre Amah Yumei, Tante Helene, Mailin, den Vogel

Goldpirol, die vergeblich geliebte Gespielin im Mädchenpensionat in Lausanne, die verstohlen lächelnde Vivica und Pierre, der ihr in Shanghais Bombenregen sein Herz geschenkt und es ihr in der Ruinenlandschaft von Angkor wieder fortgenommen hatte. In der Stille einer Zelle, die das Begehren der Sinne verstummen und die Seele sich weiten läßt, überdachte Astrid zum ersten Male objektiv ihre tragische Beziehung zu Pierre de Maury. Und sie erkannte, während sie gefaßt und reglos auf dem Hocker thronte, daß ihre Art zu lieben falsch gewesen war. Sie hatte immer in erster Linie darüber nachgegrübelt, was sie von Pierre wünschte, und selten daran gedacht, was er brauchte und welche Wünsche sie ihm erfüllen könnte. Nur im Geben lag das Glück, nicht im Empfangen. Das sagte ihr das Beispiel ihrer beiden schlesischen Freundinnen in Shanghai: Hanna Chou und Anna von Zabelsdorf hatten die rechte Art, ihre Männer zu lieben; sie gaben unaufhörlich, sie trösteten, sie schufen selbst dort, wo alles Verwüstung schien, eine häusliche Oase. Jeder Mann war ein ruheloser Wanderer auf der Oberfläche der Erde; jede Frau hatte die Aufgabe, Ruhe und Trost zu spenden. Sie verabscheut ja die Wanderung, das Abenteuer, die Gefahr, die in unserem Jahrhundert dem Nest droht. Astrid ahnte, daß sie Pierre nicht richtig verstanden hatte. Sie war für sein tieferes Wesen blind gewesen. Wenn *ein* Mann einer Oase zum Rasten bedurft hatte, dann war es Pierre in der Wüste der Politik gewesen! Was Astrid früher nie bei ihm zu verstehen vermochte, das Geheimnis, das ihn immer tiefer einhüllte, je siegreicher Nippon in Indochina waltete, war seine tragische Gebundenheit an sein vom Niedergang bedrohtes Vaterland, die diesen jungen Kulturbringer aus Paris zu einem gehetzten und gefährdeten Ahasver im Wirbel der Asienpolitik hatte werden lassen. Noch in Angkor Wat, als Major Matsubara und Astrid ihn nach der Sekte der Cao-Daiisten fragten, noch vor zwei Jahren war Astrid blind und taub gewesen. Sie hatte Küsse erhalten und ein Hochzeitsdatum hören wollen von einem Geliebten, den die Politik mit Haut und Haaren verschluckt hatte. In der Bombennacht in Shanghai hatte Pierre ihr sein Herz in Verwahrung gegeben – ein skeptisches, gefühlsmüdes französisches Männerherz, das immer zur Hälfte der Sorge um Frankreich gehören würde. Das aber, was er Astrid zu eigen gab, war ihr nicht genug gewesen. Sie hatte ja stets alles oder nichts gewollt – und so hatte sie alles verloren. Nein, etwas hatte sie gewonnen: Erkenntnis! Und wenn auch Erkenntnis das Bitterkraut der Liebe ist, das auf verdorrten Blumenbeeten gedeiht – so war sie doch tröstlich und reinigend und brannte wie ein Herbstfeuer die Stoppeln der Eigenliebe auf dem Felde der Seele aus. Astrid war nicht mehr unglücklich, während sie stumm in ihrer Zelle saß, deren Ruhe nur gelegentlich von einer Mitgefangenen, die Astrid aushorchen sollte, gestört wurde. Ihre irregeleitete Leidenschaft und ihre Verbitterung schmolzen allmählich in der Sonne eines neuen Liebesgefühls, das alle umfaßte – die Wergelands, Mailin in Singapore, ihre deutschen Freunde in Shanghai und den Schatten des Geliebten. Sie betete täglich um die Kraft zur wahren Liebe und um Vivicas Leben. Denn Vivicas Leiden standen ihr erschreckend vor der Seele. Nur die göttliche Barmherzigkeit konnte hier helfen. Astrid fühlte sich wieder ganz leer, wenn sie für Vivica betete; aber nun war es die Leere eines reuigen Herzens, das Platz für GOTT und den Nächsten geschaffen hat.

So saß Astrid am Tage nach Vera Leskajas Beerdigung Oberst Saito ruhig und gelassen gegenüber. Wieder erklärte sie, nichts von Fuchsgesicht zu wissen. Oberst Saito trommelte mit allen zehn Fingern auf dem Schreibtisch seines Büros herum; es war für Astrid eine Nervenfolter und sollte es bestimmt auch sein. Aber Oberst Saito trommelte müder als gewöhnlich, denn in diesem Juli vor dem Sturz Japans in die Tiefe hatte ihn eine schwere Müdigkeit gepackt. Er hatte keine Nachricht von seiner Familie und machte sich über tausend Dinge Sorgen. An Nippons Untergang jedoch konnte und wollte er auch einen Monat vor dem Ende immer noch nicht glauben.

»Wo hält Fuchsgesicht sich auf?« fragte er und durchbohrte die Wand mit seinen Blicken. Nur mit einem »Blickteil« allerdings, denn es war sein Trick, den Gefangenen, der sich unbeobachtet glaubte, aus dem Winkel des rechten Auges zu beobachten.

Astrid hatte in diesem Augenblick eine Eingebung: »Ich glaube, ›Fuchsgesicht‹ existiert gar nicht, Herr Oberst.«

»Warum glauben Sie das, Mademoiselle?«

Der japanische Übersetzer spitzte die Ohren und die Füllfeder. Die Langnasen waren ein Beutel voller Tricks.

»Ich habe von Kind auf an unter Chinesen gelebt«, sagte Astrid, die wußte, daß Oberst Saito das gleiche nicht von sich behaupten konnte. »Die Chinesen lieben Versteck- und Wortspiele. Meine

Amah erzählte mir oft in Shanghai von Fuchsgesichtern, aber wenn ich sie sehen wollte, sagte sie lachend, sie hätte sich alles ausgedacht. So glaube ich, daß der Spionagering Sun sich den Agenten Fuchsgesicht ausgedacht hat, um Sie irre zu leiten.«
Oberst Saito hatte mit dem Trommeln aufgehört. Er starrte völlig ausdruckslos vor sich hin, während der Übersetzer ihm den Inhalt der Langnasen-Rede wiedergab, wobei er nach jedem Satz eine Verbeugung machte, was nicht wenig zeitraubend und irritierend war. Aber Zeit gab es genug im besetzten Ostasien, wenn sie auch andrerseits wie ein rasender Wasserbüffel davonrannte.
»Glauben Sie wirklich den Unsinn, den Sie soeben gesagt haben? Oder haben Sie sich diesen Trick ausgedacht, um entlassen zu werden?«
Der Oberst drückte es vieldeutiger aus, aber der Übersetzer gab es so wieder, daß die Langnase es verstehen konnte. Er verbeugte sich und hüstelte demütig: die Langnasen hatten nun einmal eine primitive Sprache.
»Ich habe es mir nicht ausgedacht«, sagte Astrid beleidigt. »Mir fällt niemals etwas ein.«
Oberst Saito blickte sie mißtrauisch an; es hatte geklungen, als ob sie die Wahrheit sagte. Vielleicht war es so; aber sein einfacher, derber Verstand sträubte sich gegen die Annahme. Major Matsubara hätte sofort gewußt, ob etwas Wahres an dieser Rede war. Er wurde aber erst in einer Woche in Shanghai erwartet.
»Wie geht es meiner Schwester?« fragte Astrid plötzlich.
Oberst Saito starrte sie sprachlos an. *Er* war derjenige, der hier die Fragen stellte. Und wenn diese Gefangene auch eine Tochter der Kirche war und daher von ihm mit einer gewissen Rücksicht behandelt wurde – er hatte die ganze Zeit die Lamm-Methode angewandt, bis auf das eine Mal, wo er Astrids Brille zerbrochen hatte –, Fragen von seiten der Häftlinge, das ging zu weit!
»Abführen!« brüllte er und schlug wieder mit der Faust auf den Tisch. Die Frauen aus dem Westen redeten zuviel; dafür war keine Strafe hart genug! Er dachte sekundenlang an Madame Saito, die so still wie ein Teich im Frühnebel war. Sie erriet seine geehrten Gedanken und beantwortete sie mit Schweigen oder einer auf den Knien dargereichten Lieblingsspeise. Oberst Saito sah aus dem Fenster des Kempetai-Büros. – In diesem Augenblick fuhr Fuchsgesicht in seinem altmodischen amerikanischen

Wagen vorbei. Und mit dem altmodischen amerikanischen Wagen glitt die letzte Gelegenheit für die Japaner vorüber, das Geheimnis zu lüften. –
Oberst Saito konnte Fuchsgesicht nicht fangen, weil dieser sich *nicht* vor der Kempetai versteckte. Er fuhr tagtäglich vor aller Augen in Shanghai herum. Er wohnte in den Häusern der Freien, er aß den Reis der Todesmutigen, er »teilte seine Meinungen mit dem Volke«, wie Menzius es befohlen hat. Mit chinesischem Stoizismus sah er seine Agenten kämpfen und fallen, wie das Schicksal es bestimmte, aber das Netz, das er vor drei Jahren von Shanghai nach Bangkok und Saigon bis zu den indischen Funkstationen gespannt hatte – dies Netz hielt. Ein Chinese hatte es geknüpft, und so war es elastisch und doch unzerreißbar.
Als Nina Iwanowna ihm vorgeschlagen hatte, die junge Vivica ohne ihr Wissen als Kurier nach Indochina zu senden, hatte er den Kopf geschüttelt: Ein weiblicher Fisch fiel zu leicht durch die Maschen des großen Netzes – und er kannte die Wergelands seit Jahren. Da er sich standhaft weigerte, nahm Madame Ninette sich Vivica vor, deren Abenteuerlust sie witterte. Mademoiselle könnte in Saigon »Gesichter sammeln«. Schließlich gab Fuchsgesicht seine Einwilligung: die Sache der Freiheit war inzwischen wichtiger geworden als die junge Ausländerin, die viel angeborene Gewitztheit besaß. Aber dann war etwas schief gegangen: Vivica war verhaftet worden. Die Japaner oder ihre Agenten hatten Lunte gerochen. Das Chungking-Netz hielt, ein kleiner Fisch aber war ans sandige Ufer geschleudert worden und schnappte nach Luft. Der weibliche Fisch hatte sich wohl nicht genügend unter Wasser gehalten; er war eben nicht wie chinesische Frauen in der Tradition der Unauffälligkeit erzogen worden. Es war schade um den schönen, glänzenden kleinen Fisch.
Fuchsgesichts amerikanischer Wagen, den jeder Bankier und jeder Kuli in Shanghai kannte, hielt am Eingang einer Seitenstraße von Chapei. Der vornehme Chinese in mittleren Jahren verließ sein Auto und ging zu Fuß in die Werkstatt eines Schneiders. Die Frau des Schneiders schoß, sich tief verbeugend, herein und servierte grünen Tee in henkellosen Tassen. Sie war die älteste Schwester von Yumei, der toten Amah der Familie Wergeland. Fuchsgesicht setzte sich in dem lichtlosen Hinterzimmer auf einen Hocker und fragte kurz: »Nachricht über Dritte Schwester?«
Yumeis Schwester begann zu weinen. Sie hatte Vivica und Astrid

lange gekannt und »Fröken Wergeland« auch. Der große Gebieter wartete geduldig: Frauen hatten so viele Tränen wie der Whangpoo-Fluß Wasser führte; aber die Tränen der Frauen waren reiner.
»Ist sie tot?« flüsterte er. »Dann leidet sie nicht mehr; ihr Geist flattert schon wie ein Schmetterling.«
»Man weiß nicht, Herr!« Yumeis ältere Schwester wischte sich mit einem Zipfel ihrer blauen Arbeitsjacke die Tränen ab. »Agent 41 hat gestern berichtet, daß Missie Vivica nicht mehr im Gefängnis ist. Vielleicht haben sie sie in den Fluß geworfen, Herr! Oder sie haben sie mit glühenden Zangen zerquetscht.« Ältere Schwester weinte jetzt mit großem Genuß; ihre chinesische Phantasie entzündete sich an den vielen gräßlichen Möglichkeiten.
»Wir werden sie suchen«, sagte Fuchsgesicht und betrachtete Yumeis Schwester mit müder Nachsicht. Aus einem Indigofaß konnte man eben keine weiße Seide ziehen! Er gab ihr Teegeld und verließ den Laden. Vor einem Reisgeschäft stauten sich chinesische Arbeiterfrauen und protestierten mit schrillen, dramatischen Reden gegen die Erhöhung der Reispreise. Sie schienen nicht die geringste Angst vor der Kempetai zu haben. Sie waren Familienmütter und somit Löwinnen.
Fuchsgesicht fuhr stirnrunzelnd zu *Wing On*, dem großen Warenhaus. Man war im »Lotosmonat« des chinesischen Mondjahres, und seine Frau hatte ihn daher gebeten, für den ältesten Sohn den traditionellen Drachen zu kaufen. Er hatte seinem achtjährigen Sohn erklärt, daß der chinesische Drache ein wohltätiges Wesen wäre, das den Regen in die tausend Reisdörfer Chinas verteile. Er wünschte nicht, daß sein Sohn von seiner europäischen Mutter die Vorstellung übernehme, der Drache sei ein Ungeheuer. Herbert Chou, der Enkelsohn eines Breslauer und eines chinesischen Bankiers, wurde eindeutig als Chinese erzogen. Er sollte einmal das freie China bewohnen, das sein Vater Tso-ling mitschaffen half. Hanna und ihre drei Söhne hatten keine Ahnung, daß Tso-ling, der seine Frau aus einem Nachtlokal in die einflußreichste Familie Shanghais gebracht hatte, der große Netzeknüpfer Fuchsgesicht war, über den die Kulis und die ehrenwerten Väter der Stadt täglich neue Legenden verbreiteten. Auch Tso-lings uralte Mutter in der Great Western Road am Rande der Riesenstadt wußte nichts von der Doppelexistenz ihres Erstgeborenen. Niemand ahnte, daß Chou Tso-ling seit Jahren rastlos

an dem großen Netz webte; daß er in ständiger Gefahr schwebte, denn nicht alle Fische waren stumm; daß das altmodische Haus hinter der Bubbling Well Road, das er vom alten Herrn Hsin, Mailin Wergelands Großvater, geerbt hatte, eine Attrappe geworden war, die Familienleben vortäuschte. Chou Tso-ling, der Herr des Hauses, war nur noch ein friedloser Gast im Pavillon der Vögel. Er hielt den Wolf von der Vorderfront seines Hauses ab und wußte nicht, ob er nicht mittlerweile hinten hereinschlich. Seine Begegnung mit der Familie Wergeland hatte unter einem trüben Stern gestanden; aber »Begegnung ist immer nur der Anfang der Trennung«, sagte ein buddhistisches Sprichwort...
Nein, die Frauen des Hauses Chou in Shanghai wußten nichts von Tso-lings Doppelexistenz. Und das war gut so, dachte Fuchsgesicht, während er durch die dämmernde Stadt in die Bubbling Well Road fuhr und Herberts Drachen sorgsam auf seinen Knien hielt. Die Politik war ein Ozean, in dem ein Frosch ertrinken mußte. Gefahr und Tod waren ein Männergeschäft, Mädchen und Frauen zerbrachen daran wie Vivica Wergeland. Sie waren zu innig mit dem Leben verbunden; sie schenkten es zu allen Zeiten – im Frühjahr und im Winter, in den Zeiten der Fülle und in Perioden der Dürre, im Frieden und im Kriege... Sie waren und blieben Erzfeindinnen von allem, was ihre Männer und Söhne um einer Idee willen gefährdete. Selbst Chinas Freiheit, die sie doch erhofften, war ihnen weniger wichtig, als daß in ihrem Nest keiner ihrer jungen Vögel fehlte. Seine Hanna dachte in dieser Beziehung nicht anders als die uralte Madame Chou. (Übrigens auch nicht anders als die gütige, stille Madame Saito in Urakami, dem Vorort der Stadt Nagasaki.)
Hanna saß mit Herbert und den beiden kleineren Söhnen im Pavillon der Vögel, als Tso-ling zu ihnen trat. »Du siehst müde aus, Liebling«, sagte sie. »Hast du etwas über Astrid und Vivica gehört?«
»Leider nicht. Kann ich noch meinen Tee bekommen, Hanna? Es ist sehr spät.«
Hanna klatschte in die Hände, und die »Treue Gans«, die noch den alten Herrn Hsin bedient hatte, watschelte mit dem Teegeschirr und zwei jungen Dienerinnen in den Pavillon.
»Packe die Sachen der Tai-Tai (Herrin) und der Söhne«, befahl Chou Tso-ling der Alten. »Deine Sachen auch: Du wirst die Herrin und die Söhne begleiten.«

»Treue Gans« verbeugte sich wortlos. Sie war sehr überrascht, aber in ihrem Pergamentgesicht bewegte sich kein Muskel.
»Ich bringe euch und Mutter morgen in aller Frühe nach Soochow in unser Landhaus«, erklärte Tso-ling der erstaunten Hanna. »Bitte, stell keine Fragen, meine Liebe! Eure Sicherheit ist in Shanghai gefährdet.«
»Bist *du* hier denn sicher, Tso-ling?«
Hanna hatte plötzlich Herzklopfen bekommen. Tso-ling strich ihr liebevoll über ihr schönes glänzendes Haar.
»Ich weiß es nicht, Hanna, aber ich nehme es an. Vor allem muß ich euch in Sicherheit wissen.«
»Aber wir sind hier doch glücklich!«
Tränen traten Hanna in die wunderschönen dunklen Augen, in denen die Sonne des Eheglücks die Leidensweisheit ihres Volkes niemals ausgelöscht hatte.
»Weine nicht, Liebling!« Tso-ling küßte sie zart. »Ein Mann, dem sein Glück etwas wert ist, versteckt es.«
»Dieser entsetzliche Krieg! Ich habe Angst um dich.«
»Um *mich*? Warum?«
»Ich weiß es nicht. Ich sehe dich kaum mehr. Du bist so oft bedrückt. Willst du mir nicht sagen ...?«
»Nein, Hanna«, sagte Tso-ling. »Es ist alles in Ordnung.«
Er machte sein verschlossenes Gesicht, das nicht einmal die Liebe aufschließen konnte. »Es schwirren soviel Gerüchte in der Stadt herum«, sagte Hanna zögernd. »Sie betreffen auch dich.«
Herr Chou lachte herzlich. »Je größer die Stadt, desto länger die Zungen. Verstopfe deine Ohren vor allen Dummkopfreden, mein liebes Kind.«
Hanna streichelte seine schmale, lange Hand, welche die henkellose Teeschale hielt. Ihr feines Gefühl warnte sie, diese Unterhaltung fortzusetzen. Sie wußte, daß Anna von Zabelsdorf sich in solcher Situation stundenlang mit dem »Ernstel« ausgesprochen hätte; aber sie, Hanna, war die Frau eines Chinesen. Es gab da eine zarte Grenze, die niemals von ihr überschritten werden durfte. »Ich werde jetzt packen, Tso-ling«, sagte sie sanft.
»Ich will nur euren Schlaf bewachen«, murmelte Tso-ling und sah sie mit einem leidenden Blick an. Es war die chinesische Redewendung, um die höchste Gatten- und Vaterliebe auszudrücken. Er sah Hanna nach, während sie langsam ins Haus schritt: eine schöne, stattliche und vitale Frau, die Mutter seiner drei

Söhne. Sie hatte der Familie Chou tausend glückselige Stunden gebracht. Er blieb eine Weile unbeweglich sitzen. Die Gedanken jagten sich hinter seiner hohen und klugen Stirn. Er hatte gewußt, daß es gefährlich war, auf einem Tiger zu reiten. Er ritt um ein freies China. Wenigstens war er wie tausend andere Chungking-Chinesen des Generalissimus Chiang-Kai-shek dieser Meinung. Sie stellten den Kern des Widerstandes gegen Nippons Weltreich in China dar. Der Generalissimus stand ganz vorn auf der Bühne. Chou Tso-ling ritt im Hintergrund den Tiger. Und er wußte auch, daß eines noch gefährlicher war, als auf dem Tiger durchs besetzte Shanghai zu reiten: abzuspringen!

Herr Chou ging ins Haus. Aus Hannas Räumen klangen die hellen Stimmen seiner Söhne und eine fremde chinesische Knabenstimme. »Rechter Arm«, der Diener und Famulus des Herrn von Zabelsdorf, hatte Missie eine eilige Botschaft ihrer Freundin Anna gebracht. Hanna eilte ihrem Mann entgegen. Sie sah aus wie jemand, der plötzlich eine Last abgeworfen hat.

»Astrid ist frei, Tso-ling«, rief sie strahlend. »Sie ist wieder bei Ernstel und der Annele! Ich werde sofort hinfahren.«

»Das wirst du nicht tun, ich verbiete es dir«, sagte Herr Chou Tso-ling in einem Ton, den Hanna noch niemals von ihrem ruhigen und höflichen Ehemann vernommen hatte.

»Du tust mir keinen Schritt aus dem Hause, bis wir im Morgengrauen fahren.«

»Aber, Tso-ling! Was wird Astrid denken? Sie ist meine Freundin. Wenn die Kempetai sie entläßt, dann...«

»Dann tut sie es, um sie weiter zu beobachten. Zeige mir die Botschaft!«

Hanna zeigte ihm zitternd Anna von Zabelsdorfs Brief, den »Rechter Arm« an seinem Körper versteckt gehalten hatte. Richtig, da stand es: »*Astrid darf allerdings Shanghai nicht verlassen; aber wir sind alle so glücklich und erwarten Dich und Tso-ling heute abend. Leider haben wir über Vivica nichts in Erfahrung bringen können. Wir senden Fräulein Helene Wergeland Nachricht durch einen Freund. Auf Wiedersehen bis nachher!*

*Eure Anna*«

Herr Chou ließ den Brief sinken. Es tat ihm schon leid, daß er so hart mit Hanna gesprochen hatte. Sie nahm dergleichen schwe-

rer als eine chinesische Ehefrau. Sie war sehr blaß geworden und zitterte vor Nervosität und Erstaunen. Nie hätte der Bertel so einen Ton ihr gegenüber angeschlagen! Er hätte freundlich gebeten und auf Hannas Vernunft vertraut. Beides kam einem chinesischen Ehemann nicht in den Sinn, selbst wenn er den Intelligenzgrad seiner Frau kannte und ihre Besonnenheit schätzte. Auch das Studium im Ausland und die Ehe mit einer Ausländerin änderten einen chinesischen Ehemann nicht und würden es in den nächsten tausend Jahren nicht tun. Schon deshalb nicht, weil chinesische Frauen trotz der fortschreitenden Emanzipation immer noch Befriedigung im Dienen und Gehorchen fanden und dabei ihren Willen unterirdisch durchsetzten.
Chou Tso-ling führte Hanna in ihren Schlafraum und brachte sie wie ein Kind zu Bett. In Friedenszeiten war die Ehefrau die Mutter des Mannes; im Kriege wurde sie unweigerlich seine älteste Tochter. Hanna sank leise schluchzend in ihre Kissen.
»Verzeih, Liebling«, flüsterte Tso-ling. Er holte eine Medizinflasche aus dem Badezimmer, das er Hanna in westlichem Stil eingerichtet hatte, und gab ihr in einem Gläschen die »Essenz des langen Lebens«, die alle Frauen des Hauses Chou nahmen, wenn sie ein Kind erwarteten. Hanna errötete sanft, als sie ihren Mann mit der bewußten Kristallflasche kommen sah, denn sie hatte ihm das Geheimnis noch nicht mitgeteilt.
»Woher weißt du es?« fragte sie scheu und beglückt. Sie hatte vor Chou Tso-ling nie eine mädchenhafte Scheu verloren. Er war von Anbeginn ein wenig zu groß und mächtig für sie gewesen; er hatte sie eben aus dem Nachtleben Shanghais in die Sonne geholt. Tso-ling, der später wie der alte Herr Hsin aussehen würde, hatte sie zu Beginn ihrer Liebe beschenkt und gerettet. Die Scheu und die schweigsame Dankbarkeit hatte die Liebe zwischen ihnen nur noch vertieft.
»Woher weißt du es?« hatte Hanna gefragt und ihn strahlend angesehen.
»Treue Gans...«, lächelte Tso-ling. Hanna nickte und legte seine Hand mit einer rührenden Gebärde auf ihren Leib, der die erste zarte Wölbung der Mutterschaft zeigte. Sie wußte längst von dem einzigartigen Vertrauensverhältnis der ältesten Dienerin eines großen Hauses zu ihrem Herrn, den sie als Knaben gewiegt und kniend bedient hat... Chou Tso-ling saß bis spät in die Nacht am Bett seiner Frau und bewachte ihren Schlaf. Draußen, vor

den Toren des altmodischen Hauses hinter der Bubbling Well Road, lauerte der japanische Tiger.
Politik und Freiheit waren Männergeschäfte.

\*

Eine Woche nach Hanna Chous Evakuierung bekam Freiherr von Zabelsdorf eine private Botschaft von Chou Tso-ling, seinem langjährigen Freunde, den er allerdings in den letzten Monaten nie zu Gesicht bekommen hatte. Das fiel ihm aber eigentlich erst auf, als er Tso-lings Botschaft las. Hanna war immer allein bei ihnen erschienen, seitdem die Wergelands in der Patsche saßen. Nun bat ihn Tso-ling, zwecks »einer Unterhaltung zwischen Freunden« in den Auktionssaal des Herrn Han in die Chinesenstadt zu kommen. Dort würde Herr Chou ihn treffen. Er bat die Botschaft zu zerreißen.
Um zwei Uhr nachmittags war Hochbetrieb bei Herrn Han, dessen Geschäft in einer verwinkelten Straße lag, die kein Auto befahren konnte. Es war eine Auktion für chinesische Kunstkenner; der langbeinige Ausländer fiel daher auf, aber das Wettfieber und die Liebe zu Jade und Porzellan dämpfte bei den Anwesenden die sonst so wache chinesische Neugier. Herr Han schlug gerade einem alten Mütterchen, das wie eine Hausiererin aussah, eine Mingvase zu. Die alte Madame Yüan, die eine große Spinnerei und bezaubernde Schiffahrtsaktien besaß, war nicht so einfältig, ihren Reichtum zur Schau zu tragen. Sie kämpfte bescheiden aber hartnäckig um die besten Stücke auf dieser Auktion, bei der viele Kostbarkeiten ersten und zweiten Ranges aus Ausländer-Haushalten feilgeboten wurden. Ein einziger Japaner in Zivil stand in einer Ecke und beteiligte sich wenig an dem faszinierenden Spiel. Er war der Chef-Redakteur der »militärischen Wirtschaftszeitung« (*Tairiku Yearbook*), das für Central-China herausgegeben wurde. Das Blatt und die dahinterstehenden Wirtschaftsverbände in China befürworteten seit Jahren »den Import und die Verteilung japanischer Waren« in Zentral-China. Herr Dr. Kyoshi war ein kleiner melancholisch blickender Kunstkenner ohne nennenswerte Geldmittel; er kam hierher, um sich ohne Hintergedanken an dem Anblick von Porzellan und Jade zu erfrischen.
Eine junge Chinesin zupfte Herrn von Zabelsdorf verstohlen am

Ärmel. Er verstand. Er wartete, bis die Schlacht um einen Bronzespiegel in voller Lautstärke tobte und folgte dann der Kleinen zum Ausgang des Auktionssaales. Es sah aus, als ob er die Auktion verließe: etwas durchaus Natürliches. Dr. Kyoshi kümmerte sich so wenig wie die anderen um den Deutschen, obwohl er ihn als Leiter der Deutsch-Asiatischen Bank natürlich kannte. Er starrte durch seine Brillengläser hingerissen den Bronzespiegel aus der Loyang-Gegend an. Spiegel besaßen für Japaner eine mystische Anziehungskraft. Sie waren der Ansicht, daß der Spiegel nicht etwa die Eitelkeit des Beschauers fördere, sondern die Seelenprüfung erleichtere. Ein Spiegel und *makoto* (Aufrichtigkeit) gehörten zusammen. Dr. Kyoshi zählte verstohlen seine Barschaft – hoffnungslos!

Ernst August von Zabelsdorf begrüßte seinen Freund Chou Tsoling mit einer Verbeugung, die zeremoniell erwidert wurde. Aber was Herr Chou vorzutragen hatte, war alles andere als konventionell: Er bot Ernst August von Zabelsdorf an, Anna und seine Kinder noch heute in das Landhaus der Chous nach Soochow zu bringen, da Shanghai in den nächsten Wochen und Monaten kein Pflaster für Frauen und Kinder sein würde.

Zabelsdorf war sehr blaß geworden; seine scharfen Augen betrachteten den großmütigen Freund seiner Familie mit nahezu ungläubigem Staunen. Tso-lings Blick war die ganze Zeit auf den leeren Ärmel seines Freundes gerichtet: »Ernest« hatte ein chinesisches Mannkind vor acht Jahren aus einem brennenden Hause getragen und seiner Mutter in die Arme gelegt... »Es geht nicht, Tso-ling«, fügte Ernst August seinem knappen heiseren Dank hinzu. »Wir Deutschen sind ein verfemtes Volk geworden; Anna und die Kinder können euch alle gefährden.«

Einen Augenblick herrschte Stille in dem dunklen kleinen Raum, an dessen Wand eine alte Seidenmalerei Friede und Sicherheit suggerierte. Dann sagte Herr Chou:

»Es ist alles arrangiert, mein Freund.« In seinem Gesicht war keine Spur von Ausdruck.

»Anna wird nicht fortwollen!«

»Darauf kommt es nicht an, Ernest«, erwiderte Herr Chou milde. Ein flüchtiges Lächeln erschien und verschwand auf seinem ernsten Gesicht mit den leidenden Augen und dem energischen Kinn.

»Hanna wollte auch nicht abreisen, aber sie fuhr natürlich mit

den Söhnen. Mein Chauffeur wird um fünf Uhr nachmittags bei Ihnen vorfahren. Meine Mutter freut sich sehr auf Ihre Frau.«
Er erhob sich und blickte den langbeinigen Deutschen voll stummer Sympathie an. Ernst August unterdrückte heldenhaft den Impuls, seinem Freunde Tso-ling die Hand zu schütteln. Chinesen machen das nicht.
»Möge Ihr Land den Frieden gewinnen«, murmelte Herr Chou. »Wir bleiben Freunde, Ernest!«
Herr von Zabelsdorf bemerkte, daß es in Deutschland bald Heulen und Zähneklappern geben würde. »Es ist komisch mit uns, Tso-ling«, murmelte er. »Wo es Porzellan zu zertöppern gibt, da sind wir allemal vorneweg. Det reißt ins Jeld!«
Chou Tso-ling hatte für Berliner Galgenhumor genauso wenig Verständnis wie für den Pflichtbegriff der Japaner. Warum gab sich Ernest geradezu Mühe, Gesicht zu verlieren? Er sah aber die scharfen Augen, die kühne Nase, etwas zugleich Gespanntes und Leidendes in den Zügen seines deutschen Freundes. Er sah den leeren Ärmel und hörte die Erschöpfung in der Stimme. Eine Ahnung überkam ihn: Ernests Art, mit dem Bittersten seinen Scherz zu treiben, war vielleicht eine edle Frucht, ein Stück resignierter Weisheit und ein Ausdruck tiefen Gefühls, das nicht an die Oberfläche trat. Sein Humor stammte aus einer guten Quelle, so wie Ernest aus einem guten Hause stammte. Tso-ling überwand seine chinesische Abneigung gegen Berührungen und schüttelte dem Freund die Hand.
»Mir fällt noch etwas ein, Ernest! Hanna sagte mir, daß Miss Astrid Wergeland wieder bei Ihnen wohnt, oder irre ich mich?«
Nein, Tso-ling irrte sich nicht. Die lange Latte war wieder bei ihnen und ergötzte sich offenbar an Tochter Krümel und dem Kasperle. Sie sollte doch wohl mit nach Soochow fahren, oder nicht?
Aber Herr Chou hielt Astrids Anwesenheit in Shanghai für angebrachter, da sie ja die Stadt nicht verlassen durfte. Herr von Zabelsdorf kratzte sich am Kopf und versicherte, er werde sich schon mit Fräulein Astrid vertragen. Jedes Wort koste bei ihr zwar einen Taler, und sie sei nicht, was der Berliner »kuschelig« nenne – aber sie sei goldrichtig. Sie heule nicht, sie piepse nich rum, sie sei nich miesepetrig und immer adrett. Wenn man sie näher kenne, müsse man sie gern haben. All das hatte Ernst August herausgefunden. Krümel lief ihr auf Schritt und Tritt nach, und

das Kasperle krähte begeistert, wenn sie es stundenlang auf dem Arm herumtrug, wozu Eltern weder Zeit, Kraft noch Lust haben. Nee, nee – an Fräulein Astrid war nischt auszusetzen! – Aber – gehörte sich das, wenn sie – immerhin 'ne elegante junge Dame von eben fünfundzwanzig Jahren – allein im Flat mit dem Hausherrn blieb? Was würde Tante Helene dazu sagen? Herr von Zabelsdorf, der eine große Verehrung für die »Tante Jeneral« empfand, grübelte. – Aber da sagte Herr Chou bereits, er habe alles für Miss Astrid arrangiert. Ernest möchte nun nach Haus fahren und die Damen zum Einpacken ermuntern. Astrid würde erst einmal nach Chapei zu der Schwester ihrer alten Kinderfrau Yumei ziehen. Sie hätte dort schon in ihrer Shanghaier Kindheit Besuche gemacht; »Ältere Schwester« erwarte junge Missie jede Minute. Sie hinge wie die tote Yumei an allem, was Wergeland hieße. Und Astrid spräche immer noch fließend chinesisch.
Herrn von Zabelsdorf verschlug es den Atem. Tso-ling, das stille Wasser, hatte offenbar umfassend geplant und »arrangiert«. Er schien noch heller als ein Berliner zu sein, obwohl das schwer vorstellbar war. »Alle Achtung!« murmelte Ernst August.
Herr Chou lächelte nun etwas ausgiebiger. Ernest war durchaus vernünftig, wie er es von ihm erwartet hatte. Vielleicht ahnte er sogar, daß Astrid in nächster Zeit bei keiner deutschen Familie leben durfte, wenn sie nicht von den Alliierten nach Kriegsende als Freundin der »Achse« verdächtigt werden sollte. In der Tat war sich der illusionslose Berliner völlig darüber klar, aber er sprach es nicht aus. Er wußte, wann ein Mann mit Selbstachtung die geehrte Klappe hielt.
»Fräulein Astrid macht sich große Sorgen um ihre Schwester«, bemerkte er und fuhr vorsichtig tastend fort: »Ist nichts herauszubekommen, Tso-ling? Ist die Kleine wohl noch in dem gleichen Gefängnis?«
»Leben Sie wohl, Ernest«, sagte Herr Chou Tso-ling, als ob er nichts gehört hätte. Er wußte, wo Vivica war. Einer seiner Agenten hatte es herausbekommen. Seine Agenten schwirrten wie Schmetterlinge – aber geschulte – in der Riesenstadt am Whangpoo-Fluß herum. »Die Welt gleicht einem Schachspiel, das ändert sich ja auch mit jedem Zuge«, murmelte er. »Ich wünsche Ihnen tausend glückselige Jahre, Ernest! Wer einen Sohn hat, ist ein beneidenswerter Mann!«
Herr Chou verbeugte sich. Er hatte die geniale chinesische Gabe,

eine Unterhaltung mit exquisiter Höflichkeit in der Mitte abzubrechen.

Die Unterredung zwischen Herrn Chou und Herrn von Zabelsdorf fand genau zwölf Tage vor den Atombombenangriffen auf Hiroshima und Nagasaki statt. Als Herr Chou in diesen letzten Julitagen des Jahres 1945 die Frauen und Kinder seiner Freunde aus Shanghai fort- oder bei Chinesen unterbrachte, war es keine Minute zu früh. Astrid hatte Anweisung bekommen, sich in Chapei im Hause zu halten. »Ältere Schwester« haftete Herrn Chou für ihre Sicherheit. Bis die Kempetai ihren neuen Aufenthaltsort ausfindig machen konnte, würde es – so hoffte Tso-ling – ein befreites und siegreiches China geben.

Die Welt glich einem Schachspiel und änderte sich in diesen Tagen tatsächlich mit jedem Zuge. Wenn Vivica noch ein wenig durchhielt, würde auch sie gerettet werden. Aber dort, wo sie war, las man keine fremden Zeitungen und hörte kein Auslands-Radio. Auf das Abhören alliierter Sender stand in einem japanischen Hause der Tod.

Vivica war im Augenblick in einem japanischen Hause in Shanghai. Ihr Geist wanderte. Sie ahnte nicht, wie nahe sie der Freiheit war. Das war schade, aber es war nicht zu ändern.

*

Vivica lag mit geschlossenen Augen in einem sauberen und leeren japanischen Zimmer. Nur einige geflochtene Matten und eine Vase mit Blumen gab es in diesem Raum. Und ein Bett nach westlicher Art für Vivica.

Sie wollte die Augen nicht öffnen. Sie war so müde wie ein Kind eben ist, das aus Versehen oder Neugier mit dem Globus Ball gespielt hat.

Manchmal kam eine kleine Japanerin in den leeren, reinen Raum; es war Aki-ko, welche die Ausländerin pflegte und bewachte. Sie durfte nicht fortlaufen; sonst würde Major Matsubara fuchsteufelswild werden. Sie sollte in diesem Raum bleiben – still, zerbrochen, vor sich hinträumend und -redend und schön wie eine Möwe über dunklen Fluten, den Fluten der Leidenschaft.

Von Zeit zu Zeit erschien Matsubara und starrte Vivica an. Meist hatte sie vorher so geschrien, daß man ihr eine Schlafspritze gab und sie daher wie eine Tote schlief. Major Matsubara beugte sich dann über die Tote und betete sie an – sekundenlang – mit verzweifelter Glut. Dann rief er nach Madame Aki-ko oder auch nach Dr. Yamato, welcher der Kempetai dies Opfer mit sanfter Gewalt entrissen und es in seine Klinik entführt hatte. Aus einer Verrückten konnte selbst Major-san keine Informationen herausholen! Einmal hatte Vivica die Augen aufgeschlagen, als Major-san sie mit glühenden Blicken anstarrte; aber kein Erkennen hatte sich in ihren Eisvogel-Augen gezeigt, die leer in ferne Abgründe zu starren schienen.

Gelegentlich erwachte Vivica aus dem Stupor, in den sie nach dem nächtlichen Souper in der »Weißen Chrysantheme« versunken war. Der sanfte Dr. Yamato und seine Frau pflegten sie mit aufopfernder Geduld, aber sie taten nichts, um ihren Geist zu wecken. Sie wußten, daß Major-san sie dann wieder verhören würde. Sie beteten bei jeder heiligen Messe für die junge verstörte Ausländerin, wußten aber nichts weiter über sie, als daß sie die Schwester von Mademoiselle Astrid-Thérèse war.

Sie konnten auch nicht unterscheiden, wann Vivicas Geist wanderte, wann sie sich mit dem kleinen ausgedachten Gefährten Halvard unterhielt, der ihr aus dem Gefängnis in den schönen, stillen Raum gefolgt war, und wann sie bei klarem Verstand und Bewußtsein war. Das wußte niemand. Schon in normalen Zeiten hatte niemand genau gewußt, was in Vivica vorging. Sie war augenblicklich außer Gefahr und doch auch wieder in Gefahr – die kleine träumende Aphrodite.

Vivica fühlte sich in ihrer Art recht glücklich bei dem guten Dr. Yamato und seiner sanften Frau. Ihr Rückzug aus einer Wirklichkeit, mit der sie nicht mehr fertig wurde, hatte sich so still und unauffällig vollzogen wie seinerzeit die Lebenslust ihrer Mutter Borghild, als Konsul Wergeland sie in eine kostspielige Irrenanstalt bringen wollte. Doch da war ein Unterschied: Borghild hatte bis zuletzt ihre Geige gehabt – ein greifbares Werkzeug der Magie. Vivica hatte nur Halvard, den ausgedachten kleinen Gefährten, der sich immer vor Major-san versteckte. Halvard war einer der kleinen Trolle aus Norwegens Kindertagen; er war lustig und unzuverlässig, und er konnte singen. Vivica lauschte ihm oft in diesen Tagen, während sie mit geschlossenen Augen dalag. Sie erinnerte sich an niemanden mehr – weder an Tante Helene, noch an Astrid und schon gar nicht an »Onkel Pierre« oder die fette Madame Ninette im *Beauty-Parlour* in Bangkok.

Eines Tages hängte Madame Yamato ein Schriftbild in der Nische auf: ein *Haikku*, eine jener Perlen der Poesie, für die Astrid kein Verständnis gezeigt hatte, als sie Major Matsubara in Shanghai kennenlernte.

> *Wenn die Menschen heimgehen*
> *nach dem Feuerwerk —*
> *welche Dunkelheit!*

Madame Yamato erklärte schüchtern auf englisch: »Dies *haikku*, Miss! Wir lieben *haikku*. Wenn Gedicht schön traurig, dann weinen wir.« Die reizende Madame Yamato hatte auch die verwirrende japanische Angewohnheit, aus Bescheidenheit von sich selbst im Plural zu sprechen. Nur der japanische Hausherr sprach gelegentlich von sich selbst in der ersten Person Singularis.
Vivica wandte ihr Gesicht zur Wand und schloß die Augen: Welche Dunkelheit nach dem Feuerwerk!
Am Nachmittag schrie sie plötzlich auf — wie in den Tagen der schlimmsten Schocknachwirkung, in denen der kleine Dr. Yamato sie voller Erbarmen aus der Zelle in sein lichtes, sauberes Heim geholt hatte. Sein alter Freund, Oberst Joseph Saito, hatte Major Matsubara offensichtlich überzeugt, daß selbst die Militärpolizei aus einer Person, die von Geistern besucht wurde, keine Fakten herausquälen konnte. Major-san kam aber öfters, um sich von den Fortschritten der Gefangenen zu überzeugen. Wenigstens nahmen Dr. Yamato und seine Frau das an, denn welchen Grund sollte ein so hoher und gefürchteter Offizier sonst haben, Gefangene Nr. 83 mit glühenden Blicken zu betrachten?
Vivica schrie mit einer fremden spitzen Stimme und tief nach einem gewissen Halvard, den Dr. Yamato nicht kannte. Vielleicht war es der Verlobte oder ein Bruder der Kranken; Vivica stöhnte ... Ein Fabelwesen, halb Vogel, halb Mensch, war plötzlich in dem schönen, friedlichen Raum. Es hatte ein goldenes Antlitz mit glühenden Augenhöhlen, sowie einem eisernen Schnabel und trug acht Schwerter auf dem mit einer Militärmütze bedeckten Kopf. Der riesige Vogelleib war mit grünlichen Metallfedern bedeckt und flatterte unheildrohend auf Vivica zu. Jetzt mußte das Fabelwesen sich auf sie stürzen — sie fühlte den eisernen Schnabel und das Feuer, das aus den toten Augenhöhlen brach. Sie schrie gellend, aber das Fabelwesen sagte nur in elegantem Fran-

zösisch: »Sterben ist zu schön für Sie, Mademoiselle! Sie sollen leben und es in jeder Minute bedauern.«
Dr. Yamato gab Vivica eine Spritze und flüsterte: »Es ging ihr schon besser, Major-san! Sie muß wieder einen Angsttraum gehabt haben.«
Die Dunkelheit nach dem Feuerwerk war wundervoll. Das Morphium hatte den Fabelvogel vertrieben, oder ihn seiner Metallfedern und seines Feuers beraubt. Es waren Schatten im Zimmer. Die Umwelt löste sich in Farben und Töne auf. Vivica saß auf einer Wiese, aber ringsum gab es nur Asche und bizarre Ruinen und in der Ferne eine erleuchtete Bar. Dort mußte Saigon sein. Dort hatte sie ihrer Schwester Astrid einen Mann wegstibitzt – nur zum Spaß. Am Rande der Wiese huschten Schatten mit altgewordenen Gesichtern; ihre Kleider waren mit Blut und Asche bedeckt. Einzig Vivica auf ihrer Wiese war dem Elend der Welt entrückt. (Lächelte sie wie Aphrodite – lockend, unschuldig-lustvoll und ein wenig leer?) Ihre Wiese lag auf einer anderen Ebene des Erlebens; aber Vivica wußte nicht, ob sie tief unter der Erde oder hoch in den Lüften träumte. Und die Schatten am Rande der Wiese wußten es anscheinend auch nicht. Nein, die Wiese mußte unbedingt in einem tief eingeschnittenen Tal liegen; denn wenn Vivica aufblickte, sah sie kobaltblaue, mohnrote und todesgraue Wolkenzüge. Sie kamen und gingen. Und Vivica sammelte dann die nächsten Wolken und lächelte. Wolken sammeln war eine entzückende Beschäftigung. Manchmal entströmte den Wolken Musik. Auf diese Musik wartete Vivica; sie erlöste sie aus ihren dunklen Ängsten; und kein Vogel mit Metallfedern und elegantem Französisch konnte sie dann schrecken. – Das alles geschah auf Vivicas Morphiumwiese, während die Bühne der Welt sich drehte und drehte und Nippon kurz vor seinem Sturz in die unfaßbare Tiefe stand.
Vivica lächelte – lockend, unschuldig-lustvoll und völlig leer. Major-san stand reglos an ihrem Lager. Sie trug einen alten rosa Kimono, welcher der Herrin des Hauses gehörte. Madame Yamato war ja eine uralte Frau von siebenunddreißig Jahren und kleidete sich nur noch in dunkle Farben: Grau, Blauschwarz und ein absolut trostloses Olivgrün. Der rosenfarbene Kimono und das goldene Haar auf den Kissen ergaben eine zarte und sehnsuchtsvolle Harmonie. Der Major starrte das Bildwerk an. *Asagoa* dachte er ... »Morgenblüte« ... Das Lächeln der lädierten Aphrodite traf

ihn wie ein Pfeil. Er blickte gehetzt umher. Dann beugte er sich über die Träumende und küßte rasch und verzweifelt ihre Lippen. Kalter Schweiß stand ihm auf der Stirn. Er stürzte zur Tür. Draußen stand Madame Yamato mit einem kleinen Wasserkessel in den Händen. Er grüßte sie im Vorbeieilen mit einem winterlichen Lächeln. Sie blickte ihm erschreckt und verwundert nach. Dann füllte sie den Kessel und ging in ihre Räume zurück.
In der »Weißen Chrysantheme« wartete Yuriko auf Major-san Er sah sie einen Augenblick erstaunt an. Dann fiel ihm ein, daß er selbst sie nach Shanghai beordert hatte.
»Du fliegst morgen mit einem Militärflugzeug nach Tokio zurück«, sagte er kühl. »Du wirst deinem Vater in seinem Laden helfen, als ob du nie fortgewesen wärest.«
Sofort füllten Yurikos Augen sich mit Tränen. Was konnte Akiro-san veranlassen, sie heimzuschicken? »Habe ich etwas falsch gemacht?« fragte sie schüchtern. »Ist mein Verstand zu elend?«
»Nein«, erwiderte Akiro-san mit erschreckender Sanftmut. »Du hast Nippon treu gedient, kleine Möwe! Es geht zu Ende. Ich will dich sicher wissen. Du weißt später von nichts, hörst du? Du hast Oberst Saito oder mich nie gesehen! Instruiere deinen Vater, daß er dasselbe aussagt, falls ... es noch nicht zu spät ist!«
Yuriko hatte verstanden. Neuartige Todesbomben waren auf das Inselreich niedergefallen. Die Sonne Nippons sank mit rasender Schnelligkeit. Sie kniete vor dem Mann ihrer Liebe nieder und flüsterte: »Wir wollen mit Akiro-san sterben.« Aus Bescheidenheit gebrauchte auch sie die Pluralform.
Aber Akiro-san konnte ihr diesen Wunsch nicht erfüllen. Er konnte nicht mit der kleinen Yuriko in den Liebestod eingehen; er war vor einer halben Stunde an Vivicas Lager gestorben. Aber außer ihm wußte das niemand.
Eine ungeheure Müdigkeit verdunkelte seinen Blick und lähmte seine von Trauer und Begierde erstarrten Sinne. »Mache mir ein heißes Bad«, sagte er wieder erschreckend sanft. »Ich friere.«
Nachdem Yuriko das Bad bereitet hatte, verbeugte sie sich abschiednehmend vor dem Geliebten und bedankte sich zeremoniell für die Beachtung, die er ihrer wertlosen Person gezollt hatte.
»*Arigato*«, hauchte sie lächelnd. Diesmal deutete das Wort an, daß Yuriko Schmerz empfand, weil sie für soviel zu danken hatte und nun ein *on* – eine hohe Verpflichtung, deren sie nicht würdig war – in Hinsicht auf ihren Wohltäter hatte. Dies *on* der Japaner

ist wie ein Schnupfen, den man sich zuzieht und nie wieder loswird.
»*Arigato*«, wiederholte Yuriko mit einer steifen Verbeugung, während das Herz ihr weh tat. Oh, wie schwer war es, dem Geliebten zu danken und ihn nicht mit unkorrekter Leidenschaft zu belästigen!
Yuriko trat in ihrem westlichen Kostüm aus dem Hotel zur »Weißen Chrysantheme«, das nur noch wenige japanische Offiziere und Gäste beherbergte. Junge Chinesen zogen singend mit ihren Papierdrachen vorbei. Yuriko erschauerte trotz der schwülen Hitze der frühen Augusttage. Es wurde Herbst, und sie ging gerade erst in ihren leeren Sommer. Ihr war so kalt, als habe Akiro-san ihr eine Handvoll Abendschnee von Hirayama aufs Herz geschüttet.
Madame Ogata, Yurikos Hauswirtin, war sehr erstaunt über Yurikos Reisepläne. – Sie hörte niemals Radiosendungen aus dem Ausland. Einmal war es verboten, und dann hatte Madame Ogata zuviel mit den Kindern, der Wäsche, den Mahlzeiten und der Bedienung ihres geehrten Gatten zu tun. – Aber wenn Yurikos geehrter Vater seine Tochter nach Tokio befahl, mußte sie natürlich reisen. Madame Ogata legte sich seelenruhig auf ihre Schlafmatte, während amerikanische Superfestungen den Rest der japanischen Kriegsflotte in der Japan-See vernichteten.
Es war noch elf Tage vor Nippons bedingungsloser Kapitulation. Es würden in diesem Zeitraum noch viele Feinde vernichtet werden – und auch noch in den Tagen des Übergangs. Denn wenn die politische Macht von einer Nation auf eine andere übergeht, geht es nicht besonders höflich und rücksichtsvoll zu.

\*

Am 17. August 1945 erwachte Vivica in einem fremden Raum. Sie stieß einen erschreckten Schrei aus. Wo waren Dr. Yamato und seine sanfte kleine Frau? Wo war das Feuerwerk, die Dunkelheit, die Morphiumwiese? Jemand beugte sich über sie: »Haben Sie keine Angst! Es ist alles gut. Sie sind frei!«
Vivica erschrak, wie man immer vor der unverhofften Freiheit erschrickt, und erkannte für ein paar Minuten Herrn Chou Tsoling, der mit einem Amerikaner in Uniform an ihrem Bett in dem altmodischen Hause hinter der Bubbling Well Road stand.

»Lassen Sie ihr Zeit, Mr. Chou«, sagte Dr. Timothy Williams.
»Sie steht immer noch unter der Wirkung des Schocks. Ihr Geist wandert, aber sie ist jung. Sie wird gesund werden.«
Der junge Militärarzt blickte Vivica mit seinen ernsten und doch humorvollen Augen an. Er hatte noch niemals ein so wunderbares Mädchen gesehen. Für die triumphierende Aphrodite hatte Dr. Williams nach achtundzwanzigjähriger Erfahrung nichts übrig; er ging ihr aus dem Wege. Die leidende Aphrodite fand er hinreißend. Mitleid und Staunen waren in seinen Augen. Wie bezaubernd war das Gesicht mit seiner gewölbten Kinderstirn, den reinen Konturen unzerstörbarer Schönheit, den roten, sanft geschweiften Lippen und dem zarten Schatten von Überdruß und Grübelei.
»Wie heißt sie eigentlich?« fragte er. Es gab ihm einen Ruck, als er den Namen »Wergeland« vernahm.
»Eine Familie von Rang in Trondheim«, erklärte er Herrn Chou. »Meine Großmutter stammt aus Tröndelag. Ihre Angehörigen waren Waldarbeiter, kamen nach Amerika. Ich bin dort geboren. Hat Miss Wergeland keine Angehörigen, Mr. Chou?«
»Wir erwarten ihre ältere Schwester jeden Augenblick. Ich brachte sie bei chinesischen Freunden aus ihrer Kinderzeit unter. Und dann ist da Miss Helene Wergeland, ihre Tante. Die Kempetai gab ihr keine Reiseerlaubnis nach Shanghai, aber wir erwarten sie nun jeden Tag. Ich habe ihr sofort Nachricht gesandt, daß beide Nichten am Leben sind.«
»Wie alt ist das junge Mädchen, Mr. Chou?«
»Ich glaube neunzehn Jahre.«
Vivica rührte sich. Sie trug immer noch den rosa Kimono der kleinen Madame Yamato. Das japanische Ehepaar hatte sie unter Lebensgefahr zu Herrn Chou gebracht, nachdem der *Tenno* über das Radio verkündet hatte, der heilige Krieg sei zu Ende. Dr. Yamato hatte sich erinnert, daß er Mrs. Hanna Chou bei Zabelsdorfs getroffen hatte, als er mit Monsignore de Lavalette in das deutsche Haus gegangen war, um über Möglichkeiten zu Vivicas Rettung zu beraten. Es traf sich günstig, daß er Mrs. Chou kannte. Tso-ling hatte dem kleinen häßlichen Mann in dem schrecklichen Cutaway gedankenvoll nachgeblickt: die Menschen waren *doch* Brüder, auch wenn seit Jahrzehnten alles dagegen sprach! Er hatte Dr. Yamato den Schutz des Namens Chou angeboten, aber der kleine Arzt hatte lächelnd abgewinkt. Er wollte keinen Schutz,

keine Ausnahmestellung unter seinen verhaßten und verfemten Landsleuten! Das wäre gegen den Anstand gegangen.
»Sie sind bei Freunden, Vivica«, murmelte Chou Tso-ling, der die Ruhe seines Gewissens dem stillen japanischen Arzt verdankte. Wie hatte er erlauben können, daß ein Kind mit dem Globus Ball spielte?
»Wir erwarten Ihre Tante Helene«, sagte Herr Chou eindringlich und bemühte sich, Vivicas Blick zu erhaschen.
»Tante Helene?« sagte Vivica verwundert. »Wer ist das?«

SIEBTES KAPITEL

# Variationen der Macht

VIVICA DURCHLEBTE GERADE wieder einmal ein Verhör von Majorsan, als Fräulein Wergeland mit Astrid ihren Schlafraum in der Villa Chou betrat. Sie schritt steif von der Tür zum Bett, verbeugte sich, schritt vom Bett zur Tür und verbeugte sich wieder. Als sie Helene Wergeland erblickte, floh sie zum Bett und versteckte ihren Kopf in den Kissen.
»Sie kennt dich nicht, Tante Helene!« Astrid hatte Tränen in den Augen. »Sie *will* träumen«.
Fräulein Wergeland, die niemals träumte, sagte nichts. Sie stand einen Augenblick wie angewurzelt an der Tür und ging dann langsam zu der auf dem Bett zusammengekauerten Gestalt hinüber. Die Monate der Trennung und Ungewißheit über das Schicksal ihrer Nichten hatten tiefe Furchen in ihr Gesicht gegraben, aber ihre hohe, gebietende Gestalt war ungebeugt, und aus ihren stahlblauen Augen blitzte der Wille, dem Unsinn hier ein Ende zu machen. Sie wußte noch nicht, auf welche Weise sie Vivie zur Vernunft bringen konnte, aber sie würde es schon herausfinden.
»Laß uns allein, Astrid«, sagte sie ruhig.
Tiefes Schweigen herrschte, nachdem Astrid gegangen war, Fräulein Wergeland stand immer noch in der Mitte des Zimmers – unbeweglich und unerschrocken. Vivica blickte auf, strich sich das schimmernde Haar aus der schöngewölbten Stirn und ging dann langsam auf ihre Tante zu. Irgend etwas mutete sie vertraut an; Helene war nicht umsonst die Beschützergestalt aus ihrer Kindheit. Vielleicht sprang auch der Strom von schweigsamer und erbarmender Liebe, der trotz der strengen Augen von Helene Wergeland ausging, zu der »Kleinen« über.
Vivica verbeugte sich steif und tief von der Hüfte her, wie Majorsan es ihr hatte beibringen lassen, und sah Helene an. Sie hatte in diesem Moment Borghilds Blick — gehetzt, ratlos, unbe-

schreiblich einsam. Ihre Lippen bewegten sich, aber kein Laut kam heraus. Sie strich sich wieder mit der Hand über die Stirn und murmelte klagend: »Ich habe Kopfweh, Madame! Schreckliches Kopfweh!« Sie hatte Französisch gesprochen.

Einen Augenblick war Fräulein Wergeland wie erstarrt, dann sagte sie auf norwegisch: »Du bist müde, Vivie! Ich bringe dich zu Bett!« Sie sagte es beschwörend. Dahinter stand all ihre nüchterne Liebe und pädagogische Erfahrung: Das gleiche hatte sie stets gesagt, wenn Vivica als Kind im Traum geschrieen hatte.

»Ja – sehr müde.« Es war nur ein Hauch. Vivie schlich sich etwas näher heran und starrte Fräulein Wergeland an. In ihren leeren Blick kam ein erstes, schwankendes Erkennen – ein Licht, das flackerte und vielleicht gleich wieder verlöschen würde.

Doch dann stieß Vivica einen lauten Schrei aus, der selbst Helene, der Geräusche sonst nichts ausmachten, durch Mark und Bein ging. »Tante Helene«, schrie Vivica und riß die Augen weit auf, »warum bist du fortgegangen?«

»Ich bin jetzt bei dir, Vivie«, sagte Helene Wergeland ruhig.

Vivica umschlang sie, und Fräulein Wergeland trug das große Mädchen wie ein Kind in ihren starken Armen aufs Bett. Sie zog sie aus und kleidete sie kopfschüttelnd in den rosa Kimono, da sie nichts anderes in dem Kleiderschrank vorfand. Vivica schien zu schlafen. Fräulein Wergeland saß unbeweglich an ihrem Bett – eine Stunde, zwei Stunden. Nun war es sieben Uhr abends. Einmal streckte Vivie die Hand aus – zitternd, unsicher, voll entsetzlicher Angst vor der leeren Luft. Aber da war die große, beruhigende Hand wieder.

»Bleibst du bei mir?« fragte Vivica, wie sie als Kind gefragt hatte. Fräulein Wergeland hielt die zitternde Hand. Sie beugte sich stumm über die Kranke. Vivie legte ihren Kopf mit dem silberblonden Haar auf die Kissen zurück und zog die gute Hand an ihre Lippen.

»Laß den Unsinn, Vivie«, sagte Fräulein Wergeland mit erstickter Stimme, stand auf und wollte zur Tür gehen. Vivie und sie mußten etwas essen. Und Astrid sollte der Kleinen ein vernünftiges Nachthemd leihen. Doch sie kam nicht bis zur Tür. Vivica war aus dem Bett gesprungen und jagte wie eine Rasende zur Tür, breitete beide Arme aus und versperrte den Ausgang.

»Was soll der Unsinn, Vivie?« sagte Fräulein Wergeland streng, obwohl sie es genau wußte.

407

»Sie dürfen nicht hinaus, Madame! Major-san nimmt mir alle Menschen weg. Erst Halvard...«, große Tränen rannen über ihre schmal gewordenen Wangen.
»Hast du kein Taschentuch, Kleine?« Fräulein Wergeland holte ihr eigenes Tuch heraus und trocknete dem Kind die Tränen ab. Sie entdeckte eine Klingel und drückte auf den Knopf.
»Ich glaube... ich liebe Sie, Madame!«
»Natürlich haben wir uns lieb, Vivie! Möchtest du nun etwas essen?« Dabei geleitete Helene Vivica zum Bett zurück. Die schüttelte den Kopf. Nichts essen – nur etwas trinken, die gute Hand halten und träumen...
Die Tür wurde sacht geöffnet. Astrid erschien mit einer Chinesin in mittleren Jahren – Yumeis älterer Schwester, die Missie Astrid in den kritischen Tagen in Chapei wie ihren Augapfel gehütet hatte. Nun wollte sie Fröken Wergeland begrüßen. Sie brachte auf einem Lacktablett ihre Gaben – verzuckerte Kuchen, Obst und eine zierliche, billige Elfenbeinkette für »Dritte Schwester«, die von Geistern gezwickt und gezwackt wurde. Yumeis Schwester kniete vor Fräulein Wergeland nieder und reichte ihr die Willkommensgaben. Sie sprach rauh und zärtlich und ergeben über Yumei.
Vivica lag entspannt im Bett. Doch die Stimmen weckten sie. Sie fuhr empor, klammerte sich zitternd an Fräulein Wergeland und schrie, als sie Yumeis Schwester sah. In ihr ging etwas vor, das nach der japanischen Herrschaft in Tausenden von westlichen Menschen in den Hospitälern vorging: ein asiatisches Gesicht brachte sie zur Raserei – selbst wenn es ein so liebes und freundliches Gesicht wie das von Yumeis älterer Schwester war.
»Sie soll fortgehen«, wimmerte Vivica. »Ich weiß nichts. Ich kann ihr... nichts... sagen...« Sie schluchzte wild. Sie hatte zum ersten Male norwegisch gesprochen und versteckte sich bebend hinter Fräulein Wergeland. Yumeis Schwester war grau im Gesicht geworden. Niemals war sie so gekränkt worden; sie hatte in dieser Minute mehrere Kilo Gesicht verloren. Sie hatte kein Wort der Ausländer-Rede, wohl aber die wilde Abneigung in Vivicas Augen und ihre abweisenden Gebärden verstanden. Nun, wenn die Fremden Teufel sie nicht haben wollten und ihre Gaben mit Füßen traten – Vivica warf gerade die Elfenbeinkette zum Fenster hinaus – dann wußte »Schwarze Jade«, was sie zu tun hatte! Hier wehte ein »ungünstiger Wind«!

»Schwarze Jade« verbeugte sich erst vor Helene und dann vor Astrid. Sie blickte die alte *Tai-Tai* nicht an, sondern murmelte mit gesenkten Augen, daß sie nun ginge, um den Abendreis für die Familie zu kochen. Jedes Wort kostete sie eine Anstrengung; aber sie sprach mit Ruhe und Würde, während Vivie schrie, sie würde der Spionin, die Major-san zu ihr geschickt hätte, keine Geständnisse machen. Yumeis Schwester murmelte noch etwas in dem Sinne, daß die Guten sich schweigend verstünden, während die Bösen die Guten wie einen Büffel anschrien, und machte ihre letzte Verbeugung.

Fräulein Wergeland und Astrid hatten stumm zugehört; denn »Schwarze Jade«, die ihre feinsten Kleider zu diesem Besuch angezogen hatte, in der Rede zu unterbrechen, wäre unverzeihlich gewesen. Aber als Yumeis ältere Schwester nun fertig war, blickte sie die Ausländerinnen wartend an – sie dachte gar nicht daran, mit einem solchen Verlust an Gesicht die Villa Chou zu verlassen, sondern erwartete feierliche Entschuldigungen und eine Schale Tee. Aber statt höflicher verblümter Reden sagte Fräulein Wergeland, »Schwarze Jade« solle sich nicht an Vivies Unsinn kehren – sie wäre krank – und es wehe ein *sehr* günstiger Wind hier! Damit öffnete sie die Tür zum Korridor und rief mit Stentorstimme nach Tee und Süßigkeiten. Astrid rannte indessen in den Garten, um die Elfenbeinkette zu holen.

Natürlich war zum Schluß alles in bester Ordnung. »Schwarze Jade« war versöhnt. Vivie lächelte sie lieblich an. Sie hatte nun begriffen, daß diese rundliche, freundliche Chinesin es gut mit ihr meinte. Seitdem Vivie kein Morphium mehr bekam, weil sie nicht mehr in die Kempetai zurück mußte, lichteten sich mehr und mehr die Schleier vor ihrem Bewußtsein.

»Sie soll bleiben«, murmelte Vivie, als »Schwarze Jade« nun im Ernst an den Heimweg dachte. Aber Yumeis Schwester sagte sanft, die Elfenbeinkette – sie nannte natürlich auch den Preis – bliebe ja bei »Kleiner Dritter Schwester«. Es wurde jedoch abgemacht, daß »Schwarze Jade« sich mit Helene und Astrid in Vivicas Pflege teilen würde, und Fräulein Wergeland versprach ein unverhältnismäßig üppiges Teegeld für die tägliche Massage. In diesem Augenblick öffnete sich die Tür, und dann stellte Herr Chou Tso-ling den Damen Captain Timothy Williams vor, der im Augenblick die aus japanischer Gefangenschaft befreiten Amerikaner und Europäer in Shanghai betreute. Dr. Williams Groß-

eltern mütterlicherseits stammten aus der Trondheimer Gegend; sie sprachen immer noch norwegisch in der amerikanischen Heimat. Nein, »Tim« – wie man ihn nannte – sprach selbst leider nicht norwegisch, aber er plante die »alte Heimat« aufzusuchen, sobald er Urlaub erhalten würde.
Helene hatte sofort Vertrauen zu dem jungen Militärarzt. Im Verlauf der Unterhaltung teilte Captain Williams Helene vorsichtig mit, wer Halvard wäre – für den Fall, daß Miss Vivica wieder nach ihm fragte.
»Wird sie gesund werden?« fragte Helene heiser.
»Sie sollte so bald wie möglich den Fernen Osten verlassen, Miss Wergeland! Es geht ihr immer noch besser als vielen männlichen Leidensgenossen. Ich habe da Fälle von Geistesverwirrung unter Kameraden ...«
Er brach ab. Sein Blick war düster geworden: Frauen hielten seltsamerweise viel mehr aus als Männer. Fräulein Wergeland teilte dem Amerikaner, der Vivica nicht aus den Augen ließ, mit, sie wolle, sobald es ginge, nach Norwegen zurück. Aber sie müßten warten, bis Hanna Chou und Mailin aus dem befreiten Singapore nach Shanghai kämen.
Am Abend dieses ereignisreichen Tages saß Astrid noch lange bei Fräulein Wergeland, die in Vivicas Zimmer schlief. Zwischen ihnen war eine neue Vertrautheit. Helene fand Knuts Älteste verändert, aber sie wußte nicht recht in welcher Beziehung. Schließlich fragte sie, ob Astrid etwas von Pierre de Maury gehört hatte. Nun war plötzlich wieder eine Mauer zwischen ihnen. Astrid, die sich doch in der Einsamkeit der Zelle gelobt hatte, **allen Mitmenschen mit Geduld und Nächstenliebe zu begegnen** – auch Pierre de Maury –, richtete sich steif auf und sagte, sie wünsche nie wieder etwas von Herrn de Maury zu hören oder zu sehen. Fräulein Wergeland zog einen dicken Brief aus der Tasche, der sie einige Tage nach der Kapitulation Nippons in Nord-Siam bei der »Witwe aus Aalesund« erreicht hatte. »Herr de Maury hat dir nach dem Waffenstillstand aus Französisch-Laos einen Brief geschrieben. Er ist dort bei irgendeiner Exzellenz zu Gast.«
Astrid wurde glühend rot, riß ihrer Tante beinahe den Brief aus der Hand und las die Aufschrift voller Angst, daß der Brief an Vivie gerichtet wäre. Aber nein ...! Sie steckte ihn in die Tasche ihres wundervoll geschnittenen Kleides und schickte sich an, die Unterhaltung aufzunehmen, als ob nichts geschehen wäre.

Aber Helene kannte ihre Pappenheimer. Die glühende Röte, die Astrid plötzlich ganz jung hatte erscheinen lassen, war ihr nicht entgangen. Sie gähnte laut und ungeniert und sagte, sie ginge jetzt schlafen, es wäre genug für einen Tag gewesen, morgen wolle sie als erstes die Familie Zabelsdorf aufsuchen. Sie erfuhr, daß »Annette« und die Kinder in Sicherheit in Soochow wären und daß ihr Freund Ernst August bis auf weiteres von den Alliierten Hausarrest erhalten hätte. Nein, niemand dürfe ihn besuchen.

Helene erlebte auf diese Weise in ihrer Privatsphäre, wie gründlich die Bühne sich in Ostasien gedreht hatte. Man sah auch keinen Japaner mehr auf den Straßen. Viele waren in Lagern, Zügen und Transportschiffen verschwunden. Sie sollten später vor ein Kriegsgericht gestellt werden. Einfache Soldaten und die kleinen Geschäftsleute arbeiteten für die Besatzung; sie richteten die Hotels und Villen der japanischen Machthaber für die jetzigen Sieger ein, sie schleppten Wasser und Kohlen, scheuerten Schiffsböden und verbeugten sich tief und demütig vor den Herren der Stunde in ihren schmucken Uniformen. Das Hotel »Weiße Chrysantheme« war nun ein amerikanischer Offiziersklub. Captain Williams bewohnte Major Matsubaras Räume, nachdem »seine Jungens« die Wandbilder zertrampelt und die Blumenschalen und Porzellane zerbrochen hatten. Ein Gedichtband, der berühmte *Haikkus* enthielt, wurde von den braven Yankees als Klosettpapier verwendet. Major Matsubara war so unversehens verhaftet worden, daß er keine Zeit mehr zu dem zeremoniellen *seppuku* (Selbstmord des Samurai) gefunden hatte. (Später untersagte ihn der *Tenno*.) Oberst Saito hatte selbstverständlich keine Sekunde an Selbstmord gedacht. Das war Todsünde... Beide waren auf einem Transport nach Tokio, während in der »Weißen Chrysantheme« Jazzmusik ertönte und Bilder von Hollywood-Schönheiten in den geehrten Wandnischen prangten. Die Variationen der Macht machten nicht einmal vor den Kunstschätzen der Besiegten halt; im Gegenteil, dort beginnen sie mit einem besonders törichten und beklagenswerten Unwesen. Was aber die Besatzungstruppen der westlichen Alliierten nicht im ersten Rausch zerstörten, das vernichteten die siegestrunkenen Chinesen. Ganz gleich, ob es sich um eine Landschaft im zarten Nebel handelte, die ein alter japanischer Meister weltabgewandt geschaffen hatte, oder um sonstige Kunstschätze, deren Besitzer die Macht verloren hatten wie einen Regenschirm.

Japaner, denen ihr Leben trotz der Niederlage lieb war, waren im Augenblick am sichersten in alliierten Gefängnissen. Ihre Geschäfte wurden »übernommen« und gegen den Willen der Alliierten von Chinesen geplündert. Japanische und deutsche Unternehmungen hatten ausgespielt, genau wie alle Japaner und Deutschen.
Wie die Japaner, so sahen auch die Deutschen in Ostasien einem Zwangstransport in die zerstörte Heimat entgegen.
In der Nacht nach Fräulein Wergelands Ankunft fuhr Vivica aus dem Schlaf empor. Sofort war Helene an ihrem Bett. Vivica blickte sie still und versonnen an und erklärte, sie müsse sich sofort anziehen und Halvard, den kleinen Gefährten, aus dem Gefängnis holen. Helene Wergeland hatte viel in ihrem Leben gekämpft, aber niemals gegen ein Geschöpf der Phantasie. Sie sagte jedoch nicht, Vivie träume oder sie rede dummes Zeug – das hätte das Kind noch mehr aufgeregt –, sondern drückte Vivica sanft aber energisch in die Kissen zurück, ging zum Waschtisch und mischte ein Pulver, das der nette Amerikaner mit der norwegischen Großmutter für die Nächte verschrieben hatte.
»Was ist das?«
»Trink, Vivie«, befahl Fräulein Wergeland. Vivica gehorchte, aber sie wollte trotzdem aufstehen und Halvard, den kleinen Gefährten, holen. Er war so drollig und sang manchmal. Sie weinte bittere Tränen, weil Tante Helene – sie hatte sie nun endgültig erkannt – sie nicht zu Halvard gehen lassen wollte.
»Morgen, Kind«, sagte Fräulein Wergeland erstickt. »Wir holen Halvard morgen zusammen ab. Ich verspreche es dir.«
Bei dieser Zauberformel schloß Vivie beruhigt die Augen und legte sich lächelnd in die Kissen zurück. Tante Helene hatte niemals im Leben ein Versprechen gebrochen.
Dr. Yamato und seine Frau hatten in tiefster Bestürzung die Botschaft des *Tenno* gehört. Sie dachten nicht an sich, sondern an ihre Patienten. Das norwegische Mädchen hatten sie noch rechtzeitig zu Herrn Chou gebracht. Nun saß sich das Ehepaar auf zwei Kissen zu beiden Seiten eines niedrigen Lacktisches gegenüber, und Madame Yamato bereitete den Tee nach der formellen lieblichen Zeremonie, wie sie es daheim gelernt hatte. Der Doktor hatte seinen Cutaway für Visiten ausgezogen und entspannte sich in einem Kimono aus schwerer dunkler Seide, der ihm stille Würde verlieh. Sie sprachen gedämpft darüber, was nun werden würde.

Gerüchte schossen aus dem Steinpflaster der vertrauten Stadt, die für die Yamatos plötzlich fremd und feindlich geworden war. Aber es wäre gegen die Etikette gewesen, sich während der Teestunde über so unliebsame Zeiterscheinungen wie die Variationen der Macht zu unterhalten. Das *O Cha-no-yu* (Tee-Zeremonie) war für die Yamatos auch in diesen schlimmen Tagen die schöpferische und lichte Pause. In der *tokonoma* hatte Madame Yamato eine Bildrolle aufgehängt, deren Stimmung dem »Regen im Herzen« der Japaner entsprach: den heiligen Berg Fuji im Regendunst. Das Bild bedeutete, daß der Edle auch im Unglück seine Haltung bewahrt, so wie der Berg Fuji im Regen seine Schönheit... Vielleicht kann niemand, außer den Japanern selbst, ermessen, wie sehr die häusliche Teezeremonie, die für Ausländer nur ein charmantes Schauspiel ist, die »Manieren der Seele« ausbildet.

Nach dem Tee verzog sich Madame Yamato mit einer kleinen Verneigung in die Küche, um die Herstellung der Diät-Speisen für die Patienten zu überwachen. Dr. Yamato blieb allein in dem schönen, fast leeren Raum. Er zog aus seinem Kimono ein Büchlein, die Schriften der heiligen Thérèse de Lisieux, des Regenrockinsekts unter den Heiligen der Kirche, und vertiefte sich mit Andacht und Freude in die Erkenntnisse dieser sanften Liebenden. Er saß mit dem Rücken zur Schiebetür des Teezimmers und hatte seinen Geist und seine Sinne gegen alle Geräusche und Störungen taub und blind gemacht. So fanden ihn chinesische Soldaten, die im Siegesrausch in die japanische Klinik eingedrungen waren. Dr. Yamato erhob sich langsam und ging, mit dem Büchlein in der kleinen dürren Hand, wortlos zur Tür, um sich umzuziehen und die Haft anzutreten. Daß er die Eindringlinge nicht im Hausgewand begrüßte, war pure japanische Höflichkeit. Man zog sich zunächst korrekt an, dann erst kehrte man in den Empfangsraum zurück und begrüßte Freund oder Feind mit respektvoller Verneigung. Vielleicht war es die fundamentale Unkenntnis der jungen chinesischen Offiziere, die ihn verhaften sollten, vielleicht die unbändige Siegerlaune nach dem grimmigen achtjährigen Angriffskrieg Nippons: die Art, wie Dr. Yamato grußlos und wortlos an ihnen vorbeischleichen wollte, als ob sie gar nicht im Zimmer wären, wo sie doch nun die Macht hatten, versetzte jedenfalls die chinesischen Offiziere in blinde Wut. Einer riß Dr. Yamato am Kimono, so daß dieser sich löste und der

Arzt stolperte und fiel; ein zweiter stieß ihm den Stiefelabsatz ins Gesicht; blutüberströmt fühlte er die Scherben seiner Brille in den Augen und tastete, halb erblindet, mit der Rechten nach der geweihten Medaille, die Monsignore de Lavalette ihm vor Jahren aus Rom mitgebracht hatte. Seine Linke hielt die Schriften des heiligen Regenrockinsekts umklammert. So traf ihn der Schuß aus einer chinesischen Siegerpistole.
Dr. Yamato lächelte, als das barmherzige Dunkel über ihn zusammenschlug. Es war nur ein kurzer Weg ins Licht, und die Heilige von Lisieux geleitete ihn.

\*

Ernst August von Zabelsdorf war noch nie so einsam gewesen, wie nach Annchens und der Kinder Abreise zu den Chous nach Soochow. Nur sein Diener und Famulus »Rechter Arm« war noch bei ihm und versuchte, den Master »glücklich« zu machen. Er kochte ihm alle Lieblingsspeisen, die Master dann dem Boy zuliebe herunterwürgte. Chou Tso-ling hatte sich nach der denkwürdigen Unterredung nicht mehr blicken lassen. Und nun hatte Ernst August Hausarrest bis zum Abtransport in die Heimat oder in ein Gefängnis in Shanghai. Niemand zeigte sich, obwohl das Haus im französischen Viertel nicht bewacht wurde. Das geschah auf Anordnung von Chou Tso-ling, der die alliierten Behörden entsprechend unterrichtet hatte, aber es war in den ersten Wochen nach dem Siege so viel für Herrn Chou zu regeln und zu bestimmen, daß er sich darüber hinaus nicht weiter um den deutschen Freund kümmern konnte. Er hatte für dessen Sicherheit und die seiner Familie gesorgt, allerdings bürgten für diese Sicherheit im Augenblick nur »Rechter Arm« und der Name Chou. »Rechter Arm« ließ sogar Fräulein Wergeland und Astrid nicht herein, weil er überzeugt war, daß Master von den »Siegerteufeln« vergiftet werden sollte. Es ging Lifu nicht auf, daß er selbst auch zu den Siegern gehörte. Er diente Master, wie er es gewohnt war, und wünschte sich nichts anderes. An die Zukunft dachte er nicht; die überließ ein vernünftiger Chinese sich selbst.
Master lag auf der Couch und dachte gerade an seine Tochter Krümel, die später ›Luise‹ heißen würde, als drei chinesische Jünglinge in Uniform in seine Wohnung einbrachen, ohne den

Boy um Erlaubnis zu bitten. »Rechter Arm« hielt sofort das von Herrn Chou Tso-ling unterzeichnete chinesische Schreiben in die Höhe. Es trug den Stempel der alliierten Militärbehörden und besagte in deutlichem Chinesisch und Englisch, daß Ernst August Freiherr von Zabelsdorf bis zu seiner Deportierung ungeschoren bleiben solle. Soldat Nummer Eins spuckte den Wisch an, Soldat Nummer Zwei lachte fröhlich und Soldat Nummer Drei drang mit geladener Pistole in die Wohnung ein. Rechts vom Eingang lag der Hausherr in seinem Zimmer im Halbschlaf; links am Ende des Ganges war das Kinderzimmer. Ernst August erwachte mit einem Ruck, als er die schrille Stimme der Boys und das Gelächter und Getrampel der Soldaten hörte, die sich ganz offenbar ein privates Vergnügen leisteten. Jemand hatte ihnen zugeflüstert, daß in diesem Flat ein Deutscher noch frei herumsäße.

Zabelsdorf erreichte auf seinen langen Beinen in zwei Schritten das Kinderzimmer, aus dem der Lärm kam. Er hatte keine Waffen mehr, nur seinen linken Arm und seinen Zorn. Das Kinderzimmer war ein Chaos. In diesem Augenblick ergriff Soldat Nummer Zwei, welcher der Witzbold der Gruppe war, Krümels Puppe, die in der Eile der Flucht nach Soochow vergessen worden war. Er hielt sie lachend und johlend in die Höhe: Nummer Drei sollte sie erschießen. Es war ein Dummerjungen-Spaß, nichts weiter, aber für Ernst August von Zabelsdorf verschmolzen die Puppe Mathilde mit ihren langen Potsdamer Zöpfen und seine Tochter Krümel irgendwie zu einem Geschöpf. Er stand einen Moment unbeweglich da; sein langes intelligentes Pferdegesicht lief rot an. Eine Ader auf der hohen Stirn schien zu springen. In diesem Augenblick ging der Schuß los und riß den Puppenkopf mit den Zöpfen, in die Krümel liebevoll hellblaue Haarschleifen geknüpft hatte, von dem steifen Puppenkörper. Mit einem Schritt war Master bei Nummer Drei. Ohne an die Folgen zu denken, riß er dem jungen Chinesen die Pistole fort und brüllte:
»Lümmel! – Rotzlöffel verfluchter!«
Er brüllte auf deutsch, denn im Zorn und im Traum bedient der Mensch sich der Muttersprache. Dann begann er den Lümmel zu ohrfeigen; mit der linken Hand, abwechselnd rechts und links. Die Puste ging ihm aus. Ein unkontrollierter Laut entrang sich seiner gequälten Brust. Er sah rot, er sah lila, er war wieder der wilde Zabelsdorf von einst. Was zuviel war, war zuviel! Und Krümels Puppe, die rührte ihm keine Rotznase an, und wenn sie

tausendmal den Krieg gewonnen hatten und nun Hackepeter aus den deutschen Dussels machten! Als Master den Laut ausgestoßen hatte, der ganz aus der Tiefe kam, schauerlich leise und reineweg zum Fürchten – ließ er den Arm sinken und suchte ungeschickt mit der Linken nach einen Stützpunkt. Denn alles drehte sich und verschwand hinter Schleiern; es war keine Ohnmacht – das gab es doch wohl nicht bei Zabelsdorfs... aber er sank, er kippte... zuerst der Kopp und dann die langen Beene, und dann war da jar nischt mehr – Und ganz dämliches Zeugs schoß ihm im Dunkel durch den Kopf – Anna, Annchen, hilf deinem Ollen uff de Beene... siehste, Krümel, da haste die Puppe Mathilde, ohne Kopp aber sonst wie neu... der Geist von Potsdam... wer hat dich, du brauner Wald, uffjebaut so hoch... das waren die Herren vom Herrenklub und die schweren Jungens von der Industrie... wat denn, wer wird denn weinen, wenn es auseinandergeht? Krümel, komm zu deinem Papa, aber gleich, aber sofort!... wer schmeißt denn da mit Lehm? Und auf die Puppe von Frollein Tochter! Da lasse ick nischt dran rühren! – oder führen wa nu den Frieden im Kinderzimmer weiter?... der Matsubara, der Baron aus Tokio, det is'n janz ausjekochter Junge, Se werden lachen, Herr Dr. Engel!... ein Mann, der einen Sohn hat, ist ein reicher Mann, Ernest! Auktion von Groß-Berlin, zum ersten, zum zweiten... die machen wohl jrade Hackepeter aus Potsdam, wat?... laß doch Mama! Nischt währt ewig, nichtemal die Pfaueninsel und Sanssouci und Kranzlern... da biste ja endlich, Krümel, komm, jib Papa einen Kuß...
Er fuhr mit einem Ruck aus Annas Sessel hoch. Er war ja immer noch im Kinderzimmer. Und da war die Puppe Mathilde ohne Kopf, aber das geht ja den meisten Puppen früher oder später so. Die drei Musketiere standen belämmert in der Ecke bei Kasperles Wickelkommode, und der Boy Lifu gab eine reguläre chinesische Theatervorstellung. Er redete auf die Herren Landsleute ein, ohne Komma und ohne Punkt – schweigsam waren Chinesen nur in Hollywoodfilmen! – und Ernst August verstand »Shanghai 37« und die herrliche verstaubte Legende von *Masters rechtem Arm«*
Es wurden immer mehr Familien und Mannkinder, die Master seinerzeit aus brennenden Arbeiterheimen geholt hatte... die Herren verbeugten sich, lächelten dämlich und verzogen sich.
»Lifu-Rechter Arm« brachte schwarzen Kaffee und 'ne Pulle Schnaps, und dann suchte Lifu einen Topf mit Leim, und sie ver-

suchten, die Puppe von »Kleiner Missie« wieder heilzumachen. Der Boy Lifu lächelte sich reineweg die Seele aus dem Leibe und schnüffelte und schniefte, wenn Master wegblickte. Und dabei hatte Lifu, der dußlige Hund, doch gerade den Weltkrieg Nummer Zwo gewonnen, der konnte doch lachen! Aber Lifu blickte Master an wie ein sterbender Schwan, und dann leimte er weiter, genau nach Masters geehrter Anweisung.
So fanden Astrid und Chou Tso-ling die beiden, als sie zwei Stunden später angesaust kamen. Astrid war sofort zu Tso-ling in die chinesische Handelskammer gefahren und hatte ihm berichtet, daß alles geklappt habe, wie sie es verabredet hätten, aber Lifu ließe niemanden in die Wohnung. Er hätte ihr mit einem altersschwachen Revolver vor der Nase herumgefuchtelt und geschrien, daß niemand Master vergiften oder kidnappen würde, solange Lifu... und so weiter. Und nun kam Astrid mit ihren Nachrichten und Chou Tso-ling wieder. Es war ihr nämlich etwas eingefallen, obwohl sie immer behauptete, daß ihr nie etwas einfiele. Sie war mit Herrn Chou ins Hauptquartier der Alliierten gefahren, und sie hatten dort auseinandergesetzt, daß Herr von Zabelsdorf sich monatelang gegen die Kempetai für die Wergeland-Schwestern eingesetzt hätte, die ihn nichts angingen und nur Freunde seiner Freundin Hanna Chou waren – jawohl, Madame Chou, von den berühmten Chous – ihr Mann habe soeben eine Dekoration erhalten – also der Herr aus Potsdam hätte sich ununterbrochen für eine alliierte Familie, die in die Fänge der Kempetai geraten war, in die Nesseln gesetzt. Resultat: Freie Abfahrt auf einem norwegischen Frachter in acht Tagen! Die Familie würde von Herrn Chou und Astrid an Bord gebracht werden, aber der Baron solle sofort mit ihnen kommen und »Lifu-Rechter Arm« die Kabinen richten. Kapitän des Schiffes sei Kapitän Lillesand, Vivicas Onkel. Es war seine letzte Fahrt nach Norwegen. Bis Hamburg würde die Reise gehen. Astrid sprach französisch mit ihrem deutschen Freund und Beschützer, der unversehens ihr Schützling geworden war. Und Chou Tso-ling hatte sich den jungen Lifu vorgenommen und erklärte ihm die Sache auf chinesisch.
Dann entstand eine Pause, weil alle einmal Luft holen mußten. Ernst August von Zabelsdorf sagte eine Weile nicht und dann wieder nicht. Er würde Annchen und seine Jören sehen, Zabelsdorfs kamen raus aus der Hölle der Besiegten! Und da standen

Chou Tso-ling und Frollein Astrid und holten Luft nach der Festrede. Und Ernst August, der als Berliner auf alles drei Antworten zu wissen pflegte, sagte kein Sterbenswörtchen und blickte verdattert von Astrid zu Chou Tso-ling und wieder zurück.
Schließlich reichte er Astrid den Puppenkörper und den Kopf mit den Potsdamer Zöpfen: »Die Herren haben aus ›Mathilde‹ Hackepeter gemacht! Können Sie sie vielleicht leimen, Frollein Astrid?«
Das war alles, was Herrn von Zabelsdorf, dem Dussel, in einem Augenblick einfiel, der schöne und gesetzte Dankesreden forderte. Aber Astrid kannte die Puppe Mathilde; sie hatte ihr viele Kleider genäht und wußte, daß Mathilde zur Familie gehörte. Sie setzte sich in ihrem herrlichen Kostüm und dem witzigen Hütchen nach chinesischer Art auf den Boden zu dem Leimtopf und begann, sachkundig mit spitzen Fingern Mathildes Bestandteile zusammenzuzaubern. So behielt Ernst August von Zabelsdorf Shanghai im Gedächtnis: ein schönes, ein gutes und trostvolles Bild im Hexenkessel des bedingungslosen Schlamassels.

*

Vivica hatte sich von Woche zu Woche erstaunlich erholt. Fräulein Wergeland, Astrid und Mailin konnten endlich an die Abreise nach Bangkok denken. Dort mußten die Wergelands sich trennen. Es fiel ihnen schwer. Mailin würde nach Singapore zu ihrer Familie zurückkehren, Astrid nach Auflösung des Haushalts und ihres Büros für immer nach Paris gehen, wo sie mit Amélie Clermonts Freundin einen Hutsalon eröffnen wollte – sie war und blieb mehr Französin als Norwegerin –, und Helene und Vivica würden nach Trondheim zurückgehen.
Nun war der Abschiedsabend in Shanghai nahegerückt. Sie wohnten alle noch bei den Chous in dem altmodischen Riesenhaus hinter der Bubbling Well Road, und Hanna verwöhnte sie. Captain Williams, der junge Militärarzt, war ebenfalls ständiger Gast im Hause Chou. Er nahm mit natürlicher Herzlichkeit und dem naiven Erstaunen des Amerikaners, der zum ersten Male Europäer und Chinesen im Fernen Osten kennenlernt, an dem seltsamen und verwickelten Familienleben der Wergelands in der Villa Chou teil. Er hatte geholfen, Anna von Zabelsdorf und die entzückenden Kinder ohne Zwischenfälle nach Shanghai und auf das

Schiff in die zerstörte Heimat zu bringen. Alle seine Bilderbuchvorstellungen von Freund und Feind waren in diesen letzten hektischen Wochen zu Bruch gegangen: im Hause Chou lebten Adler und Taube und Freund und Feind in Würde und Anhänglichkeit ihr unverletztes Privatleben.

Aber der Magnet, der Captain Williams von den Gelagen der Sieger in die stille Villa Chou mit dem Pavillon der Vögel zog, war Vivica, die bildschöne Krabbe, die sich mit erstaunlicher Schnelligkeit von der leidenden in die siegreiche Aphrodite verwandelte. Captain Williams merkte allerdings wenig von dieser Verwandlung; in der ordentlichen Neu-England Stadt, wo er geboren worden war, gab es Mütter, Lehrerinnen, Schwestern und die Freundinnen der Schwestern. Aphroditen von Vivicas phantastischem und höchst gefährlichem Reiz waren ihm bisher nicht begegnet, und er hatte mehr oder weniger angenommen, daß nur *bad girls* über solche Reize verfügten.

Am erstauntesten war er über Mailin gewesen: die *Chinks* waren in den USA nicht mit Familien wie den Wergelands verwandt. Captain Williams hatte Mailin in ihrer eigenen Art *sweet* gefunden, aber gewundert hatte er sich doch. Konsul Wergeland, der verstorbene Vater der jungen Damen, mußte ein reichlich lustiger Hund gewesen sein. Am meisten hatte ihn Helene Wergeland erstaunt: sie lebte in Mailins Gesellschaft buchstäblich auf und verbrachte jede freie Minute mit der Nichte ihres Herzens.

Jeden Sonnabend waren »Tim« und Vivica tanzen gegangen. Und heute war der letzte Sonnabend gekommen. Dr. Timothy Williams war ein ausgezeichneter Tänzer, obwohl er im Alltagsleben dazu neigte, überall anzustoßen und herumstehende Gegenstände herunterzuwerfen: er war nur mit den Instrumenten im Operationssaal geschickt. Aber die Musik löste irgend etwas Tieflebendiges, beinahe Wildes in seiner amerikanisch gezähmten Seele aus. Seine klugen, nachdenklichen Augen, die manchmal ein wenig schwermütig blickten, strahlten dann. Beim Tanzen war Timothy H. Williams ein verwandelter Mann, wenn er auch dazu neigte, den Refrain eines Schlagers begeistert mitzusummen. »*Honey, let me hold you tight . . .*«, wobei er Vivica so fest um die Taille faßte, als ob er sie nicht wieder loslassen wollte. Und Vivicas seltsame Augen lächelten ihn an – ungerührt, verspielt, lockend und hintergründig.

Während die chinesische Bevölkerung Shanghais in diesem »Monat der Chrysantheme« der Herbstmusik der Grillen lauschte oder dem Rascheln des Laubes in den altmodischen Gärten abseits der City, waren in dem ehemaligen Japaner-Hotel »Weiße Chrysantheme« Jazz und Swingmusik in vollem Gange. In dem amerikanischen Offiziersklub herrschte jeden Abend Hochstimmung; aber *Saturday Night* pflegte es besonders hoch herzugehen. Es waren auch stets einige einflußreiche Chinesen zum Tanzen in die vier Bars geladen, aber sie kamen nie. Nur elegante junge Damen – eine chinesische Blumensorte der *bad girls* – tanzten in hochgeschlossenen brokatenen Shanghai-Kleidern mit den Offizieren der USA-Armee. Die Herren bekamen jedesmal einen Schock, wenn sie, von der strengen, hochgeschlossenen Halspartie der Damen zufällig abwärts blickend, den großzügig geschlitzten Rock bemerkten. *Oh boy*, dachten sie dann und waren über den tiefernsten Gesichtsausdruck ihrer Tänzerin verblüfft. Sie hatten allesamt das unbehagliche Gefühl, daß das »Frauenvolk« daheim die jungen chinesischen Damen in der witzigen Verpackung ablehnen würde. Allerdings dachte Timothy Williams, während er beim Tanz auf Vivicas silberblondes Haar hinunterschaute – er war einen Kopf größer als die norwegische Aphrodite –, daß das jüngste Fräulein Wergeland in seiner Vaterstadt Concord – einer nüchternen und arbeitswütigen Stadt im puritanischen Staate New Hampshire – im »Literarischen Frauenklub« auch nicht gerade mit Billigung betrachtet werden würde. Eine Sekunde verloren sich seine Blicke in die flimmernden Tiefen der Mädchenaugen – dann riß er sich zusammen und summte humorvoll zwinkernd den Refrain. Er war wohl gründlich übergeschnappt, wenn er mit seinen achtundzwanzig Jahren dies neunzehnjährige Bündel Schönheit, Traumlust und Lockung auch nur in Gedanken nach Concord zu seiner Mutter und seiner älteren Schwester verpflanzte. Dr. Margaret Williams war allerdings auch ein wenig exzentrisch, aber sie war in einer sehr gefaßten und traumlosen Art sie selbst.

»Warum sind Sie so schweigsam, Tim?« fragte Vivica in seine Gedanken hinein. Er drückte sie so fest an sich, wie man einen Traum aus Norwegen, der nie gesehenen Heimat seiner Mutter, beim Tanz noch gerade an die Brust drücken durfte, ohne daß er sich in Dunst auflöste.

»Werden Sie mich vermissen, Baby?« fragte er ein wenig heiser. Seine dunklen Augen mit den vielen Lachfältchen in den Winkeln

und der kleinen Wildheit durch Musik in der Tiefe blickten sie sekundenlang prüfend und grübelnd an. Er wollte sich nicht eingestehen, daß ihm etwas an der Antwort lag.
»Natürlich«, erwiderte Vivica. »Es war sehr nett mit ihnen, Tim *darling*!«
Es war lächerlich, wie tief ihn die Antwort enttäuschte. Die Sorgenfalten auf seiner Stirn – ein Erbteil seines schottischen Vaters, der Prediger in Concord gewesen war – vertieften sich. Er lächelte mühsam; es war nur ein Schatten des warmherzigen Lächelns, das ihm im allgemeinen die Herzen gewann. *Well*, ein Narr blieb ein Narr, daheim und in Shanghai. Er hatte Vivica in die geistige Gesundheit zurückgepflegt – beruhigend, geduldig und kompetent. An ihrem Körper war von Anbeginn nichts zu flicken gewesen: er hatte über Brutalität und Gefahr triumphiert. Aphrodite ist in Wahrheit aus Eisen; die zarte Träumerei verschleiert ihre unbezwingliche Robustheit, an der ganze Generationen von Anbetern kaputtgehen werden, dachte Timothy Williams erstaunlich hellsichtig.
Laut sagte er: »Wollen wir jetzt Dinner haben?«

\*

Captain Williams' Rendezvous mit Aphrodite wäre wohl ohne Konsequenzen geblieben, wenn der Boy nicht die Idee gehabt hätte, in dem einzigen rein japanischen Raum der ehemaligen »Weißen Chrysantheme« japanisches Dinner für »Master Captain Williams und Lady« zu servieren. Der chinesische Boy wußte bereits, daß die Amerikaner nun, nachdem Nippon besiegt war, gelegentlich *just for fun* gern ein wenig japanische Kultur schlemmten. Aus diesem Grunde wirkte auch noch ein japanischer Koch in einem Winkel der Hotelküche, der demütig lächelnd alle Delikatessen bereitete, welche die geehrten Sieger bestellten. Captain Williams hatte einfach »Dinner in einem Privatraum« gefordert und dem Number-One-Boy des Klubhotels alles Weitere überlassen. Da einer der höheren Offiziere der US-Armee die Ansicht vertrat, daß japanische Wandrollen und Lackschalen nichts mit Politik zu tun hätten, war Raum Nummer Sieben – »ein japanisches Montparnasse«, wie Pierre de Maury einst gesagt hatte – von Hollywood-Fotos und hellem Licht verschont geblieben. Natürlich wußten weder der Boy noch Captain Williams, daß

Vivica vor einigen Monaten in diesem Raume mit Major Matsubara soupiert hatte. Hier machte sich die gleiche Ironie des Schicksals bemerkbar, die im Jahre 1925 Baron Matsubaras Kimono aus dem kaiserlichen Kyoto nicht in Konsul Wergelands Hände hatte gelangen lassen. Dieser Irrtum hatte den Grundstein zu Akiros Mißtrauen dem Westen gegenüber gelegt. Beinahe ohne sein Zutun hatte er die Geschichte dieser in den Fernen Osten verschlagenen Familie zwanzig Jahre lang verhängnisvoll beeinflußt. Man konnte nur hoffen, daß dieser Japaner aus großem Hause nie wieder Macht über Vivica bekommen würde. Captain Williams hatte aus ihren Reden in Trance genug herausgehört, um tiefe Abneigung gegen Baron Matsubara zu empfinden. Von Angesicht zu Angesicht hatte er ihn nie gesehen: Matsubara war bereits auf dem Kriegsverbrecher-Transport nach Tokio, als Captain Williams in Shanghai eintraf.

Vivica war zwar erstaunt, im *American Offizier's Club* ein asiatisches Zimmer vorzufinden, aber nicht im geringsten verstört oder unangenehm berührt. Sie war seinerzeit spät in der Nacht in einem geschlossenen Auto zum Souper mit Major-san gebracht und ohnmächtig fortgetragen worden. Auch ein weniger verträumtes Mädchen hätte unter diesen Umständen den orientalischen Raum nicht gleich erkannt.

»Freuen Sie sich auf Norwegen?« fragte Timothy, der bereits sachkundig die auf Seide gedruckte englisch-japanische Speisenfolge studiert und erlesene Spezialitäten bestellt hatte.

»Es ist immerhin eine Abwechslung«, bemerkte Vivica vergnügt. Sie liebte Abwechslung über alles und hatte offenbar immer noch nicht genug davon. »Ich weiß aber nicht, wie lange ich es in Tante Helenes Frauendorf aushalten werde. *Nur* Frauen und Kinder finde ich schrecklich.«

Captain Williams erfuhr, daß die Villa Wergeland ein Heim für ledige Mütter war, daß aber Helene, ihre Familie und ihre Freunde nach wie vor den Westflügel bewohnen würden. Er konnte sich Vivie schwer in diesem »Frauendorf« vorstellen.

»Also Sie brauchen *doch* einen Mann zu Ihrem Glück?« fragte er neckend.

»Zu meiner Unterhaltung«, belehrte ihn Vivica und lächelte wie eine im Dienst ergraute Vagabundin. Ihre silberblonden Locken waren ihr in die hohe, gewölbte Kinderstirn gefallen und gaben ihr einen Anstrich von leiser, unwiderstehlicher Verwahrlosung.

Sie blickte »Tim« von der Seite an – lockend, ungerührt, ein bißchen verschlagen. Er hätte sie am liebsten geküßt oder verprügelt. Die Kleine lockte etwas Elementares in ihm hervor. Wußte sie es?
Der Boy brachte weitere Lackschalen. Sie enthielten das köstliche *nishime* (gehacktes Schweinefleisch mit Karotten, Bambussprossen und Tarowurzeln in Soyasauce), sowie Major Matsubaras Leibgericht *maki-zushi*: Reiskuchen mit rotem Ingwer, Aal-Stückchen und Gemüse gefüllt und wie eine pikante Überraschung in geröstete Seetangscheiben eingerollt. Vivica aß die ersten Bissen des *maki-zushi* gedankenvoll und murmelte: »Das habe ich schon einmal gekostet. Das ist... das ist eine jap... japanische Speise.«
Irgendwie veränderte sich die Luft in dem Raum.
»Schmeckt es Ihnen nicht, Vivica?«
Vivica war totenblaß geworden. Sie schwankte leicht in ihrem Bambussessel und blickte sich um, wie jemand, der aus der freundlichbanalen Wirklichkeit Hals über Kopf in einen dunklen Traumkeller stürzt. Sie starrte stumm auf die Papierwände, die Schiebetüren und die Wandnische, deren Rollbild eine wilde und dekorative Kriegerszene im Samurai-Geschmack zeigte, stand langsam auf und ging schwankend auf das Bild zu, das immer noch die gleiche Vitalität und Dämonie ausstrahlte wie bei dem Schreckenssouper mit Major-san. Ihre Augen wurden starr und leer. Sie zitterte wie Bambus im Wind. Aus dem Bilde sprang Major-san auf sie zu: ein Tiger im Samurai-Kostüm. Seine Pupillen waren in die äußersten Augenwinkel gerutscht; das Weiße glänzte wie bei einem Blinden oder einem Epileptiker. Aber seine sinnlichen und doch asketischen Lippen lächelten und verzogen sich in Scham und unsagbarem Schmerz. Vivica stand mit geschlossenen Augen. Gleich würde Major-san vor ihr niederknien und ihr die Macht ihrer Schönheit mit einem einzigen glühenden Blick und schrillem Geflüster klarmachen – die Macht ihrer Schönheit und die Gewalt seiner vulkanischen und ungestillten Begierde.
Sie konnte nur wenige Sekunden vor dem Rollbild verweilt haben. Captain Williams war aufgesprungen, hatte die Saké-Flasche und eine Lackschachtel mit *daiku* (große japanische Rettiche in Salzlake und Rosinen) umgeworfen und Vivica an den Schultern gepackt.

»Vivica, wachen Sie auf! Um Himmels willen!«
Vivie öffnete ihre Nymphenaugen, erblickte den großen, äußerlich und innerlich geradlinigen Mann und begann zu lachen. Wie komisch war Tim, denn das war doch wohl der gute Onkel Timothy aus Concord, USA? Wie unbeschreiblich komisch waren die Männer des Westens – naiv, brav, fischblütig! Ihre Blicke glitten machtlos an einem Mädchen ab – wie die Regentropfen an einer Fensterscheibe ... Sie verehrten die Frauen. Tim verehrte sie ganz offensichtlich, er hatte es ihr selbst gesagt. Oh, es war zu komisch!
»Wachen Sie auf, Vivica«, murmelte Captain Williams, »mein Gott ... was ist denn, Kleines?«
Ja – es *war* Tim, der so himmlisch tanzte und so unvorstellbar gut und geduldig mit ihr war! Vivica wollte ihm gern sagen, wie dankbar sie ihm war und daß sie wirklich keine Duzfreundschaft mit dem Chaos haben wollte. Aber sie konnte es leider nicht sagen, denn sie mußte lachen, weil sie doch nicht wie andere Mädchen war. Sie würde nie heiraten, denn sie würde immer lachen müssen, weil Tim oder andere Männer des Westens Coca-Cola oder Baldriantee in den Adern hatten.
Natürlich wollte Vivie nicht lachen. Sie hatte Tim schrecklich gern, und wieviel Zeit hatte er ihr geopfert! Wie hatte er sie beruhigt, und tanzen konnte er auch. Im Tanz war er Vivie vertrauter; aber das war nur *fun*. Man lebte und heiratete nicht, um zu tanzen. Das wußte Vivie schließlich auch, obwohl sie weder so klug und herzoginnenhaft wie Astrid, noch so lieb und streng wie Tante Helene war. Vivie hatte die ganze Zeit geahnt, daß Tim sich mit Heiratsabsichten trug. Umsonst erzählte ein Mann einem Mädchen doch nicht beständig von seiner Vaterstadt und seiner Mutter und seiner älteren furchterregenden Schwester, Dr. Margaret Williams, die einen »Erfolg« aus ihrem Leben gemacht hatte und die beste Ärztin in Concord war. Vivica haßte das Wort »Erfolg«, das Tim und die anderen Amerikaner so liebten.
Es war schrecklich peinlich, daß sie lachen mußte, wo Tim so besorgt und so liebevoll war. Es gab ja so viele Sorten Liebe auf dieser Welt. Wie gütig und besorgt er sie ansah und ihr das Haar aus der Stirn strich! Jedes andere Mädchen hätte gejubelt, wenn ein Prachtkerl wie Timothy Williams ihr sein Herz geschenkt hätte – alle Mädchen in Concord waren sicher ganz wild nach ihm gewesen und hatten ihn dadurch heiratsscheu gemacht. Aber

Vivie war eben nicht wie andere Mädchen. Und nur Tante Helene wußte es und paßte auf sie auf und gab ihr eine helfende Hand, wann immer sie am Abgrund entlangschlitterte und verstohlen nach Halvard, dem kleinen Gefährten, Ausschau hielt...
In Wogen stiegen die Lachtränen in Vivies Augen. Sie gluckste, keuchte und hustete, während der Lachkrampf sie schüttelte. Dann kam der schmerzende Schluckauf, der Major-san in diesem Raum vor einigen Monaten zur Raserei gebracht hatte. (Schluckauf tat einmal der perfekten Schönheit Abbruch; dann war er, wenn er von einer Frau kam, viel zu laut und anmaßend: eine Beleidigung gegen den Mann-Gott, der alle Macht, alles Gelächter und alle Geschenke der Liebe verwaltete.) Nun ja – Vivie hatte wieder ihren anmaßenden Schluckauf, aber Dr. Williams klopfte ihr einfach den Rücken, hielt ihre Arme wie bei einer Gliederpuppe in die Höhe und murmelte besorgt und geduldig: *»Thiere, there... darling!«* Und weil er so lieb war, mußte Vivie vor Erstaunen mit dem Keuchen und Stöhnen aufhören. Das erlösende Weinen kam wie eine sanfte Abendflut über sie. Ihr Kopf lag plötzlich still an Timothy Williams' breiter Brust; und es wurde wieder lautlos und angenehm in der »Weißen Chrysantheme«, die immer noch kein waschechter amerikanischer Offiziersklub war, wenn auch das Sternenbanner über der Eingangspforte wehte und das überhelle Licht, die Swing-Kapelle im Speise- und Tanzsaal und die Eiscremes und »Hamburgers« typische Siegerware waren.
Vivie lag wie ein todmüdes Kind an Tims Brust. Sie hatte sich ausgetobt und blickte ihn unter Tränen so dankbar an, daß es ihm ins Herz schnitt. »*Baby...*«, murmelte er. Sie schlang die Arme um ihn, und ihre silberhellen Locken, ein glänzendes Traumgespinst, verschwammen vor seinem Blick. »Was machst du für Dummheiten?« fragte er leise. Er wollte den Schrecken weglachen, aber es gelang ihm nicht. Vivie blickte zu ihm auf. So hatte ihn noch nie eine Frau angesehen. War Aphrodite etwa doch ein *bad girl*? Aber er konnte dem Blick nicht widerstehen: es war Borghilds Verlorenheit und Vivicas eigenes Feuer darin... und Tim hatte keineswegs Coca-Cola in den Adern, wie Vivie geargwöhnt hatte.
»Was fällt Ihnen ein, Tim?« Vivie holte Luft. Es waren keine Küsse mit Baldrian-Zusatz. Vivie war ein junges, dummes Gänschen, sie hatte keine Erfahrung mit Männern. Mit Herrn de

Maury hatte sie wie ein Kätzchen geschnurrt; danach hatte sie mit einem Vulkan geflirtet. Aber Liebe kannte sie noch nicht; vor allem nicht jene Art, von der vielleicht die Dichter nicht singen, aber die Frauen leben ... jene Backofenliebe, die Nestwärme und Trost und humorvolle Nachsicht ausstrahlt und die der große Preis im Ehe-Wettrennen ist.

Vivica fühlte die Backofenliebe, als Tim sie nach seinem ersten Kuß auf die Couch in der Ecke bettete, ihr wieder die wilden Locken aus der Stirn strich und ihr den Tee und den Reis löffelweise gab. Er hielt ihre eiskalte Hand warm und fest in seiner großen, zuverlässigen Ärztehand. Irgend etwas in seinem Blick sagte ihr, daß er sein Leben hingeben würde, wenn er sie dadurch ruhig und glücklich machen könnte. Sie *war* sein Leben; schließlich sagte er es ihr. Sie war es von jenem ersten Augenblick an gewesen, in dem er sie in der Villa Chou hilflos und verstört daliegen sah; und sie würde es immer bleiben, auch wenn sie älter wurde und die Locken den Glanz und die Augen die zwingende Gewalt der Aphrodite verloren. In gesunden und in kranken Tagen, im Glück und im Unglück würde Tim sie hüten und bewahren und lieben.

»Wir werden so bald wie möglich heiraten«, sagte er schließlich und stieß das letzte Lackschälchen um. Vivica nickte. Es war wunderbar, von Tim beschützt zu werden; noch viel schöner als von Tante Helene – oder doch unterhaltender! Was würde Tante Helene zu ihrer Verlobung wohl sagen? Und ... Major-san?

Aber Major-san war nur noch ein Schatten auf einer Wandrolle, und Schatten hatten keine Macht mehr über Vivica, nachdem sie Tims Küsse gespürt und eine neue Art von Männerliebe entdeckt hatte. Sie schmiegte sich eng in Tims Arme und lächelte ihn an.

»Ich bleibe bei dir«, flüsterte sie. In ihren Nymphenaugen war eine unmißverständliche Einladung.

Captain Williams sprang so heftig auf, daß er die Blumenvase neben der Couch umwarf.

»Komm, Kleines, ich bringe dich jetzt in die Villa Chou zurück.«

Timothy Williams aus Concord hatte sich auf das beträchtliche Wagnis eingelassen, eine Ehegemeinschaft mit Aphrodite zu planen. Er hatte die nötige Kraft und Reife sowie die Backofenwärme, die der große Preis im Ehe-Rennen ist. Er war bereit, Vivicas Launen zu ertragen, ihre Locken zu kämmen, bis sie einer

»Frisur« glichen; er war bereit, sie immer wieder vom Abgrund in die Wirklichkeit zurückzureißen, sie zu hegen und zu pflegen und sein Leben in jedem passenden und unpassenden Augenblick für sie herzugeben. Aber vor der Hochzeit mit ihr schlafen, das tat er nicht! Das hätte Duz-Freundschaft mit dem Chaos bedeutet.
Timothy Halvard Williams aus Concord heiratete Miss Vivica Wergeland – von den bekannten Wergelands aus Trondheim. Die jüngste Miss Wergeland war nebenher Aphrodite – schön und gut. Er war der erste Williams aus Concord, der sich so nahe mit Aphrodite einließ. Was dieses Bündnis für ihn im Gefolge haben würde, konnte er an diesem Abend in Shanghai der Sieger allerdings noch nicht übersehen.

ACHTES KAPITEL

# Die goldenen Becher

»Sie sind wohl nicht bei Trost, Captain Williams!« sagte Fräulein Wergeland liebenswürdig. »Vivica ist keine Frau für Sie!«
Sie standen sich in der ehrwürdigen Empfangshalle der Villa Chou in Shanghai wie zwei Kämpfer gegenüber. Man war im Begriff, nach Bangkok abzureisen, und nun kam dieser sonst so vernünftige Amerikaner und bereitete Fräulein Wergeland in zwölfter Stunde eine Überraschung. Natürlich konnte er nicht wissen, wie sehr sie Überraschungen verabscheute.
»Haben Sie einen Grund für Ihre Ablehnung, Miss Wergeland?«
»Mehr als einen, Captain Williams.«
Helene dachte daran, daß die Wergelands sich im allgemeinen und im besonderen nicht zur Ehe eigneten. Ihr Bruder Olaf in Trondheim war mit der Werft verheiratet. Sie selbst war – wie die Chinesen sagen – »dem ganzen Dorf eine Mutter geworden«. Astrid hatte jahrelang ihre Gefühle an einen Drückeberger verschwendet. An die Ehen ihres Bruders Knut wollte sie schon gar nicht denken: Knut war ein Ehemann gewesen, den Gott im Zorn erschaffen haben mußte. Und seine jüngste Tochter – nun, Vivie war nicht wie andere Mädchen! Falls sie einmal heiraten sollte, würde es in Norwegen und unter Helenes Aufsicht geschehen.
»Vivica ist nicht gesund«, sagte sie schließlich schroff.
»Wir haben diesen Punkt besprochen«, erwiderte Captain Williams mit äußerstem Widerstand verheißender Ruhe. »Vivica war meine Patientin. Ich kenne sie, Miss Wergeland! Sie hatte einen schweren Schock durch die Grausamkeit dieses Japaners. Sie hat ihn beinah überwunden.«
»In der Familie Wergeland ist erbliche Schwermut. Vivicas Mutter stürzte sich aus einem Hotelzimmer in Dalat auf die Straße, da mein Bruder sie in eine Anstalt nach Europa bringen wollte.«

Timothy Williams zuckte einen Augenblick zusammen. »Es muß sich nicht wiederholen«, erwiderte er dann und wischte sich den Schweiß von der Stirn. »Es wird sich nicht wiederholen. Dafür werde ich sorgen.«

»Captain Williams, ich will nun kein Blatt mehr vor den Mund nehmen!« Fräulein Wergeland war offensichtlich der Meinung, sie habe sich bis zu dieser Minute der äußersten Zurückhaltung befleißigt. »Sie wissen so gut wie ich, daß dies Kind keine Ahnung vom Leben hat. Nun gut – das mag sich geben! Aber nach Tokio, wohin Sie gehen werden, lasse ich Vivie nie und nimmer! Sie wird dort Tag und Nacht an ihre Erlebnisse erinnert werden.«

»Gestatten Sie, daß ich Ihnen widerspreche, Miss Wergeland! Vivica kommt nicht als Gefangene, sondern als Frau eines amerikanischen Offiziers nach Tokio.«

»Worin besteht der Unterschied?«

Captain Williams wurde dunkelrot vor Empörung. »Ich kann Sie als Arzt versichern, daß der Anblick der besiegten Japaner ihr jedes Angstgefühl nehmen wird. Vielleicht haben Sie hier in Asien keinen besiegten Japaner gesehen?«

»Ich habe nur Madame Yamato im Internierungslager aufgesucht«, erwiderte Fräulein Wergeland grimmig. »Die Chinesen haben ihren Mann ermordet. Er hatte Vivica unter Lebensgefahr aus der Kempetai herausgeholt und sie in seiner Privatklinik gepflegt. Zum Schluß brachte er sie hierher zu Herrn Chou. Wußten Sie das nicht?«

»Herr Chou Tso-ling hat mir das nie gesagt, und Vivica auch nicht.«

»Sie haben eben keinen blassen Dunst von der ganzen Angelegenheit. Vivica ist noch lange nicht damit fertig.«

»Wollen wir nicht bei der Sache bleiben, Miss Wergeland? In meinem Lande leben wir der Zukunft entgegen und formen die Gegenwart danach. Ich bürge Ihnen dafür, daß Vivie in Tokio...«

Seine Stimme zitterte nur ganz leicht, aber Helene hörte die Qual und die sorgende Liebe heraus. Timothy Williams war eigentlich ein Prachtkerl. Aber...

»Ich will Ihr Bestes, Captain Williams«, sagte sie beinahe sanft. Einen Augenblick herrschte Stille. Timothy sah die große, gebietende Gestalt mit den scharfen Augen erstaunt an. Was mochte diese alte kraftvolle Frau meinen? Sein Bestes war doch Vivica.

Wahrscheinlich würde Miss Wergeland das nicht wahrhaben wollen. Sie wußte wohl nicht, wie robust sein Mädchen trotz aller Schwächezustände war – aber vielleicht gab es noch einen anderen Grund für ihre Haltung. Vielleicht hegte sie ehrgeizigere Pläne für dies bildschöne Mädchen, das einer der einflußreichsten Familien in Trondheim angehörte. Vielleicht war der Enkel eines Holzarbeiters aus Tröndelag...
»Bin ich nicht gut genug für Vivica?« fragte er schroff. Helene war noch nie so überrascht gewesen. Der Bursche hatte wohl den Verstand verloren? Nicht gut genug für Vivica...?
»Umgekehrt wird ein Schuh draus«, sagte sie mürrisch.
Ein langes Schweigen folgte. Captain Williams hatte seine Stirn in die ererbten Sorgenfalten gelegt. Helene dachte plötzlich, daß sie die Sache vielleicht zu einseitig sähe. Ewig würde sie nicht leben, wenn sie sich auch frisch wie ein Fisch fühlte. Sie dachte an Hanna Chou und wie befriedigend eine Ehe sein konnte, wenn beide Teile aus Liebe die unumgänglichen Konzessionen machten. Vielleicht lebte sie wirklich zu sehr in der Vergangenheit – wie die meisten Europäer...
»Ich werde auf Vivica achtgeben, Miss Wergeland«, sagte der langbeinige Bursche aus Concord. Es war ein schwacher Ausdruck für alles, was er für sein Mädchen zu tun gedachte. Aber Helene wußte trotzdem, daß hier kein Schwärmer und kein Drückeberger sprach. Der Bursche, hol's der Kuckuck, hatte sich Vivie in den Kopf gesetzt. Und vielleicht war er wenigstens der Richtige für sie, wenn Vivica auch keinesfalls die Richtige für ihn war. Gab es in dieser Stadt Concord denn kein nettes, ordentliches Mädchen für Captain Williams? Eine echte Gefährtin, die wie Helene selber der Wirklichkeit unerschrocken ins Auge blickte und sie nicht für einen minderwertigen Ersatz der eigenen Traumwelt hielt – wie es Vivica tat; wie es Knut und Borghild getan hatten...!
»Überlegen Sie es sich bitte, Miss Wergeland!«
Helene blickte aus ihrer Grübelei auf und direkt in die klugen und zuverlässigen Augen des jungen Mannes mit den komischen Sorgenfalten auf der Stirn.
»Sie können mich ruhig ›Tante Helene‹ nennen«, sagte sie. »Heiraten werden Sie Vivie ja doch, ob ich dafür oder dagegen bin! ... Hoppla, junger Mann! Deswegen brauchen Sie doch nicht gleich das Teegeschirr zu zertrümmern!«

Für Astrid bedeutete Vivicas Verlobung eine Änderung ihrer Pläne. Sie hatte Paris als Reiseziel im Auge gehabt, aber nun würde sie ihre Familie nach Trondheim begleiten und bis zu Vivicas Hochzeit in der Villa Wergeland bleiben. In diesem Punkt war Helene eisern geblieben: Vivie sollte erst ihre Heimat kennenlernen und von Trondheim aus mit Tim in den Fernen Osten zurückkehren. Captain Williams hatte seinen Europa-Urlaub in der Tasche. Er fuhr mit der Familie Wergeland zusammen und wollte in Tröndelag nach Angehörigen seiner Verwandten mütterlicherseits suchen. So war es nun Trondheim und nicht Paris für Astrid geworden. Sie hatte in Bangkok noch so viel zu ordnen gehabt, daß sie kaum zum Nachdenken gekommen war. Auch sie war über Vivies Verlobung erstaunt gewesen, da sie angenommen hatte, nun würden Pierre de Maury und ihre jüngste Schwester ein Paar werden. Pierres Brief hatte sie zweimal mit zusammengezogenen Augenbrauen gelesen und ihn dann in kleine Stücke zerrissen. Das war schade, denn Herr de Maurys sachlicher Bericht enthielt einzigartiges Material über die Flucht und Rettung eines Franzosen im japanisch-besetzten Südostasien. Herr de Maury hatte die Hoffnung ausgedrückt, daß die Familie Wergeland sicher durch die Schrecken der Besatzungszeit durchgekommen wäre. Astrid hatte ihm von Bangkok aus nach Saigon berichtet, wie sehr er sich in dieser Beziehung getäuscht hatte, und ihm gleichzeitig alles Gute für die Zukunft gewünscht. Über ihre eigenen Pläne hatte sie sich ausgeschwiegen, da sie nicht annahm, daß er sich dafür interessierte.

Nun war sie allein in dem leeren, großen Tropenhaus in der Sathorn Road. Tante Helene und Vivica waren bereits auf dem Schiff, das sie alle in vier Tagen nach Europa bringen sollte. Die Möbel waren verauktioniert, mit Ausnahme von denen in Astrids Zimmer. Yumeis Mann und die Diener sorgten während dieser letzten Tage rührend für Missie Astrid. Ihren Anteil an dem Antiquitätengeschäft Sun hatte sie mit großem Profit verkauft. Sie war so tüchtig und plante so korrekt, daß Fräulein Wergeland ihr gern die Abwicklung aller Angelegenheiten überlassen hatte. Astrid erwies sich als rechte Stütze; Helene gestand sich in diesen Tagen zum ersten Male ein, daß sie müde war. Der Abschied von Mailin hatte sie mitgenommen. Der Singvogel der Wergelands war wieder zur Familie Chou nach Singapore zurückgekehrt, und damit war eine liebliche Ruhe, ein stilles, tiefes Glück

431

aus Helenes Leben verschwunden. Mailin hatte sich nicht gewandelt in einer Welt, die sich Jahr für Jahr und Stunde für Stunde erschreckend gewandelt hatte. –
Astrid saß gerade in einem wundervollen rohseidenen Reisekostüm auf Helene Wergelands Veranda und schrieb an ihre Cousine Amélie Clermont, als eine Rikscha durch das Tor mit den Bougainvilleablüten fuhr. Yumeis Mann kam angelaufen: ein Besucher zu später Stunde! Was sollte er dem Gast noch anbieten?
Astrid stand langsam auf und schritt hochaufgerichtet die Treppe hinunter. Sie war sehr blaß geworden, ging wie eine Schlafwandlerin auf den Besucher zu und fragte:
»Was willst du noch hier?«
»Willst du mir nicht erst einmal ›guten Abend‹ sagen, Astride?« Pierre de Maury sah sie unverwandt an.
Astrid war glühend rot geworden. Etwas in dem Blick und in der vertrauten Lockvogelstimme des verlorenen Geliebten raubte ihr die Fassung, aber sie nahm sich sofort zusammen.
»Guten Abend«, sagte sie mechanisch und fügte zu Yumeis Mann gewandt, der die Szene mit atemloser Neugierde beobachtete, hinzu:
»Bring Cocktails und Sandwiches in den Orchideen-Pavillon.«
»Vielen Dank, aber ich habe ein Souper im Oriental-Hotel für uns bestellt«, sagte Monsieur de Maury. »Wir wollen Abschied feiern, Astride!«

\*

Einen Augenblick gelang es Astrid, sich einzureden, Pierre sei ein guter alter Bekannter, mit dem sie seelenruhig soupieren könne. Dann wußte sie wieder, daß er der einzige Mann war, den sie jemals geliebt hatte und je lieben würde. Aber sie hatte in den furchtbaren Monaten nach Vivies Verhaftung etwas gelernt: sie betrachtete ihn weder mit hungrigen Blicken, noch deutete sie mit der leisesten Schwingung ihrer Stimme an, daß sie Pierre nie vergessen und verwinden würde. »Der Baum kann sich den Vogel nicht wählen«, hatte Chou Tso-ling einmal gesagt. Auch Astrid hatte keine Wahl. Dieser Vogel Goldpirol war vor Jahren auf sie zugeflogen; sie hatte ihn einfangen und halten wollen, aber er war davongeflattert, und sie hatte dagestanden, hilfloser als der

Baum in dem Sprichwort. Das war alles. Es hatte keinen Sinn, den Rätseln des Leidens nachzugrübeln. –
Sie hatten sich eine Menge Dinge zu erzählen und erzählten sie. Plötzlich sagte Pierre: »Jetzt habe ich endlich erfahren, wer mich bei der Kempetai angezeigt hat. Ist das nicht merkwürdig?« Er blickte Astrid an. Sie hatte das Gefühl, als stünde die Welt still. Nur die Sampans auf dem Menamfluß und der zitternde Mond über dem Gartentisch hatten noch einen Schein von Leben. Also dazu hatte Pierre sie aufgesucht! Er war auch diesmal gekommen, um sie zu quälen – wie immer! Er hatte also ihr furchtbares Geheimnis erfahren.
Was hatte es für einen Zweck, daß sie hier saßen: zwei Menschen, die sich einmal geliebt hatten und sich jetzt hassen mußten. Denn wenn Pierre nun wußte, was Astrid in ihrer starren Verzweiflung angerichtet hatte, dann mußte er sie verabscheuen, wenn sie ihren Verrat auch noch so sehr bereut und bitter gebüßt hatte.
»Pierre«, flüsterte sie, »ich ...«
Aber Herr de Maury hatte bereits einen Brief aus seiner Rocktasche gezogen und reichte ihn ihr. »Lies, Astride!«, sagte er gleichmütig – er war ja durch ein paar Höllen hindurchgegangen und hatte es überlebt – »lies diesen Brief. Er ist ein Dokument.«
Astrid tastete nach ihrer Lesebrille und fand, daß sie sie in einer anderen Tasche zu Hause gelassen hatte. Zuerst verschwammen die Buchstaben vor ihren Augen, dann las sie mit wachsendem Erstaunen:

*Tokio, Oktober 1945*

»*Monsieur,*
*die Unterzeichnete bittet um Vergebung, daß sie Monsieur de Maury mit elendem und stupidem Brief belästigt. Die Unterzeichnete ist aber elendes Geschöpf und verdient, daß Nippon im Staube liegt und daß Monsieur das stupide Geschöpf mit Verachtung straft.*
*Unterzeichnete besuchte Monsieur in Shanghai und Saigon und verschaffte den geehrten Mohn des Vergessens. Plauderte mit Monsieur und tat Pflicht für Nippon. Monsieur war Feind Japans; Unterzeichnete fand es heraus, las Briefe, gab sie weiter an Kempetai, und Monsieur mußte fliehen. Unterzeichnete betet täglich vor großem Buddha und vor verbotenem Shinto-Schrein, daß Monsieur gesund ist und verzeihen möge. Schreiberin zeigte Mon-*

*sieur mit blutendem Herzen an und weint viele wertlose Tränen der Scham und der Zuneigung. Monsieur war immer freundlich und ahnte nicht, was Agentin zum Dank für geehrte Gastfreundschaft tat. Aber Pflicht gegen Vaterland ist oberstes Gebot in Nippon. Unterzeichnete hofft, daß Monsieur besiegtem und reuigem japanischen Volke vergeben möge. Brief geht nach Saigon, an frühere Adresse.*

*Mit Ausdruck tiefer Ergebenheit*

*Yuriko*

»Sie arbeitete jahrelang für Baron Matsubara«, erläuterte Pierre. »Wir hatten alle keine Ahnung davon ...«
»Wann besuchte sie dich das letztemal?«
»Oh ... im Januar dieses Jahres. Dann blieb sie fort.«
Im Jahre 1945! Also lange bevor sie selbst an die Kempetai geschrieben hatte! Astrid atmete wie jemand, dem das Leben durch die unerforschliche Güte des Himmels neu geschenkt worden ist. Der Kältestrom in ihrem Innern, der sich auch nach Vivicas Rettung nicht in Wärme hatte lösen wollen, verwandelte sich in eine sanfte Glut. Astrid konnte nicht anders: Große Tränen rannen aus ihren blaßblauen Augen auf ihr schönes Kostüm. Sie war halb blind vor Tränen und sah das Gesicht des vergeblich Geliebten durch den zarten Schleier des Verzichts. Vielleicht wußte Pierre, was sie getan hatte, und war gekommen, sie von der Last ihrer Schuld zu befreien. Sie wollte es nicht wissen, jetzt nicht und niemals! Sie hatte Pierre ja hauptsächlich deswegen verloren, weil sie immer alles zu genau wissen wollte. Während ihrer Einzelhaft in der Kempetai hatte sie zu ahnen begonnen, daß jeder Mann bei seiner Frau Ruhe sucht und daß zuviel Fragen und Besitzgier die ersehnte Ruhe zerstören.
»Warum weinst du, Astride?« fragte Pierre sanft. Gaston Lafitte hatte ihm nach seiner Befreiung von dem Brief Astrids erzählt, den Major Matsubara ihm mit der Versicherung zu lesen gegeben hatte, daß Mademoiselle Clermont-Wergeland ihre Denunziation zugegeben hätte.
»Oh, Pierre ... ich bin so glücklich.« Es war nur der Hauch einer Stimme.
Er beugte sich erschüttert über sie, die ihn geliebt und die er – von der Politik fasziniert und der Sorge um Frankreich gequält – nie so wiedergeliebt hatte, wie sie es verdiente. Sie hatten sich

alle miteinander in viel Schuld verstrickt von dem Augenblick an, da die Sonne des Westens im Jahre 1941 zu sinken begann. Aber die größte Schuld, die ein Mensch auf sich laden kann, ist immer der Mangel an Liebe. Pierre hatte es nun erkannt. In der Einsamkeit des laotischen Berglandes hatte er die beiden goldenen Becher, von denen die Mystiker des Westens sangen, bis zur Neige geleert, hatte den roten Wein der Pein und den weißen Wein der Hoffnung getrunken. Jeder Mensch mußte von beiden trinken – früher oder später, in der Jugend oder im Alter, sei er arm oder reich, Mann oder Frau. Beide waren der Wein des Lebens und nicht mit minderwertigen Nachahmungen zu verwechseln. Darum kam Pierre de Maury zu Astrid, bevor er Indochina für immer verließ, und brachte ihr den goldenen Becher mit dem weißen Wein; denn den Becher mit dem roten Wein der Pein hatte sie schon bis zur Neige geleert. Er sah es ihr an: ihr feines, durchsichtiges Gesicht mit den hochmütig geschwungenen Brauen und dem enttäuschten Mund war von Seelenqual geprägt. Es war ein sanfteres Gesicht als früher, aber zu resigniert für ihre fünfundzwanzig Jahre.
Dann lag Astrids Kopf mit dem weichen Haar wieder an seiner Brust – wie damals in Shanghai, als sie blutjung seinem Herzschlag gelauscht hatte. Er hob ihr Gesicht zu sich empor – dies stolze, von Schmerz und Sehnsucht gezeichnete Mädchengesicht, das stets die Reinheit des hohen Nordens bewahrt hatte – und suchte ihre Lippen.
»Nein ... oh, nein, Pierre!«
»Aber ja ... *chérie!*«
Nur der Mond und ein Windlicht im Hotelgarten erleuchteten den Tisch, wo zwei Europäer von Asien Abschied nahmen. Das würde eine Überraschung für Tante Helene werden!

\*

Astrids und Pierres Zueinanderfinden nach einer scheinbar unüberbrückbaren Entfremdung war eine sehr persönliche Angelegenheit, und dennoch war sie ein typisches, psychologisch und soziologisch bedingtes Nachkriegsschicksal. Der Ferne Osten wimmelte in den Monaten nach dem Kriege von Brautpaaren; es war, als ob die Menschen des Westens, die jahrelang frei oder gefangen im japanischen »Weltstaat« gelebt hatten, heimwehkrank wie

sie waren, ein Nest bauen wollten, und zwar mit einem Vogel der eigenen Art. Manche dieser spontan unter der brennenden Tropensonne geschlossenen Bündnisse gingen im nüchternen Klima der Heimat auseinander; manche hielten ein Leben lang. Die Bewährung von Astrids und Vivicas Ehe war eine Frage der Zukunft; aber der Heimwehtrieb, der die beiden jungen Paare sofort nach dem Kriege zusammenführte, war echt und machtvoll. So erklärte sich auch Helene Wergeland die überraschende Wendung in Astrids Geschick; und das von innen erleuchtete Gesicht ihrer ältesten Nichte rührte sie in einer ihr selbst unerklärlichen aber herzergreifenden Art. Pierre de Maury, dieser zungengewandteste aller Franzosen, war nie ihr Fall gewesen; aber *sie* sollte diesen Monsieur ja auch nicht heiraten...
Sie saßen am nächsten Abend alle als Pierres Gäste im Garten des Oriental. Captain Williams, der aus einer grundverschiedenen Welt kam, hatte offenbar mit dem französischen Widerstandskämpfer, der neben ihm ein wenig skeptisch und müde wirkte, eine gute Männer-Freundschaft geschlossen. Sie hatten ein großes gemeinsames Thema: den Krieg! Und als zweites Thema: die Schwestern Wergeland. Ein drittes Thema war Tokio, das Kulturfreund de Maury vor dem Kriege unter der Führung von Baron Matsubara genau kennengelernt hatte und wohin Captain Williams mit Vivica nach der Hochzeit als Militärarzt gehen würde.
Vivie hatte »Onkel Pierre« unbefangen begrüßt und bezaubernd gelächelt; sie war sehr stolz auf Tim, ihren »Riesen«. Nach dem Souper tanzte man auf dem matt beleuchteten Rasen des Oriental-Hotels. Nach einer Weile fand sich Pierre mit Vivica im Arm. Sie lächelte nymphenhaft zu ihm empor; dachte auch er an Saigon und die vielen kleinen Bars, wo sie Gesichter gesammelt hatte? Herrn de Maurys Gesicht verriet nichts. »Du tanzt wunderbar, Onkel Pierre«, flüsterte Vivie.
»Dein Rocksaum ist aufgerissen, Vivienne«, bemerkte Monsieur trocken. Der unordentliche Rocksaum hatte ihn den ganzen Abend gestört. *Une petite vagabonde...* Er blickte unwillkürlich zu Astrid hinüber, die mit Captain Williams tanzte – distinguiert in ihrem tadellosen Cocktailkleid mit dem kleinen extravaganten Hütchen, das wie hingehaucht und doch klug berechnet genau auf der richtigen Stelle des Kopfes saß. Er nickte zufrieden! Astrid würde nach Paris passen. Sie würden *tout Paris* – das geistige

und mondäne Paris – empfangen. Die Familie de Maury hatte große Beziehungen und erwartete mit Selbstverständlichkeit, daß Pierre eine Frau heiratete, die repräsentieren konnte. *Maman* würde von Astrid entzückt sein.
Kurz vor Schluß fand sich Helene Wergeland mit Pierre de Maury in einer stillen Ecke des Hotelgartens.
»Wie denken Sie sich die Zukunft?« fragte sie geradeheraus.
»Ich habe eine Reihe von Plänen, Madame. Wir werden in Paris leben; aber ich muß erst einmal wieder Fühlung mit meinen Freunden aufnehmen.«
Helene schwieg. Pierre fuhr eilig fort: »Mein Onkel ist Generaldirektor der politischen Sektion im Außenministerium. Er hat mir bereits einen lockenden Posten im Presse- und Informationsdienst für Asien und Ozeanien angeboten. Das würde von Zeit zu Zeit auch Reisen mit sich bringen, aber das Hauptquartier wäre Paris.«
Helene schwieg immer noch. Sie fühlte vielleicht, daß Astrid ihr von Stunde zu Stunde in eine andere Welt entglitt. Pierre nahm ihr Schweigen für Mißbilligung. Astrid war ja wohl mit einem silbernen Löffel im Munde geboren. Sie verlor silberne Puderdosen – so erinnerte er sich –, als ob es Äpfel oder Nüsse wären. Er nahm eine etwas steifere Haltung an. Helene betrachtete sein asketisches Profil mit leichtem Erstaunen; es war so gar nicht weltmännisch, wie es sein Lächeln und seine eleganten Bewegungen waren.
»Meine Familie ist nicht begütert, Madame«, sagte er ein wenig hochmütig. »Wir sind seit vielen Generationen im Dienste des Staates oder der Kirche. Unsere Frauen strecken sich mit Grazie und Intelligenz nach der Decke. Ich hoffe, Sie sind mit dem zufrieden, was ich Astride bieten kann.«
Eine verhaltene Nuance von Besorgnis traf Helenes feines Ohr wie eine Gewähr für die ehrlichen Absichten dieses Mannes, der ihr fremd war und fremd bleiben würde.
»Ich werde mich bemühen, Astride die gesellschaftliche Position zu verschaffen, die sie beanspruchen darf.«
Fräulein Wergeland schenkte dem Drückeberger aus dem Faubourg den ersten warmen Blick seit dem fernen Tage, an dem sie sich kennenlernten.
»Seien Sie gut zu ihr«, sagte sie rauh. »Mehr braucht Astrid nicht. Ich kenne sie.«

Eine Epoche war für die Europäer in Ostasien zu Ende gegangen. Die Familie Wergeland trat die Heimreise an. Auch in Europa erwartete sie eine neue, veränderte Welt.
Während Helene mit Astrid und Vivica dem hohen Norden entgegenreiste – die Doppelhochzeit sollte im folgenden Jahre in Trondheim gefeiert werden –, saß Baron Matsubara Akiro als Kriegsverbrecher im Gefängnis in Tokio. Mit unbewegter Miene trank er den roten Wein der Pein. Manchmal dachte er an das schöne Mädchen, das er angebetet und – wie er meinte – zerstört hatte. Er sah sie stets in Dr. Yamatos Klinik – in Traumwolken gehüllt und im Banne seiner Blicke. Wenn der gefallene Sonnenreiter an Vivica dachte, lächelte er undurchsichtig vor sich hin. Nach japanischer Auffassung gehört einem dasjenige, was man lange und eindringlich betrachtet. –

DRITTES BUCH

# Ein Augenblick des Glanzes

## DIE FERNÖSTLICHE DREHBÜHNE (1945—1955)

### Informationsblatt für Moralisten

Vielleicht war es Baron Matsubaras große Chance, daß er die nächsten fünf Jahre zwangsläufig von der fernöstlichen Drehbühne verschwand. Als Gefangener der Alliierten genoß er gewisse Vergünstigungen, deren seine Landsleute in der Freiheit sich nicht immer erfreuen konnten: Zeit zum ungestörten Nachdenken, regelmäßige Nahrungszufuhr und die Möglichkeit, sich auf japanische Weise von dem Massensturz in die unfaßbare Tiefe zu erholen. Vor allem jedoch genoß Matsubara Akiro wie die anderen Kriegsverbrecher den unschätzbaren Vorteil, die Wandlung Nippons in eine Demokratie nach amerikanischem Muster nur aus der Ferne zu verfolgen. So blieben ihm in den fünf Jahren seiner Haft — im Gegensatz zur Kaiserlichen Familie und den Adelskreisen von Tokio — gewisse Demütigungen erspart, die tragisch und grotesk waren, obwohl oder gerade weil sie einer erzieherischen Absicht der Besatzungsmacht entsprangen. Die Atombombe hatte den militärischen Sieg bewirkt; aber General Mac Arthur und seine Militär-Moralisten im Hauptquartier Tokio gaben sich nicht damit zufrieden. Das war logisch! Der Zweite Weltkrieg war eben kein unkomplizierter Krieg wie in der guten alten Zeit, wo man sich nach dem Siege mit dem Gewinn von Land und neuen Absatzmärkten begnügte. Die Moralisten der USA versuchten, den American Way of Life und die Grundsätze der Demokratie, genau so wie sie im Westen ausgebildet worden waren, nach Tokio und Umgebung zu verpflanzen. Da Moralisten, um ihre Ziele zu erreichen, weder mit Geld noch mit Material zu sparen pflegen, steckten die Amerikaner Unsummen an Dollars, Sachwerten und Lehrmaterial in die »Umerziehung« der Japaner aller Kreise hinein. Besonders in den ersten Jahren nach der Niederlage ernteten die Sieger die begeisterte Aufmerksamkeit ihrer japanischen Schüler. Mit dem Eifer des Asiaten lernten sie etwas

*Neues, nämlich Demokratie. Baron Kenzo, ein Vetter von Akiro Matsubara, tat es geradezu verbissen. Ferner ernteten die Amerikaner unzählige höfliche Verbeugungen, liebliche Blicke der Damen, viel Zeitungsgeschrei und wenig Wolle. Das lag daran, daß sie bis dahin Leute wie die Barone Matsubara und ihren ganzen Kreis niemals zu Gesicht bekommen hatten. Ihre moralischen Absichten waren ehrlich; ihre Unkenntnis der japanischen Psyche im allgemeinen abgrundtief. Wenn die Matsubaras und die anderen gefallenen Herrscher der Syndikate und Truste »Demokratie lernten«, so geschah es einzig und allein aus der nüchternen Überlegung, irgend etwas müsse an diesem System sein, da es seinen Anhängern geholfen hätte, einen Weltkrieg zu gewinnen. Irgendein Trick müsse hinter den schönen Moralpredigten stekken, den sie bei eifrigem Studium schon herausbekommen würden! Wenn die Japaner sich tief vor den uniformierten Pädagogen der USA verbeugten, geschah es einmal, weil sie unheilbar höflich waren; und dann, weil man sich nun einmal während eines Taifuns möglichst klein macht. Auch mit dem strahlenden Lächeln, das die Japaner aller Kreise den Siegern zeigten, hatte es leider seine besondere Bewandtnis. Die Japaner lächelten nicht aus reiner Begeisterung über die Demokratie, wie ihre Lehrmeister manchmal wähnten. In Japan behandelte man jede private oder öffentliche Katastrophe vor anderen Leuten wie einen gelungenen Scherz. Das geschieht schon aus Taktgefühl gegenüber dem ahnungslosen Gesprächspartner; aber außerdem verbirgt das Lächeln des Japaners seinen tiefen Pessimismus und rettet seinen verwundeten Stolz. Sein Lächeln ist also keineswegs Heuchelei, sondern eine moralische Geste, die sich seit Jahrhunderten in allen Lebenslagen bewährt hat.*
*So ungleichartig wie Japaner und Amerikaner sind kaum zwei Nationen unter der Sonne! (Und der französische Philosoph Rivarol behauptet ja, Gleichartigkeit sei die moralische Voraussetzung jeder Gemeinschaft.) Die Kontraste der staatlichen und privaten Moral, der Lebensweise und der sozialen Struktur waren nicht aus der Welt zu schaffen. Daran änderte weder offizieller amerikanischer Optimismus noch japanische Resignation (»Shikato ga nai!«) etwas. Die tausend kleinen Nuancen, die Japans Kunst und Alltag regieren, waren den an Superlative gewöhnten, viel derberen Lehrmeistern unverständlich. Ein von alters her feudalistisch aufgebautes Land konnte den für den Westen gesunden*

demokratischen Grundsatz, daß jeder Bürger die gleichen Chancen haben müsse, falls er sich genügend für seinen Erfolg einsetzt, nicht begreifen. Die soziale Hierarchie Nippons war älter und entsprach mehr oder weniger den Bedürfnissen der Japaner, die stolz darauf waren, daß der Tenno von der Sonnengöttin und nicht von der Familie Smith in Chicago abstammte... Die Zaibatsu – Nippons große in Syndikate zusammengeschlossene Geschäftsleute und »obere Zehntausend« –, die von etwa zwölf berühmten Familien gebildet wurde, und die amerikanischen Gewerkschaften waren durch Abgründe in bezug auf Tradition und Lebensweise voneinander getrennt. Denn die Barone Matsubara pflegten in schlechten Zeiten väterlich für ihre Angestellten und Arbeiter zu sorgen; man brauchte keine Gewerkschaft, um mit Papa Matsubara zu verhandeln; er gab selbstverständlich Reis und Kleidung, auch wenn er dabei zusetzte... Nicht als ob die Zaibatsu nicht nach einer Herrenmoral gehandelt hätten, die der Regierung wichtige Entscheidungen in der Wirtschaft ab- und vorwegnahm; aber die Japaner hatten nicht so viel an ihren »zwölf großen Familien« auszusetzen, wie die amerikanischen Lehrmeister, die nach den grundverschiedenen Verhältnissen in ihrer Heimat urteilten.
Wie die Vorkriegsjahre den japanischen Touristen, wie die Kriegsjahre den Sieger und Samurai auf der Drehbühne des Fernen Ostens hatten erscheinen und seine Rolle spielen lassen, so brachten die Jahre zwischen 1945 und 1955 eine neue, ebenso erstaunliche Figur ins Scheinwerferlicht: den »Bambusmenschen«! Jenen Japaner und jene Japanerin, die sich sanft und geschmeidig wie der Bambus im scharfen Winde der Nachkriegszeit hin- und herbogen und niemals zerbrachen! Baron Kenzo aus der Familie Matsubara war ein solcher Bambusmensch; und die frühere Agentin Yuriko in ihres Vaters Laden auf der Ginza in Tokio war es auch und desgleichen jeder Reisbauer, jeder Beamte, jedes Pompom-Mädchen (Soldatenliebchen) auf den Straßen und in den Tanzlokalen des Yoshiwara (Vergnügungsviertel). Sie sagten zu unverständlichen Verordnungen »sah« (schön, gut!) und taten das Gegenteil; sie neigten sich, die einen bei Banketten, die anderen an den Straßenecken, bis die zarten Knochen schmerzten; sie lächelten sich täglich und stündlich die stumme, gemarterte Seele aus dem Leibe – aber sie zerbrachen nicht.
Als Major Matsubara im Jahre 1950 das Gefängnis mit seinem

Familienheim vertauschte, waren sie noch alle da – die zwölf Familien im Hintergrund, die Jasager der Demokratie im Vordergrund und dann die Frauen, die von Natur geschmeidig, gehorsam und bescheiden sind. Aber mit der demokratischen Gemeinschaft war es nicht viel geworden. In Nippon regierte – wenn auch nur hinter den Kulissen – immer noch die »Gruppe«, und nach wie vor ging es um ihre Glorie und Chance. Das Individuum, dessen Chance und Entwicklung jeder echten Demokratie am Herzen liegt, war auch im Nachkriegs-Japan ohne Bedeutung; seine Freuden und Schmerzen blieben dem Wohle der sozialen Gruppe und der Familie untergeordnet.

Nun, wo die Amerikaner die Drehbühne beherrschten und die Bambusmenschen eifrig Demokratie lernten, besannen sich Millionen von Japanern auf die großen verborgenen Tugenden, die ihnen von alters her Glück und Zufriedenheit gebracht hatten: die Freude an der Natur, die Genügsamkeit, die mit dem Geringsten zufrieden ist, soweit es anmutig dargeboten wird, und die nationale Disziplin, die ein mystisches Element der bedingungslosen Opferbereitschaft enthält. Die Macht der japanischen Demut, das Fehlen jedes Neidgefühls angesichts amerikanischer Autos und Tafelfreuden, das Gefühl, eins zu sein mit der Natur und der Gruppe, brachten die zwölf großen und die Millionen von kleinen Familien unversehrt durch die Schrecken und Verlockungen der unverständlichen »Demokratie«. Die japanische Dankbarkeit für jede noch so geringe Freundlichkeit oder Gabe – diese vielleicht höchste Tugend eines ganzen Volkes – war für zahlreiche Amerikaner, deren gutes Herz und warme Hilfsbereitschaft beständig vor den Besiegten kapitulierten, ein Erlebnis von hohem Range.

ERSTES KAPITEL

# Die Dunkelheit nach dem Feuerwerk

BARON MATSUBARA AKIRO ahnte in der Isolierung seiner Zelle sehr wenig von Nippons nagelneuer Demokratie. Er sah nur die Dunkelheit nach einem Feuerwerk, das seine stolze und ruhmsüchtige Seele berauscht hatte. Sehr langsam reifte in ihm die überraschende Erkenntnis, daß Asien seit der Stunde, da Nippon sein geniales Schlagwort im größeren Ostasien verbreitet hatte, tatsächlich den Asiaten gehörte. Im Augenblick allerdings hauptsächlich den Chinesen; aber Baron Akiro war als Japaner ein politischer Langstreckenläufer, und der niederträchtigste Chinese war ihm immer noch lieber als der hilfreichste Amerikaner. Ein moralischer Sieg, auch wenn er sich wie das Regenrockinsekt im Dunkeln hielt, tat Akiros stolzer und empfindlicher Seele so wohl wie ein heißes Bad und der Anblick vollkommener Schönheit. Aber dennoch: welche Dunkelheit nach dem Feuerwerk!

Als Baron Akiro aus der zugrunde gerichteten Familie Matsubara am Vorabend des Neujahrsfestes 1950 durch das teilweise zerstörte und teilweise grell erleuchtete Tokio zum Palais Matsubara pilgerte, brauchte er seinen ganzen moralischen Mut, um nicht unter einem Auto den Tod zu suchen. Wie Schatten oder Regenrockinsekten huschten seine Landsleute durch die besetzte, grelle und doch verfinsterte Hauptstadt des Landes. Eine kalte Trauer erfüllte ihn, als er endlich vor dem Tor des Palais haltmachte, das nach bester Tradition von außen wie ein einfaches Landhaus wirkte und so viel Bombenschäden aufwies, daß kein amerikanischer Offizier das Heim der Matsubaras requiriert hatte. Außerdem lag es so raffiniert zwischen Büschen und gewundenen Pfaden und Brücken verborgen, daß es zunächst gar nicht entdeckt worden war.

An diesem Abend ging ein heftiger Wind. Matsubara Akiro erschauerte in dem dünnen Mantel, den er sich von seinem Onkel

mütterlicherseits geliehen hatte. Fürst Itoh war ein kleiner, zierlicher Herr; sein Mantel gab daher seinem Neffen, der für einen Japaner ungewöhnlich groß war, ein groteskes Aussehen. Totenstille herrschte in Garten und Haus, als Baron Akiro unbemerkt, unbelehrt und unbekehrt vor dem Tore stand. Das Haus wirkte im kränklichen Mondlicht wie ein Leichnam. In dem öden Garten duftete es nach Verwesung; eine Fledermaus huschte über die schön gewundenen Dächer, auf denen zahlreiche Ziegel fehlten. Von dem Tor war der Lack abgesplittert und nicht erneuert worden. Die »Einsiedler-Hütte«, die sein Urgroßvater im Alter gebaut und bewohnt hatte, stand finster und gespenstisch in einer Ecke des verwilderten Gartens. Auch dort war kein Licht. Was mochte geschehen sein? Fürst Itoh hatte der Familie Akiros Entlassung und Heimkehr rechtzeitig angesagt. Wo waren seine Eltern, seine beiden Töchter, seine geehrte Großmutter, welche die Familie so viele Jahre als höflich flüsternde Tyrannin geleitet und beherrscht hatte? Akiro war stets ihr Lieblingsenkel gewesen. Fürst Itoh hatte Akiro keinerlei Auskunft über die häusliche Situation geben wollen. »Sieh selbst!« hatte er mit sanftem Lächeln geraten. Der Fürst verabscheute Unterhaltungen über peinliche oder traurige Dinge.
Eine uralte Dienerin erschien mit einer Laterne am Tor. Sie prallte unmerklich zurück, als sie Baron Akiro im Schein der Laterne erblickte. Wie ein Geist sah der geehrte »junge Herr« aus. Die alte Kikue hatte ihn in seiner Kindheit ehrerbietig auf den Armen gewiegt. Sie war vor Jahrzehnten mit der »Alten Baronin« – Akiros Großmutter, die Hofdame gewesen war – bei deren Hochzeit ins Heim des Wirtschaftsbarons Matsubara übergesiedelt.
Die alte Kikue kniete nieder und berührte mit ihren vertrockneten Lippen demütig die Schuhe des Heimgekehrten. Sie wagte keinen zweiten Blick in das abgezehrte Gesicht mit den düsteren Augen und den zusammengepreßten Lippen. Sie murmelte, sie habe das zeremonielle Bad für den geehrten zweitältesten Herrn Sohn bereitet und die alte Baronin geruhe, den Herrn Enkelsohn nach dem geehrten Bade gnädigst zu empfangen.
Matsubara Akiro beugte sich zu der uralten, verkrümmten Dienerin nieder und hob sie mit der liebevollen Zartheit empor, die Japaner aus großem Hause ihren Dienern von alters her zu erweisen pflegen. »Komm ins Haus, Kikue«, sagte er sanft. »Es weht ein schlimmer Wind.«

Die Alte kniete erneut nieder und zog dem Herrn Zweitältesten Sohn die Schuhe aus. Dann schlich sie gebückt und verstohlen hustend hinter dem vierten Baron Matsubara, der kein Ruhmgewinner, sondern ein Kriegsverbrecher war, zur Badekammer. Sie lächelte sich die Seele aus dem Leibe, als sie den geehrten Rücken des »jungen Herrn« zu seifen und zu bürsten begann: man konnte jede Rippe zählen.
Auch Baron Akiro lächelte, als die alte Kikue ihm auf seine Frage mitteilte, daß sein geehrter Vater leider durch Krankheit verhindert wäre, den Herrn Zweitältesten Sohn zu begrüßen. Dies war schlimmer als alle Demütigungen der fünf Jahre. Er vergaß darüber, daß seine beiden Töchter es ebenfalls nicht für nötig befunden hatten, ihn mit Verneigungen zu empfangen. Er war zu stolz, um nach ihnen zu fragen. Magenkrämpfe quälten ihn, als er endlich mit höflichem Lächeln in das zeremonielle Bad für den Heimkehrer stieg. Er lächelte auch, als er seine Großmutter mit tiefen Verneigungen begrüßte. Die uralte Baronin lächelte zurück.
Die Tragödie war vollkommen – genau wie die Moral der zwölf großen Familien hinter den Kulissen der fernöstlichen Drehbühne.

\*

Die alte Baronin Matsubara war fünfundachtzig Jahre alt. Sie war so winzig, so gekrümmt und kostbar wie ein japanischer Zwergbaum. Sie hatte als Angehörige einer Samurai-Familie einen Abglanz der kaiserlichen Sonne verspürt, als sie Hofdame geworden war; für sie war die Dunkelheit nach dem Feuerwerk nicht so vollständig wie für die Jüngeren, da sie, nach der Art sehr alter Menschen, in der Vergangenheit lebte und ihre Augen am Glanze der drei kaiserlichen Juwelen labte. Sie hatte oftmals bei zeremoniellen Gelegenheiten einen berühmten Shinto-Schrein besucht, wo die drei Schätze Nippons – ein Schwert, ein Halsband aus Stein und der kaiserliche Spiegel – ausgestellt waren und Shinto-Priester in feierlichen Roben den Göttern Nippons opferten. Seit der amerikanischen Besetzung waren die »Staats-Shinto-Zeremonien« allerdings verboten worden, da sie angeblich das neu erwachte demokratische Gefühl des japanischen Volkes beleidigten. Als Baron Kenzo der alten Baronin diesen Glaubens-

artikel der neuen »Religion« aus den USA vorlas, hatte die Greisin gekichert und gemurmelt, es sei merkwürdig, wenn ausländische Eier die japanische Henne belehren wollten. Die alte Baronin hätte nun ganz gut mit ihrer Dienerin Kikue zu einer »Shinto-Andacht« aufs Land fahren können, aber sie blieb störrisch in ihrem zerbombten Palais, wo ihre Söhne und Enkelsöhne geboren worden waren. Sie hatte die echt japanische Furcht vor Mikroben und eine große Abneigung gegen Ausländer; beiden hätte sie bei einer solchen Landpartie schwer aus dem Wege gehen können. Irgendwie kamen ihr die Amerikaner wie riesige, rotbackige Mikroben vor und die Demokratie wie ein ansteckendes Fieber, vor dem man sich am besten schützte, indem man zu Hause blieb.
Als ihr Enkel Akiro die Empfangshalle des Hauses betrat, blickte sie rasch zu Boden, bevor sie ihn herzzerreißend anlächelte. Er war immer ihr Stolz gewesen: ein schöner, kräftiger und intelligenter Erbe des alten Namens – *ihres* Namens – und der väterlichen Machtpositionen. Sie hatte lange vor sich hin gegrübelt, nachdem Fürst Itoh ihr mitgeteilt hatte, daß Akiro aus der Haft entlassen werden würde. Oberst Saito hatte soviel Schuld bei den Verhören auf sich genommen, daß er zu zehn Jahren Gefängnis verurteilt wurde. Es klang in Saitos Berichten so, als ob Major Matsubara in den Zeiten der Aufgehenden Sonne lediglich aus japanischer Wonne am Gehorchen Oberst Saitos teuflische Anweisungen befolgt hätte. Aus Akiros sieben Jahren Gefängnis waren überraschend fünf geworden; und nun mußte die alte Baronin ihrem Lieblingsenkel mitteilen, was in seiner Abwesenheit geschehen war. Sie selbst war hierfür auf eine geniale, urjapanische Lösung verfallen. Man durfte den stolzen zweitältesten Sohn, der nur aus heroischem Gehorsam gegen den Tenno nach Nippons Niederlage keinen Selbstmord verübt hatte, nicht mit Worten verwunden. Akiro war klug und hatte ein Röntgenauge; er würde das »Arrangement« zu seinem Empfang schon richtig verstehen!
Er verstand! Das Blut schien in seinen Adern zu stocken, als er, noch warm und beruhigt von dem heißen Bade, seiner hochgeehrten Großmutter seine Aufwartung machte und das »Arrangement« sah, das doch so zartfühlend und raffiniert erdacht worden war, daß Akiro es nicht besser hätte ersinnen können, das heißt: in seinen Glanzzeiten in Shanghai, Paris oder Indochina.

Einen Augenblick schmerzten alle seine Eingeweide grauenhaft, und er schloß die Augen, denn er wußte sekundenlang nicht, ob er nicht in seiner Zelle träumte. Dann riß er diese starren, glühenden Fenster seiner Seele weit auf und lächelte verzerrt. Was war geschehen? Für einen Ausländer nicht das geringste; für Akiro aus dem Hause Itoh-Matsubara aber schien in diesem Augenblick die Sonne endgültig untergegangen.

Ein Ausländer hätte lediglich eine ästhetisch-sparsam dekorierte Empfangshalle gesehen, die zum Vorabend des Neujahrsfestes mit reinen *tatami* (Strohmatten) ausgelegt worden war. Ein einfaches *hibachi* (Kohlenbecken) glühte und verbreitete anheimelnde Wärme. In der Nähe der *tokonoma* fand sich – wie stets – die »heilige Ecke«, das sogenannte *butsudan* (buddhistisches Wandbord). Es war ein Miniatur-Altar mit bezaubernder Schnitzerei und Goldlackverzierung. Er enthielt ein Bildnis des *Buddha Amida* –, der Hauptfigur des Shinshu-Buddhismus –, welcher den Angehörigen der Familie Matsubara in jedem Fall einen guten Platz im Paradiese sichern würde, ganz gleich, ob sie Demokratie lernten oder so eigensinnig wie Fürst Itoh und die uralte Baronin weder von Abraham Lincoln, noch von Kaugummi oder vom *Reader's Digest* in japanischer Übersetzung etwas wissen wollten. Vor diesem Altar läutete die alte Baronin jeden Morgen eine winzige Messingglocke, machte trotz ihres hohen Alters eine so geschmeidige Verbeugung wie jedes Bambusmädchen vor den Zigaretten-Spendern der US-Armee und rezitierte das vorgeschriebene Gebet der Shinshu-Sekte. Und auf dem *butsudan* gewahrte Akiro sofort die neue Ahnentafel seines älteren Bruders, der als »Todesflieger« und Ruhmgewinner trotz des verlorenen Krieges der einzige Lichtblick für die ausgeschalteten Familien Matsubara-Itoh war.

In der Nähe des Altars hing ein Porträt von Urgroßvater Matsubara, der die »Einsiedlerhütte« erbaut hatte, in der sich augenblicklich Baron Jiro, Akiros geehrter Vater, vor den Vertretern der Demokratie in Sicherheit gebracht hatte. In dieser Asketenhöhle verbrachte der bis zur Kapitulation äußerst aktive Herr seine Tage und Nächte und empfing nur gelegentlich seinen Neffen Kenzo zu geflüsterten Besprechungen. Baron Jiro Matsubara – einer der fähigsten und schlauesten Wirtschafts-Despoten – krankte seit der Zerschlagung der *Zaibatsu* an einer Neigung zu Meditation und Weltflucht, die seine uralte Mutter stirnrunzelnd

mitansah. Sie wußte, daß Jiro ein Mann der Tat war. Es war unrecht von ihm, die undurchsichtigen Geschäfte und Intrigen, welche die Mitglieder der Zaibatsu hinter den Kulissen aushecken, seinem Neffen Kenzo zu überlassen. Und nicht nur die Geschäfte ...
Baron Jiro hatte Kenzo als ältesten Sohn und Erben der Matsubara-Sippe adoptiert. Er hatte seinen Sohn Akiro von der Liste gestrichen, weil er Schande über die Familie gebracht hatte. Baron Jiro konnte in seinem Eigensinn und seinem mangelnden Verständnis für die Gehorsamspflicht des Samurai nicht begreifen, warum Akiro nach der Schande der Haft nicht einen ehrenvollen Selbstmord begangen hatte. Aber gerade das hatte der *Tenno* sofort nach der Kapitulation in einer Botschaft an das ganze Volk verboten. Es war die Tragödie von Tausenden todessüchtiger und stolzer Japaner, daß sie den eigenen Todeswunsch hinter dem Gehorsam, der höchsten Samurai-Tugend, hatten zurücktreten lassen. Auch Matsubara Akiro hatte durch sein Weiterleben eine hohe Pflicht erfüllt; seine Unehre war gerade seine Ehre. Nur seine Großmutter und Fürst Itoh verstanden ihn und lächelten ihr trauriges Lächeln. Und nun mußte die uralte Baronin den herrenlosen und gedemütigten Patrioten Akiro durch ihr »Arrangement« zutiefst verwunden, ganz ohne Worte und sehr gefaßt.
In der besonderen Nische gab es nämlich einen Ehrenplatz für Gäste oder den höchsten Regierenden einer Familie; und auf diesem Ehrenplatz saß Cousin Kenzo, der adoptierte »Älteste Sohn« der Familie. Kenzo, der Sohn der »Reiswitwe«, die in Akiros Kindheit und Jugend ein verachtetes Schattendasein in der adeligen Familie, deren Frauen dem Fürstenhause Itoh entstammten, geführt hatte! Kenzo, ein verängstigtes, demütiges Schattenkind, hatte den strahlenden, hochmütigen Akiro bedient und umschmeichelt, um einen Blick oder ein freundliches Wort von dem Unerreichbaren zu erhaschen! Er durfte niemals mit Akiro und dem älteren Bruder, der weder Akiros Schönheit noch seine kalte Intelligenz besessen hatte, spielen oder Sport nach der Weise des Westens treiben. Die Reiswitwe und Kenzo hatten eine peinliche Zwischenstellung zwischen den Dienern und den Mitgliedern der mächtigen Familie eingenommen. Sie waren weniger liebevoll als die Diener behandelt worden. Nun – die Zeiten hatten sich geändert. Die Reiswitwe hatte der alten Baronin und Akiros Mut-

ter während der Bombenangriffe auf Tokio das Leben gerettet; sie war dabei umgekommen. Akiros Mutter war nach der Rettung einem Herzschlag erlegen. Nur die uralte Baronin Matsubara von Itoh hatte alles überlebt – winzig, gekrümmt, kostbar wie ein japanischer Zwergbaum, und dazu intelligent und stolz wie ihr Enkel Akiro, der bis auf seine Größe auch sonst ihr Ebenbild war. Er hatte wie sie die kühn gebogene Nase, die schmalen, hochmütigen Lippen und die starren, feurigen Augen der Samurais...
Mit diesen Augen starrte Akiro in diesem Moment seinen Verwandten Kenzo an, durchschaute im Nu das »Arrangement« in der Ehrennische und verbeugte sich vor dem neuen Haupt der Familie Matsubara von Itoh. Er stand reglos da und fühlte, wie das Leben aus ihm wich. Dann verbeugte er sich vor der hochgeehrten Großmutter.
Cousin Kenzo trat scheu auf Akiro zu. Er war klein, ein wenig korpulent und verbarg den Ausdruck seiner kurzsichtigen Augen hinter einer riesigen Hornbrille.
»Willkommen im Vaterhause«, murmelte er und lächelte ratlos. Wenn nur Akiro trotz seiner Erniedrigung nicht so groß und distinguiert und er selbst so klein und korpulent gewesen wäre! Baron Kenzo sah ein wenig vulgär aus: seine Mutter war nicht ganz das Richtige für eine der »Zwölf Familien« gewesen... Aber Kenzo war fleißig, ungemein geschäftstüchtig, ein vorbildlicher »Bambusmensch« und vertrat hinter der Drehbühne die ökonomischen Interessen der von General Mac Arthur zerschlagenen Zaibatsu mit unendlicher Zähigkeit, Schlauheit und Höflichkeit. Es gab nichts, was Cousin Kenzo, der mit Erfolg Nachhilfestunden beim alten Baron in der »Einsiedlerhütte« genommen hatte, im Jahre 1950 nicht über Fabrikation auf großer Linie, Finanztransaktionen, Transport, Bergbau und Bankgeschäfte der großen Familien Japans wußte. Doch im Augenblick war Kenzo infolge seiner japanischen Empfindsamkeit völlig verstört. Die Blicke des ehemaligen Tigers der Kempetai durchbohrten ihn wie die Klinge des heiligen Samurai-Schwertes, das Fürst Itoh so unauffindbar vergraben hatte, daß er es den amerikanischen Truppen nicht ausliefern konnte, obwohl der Ablieferungs-Befehl von allerhöchster Stelle an die alten Familien ergangen war. Das Schwert ruhte im Garten eines versteckt gelegenen Sommerhauses der alten Baronin. Sie hatte das kleine Landhaus in Karuizawa als Neujahrs-

gabe für ihren Enkel Akiro vorgesehen und wollte ihm morgen die Schenkungs-Urkunde überreichen. Akiro konnte nicht in Tokio bleiben, seine wilden Blicke straften ja seine höfliche Haltung Lügen, dachte die alte Baronin. Er sah aus, als ob er den armen Kenzo am liebsten mit seinen Händen erwürgt hätte, obwohl er weiter lächelte und sich verbeugte.
»Wir hoffen, daß du morgen an unserem elenden Neujahrsmahl teilnehmen wirst und deine geehrte Person Glück und Freude verbreiten wird.« Mit diesen Worten rettete Baron Kenzo sich in die Konvention. Er zog den Atem hörbar durch die Nase, wie ein Untergebener vor einer hohen Person, obwohl *er* jetzt der Gebietende in der Familie war. Er wurde sich augenblicklich seines Verstoßes bewußt und murmelte: »*Ake mashite omede toh gozai masu*« (Dieses Neujahr ist wirklich eine glückliche Gelegenheit). Dann schnappte er wie ein Karpfen nach Luft und enthüllte dabei seine mit Edelsteinen geschmückten Goldkronen – ein bei dem Sohn einer Reiswitwe verzeihlicher Geschmacksirrtum. Ein ganzer Juwelierladen hatte sich in Baron Kenzos geehrten Mund verirrt.
»*Konen mo yoro-shiku onegai itashi-masi*« (Ich hoffe, daß das kommende Jahr uns als so enge Freunde wie eh und je finden wird), gab Cousin Akiro zeremoniell zur Antwort und lächelte mörderisch.
Die alte Baronin klatschte in die Hände. Sofort erschienen die alte Kikue und ihre beiden Schwiegertöchter. Sie hatten alle drei so wenig »Freiheit und Demokratie« in den letzten fünf Jahren gelernt, daß sie der Familie weiter wie bisher für ihren Reis, ihre Kleidung, ein sehr geringes Entgelt und die große Ehre dienten. Ein tariflich festgesetztes Gehalt für Hausgehilfinnen bezogen sie auch jetzt nicht für all ihre Treue und blinde Ergebenheit gegenüber der Patriarchin. Sie waren in bezug auf demokratische Moral ein hoffnungsloser Fall.
»Wie geht es deiner geehrten Gattin?« fragte Akiro höflich.
»Danke der Nachfrage, Cousin Akiro. Es geht ihr ausgezeichnet.«
Warum war Kenzos Gesicht so verzerrt? Warum hielt die alte Kikue ihre dürre, verarbeitete Hand vor ihr Nußknacker-Gesichtchen, um ein Kichern zu unterdrücken? Madame Kenzo war von der Familie und dem geehrten Gatten so ausgiebig schikaniert worden, weil sie den Matsubaras keinen Sohn und Erben ge-

schenkt hatte, daß sie – im Zuge der Emanzipation der japanischen Frau – die Scheidung eingereicht hatte. Die fünfunddreißigjährige Baronin war in ihr Elternhaus zurückgekehrt und wollte sich in der Politik betätigen — nun, wo ja die Frauen von »Onkel« Mac Arthur das Wahlrecht erhalten hatten! Dies alles teilte die alte Baronin ihrem Enkelsohn mit, nachdem sich Vetter Kenzo eilig verabschiedet hatte.

Akiro lauschte ungläubig. Frauen... Politik.... Freiheit... Wahlrecht? Er begann zu lachen, da seine Großmutter ihr feines Kichern angestimmt hatte, dem die Dienerinnen mit hölzernen Gesichtern und respektvoll verhehlter Begeisterung lauschten. Der Klatsch und Tratsch der »Zwölf Großen Familien« lag ihnen mehr am Herzen als alle Errungenschaften der »De-mo-kra-tie«.

»Sie sagte, Kenzo verstehe sie nicht«, schloß die uralte Baronin Matsubara von Itoh und lachte jetzt unverhohlen. Auch Akiro hatte sich so weit entspannt, daß er geradezu fröhlich mitlachte.

»Wollen unsere Frauen jetzt *auch* verstanden werden?« fragte er.

»Die armen Hühner!« Akiro war stets der Meinung gewesen, die Frauen des Westens seien nur deshalb häufig so unglücklich, weil ihre Männer sie »verstünden«, statt ihnen die Wonnen des Gehorchens zu verschaffen.

»Ich sehe, ich habe viel im neuen Japan zu lernen, verehrte Großmama«, bemerkte er erheitert. »Darf ich fragen, ob meine beiden Töchter ebenfalls kostenlosen Unterricht in Freiheit und Demokratie genommen haben?«

Spät in der Nacht suchte Akiro sein Lager auf. Seine Töchter ließen ihn nicht zur Ruhe kommen, obwohl sie es nicht für nötig befunden hatten, sich zu seinem Empfang im Palais Matsubara einzustellen. Eiko und Sadako schienen Lady Tatsue, ihrer edlen, unglücklichen Mutter, in keiner Hinsicht zu gleichen. Als Kinder hatten sie Lady Tatsue geringgeschätzt und ihren glänzenden Vater angebetet, obwohl er damals nichts von ihnen wissen wollte, denn sie waren keine Mannkinder. Und jetzt?

Baron Akiro starrte die Wände seines Schlafraumes an.

Welche Dunkelheit nach dem Feuerwerk!

ZWEITES KAPITEL

# Variationen der Demut

Am nächsten Morgen begann in Japan das wichtigste Fest des Jahres: *Shogatsu*, das Neujahrsfest. Auch im Palais Matsubara rüstete man sich zum Empfang des Priesters, der das Haus »reinigen« sollte. Die traditionellen *mochi* (Reisklöße) standen, trotz der rationierten Reiszuteilung an jeden Haushalt, in Mengen für Verwandte und Freunde bereit. Baron Kenzo fand immer Mittel und Wege, Sonder-Rationen und Vergünstigungen von seinen »Besatzungs-Freunden« zu erlangen. Dennoch empfanden er und die werte Patriarchin nicht das innere Freudengefühl, mit dem die Familie in der schlechten alten Zeit das Shogatsu gefeiert hatte. Für Baron Kenzo war es mit Cousin Akiro unter einem Dach mit Freude und Friede vorbei. Deswegen lächelte er besonders strahlend, als er Akiros geehrtem Vater seine Neujahrs-Visite in der Einsiedlerhütte abstattete.
Baron Jiro hatte durch seinen Diener erfahren, wie seine Mutter seinem Sohne Akiro die neue Situation verständlich gemacht hatte, und empfing seinen adoptierten »ältesten Sohn« Kenzo in vorzüglicher Neujahrslaune. Akiro hatte ihm bereits seine Aufwartung gemacht, wobei wenig gesprochen und viel gelächelt worden war. Baron Jiro hatte Akiro trotz seiner glänzenden Gaben nie leiden können; und Akiro hatte – wie viele japanische Söhne – stets der Ansicht gehuldigt, daß die drei schlimmsten Übel ein Erdbeben, ein dürres Reisfeld und der hochgeehrte Herr Vater seien.
Akiros Vater war mittelgroß, sehr mager und sah, trotz seiner asketischen Übungen und Meditationen, wie ein besonders schlauer und wohlgelaunter Fuchs aus. Er besaß hohe Intelligenz, unauffälliges Raffinement und sehr ausgesprochene Abneigungen und Zuneigungen, die er hinter verblümten Reden und liebenswürdigem Lächeln wie hinter einem Seidenfächer verbarg. Nur

ihm gegenüber entspannte sich der arme, bienenfleißige Kenzo ein wenig. Um allerdings wirklich ungezwungen mit dem ehemals mächtigen Haupt der Familie und des »Syndikat-Unwesens« zu verkehren, dazu drückte ihn sein *ko* (Pflicht gegen Eltern und Vorfahren) viel zu sehr. Nie würde er dem alten Baron zurückzahlen können, was er an unverdienter Ehre auf das Haupt des Reiswitwen-Sohnes gehäuft hatte! Kenzo nährte im tiefsten Grunde seiner dankbaren und demütigen Seele den Verdacht, daß Baron Jiro ihn nur so hoch erhoben hatte, um Akiro ohne Erklärungen und Szenen um so tiefer zu demütigen: Der »zweitälteste Sohn« hatte nicht im entferntesten die Vergünstigungen, Ehren und wirtschaftlichen Vorteile des »ältesten Sohnes«. Kenzo rutschte so unbehaglich auf der Matte herum, daß der alte Baron ihn in hohem Maße amüsiert betrachtete. Er wußte genau, was in dem lieben Kenzo vorging, während er dies ehrliche und ein wenig plebejische Gesicht mit der Brille und dem schüchternen Munde, dem auch die köstlichen Goldzähne weder Distinktion noch Energie verliehen, verstohlen lächelnd betrachtete.

»Daraus kann leider nichts werden, mein lieber Sohn«, bemerkte der alte Baron so bedauernd, als ob es ihm grenzenlos leid täte, Kenzos stumme Bitte abschlagen zu müssen. »Niemals werde ich Akiro an deine Stelle setzen.«

Kenzo fuhr so heftig zusammen, daß seine Brille, die nie richtig fest auf seiner kurzen Nase saß, zu Boden fiel. Seine scheuen und guten Augen, in denen gelegentlich das Schlauheits-Flämmchen des Wirtschafts-Experten aufflackern konnte, richteten sich trostlos zu Boden. Der strenge, mächtige »Herr Vater« gestattete seinem elenden »Sohne« nicht einmal die Wonnen der Demut. Kenzo wurde am Neujahrstage 1950 dazu verurteilt, die Angelegenheiten der Familie unter Akiros starren Blicken fortzuführen. Denn der einstmalige Tiger der Kempetai hatte zwar die Schenkungsurkunde für das großmütterliche Landhaus in Karuizawa mit tiefer Dankverbeugung entgegengenommen und gemurmelt, er werde, sobald er die Angelegenheiten seiner beiden Töchter »geordnet« habe, unverzüglich nach Karuizawa abreisen; das hieß aber unmißverständlich, daß Cousin Akiro für unbestimmte Zeit in Tokio bleiben und dem nagelneuen Ältesten Bruder »gehorchen« wollte.

Kenzo schluckte, als ob ihm ein riesiger Neujahrs-Reiskloß in der Kehle säße. Er verbeugte sich tief vor der unerbittlichen Hohen

Person, die ihm das gräßliche Schicksal, über Cousin Akiro gebieten zu müssen, aufgeladen hatte. Es kam ihm keinen Augenblick in den Sinn, sich gegen die Entscheidung aufzulehnen – er war ja immerhin zweiundvierzig Jahre alt! – oder auch nur über die entstandene Situation zu diskutieren. Die unerschütterliche Arroganz der Matsubaras, ihre geheimen Pläne und raffinierten Intrigen ließen den Gedanken an eine jener Aussprachen nicht aufkommen, wie sie die beneidenswerten Amerikaner, die Kenzo scharf und fasziniert beobachtete, jeden Augenblick vom Zaun brachen. Vielleicht war doch etwas an dieser unverständlichen »De-mo-kra-tie«, zum mindesten im Familienleben? Baron Kenzo hatte vor einer Woche zwei USA-Langnasen beobachtet, die sich auf die Schulter klopften, laut und freundschaftlich miteinander stritten; und zum Schluß hatte der eine amerikanische Offizier laut pfeifend die Tür zugeknallt, weil sein Freund ihn gutmütig mit seinem »Trostmädchen« geneckt hatte. Das alles in einer Behörde, wo in Japan Höflichkeitssprache, Lächeln und Verhüllung des Privatlebens oberstes Gesetz waren!

Der arme Kenzo murmelte nach der dritten Verbeugung sein verzweifeltes »*sumimasen!*« (Dank). Dieser Ausdruck konnte bedeuten, daß die Verpflichtung gegen die Familie niemals ende; daß Kenzo niemals »zurückzahlen« könne, was Baron Jiro ihm auf den demütigen Rücken geladen hatte; es konnte aber auch andeuten, daß Kenzo untröstlich über die Situation war. Natürlich war es vor allem eine Entschuldigung für die Dreistigkeit, in Gegenwart der Hohen Person eigene Gedanken zu haben.

Kenzo ging tief gebeugt auf das Palais Matsubara zu. Das schöne Tor, von dem der Lack abgesplittert war, zeigte sich am Neujahrstage im Festschmuck. Die Diener hatten es mit Kiefernzweigen und Bambus dekoriert; sie bedeuteten Langlebigkeit. Über dem Türeingang hing eine riesige Zitrusfrucht (*yuzu*); zwischen Farnen und Reisstroh leuchtete der traditionelle Hummer.

Demütig gebeugt schlich Kenzo wie ein Diener zweier zu harter Herren durch das festlich geschmückte Tor ins geehrte Familienleben zurück.

\*

Am zweiten Neujahrstage machte Baron Akiro sich auf den Weg zu seiner älteren Tochter Eiko, die der Familie in der Nachkriegs-

zeit davongelaufen war, um einen neureichen japanischen Textilfabrikanten zu heiraten. Seitdem wurde Eiko samt ihrem jungen bürgerlichen Ehegatten im Palais Matsubara nicht mehr empfangen. Die alte Baronin hatte sich von dem Schlage, einen »Händler« in der Familie zu haben, noch nicht erholt, obgleich Herr Yasuda ein *narikin* – ein aus Gold gemachter Mann – war, der sich durch heimliche Schwarzmarktgeschäfte, allzu niedrige Löhne für seine Angestellten und die üblichen Praktiken fleißiger Bambusmänner im Nachkriegs-Japan in die von den amerikanischen Demokraten begünstigte Klasse der »Liberalen« aufgeschwungen hatte. Die USA-Langnasen wußten weder etwas von den zu niedrigen Löhnen, gegen die seine Arbeiterinnen niemals streikten, obwohl sie nun einer Gewerkschaft angehörten; noch wußten sie etwas davon, daß Herr Yasuda Schwarzmarktgeschäfte betrieb, und daß seine Frau eine Baronesse Matsubara von Itoh war, also zu jener Klasse gehörte, die im neuen Japan nichts mehr zu befehlen, zu verdienen oder zu intrigieren hatte.
Eiko schämte sich so sehr, zu den »Zwölf Familien« gehört zu haben, daß sie jeden Zeitungsartikel – ob in Englisch oder Japanisch –, der sich mit diesen Haifischen befaßte, zerriß, bevor ihr Herr und Gebieter ihn lesen konnte. Natürlich las Herr Yasuda die Artikel bei Geisha-Parties, die er regelmäßig besuchte, während seine adelige Gattin zu Hause auf ihn wartete. Sie hatte allen Grund, den Staub seiner Stiefel dafür zu küssen, daß er sie, die Tochter eines Kriegsverbrechers aus der berüchtigten Familie der Matsubaras, geheiratet hatte! Die Zeitungsartikel gaben ihm jenes Selbstgefühl, das ihn manchmal vor Eiko verließ. Sie war so vollkommen anders als die Mädchen und Frauen, die Herr Yasuda in der Textilbranche kennengelernt hatte. Sie hielt sich beim Kichern nicht in vulgärer Weise die Hand vor den Mund – genau genommen kicherte sie überhaupt nicht! Sie bereitete seinen Tee mit zauberhafter und distanzierter Anmut, und sie hatte drei Tage lang kein Wort mit ihm gesprochen, weil er ihr eine gutartige mittlere Ohrfeige verabreicht hatte, als Strafe für die Äußerung einer eigenen Meinung. Eiko hatte ihren Ehemann nur aus starren Augen angeblickt. Ihre schöngeschwungenen Lippen hatten sich in stummem Ekel zusammengepreßt, und ihre kühn gebogene Nase – bei allen Shintogöttern, es war kein Reiskloßnäschen! – hatte die Luft mit Abscheu eingezogen. Nach drei Tagen war Herr Yasuda – der es wirklich nicht böse gemeint und

überdies gesehen hatte, wie gut seine geehrte Schwester nach einer Ohrfeige vom Herrn Ehemann pariert hatte – nach drei Tagen also war der junge Herr Yasuda seelisch so zusammengebrochen, daß er sich bei den Löhnen zugunsten der Arbeiterinnen verrechnet hatte. Und am Abend des dritten Tages hatte Yasuda-san sich in Eikos Schlafraum in dem großen, modernen Hause so weit vergessen, daß er sie um Verzeihung gebeten hatte. Er hatte seiner starrsinnigen Frau, statt ihr wegen Antwortsverweigerung eine gesunde Tracht Prügel zu verabreichen, ein Halsband in beklagenswertem Geschmack gebracht. Daraufhin hatte Eiko lieblich gelächelt und trug seitdem das gräßliche Halsband mit Samurai-Mut über einem Pullover aus Herrn Yasudas Fabrik. Eiko hatte mit Kimonos und feierlichen Frisuren aufgeräumt: sie schickten sich nicht für die Frau eines unbescholtenen japanischen Demokraten. Sie empfing Gäste in europäischer Kleidung – sie hatte Schluß mit den Matsubara-Sitten gemacht!
Als aber die alte Kikue am ersten Neujahrstag im Morgengrauen bei Eiko angeschlichen kam, um ihr die Nachricht von der Heimkehr des geehrten Herrn Vaters zu überbringen, da hatte Herr Yasuda sich durchgesetzt – und zwar unmißverständlich! Er sah Eiko wegen ihrer idiotischen adeligen Erziehung vieles nach – denn er liebte sie aufrichtig und hätte bedenkenlos Selbstmord begangen, wenn sie ihn verlassen hätte –, aber einen Kriegsverbrecher zu begrüßen, das ging Herrn Yasuda, der nun zur herrschenden Schicht gehörte, zu weit!
Kurz und gut: Herr Yasuda hatte Eiko strikt verboten, mit der alten Dienerin nach Haus zu fahren, obwohl Kikue einen kostbaren Kimono für diesen Besuch mitgebracht hatte. Eiko hatte sich gefügt, wenn auch leise widerspenstig, weil sie nun einmal Befehle nicht leiden konnte. Sie selber wollte ihren Vater nicht sehen – sie wollte überhaupt niemanden sehen, möglichst auch nicht Herrn Yasuda! Wenigstens schien es so zu sein, denn Eiko meldete sich krank und kam zu der großen Neujahrsgesellschaft mit den vielen Schwarzmarktdelikatessen nicht herunter. Sie lag auf ihrer Matte und wußte nicht recht, warum sie so bitterlich weinte. Ihr ganzer Stolz floß mit den Tränen fort. Vielleicht hatte sie doch Sehnsucht nach dem ehemals vergötterten Vater? Leise öffnete sich die Schiebetür zu ihrem Raum. Eiko fuhr auf und unterdrückte einen Schrei. Auf der Schwelle stand ihr verehrungswürdiger, schöner, mächtiger Vater. Er lächelte sein kleines Eben-

bild liebenswürdig an, obwohl Eiko sich am ersten Neujahrstage skandalös, unkindlich und überhaupt idiotisch benommen hatte. Aber sie war jung und unsicher. Und er war nun über die Mitte der Vierzig hinaus und von jener arroganten Sicherheit, die Eiko gelegentlich nachahmte... Er hatte schließlich die Verantwortung für seine Töchter.
Eiko war aufgesprungen und hatte die Tränen mit einem Seidentuch getrocknet. Sie war sehr beschämt, daß die Hohe Vaterperson sie hatte weinen sehen, obwohl ein Kriegsverbrecher doch nicht zählte! Ihr von Herrn Yasuda und dem *Reader's Digest* beeinflußter Geist rebellierte sekundenlang; aber Tradition und die Erziehung im »Adeligen Töchterheim« von Tokio waren stärker als das eine Ehejahr! Sie kniete vor ihrem Vater nieder und wünschte ihm demütig ein glückliches Neues Jahr.
Baron Matsubara hob seine Tochter kopfschüttelnd auf: Eiko war in wildes Schluchzen ausgebrochen. Er tat, als merke er es nicht; sie hätte zuviel an Ehre und Selbstachtung verloren. Er holte aus einer Aktenmappe, die ihm Herr von Zabelsdorf in den Jahren vor Sonnenaufgang verehrt hatte, ein Neujahrsgeschenk heraus. Es war nach schöner alter Sitte in eine »Gabenkiste« von länglichem Format gepackt und mit einem rotweißen Papierband zusammengebunden. Auch war dem *mizuhiki* (Papierband) an der oberen rechten Seite des Kastens das traditionelle *noshi* beigegeben – zartfarbiges Seidenpapier, das in bestimmter Weise gefaltet worden war.
»Ich habe dir ein Wandbild mitgebracht«, bemerkte Baron Matsubara freundlich und fügte ironisch hinzu: »Wenn ich gezwungen würde, mit den Bildern, die in diesem Hause hängen, auch nur eine Stunde zuzubringen, so würde ich mich daneben aufhängen! Ich bewundere deine Standhaftigkeit, meine kleine Eiko!«
In diesem Augenblick erschien Herr Yasuda im Türrahmen und hinter ihm eine Dienerin mit einem Tablett voll Erfrischungen für Eiko.
»Mach, daß du rauskommst«, befahl Herr Yasuda. Es war im Augenblick nicht ganz klar, ob er seine geehrte Gattin oder die Dienerin meinte. Immerhin verschwand die Dienerin... Eiko nahm immer noch keine Befehle entgegen.
»Darf ich Sie nach unten bitten, Baron«, sagte Herr Yasuda mit hölzernem Gesicht. Er hatte Eikos Vater sofort nach den Zeitungsfotos erkannt – aber es war Neujahr. Der elende Kerl wußte

nur zu gut, daß nicht einmal ein japanischer Demokrat einem Gast am höchsten Festtag die Tür weisen kann. Er muß ihn bewirten, ihm Glück wünschen und ihn mehr oder weniger anlächeln.
Genau das tat Herr Yasuda. Über »Festtagsmanieren« war sich ganz Japan einig, wenn es auch sonst gespalten und zerrissen war.
Nachdem Baron Matsubara sich zeremoniell erfrischt hatte, betrachtete er abwechselnd sein kleines weibliches Ebenbild und den Herrn Textilfabrikanten Yasuda. Er wußte bereits, wo und wie sie sich kennengelernt hatten: Eiko hatte eine Freundin heimlich zu einer Party begleitet, für die Herr Yasuda den Whisky beigesteuert hatte und bei der er demzufolge Ehrengast war. Nach seiner schlaflosen Nacht hatte Baron Matsubara einen raffinierten Plan gefaßt, um seine Tochter aus ihrer jetzigen Umgebung herauszubringen. Die Umgebung war übrigens genauso, wie er sie sich vorgestellt hatte.
Eikos Vater fiel natürlich nicht mit seinem Plan über den beklagenswerten Herrn Yasuda her, sondern leitete das Gespräch von den Feiertagsphrasen sachte, sachte auf Nippons gegenwärtige Wirtschaftslage. Er wollte erst einmal den Intelligenzgrad seines Schwiegersohnes erforschen. Er hörte sich mit vorbildlicher Geduld die komprimierten Zeitungsartikel des neureichen Demokraten an und schoß gelegentlich wie ein Habicht mit einer Frage dazwischen. Es zeigte sich, daß Yasuda-san nicht nur ausgezeichnet orientiert war, sondern hinter seinem Demokratiegeschwätz sehr annehmbare Ideen über Möglichkeiten des Wirtschaftsaufbaus hegte. Außerdem hatte er eine Reihe von Beziehungen, über welche die ausgeschalteten Zaibatsu trotz Kenzos unablässiger Bemühung einfach nicht verfügen konnten. Herr Yasuda war jung, tatendurstig und in politischer Hinsicht unbescholten. Er war noch ein Kind gewesen, als Baron Matsubara am Aufbau des heiligen Weltreichs in Südostasien gearbeitet hatte. Dessen rechnender Verstand arbeitete auf Hochtouren, während Herr Yasuda, der sich nun endlich in seinem Element fühlte, den ehrlosen Kriegsverbrecher ein wenig gönnerhaft über das neue Japan informierte. Das Land müßte wirtschaftlich wieder auf die eigenen Füße gestellt werden, sagte Herr Yasuda mit Nachdruck – selbstverständlich mit Hilfe und nicht etwa gegen die USA, fügte er eilig und tugendhaft hinzu. Aber der Kern war eben doch, daß Ja-

pan, um auf die geehrten Beine zu kommen, Handelsbeziehungen mit Rotchina anknüpfen müsse. Herr Yasuda hoffte von Herzen, daß die USA nichts dagegen haben würden. Sie hätten ja auch nichts gegen den Shintoismus, soweit es sich nicht um »Staats-Shinto« handelte. Herr Yasuda kam dann auf den Export zu sprechen, das heißt, er leitete von der allgemeinen Wirtschaftsdemokratie auf seine Textilien über, die er brennend gern nach den USA exportieren und sogar in San Francisco herstellen wollte, und zwar in solchen Mengen und so schamlos billig, daß unzählige amerikanische Hausfrauen Blusen zum Preise von einem Dollar kaufen könnten, da japanische Löhne allerhöchstens zehn Prozent der amerikanischen betrugen. Herr Yasuda mußte es wissen: die Löhne seiner Arbeiterinnen lagen immer noch einige Prozente unter dem Durchschnitt. Billige Blusen – so schloß Eikos junger Ehemann – wären zweifellos ein wichtiger Bestandteil der »De-mo-kra-tie«, sowohl in Japan als auch in den USA.

Da Baron Matsubara sich köstlich amüsierte und im großen und ganzen vom Verstand seines Schwiegersohnes angenehm überrascht war – er war in dem Glauben erzogen worden, daß in Nippon nur der Hochadel zu denken vermochte –, machte er ein ziemlich finsteres Gesicht und legte eine bedeutsame Pause ein. Schließlich erhob er sich mit gewohnter Anmut und dankte Yasuda-san für die genußreiche Information. Er fügte zeremoniell seine Neujahrswünsche hinzu, Yasuda-san sei wirklich ein *narikin*, ein aus Gold gemachter Mann, mit anderen Worten: goldrichtig! Aber seine Tochter Eiko – die wie die Ausländerinnen statt eines Kimonos einen schamlosen Pullover trug, der die kleinen Brüste deutlich abzeichnete – seine Tochter, die Baronesse Matsubara von Itoh, neunzehn Jahre alt und unter Herrn Yasudas Einfluß sichtlich verwildert, könne unmöglich in einem Hause bleiben, wo Ölbilder aus den USA hingen, welche die arme Eiko jeden Augenblick zum Selbstmord treiben könnten. Das sei doch wohl klar? Außerdem sei eine Scheidung genauso demokratisch wie billige Blusen und Bettlaken. Oder war Yasuda-san etwa anderer Meinung? Nachdem Baron Matsubara diese reizenden Präludien zum Familiendrama mit honigsüßer Stimme von sich gegeben hatte, wobei er Yasuda-san undurchdringlich anlächelte, wandte er sich seiner miserablen Tochter zu und sagte ohne Umschweife: »Du kommst sofort mit mir nach Haus! Kikue wartet draußen in der Halle mit einem Kimono.«

Er verbeugte sich nochmals mit bezaubernder Anmut und wartete sichtlich ein wenig ungeduldig darauf, daß Eiko ihre Abschiedsverbeugung machte. Herr Yasuda war durchaus imstande, seine Pläne kraft seiner Intelligenz und seiner niedrigen Löhne mit der Zeit (Bluse um Bluse und Verhandlung um Verhandlung) durchzusetzen. Eiko war dabei völlig überflüssig. Aber Herr Yasuda stand dennoch zitternd da, während Eiko zur Bildsäule erstarrt schien. Sie hatte den Kopf hoch erhoben, während ein Eisstrom durch ihren Körper rann. Beide jungen Leute waren in diesem Augenblick hilflos vor Entsetzen und der infernalischen Liebenswürdigkeit des ehemaligen Tigers der Kempetai nicht im leisesten gewachsen – auch nicht seinem legendären Hochmut und seiner unantastbaren Autorität. Aber trotz der Jahrtausende der Unterwerfung unter den Willen der Väter blickte Eiko plötzlich mitten aus ihrer Erstarrung auf ihren jungen Ehemann. Und was sie sah, bestimmte ihr Schicksal. Yasuda-san, der sie aus der Vereinsamung einer absterbenden Familie, die wie alle anderen ihresgleichen Hunger und Verachtung in stolzem Starrsinn ertrug, ins Leben geholt hatte, Yasuda-san, der jung und gut und bienenfleißig war – er blickte Eiko wie ein Sterbender an. Seine genußfrohen Lippen, die sie wachgeküßt hatten, zitterten hilflos wie bei einem Knaben; aber das eigentliche Drama war in seinen Augen. Diese tiefen, glänzenden, entsetzten Augen sahen Eiko mit einer Demut und einer Liebe an, die den Schnee auf dem heiligen Berg Fuji zum Schmelzen gebracht hätten. So ähnlich hatte Herr Yasuda sie angeblickt, als sie drei Tage nicht mit ihm gesprochen hatte und er ihr das unmögliche Halsband brachte ... Genauso, nur nicht mit dieser namenlosen, stummen Trauer und dem Mondscheingelüst nach dem Tode. Eiko erwachte aus der Erstarrung. Sie verbeugte sich tief und demütig vor Baron Akiro und flüsterte, daß sie zu ihrem unendlichen Bedauern der hohen Vaterperson nicht folgen könne. Sie bliebe bei Toshiyuki, und nichts und niemand könnte sie daran hindern. Sie bliebe bei ihm und den Ölgemälden, wenn ... wenn der geehrte Ehemann sie noch haben wolle. Und Eiko flog leicht und anmutig wie eine Libelle zu ihrem jungen Ehemanne und beugte den stolzen Kopf und bat ihn in gebrochenen Tönen, ihr zu verzeihen, daß sie ...
Sie wußte nicht, was Toshiyuki ihr verzeihen sollte; und so kniete sie stumm vor ihm, wie Mutter, Großmutter und Urgroßmutter in der schlechten alten Zeit vor dem Manne gekniet hatten. Sie

hatte die Augen geschlossen, zum Leben wie zum Sterben bereit. Wie im Traum spürte sie, daß Männerarme sie sanft aufhoben und daß eine Hand ihr über das glänzende lange Haar fuhr. Aber es war nicht die Hand ihres jungen Ehemannes, der vergeblich nach Worten rang. Es war die ihres Vaters.
»Ich wollte nur wissen, ob ich eine Maus oder eine Matsubara zur Tochter habe«, sagte der Baron seelenruhig. »Es tut mir leid, daß meine Methode dich erschreckt hat.«
Später entwickelte er den Plan, mit dem er hergekommen war, für den Fall, daß seine Tochter keine Maus und sein Schwiegersohn kein Dummkopf wäre. Er kannte seine Tochter zwar nur von den Urlauben, die er während Nippons großer Zeit in Tokio verbracht hatte, aber er beurteilte sie im großen und ganzen richtig. Verantwortlich für sie hatte er sich immer gefühlt – das war nur eine von seinen vielen Familienpflichten.
»Ich werde Sie natürlich adoptieren, Yasuda-san«, sagte Baron Akiro plötzlich. »Mein geehrter Vater hat meinen Cousin Kenzo adoptiert; wir scheinen zu dieser Methode zu neigen.«
Adoption war nichts Außergewöhnliches, sondern ein beliebter Brauch in bedeutenden Familien, wenn kein »ältester Sohn« da war, um Enkelsöhne zu zeugen und den Namen der Familie weiterzuvererben. Dies war die Hauptsache für Matsubara Akiro; nebenbei würden alle Matsubaras nun zusammenarbeiten, wobei Herrn Yasudas Beziehungen zu den neuen Behörden von großem Nutzen sein konnten. Geschäftlich würde der Aufbau so lange unter dem unverfänglichen Namen »Yasuda« vor sich gehen, bis die »Zwölf Familien« wieder an der Macht sein würden, was höchstens fünf oder zehn Jahre dauern konnte. Von da ab würde Herr Yasuda, wo es angezeigt schien, als »Baron Matsubara von Itoh« fungieren, aber der Sohn, den Eiko vielleicht schon trug, würde hoffentlich ein Edelmann mit Scharfsinn, wie sein Großvater Akiro und sein Urgroßvater in der Einsiedlerhütte.
Der junge Herr Yasuda hörte mit offenem Munde zu, während sein Schwiegervater den Plan der Adoption und der Erbfolge entwickelte.
Der Baron fuhr befriedigt in einer schäbigen Riksha zum Fürsten Itoh, der den »Vermittler« bei der Familie machen sollte. Auch das war ein japanischer Brauch. Den dritten Neujahrstag sollten Eiko und ihr junger Ehemann im Palais Matsubara verleben. Die alte Kikue hatte den Kimono in Eikos Kleiderkiste gelegt; er war

so kostbar wie jener kaiserliche Kimono aus Kyoto, den Baron Matsubara im Jahre 1925 Konsul Wergeland in Shanghai verehrt hatte, ohne ein Wort des Dankes von seinem ersten und letzten Freund aus dem Westen zu ernten.
Akiro lächelte befriedigt. Er hatte die guten, alten Methoden der Kempetai angewendet. Zuerst hatte er so getan, als wolle er Eiko veranlassen, sich gewisse Vorteile durch Verrat an einer nahestehenden Person zu erkaufen – das einfachste Mittel, um eine Gesinnung zu erforschen. Und dann hatte er Yasuda-san mit einer Bestechung in ganz großem Stil auf die Seite der »Zwölf Familien« gebracht. Er würde andere Demokraten nachziehen.
Die Methoden der Geheimpolizei waren immer noch brauchbar, fand Matsubara Akiro, wenn auch ihre Protagonisten im Abgrund der neuen »De-mo-kra-tie« verschwunden waren. Und damit waren seine Gedanken wieder einmal bei Oberst Saito, dessen gesamte Familie durch die Atombombe über Nagasaki-Urakami ums Leben gekommen war.
Niemand konnte Oberst Saito helfen; hier versagten selbst die Pläne seines ihm aufrichtig ergebenen Mitarbeiters und Freundes Matsubara Akiro. Es war diesem ein echter und tiefer Schmerz. Er lächelte nicht, während er durch das mit grellen Lichtreklamen bepflasterte Tokio fuhr. Er konnte ein paar Minuten lang die Maske fallen lassen: er war allein.

*

Joseph Kitsutaro Saito verbrachte das Neujahrsfest wie alle vorherigen und viele folgende Feste in seiner Gefängniszelle. Er saß auf der zerrissenen Matte und unterhielt sich mit seiner geliebten und geehrten Gattin und den Kindern. In gewisser Weise waren sie ständig um ihn; denn niemand ist endgültig tot, solange jemand an ihn denkt und für ihn betet.
Oberst Saitos riesiger Bauernkörper war erschreckend abgemagert; nicht, weil er nicht genug zu essen bekam, sondern weil er oft nicht essen konnte. Seine liebe Frau mußte ihn erst sanft ermahnen, damit er gehorsam und demütig die Eß-Stäbchen in seine derben Finger nahm und den Reis herunterwürgte. Vielleicht hatte Gott noch ein langes Leben der Buße für seinen miserablen Sohn, Joseph Saito, vorgesehen; und dafür brauchte er Kräfte.

Wie ein sehr alter Mann wanderte er in Gedanken oftmals nach Urakami zurück. Sie veranstalteten wieder ein Picknick am Fluß, und die Kinder schwammen und jauchzten. Oder sie knieten zur Vesperstunde alle zusammen in dem Kirchlein und waren glücklich und voller Zuversicht. Das war vor dem Kriege gewesen – und lange bevor Joseph Kitsutaro Saito sich dem starren und todbringenden Glanze der kaiserlichen Chrysantheme verschrieben hatte. In der Einfalt seines Wesens hatte er geglaubt, man könne am Tage Menschen jagen – die allerdings Nippons Untergang geplant hatten – und des Nachts beten und schlafen. Das war ein Irrtum gewesen, und der HERR in Seiner grenzenlosen Gnade vergönnte es Seinem Diener Joseph Saito aus Urakami, für seine Sünden in Gedanken, Worten und Taten zunächst einmal zehn Jahre in strenger Haft zu büßen.

Manchmal besuchte ihn der Gefängnisgeistliche, ein amerikanischer Pater, der jedesmal erschüttert und fast beschämt die Zelle der reinen Demut verließ. Oberst Saito gehörte zu den ersten japanischen Christen, die Pater O'Brien näher kennenlernte. Er hatte ein Gnadengesuch aufgesetzt, aber sein Sorgenkind Joseph Saito wollte nichts davon wissen, sondern durchaus seine verdiente Strafe verbüßen; es waren ja nur zehn Jahre... Kopfschüttelnd hatte Pater O'Brien die Zelle verlassen. Seine japanische Herde war ihm immer noch ein Buch mit sieben Siegeln. Wo sonst auf der Welt gab es einen Menschen, der zehn endlose Jahre pedantisch absitzen wollte, wenn es vielleicht acht oder sechs werden konnten? Aber die demütige Bitte, sich nicht um den miserablen, sündenbeladenen Gefangenen zu kümmern, hatte dem jungen Priester das Herz angerührt. Er hatte Joseph Saito mit gleicher Demut gebeten, am Dreikönigsfest für *ihn* zu beten.

Joseph Kitsutaro Saito war nicht so traurig, wie sein Freund Matsubara glaubte. Er war aus der Zentrale der Wölfe zu den Lämmern heimgekehrt, so schnell und so gründlich, wie es nur Kindern und den Armen im Geiste möglich ist. Wenn er vor seinem hölzernen Kruzifix kniete, das ihn nach Shanghai und Indochina begleitet hatte, mischte sich eine Vorahnung mystischer Freude mit seiner Trauer und seiner Reue. Er begann zu sehen, wie Heilige und manchmal auch Sünder in der Stille zu sehen beginnen: er hatte in der Zeit der Macht bei aller Aufrichtigkeit für ein falsches Ziel gebetet. Deswegen war Sündenelend über ihn gekommen. Und da er dies erkannte, wandte er der Welt nach dem Sturz in die unfaßbare Tiefe sofort und mit der Ausschließlichkeit des Japaners für immer den Rücken.

Er lehnte es ab, ein Gnadengesuch abzusenden, denn er wollte durch Strenge gerecht werden. Er ahnte in seiner edlen Einfalt, daß zwar GOTT sehr wohl die Kirschblüten schon im Winter erblühen lassen und ebenso den elendsten aller Sünder aus der Haft befreien konnte, daß das aber nicht ganz das Richtige wäre. Die Kirschblüten der Gnade würden sich in der vorgeschriebenen Jahreszeit im himmlischen Kyoto entfalten. So, schien ihm, wolle es die japanische und die göttliche Ordnung.

Joseph Saito aus Urakami kniete Nacht für Nacht vor seinem ererbten Kruzifix und bat den Gottessohn in kindlichem Vertrauen, daß alles mit seinem Lande und ihm selbst in der rechten Weise vor sich gehen möge. Und darum dankte er in Demut für die lange, strenge Winterkälte und die Ordnung im Leiden.

DRITTES KAPITEL

# Begegnung im Fujiya-Hotel

Fräulein Helene Wergeland an Mrs. Vivica Williams.

Fujiya-Hotel. Myanoshita. Japan
Trondheim, den 18. Januar 1950

*Liebe Vivie,
vielen Dank für Deine Wünsche zu Weihnachten und zum Neuen Jahr, das uns hoffentlich keine Überraschungen bringen wird. Über die Fotos von Dir und Eurem kleinen Halvard habe ich mich sehr gefreut. Das Kind ist für seine drei Jahre sehr groß und kräftig und erinnert mich an Deinen Vater: die gleichen Augen und dasselbe Lächeln!
Weniger gefällt mir, daß Du vor Heiligabend aus Tokio ausgekniffen und mit dem Kleinen und seiner japanischen Kinderfrau ins Fujiya-Hotel nach Myanoshita gezogen bist. Bitte erzähle mir nicht, daß Du den Berg Fuji bewundern willst, denn ich weiß zu genau, wie wenig Du Dir aus Naturschönheit machst.
Deine Bemerkung über das Klima ist dummes Zeug. Du bist kerngesund, und der Kleine auch. Mich kannst Du nicht anführen, das solltest Du wissen, Kind!
Warum hast Du Deinen Mann die Feiertage über alleingelassen? Du bringst ihn damit ins Gerede! Du bist jetzt vierundzwanzig Jahre alt und solltest endlich überlegen, was Du tust. Was ist los? Ich bin in Sorge um Dich. Bitte laß mich nicht wieder sechs Monate auf eine Antwort warten. Ich bin eine alte Frau und habe nicht mehr so viel Zeit zu warten.
Gesundheitlich geht es mir gut. Auch die Witwe aus Aalesund, deren Mann übrigens vor zwei Jahren in Kopenhagen gestorben ist, erfreut sich guter Gesundheit. Sie ist sogar sehr dick geworden. Alle haben sie gern im Mütterheim. Sie erzählt unsern Müttern und Kindern Räubergeschichten aus dem nordsiamesischen*

*Dschungel. Die Geschichten haben zwar niemals eine Pointe; aber von Elefanten und von dem anderen Zeug hört man hier nicht alle Tage. Ich bin sehr glücklich, Laura um mich zu haben; ich kenne sie und sie kennt mich.*
*Ich freue mich darauf, Euch alle zu meinem 70. Geburtstag in Trondheim zu haben. Von Astrid kommen weiter die besten Nachrichten. Ihre Zwillinge – Antoine und Hélène – gedeihen prächtig. Astrid sieht auf dem letzten Foto bis auf den völlig verrückten Hut reizend aus. Ein bißchen fremd allerdings, aber das macht wohl Paris. Unsere Mailin ist sehr traurig: Jimmy ist gestorben. Sie wird es aber schaffen, da habe ich keine Sorge! Ein Glück, daß sie die drei Söhne hat, denn sie ist die geborene Mutter. Sie wird mit den Kindern diesen Sommer in Trondheim verbringen; dann werden wir weitersehen. Die Familie Chou in Singapore wird sie allerdings wegen der Kinder auf die Dauer nicht hergeben, aber das weiß ich schon seit dem Tage, als Mailin heiratete. Bitte schreibe ihr und vergiß es nicht wieder!*
*Niemand hört etwas von Dir. Ich möchte wissen, woran Du zu denken hast! Falls Du Dich langweilen solltest, weiß ich einen Rat: arbeite! Wenn Timothy alle Hände voll im Krankenhaus in Tokio zu tun hat – wie er mir schrieb –, könntest Du ja seine Korrespondenz erledigen oder Dich im Krankenhaus betätigen. Mach mir keine Dummheiten, Vivie!*

*Tante Helene.*

Mrs. Vivica Williams an Fräulein Helene Wergeland.

Helene Wergeland-Mütterheim.
Trondheim. Norwegen.

*Myanoshita, im Februar 1950*

*Liebste Tante Helene,*
*vielen Dank für Deinen Brief vom 18. Januar! Ich habe keine Ahnung, warum Du so böse mit mir bist. Ich gebe mir solche Mühe, Dir Freude zu machen; aber ich bin eben nicht so gedrechselt wie Astrid oder so ausgeglichen wie Mailin. Ich möchte auch Tim gern Freude machen; aber meistens gelingt es mir daneben. Ich habe ihn schrecklich gern; er ist, außer Dir und dem Kind, ja auch alles, was ich habe. Aber wir verstehen uns nicht besonders*

gut; das hat nichts mit Liebe zu tun. Tim ist so eifersüchtig und hat dabei so wenig Zeit für mich, daß ich dann schon lieber allein bin. Er ist natürlich der beste Mensch auf der Welt, und für seine wahrhaft gräßliche Familie in Concord kann er nichts. Ich habe niemals so phantasielose und so unangenehm fleißige Menschen wie die Einwohner von Concord gesehen! Aber das liegt wahrscheinlich daran, daß ich immer in den Tropen gelebt habe und nun in dem himmlischen Japan bin und ... Es hat gar keinen Sinn, darüber lange Briefe zu schreiben. Glücklicherweise hat Tim so viel mit dem Krankenhaus und der medizinischen Erziehung der Japaner zu tun, daß er mindestens noch vier Jahre hierbleiben wird. Ich würde auch nie wieder so eine Kinderfrau wie Sumi finden. – Am liebsten würde ich in Paris leben. Astrid ist zu beneiden. Ich kannte ja nur einen Franzosen etwas näher, nämlich Astrids Mann; aber w i e amüsant war er und wie elegant, und tanzen tat er auch himmlisch. Astrid schickte mir auch das Bild. Pierre ist immer noch bezaubernd, wenn er auch schrecklich korrekt ist. Aber korrekt und amüsant ist mir lieber als zwanglos und langweilig; und das sind Tims Freunde hier mit wenigen Ausnahmen. Er hat einen süßen jungen Assistenten, Tom Donelly; aber mit dem soll ich nicht tanzen und nicht lachen und – ach, Tante Helene, ich bin ziemlich ermüdet vom Eheleben! Halvard ist noch zu klein, um ein Gefährte zu sein; und er schreit sofort nach Sumi, wenn ich ihn nehmen will. Am glücklichsten war ich bei Dir! Wenn Du auch noch so böse schreibst. D u weißt alles von mir und was mir passierte ...
Ich weiß nicht, warum Du fragst, »was los ist«. G a r n i c h t s i s t l o s, das ist eben das Schlimme. Ich bin über Weihnachten fortgefahren, weil wir unausgesetzt zu Parties eingeladen waren und ich lieber allein mit mir als allein mit vierzig Amerikanern bin. Ich bin hier oben, um ein paar neue Gesichter zu sammeln. Das ist alles. Ich weiß nicht, was Tim Dir geschrieben hat; er ist eben zu gut für mich. Er tut mir schrecklich leid. Er ist so wunderbar warm und zuverlässig wie ein Backofen; aber wenn ich mich wärmen will, ist gleich die ganze c r o w d von Tokio dabei. Amerikaner können nicht allein sein; und wir Norweger können nicht dauernd Menschen um uns haben. Das kannst Du mir doch nicht vorwerfen, Tante Helene! Ich bin nicht so klug wie Du und die »Herzogin« in Paris und nicht so engelhaft geduldig wie Mailin. Es tut mir furchtbar leid mit Jimmy. Aber Mailin ist bei

*aller Zartheit irgendwie unverwüstlich. Und ich bin groß und kräftig, aber innen muß ich aus Glas sein; ich höre es manchmal splittern. Wenn Tim mich fortläßt, komme ich auch im Sommer zu Dir. Oder willst Du mich nicht haben? Halvard und Sumi kommen natürlich auch. Ach, wäre es schon Sommer! Die Zeit kriecht. Timothy ist meistenteils so unsichtbar wie ein »Regenrockinsekt«; so nannte das ein japanischer Bekannter, damals in Shanghai. Hier im Hotel ist auch ein Chrysanthemenzimmer – und andere Blumenzimmer. Japaner sieht man kaum hier, nur Amerikaner und einige Engländer und Schweizer.*

*Viele liebe Grüße, Deine s e h r brave*

*Vivica*

Dr. Margaret Williams an Major Timothy Williams, U. S. Army; The Council of Medical Education; Headquarters, Tokio.

Concord, 10. Februar 1950. USA

Lieber Bruder,
besten Dank für Deine guten Wünsche zum Neuen Jahr, die Mutter und ich herzlichst erwidern. Das Foto von Euch ist sehr nett; der Kleine ist Großvater Williams wie aus dem Gesicht geschnitten.
Mit Interesse las ich Deine Zeitungsberichte über Eure neuen medizinischen Trainingsschulen in Japan. Besonders erfreulich finde ich die Tatsache, daß eine Gruppe fortschrittlich gesinnter japanischer Ärzte sich zu Euren Bestrebungen positiv stellt und aktiv mitarbeitet. Ich war stets der Meinung, daß Arbeit für ein gemeinsames soziales Ziel bedeutend mehr zur demokratischen Entwicklung beiträgt als alle Diskussionen, Flugblätter und Maßnahmen vom grünen Tisch. So wünsche ich Dir auch im Neuen Jahr von Herzen Erfolg für eine Arbeit, die Du aufbauen geholfen hast. Und da bin ich nun mitten im Thema.
Es kann doch nicht Dein Ernst sein, lieber Bruder, daß Du wegen der Launen Deiner Frau eine weitere Reihe von Jahren in Japan verbringen willst! Da Du selbst schreibst, daß Eure Arbeit in vielen kompetenten Händen liegt und immer mehr japanische Ärzte sich zu dem Vier-Jahre-Kursus für Laboratoriumsarbeit, zu klinischem Training und regulären Examensabschlüssen melden, sehe ich nicht ein, warum Du weiterhin der Heimat fernbleiben sollst, um so mehr, als der Junge heranwächst und allmählich

*etwas anderes als seine japanische Kinderfrau und Exil-Kindergärten in Tokio kennenlernen sollte.*
*Es fällt mir schwer, Dir zu sagen, was endlich einmal gesagt werden muß: die Art und Weise, wie Du Deinen Urlaub hier vor zwei Jahren abrupt abbrachst, nur weil Concord und wir Deiner Frau nicht gefielen – das ist schwer zu vergessen und zu verwinden! Gerade weil wir beide von Kind auf an die besten Freunde waren, weil wir alles gemeinsam erstrebten und schafften, schmerzt mich Deine Handlungsweise. Von Mutter will ich gar nicht reden. Sie schluckt alles schweigend herunter und wird immer zarter und blasser. Bitte komme mir nicht wieder mit dem Unsinn, daß Vivica als Norwegerin sich in den Staaten nicht einleben kann. Es liegt nicht an Concord, es liegt an Vivica. Wenn Du Dich einmal objektiv mit dem Problem befaßt, wirst Du mir beistimmen müssen. Nach meiner Ansicht wird viel zuviel von »nationalen Unterschieden« in der Welt hergemacht. Es ist nur halb so wild. Gerade in unserem Lande, das Millionen von Einwanderern aufgenommen hat und weiter aufnimmt, die es dann zu Amerikanern zu machen sucht – gerade in unserem Lande haben sich unzählige norwegische Familien zurechtgefunden und prachtvoll eingelebt. Allerdings suchten sie in den Staaten keine Traumwelt, sondern befreundeten sich mit unserer Wirklichkeit. Gerade das aber versucht Vivica nicht einmal! Gewiß, sie hat Außergewöhnliches durchmachen müssen in Jahren, wo andere Mädchen Tennis spielen und sich auf einen Beruf vorbereiten. Miss Helene Wergeland hat ja lange bei Eurer Hochzeit in Trondheim über diesen Punkt mit mir gesprochen. Nie habe ich ehrlichere Bewunderung für einen Menschen gefühlt als für diese tapfere, gütige und durch und durch aktive Frau. Vivica ist ein asozialer Charakter, leider! Ich habe als Ärztin Verständnis für sie. Deine Vorwürfe in dieser Hinsicht muß ich wirklich zurückweisen. Ich meine sogar, daß ich in manchen Dingen hier tiefer blicke als Du. So bin ich keineswegs verwundert, daß Vivica Japan nicht verlassen will. Es ist eine Art von Haßliebe, wie sie introvertierte Menschen nach Erlebnissen, die zu stark für sie waren, ziemlich häufig entwickeln. Ich spreche hier als Ärztin, nicht als Vivicas »Richterin«, wie Du vor Deiner Flucht nach Tokio sagtest. Wenn ich mich damals zu scharf äußerte – ich sah doch, wie unglücklich Mutter war! –, dann bitte ich Dich um Verzeihung. Ich habe nur Euer Bestes im Auge, genau wie Miss*

*Helene Wergeland, die gleichfalls Vivica, so schnell es geht, in Concord sehen möchte. Ich bitte Dich, die Dinge nüchtern zu betrachten und nicht alles zu vergessen, was Dich an Deine Familie bindet. Du warst immer unser gutes Stück, Tim, das weißt Du doch! Wenn die sogenannte Liebe sogar einen Prachtburschen wie Dich taub und blind gegen die Realitäten macht, dann muß ich täglich meinem Herrgott danken, daß ich mit meinen sechsunddreißig Jahren von der Liebe verschont geblieben bin.*
*Der Grund meines Schreibens ist folgender: unser lieber alter Dr. Chase hat einen zweiten Schlaganfall erlitten und muß nun endlich trotz seines Neu-England-Dickkopfes die Praxis an einen Jüngeren verkaufen. Nichts wäre ihm und Mrs. Chase lieber, als Dich in den vertrauten Räumen in Concord zu sehen. Dr. Chase will noch drei Monate warten, ehe er die Praxis anderweitig abgibt; wir alle hoffen, daß Du sie übernehmen wirst. Wir haben schon abgemacht, daß Du in Raten abzahlen kannst; Dr. Chase ist doch der älteste Freund unserer Familie. Es wäre in jeder Hinsicht ideal. Mutter würde aufleben, wenn Du heimkehrtest. Ich verspreche Dir, daß wir und alle Freunde unser Möglichstes tun werden, damit Vivica sich bei uns wohl fühlt.*
*Mutter sendet Dir eine Kiste mit New-Hampshire-Äpfeln, damit Du an der Heimat wieder etwas mehr Geschmack findest.*
*Viele Grüße*
*Deine alte Margaret*

Major Timothy Williams las den Brief seiner Schwester mit zusammengepreßten Lippen auf dem Wege in die *Nursing-School* in Tokio, die ihm persönlich so sehr am Herzen lag, daß er seine knappe Freizeit für diese zusätzlichen Inspektionsfahrten opferte. Er brauchte nicht zu überlegen: er blieb erst einmal in Japan. Bis der Junge zur Schule muß, dachte er. Das war in drei Jahren. Dann mußte Vivie »Vernunft annehmen«. Es war angenehm, daß diese Prozedur erst in drei Jahren vor sich gehen sollte... Ein wenig von der orientalischen Neigung, den Dingen ihren Lauf zu lassen, war selbst dem hervorragend tüchtigen und energischen Major Williams im Osten angeflogen. Aber die Hauptsache blieb, daß Vivie ihn anlächelte: dafür lebte Timothy Williams aus New Hampshire in seiner knappen Freizeit.
Die amerikanische Oberschwester vom benachbarten Hospital kam ihm mühsam lächelnd und mit rotgeweinten Augen, die

hastig gekühlt worden waren, entgegen. Elizabeth Murphy war ein großes smartes Mädchen aus San Francisco. Sie hatte geglaubt, sie würde sich bald verloben, aber heute steckte in der Tasche ihres weißen Kittels Captain Donellys Abschiedsbrief. Es war derselbe junge Arzt, den Vivica so »süß« fand – eine Bemerkung, die Fräulein Wergeland in Trondheim stirnrunzelnd zur Kenntnis genommen hatte: Vivie schien vor lauter Nichtstun und Träumerei außer Rand und Band zu geraten. –
»Was gibt's Betty?«, fragte Major Williams und tat, als sehe er die verweinten Augen der Oberschwester nicht.
»Ärger«, erwiderte Miss Murphy kurz. »Erinnern Sie sich an Nurse Sadako? Sie war vor drei Jahren von zu Haus fortgelaufen. Vater Kriegsverbrecher in Haft... das alte Lied. Jetzt hat sie bei Nacht und Nebel das Hospital verlassen.«
»Fortlaufen scheint eine Angewohnheit von ihr zu sein. Wie hieß sie mit ihrem Familiennamen?«
»Matsu oder Saru oder so ähnlich. Wie sie alle heißen.«
Timothy dachte nach, wobei seine Stirnfalten sich vertieften. Das war peinlich. Die japanische Presse stürzte sich auf Fluchtgeschichten fast so gierig wie auf Selbstmordnachrichten. Dabei waren die neuen Hospitäler und insbesondere die *Nursing-Schools* eine wirkliche Errungenschaft im Rahmen des Erziehungswerkes der Besatzungsmacht. Vor 1945 waren Pflegerinnen in Japan niedrig bezahlte und dementsprechend gewertete Dienerinnen, die Fußböden schrubbten und den geehrten Verwandten der Patienten die Pflege weitgehend überlassen mußten. Die Familie lebte oft im Krankenzimmer, bereitete die Mahlzeiten und unterhielt ihren Patienten mit Klatsch, Gesang und unzuträglichen Leckerbissen.
Nurse Sadako war fleißig und höflich gewesen. Die Oberschwester war über ihre plötzliche Flucht erstaunt. Es war ein unbegreifliches Volk. Man arbeitete und glaubte festen Grund zu gewinnen, aber plötzlich gab der Boden wie bei einem Erdbeben unter den Füßen nach.
In diesem Augenblick klopfte es schüchtern. Nurse Sumiko betrat lächelnd unter vielen Verbeugungen das Labor. »Wir haben Brief von Nurse Sadako«, murmelte sie, indem sie aus Bescheidenheit die Pluralform statt der ersten Person Singularis gebrauchte und den Atem durch die Nase zog. »Sumiko soll vermitteln – Nachricht vermitteln«, ergänzte sie träumerisch.
Es stellte sich heraus, daß Nurse Sadako mit den Nerven zusam-

mengebrochen war und »in kleinem, elendem Landhaus« von Großonkel mütterlicherseits »Zuflucht vor Selbstmordwunsch« gesucht hatte. US-Offizier liebte Sadako, aber Sadako große Angst vor »Lady Oberschwester Murphy« und daher »Nerven ganz fort«.
»Wer ist der Offizier?« fragte Major Williams so sanft wie möglich. »Warum hat Nurse Sadako Angst vor Miss Murphy?«
Nurse Sumiko, die Tochter eines Schneiders, begann zu kichern, wobei sie leicht vulgär die Hand vor den Mund hielt. Sie würgte an ihrem Lachen, welches dem Mitgefühl mit »*Lady Murphy*« entsprang, die sie leidenschaftlich liebte und bewunderte. Schließlich stammelte sie, daß »US-Freund« von Nurse Sadako der geehrte Captain Tom Donelly wäre.
»Es ist gut. Wir danken Ihnen für die Vermittlung, Nurse Sumiko«, sagte Major Williams und bemühte sich, *Lady Murphy* nicht anzusehen. »Wo hält sich Nurse Sadako auf?«
»Weiß nicht, Major-san! Kann Tonosawa sein. Kann Ohiradei sein. Kann Miyanoshita sein. Kann ...«
»Wir danken Ihnen«, beendete Major Williams die geographischen Instruktionen, die er genau verstanden hatte. Captain Donelly war natürlich im Fujiya-Hotel, wohin er auf Urlaub gefahren war. Nurse Sadako wohnte irgendwo in der Nähe in einer der genannten Ortschaften. Eine reizende Situation! Genau das, was man in Tokio und Washington von den Angehörigen der US-Armee in ihrer Rolle als »Vorbilder« erwartete.
»Bitte bringen Sie mir doch die Karteikarte von Nurse Sadako, liebe Betty«, sagte er ruhig, nachdem Nurse Sumiko in einem Paroxysmus mitfühlender Heiterkeit verduftet war. »Wir müssen uns mit der Familie der Kleinen in Verbindung setzen und alles melden. Sonst heißt es wieder, daß ...«
Er brach stirnrunzelnd ab. Also deswegen hatte Donelly seiner Jugendfreundin Betty Murphy den Abschied gegeben. Sie hatten überall als heimlich verlobt gegolten. Es war hart für das solide und tapfere Mädchen, das aufopfernd für das Hospital und die *Nursing-School* in Tokio gearbeitet hatte. Tom und sie waren zusammen aus San Francisco nach Japan gekommen. Die Familien waren daheim seit Jahrzehnten miteinander befreundet. Als er Nurse Sadakos Personalakte überflog, während Miss Murphy aus dem Fenster blickte, zuckte er plötzlich zusammen. Dann sagte er zu Miss Murphys Rücken:

»Donelly hat wohl nicht alle Tassen im Schrank? Die Kleine ist eine Baronesse Matsubara von Itoh. Das gibt einen Skandal, wie er noch nicht dagewesen ist. Die Leute gehören zu den zwölf Familien. Wußten Sie das, Elizabeth?«

Miss Murphy wandte sich langsam vom Fenster fort und starrte blicklos auf ein zerbrochenes Reagenzglas. Dann sah sie zu Boden. Sie fühlte die guten und klugen Augen ihres Freundes auf sich ruhen. Er selbst war mit seiner bildhübschen Frau, die offenbar gleichfalls nicht »alle Tassen im Schrank hatte«, auch nicht gerade auf Rosen gebettet. Elizabeth schüttelte stumm den Kopf mit dem wilden, dunklen Haar, das gebändigt unter der Schwesternhaube hervorsah.

»Ich fahre in drei Tagen über das Wochenende zu meiner Frau ins Fujiya-Hotel«, sagte Tim. »Bei der Gelegenheit werde ich Donelly den Kopf zurechtsetzen. Es ist grotesk: ein Bursche wie Tom sollte den Kopf nicht über einer kleinen japanischen Nippesfigur verlieren! An seine Zukunft denkt er wohl auch nicht.«

Tim hatte sich in Zorn geredet und schlug auf den Tisch, nur weil er etwas Leben in das erstarrte Mädchengesicht bringen wollte. Sie mußten hier draußen gegen dies anmutsvolle, schlaue, todessüchtige und verschwiegene Volk zusammenhalten.

»Es wäre natürlich schade, wenn er durch einen Skandal seine Karriere ruinierte«, sagte Miss Murphy. »Mich geht's nichts mehr an.«

»Sie werden sich Tom doch nicht von einem kleinen japanischen Zeitvertreibmädchen wegnehmen lassen?«

»Sie nehmen uns dauernd die Männer weg, Timothy! Ob es nun Zeitvertreibdamen oder Studentinnen sind. Sie schaffen es mit ihrer Kleinheit und Zerbrechlichkeit, mit den Kimonos, mit ihren Mondscheingedichten und dem Getue mit dem Tee! Zeremonieller Diebstahl, mein Lieber!«

»Sie übertreiben, Betty! Diese kleinen, hilflosen Dinger!«

»Gespielte Hilflosigkeit, Timothy! Ich arbeite mit ihnen und kenne sie. Die sind viel raffinierter als wir. Wir sind Kameraden; wir servieren den Jungens ohne Getue ihren Kaffee und *Apple-Pie*; wir nennen einen Spaten eben einen Spaten. Das ist in Japan plötzlich nicht mehr gut genug. O Tim, wenn ich nochmals das Wort *Teezeremonie* höre, werde ich schreien! Lassen Sie mich mit den Frauen hier zufrieden! Sie drohen sanft mit Selbstmord, und unsere Jungens fallen gerührt drauf rein.«

»Nicht alle, Betty!«
»Ich fahre heim, sobald mein Kontrakt hier abläuft.« Miss Murphy preßte die Stirn gegen die Fensterscheibe. »Ich kann nicht mehr...«
»Kommen Sie mit mir zum Dinner! *Eingeladen*, nicht aufgefordert! Und ich bitte mir das geblümte Kleid aus. Ich will auch mal einen netten Anblick haben.« Tim grinste wie ein Schuljunge. »Abgemacht?«
»Abgemacht! Ich danke Ihnen.«
Prachtkerl, dachte Elizabeth Murphy bei sich. Guter Gott, der hätte auch eine andere Frau verdient. Es schien ihr in diesem Augenblick, als füge Japan den Eroberern noch mehr Herzeleid zu, als die Eroberer den Inselbewohnern. Sie war nicht die erste, die den Mann ihrer Liebe hier verloren hatte. Und sie würde nicht die letzte sein...
»Um wieviel Uhr, Tim?«
»Um acht Uhr auf der Ginza, *Lady Murphy*!«
Elizabeth lächelte endlich. Dann dachte sie an den Klatsch in der amerikanischen *crowd* in Tokio und im Fujiya-Hotel, das die Besatzungsmacht von einer traditionsreichen japanischen Hotelfamilie übernommen hatte. Es war eins der schönsten Hotels auf der Welt in einer vorweltlichen Kraterlandschaft mit traumblauen Seen und der Sicht auf den Berg Fuji... Dort amüsierte sich der Mann, mit dem sie ihr Leben hatte teilen wollen. Oder liebte er etwa diese kleine Japanerin...?
»Wird Ihre Frau auch nichts dagegen haben, wenn wir von tausend Augen beobachtet in Tokio zusammen soupieren?« fragte sie halb im Scherz, halb im Ernst.
»Vivica?« fragte Major Williams und fühlte, wie sein Herz plötzlich schmerzhaft hämmerte. »Keine Sorge, Betty! Soviel Aufmerksamkeit schenkt meine Frau mir nicht.« Er lachte und zündete sich hastig eine Zigarette an.
Wäre Miss Murphy nicht so sehr mit ihrem eigenen Kummer beschäftigt gewesen, so hätte sie vielleicht bemerkt, daß Tim ein wenig gequält lachte und daß in seinen guten und klugen Augen das Licht des Humors erloschen war.
»Bis nachher, *Lady Murphy*«, sagte Major Tantalus Williams und verabschiedete sich überstürzt.

\*

Baron Matsubara Akiro war sofort nach Erhalt der Nachricht aus der *Nursing-School* ins Fujiya-Hotel nach Myanoshita aufgebrochen, um seine jüngere Tochter Sadako den Klauen der Schwermut oder der Besatzungsmacht zu entreißen. Der unentbehrliche Herr Yasuda hatte geschäftlich in der Gegend zu tun und hatte daher Benzin für die mehrstündige Autofahrt nach Myanoshita. Sein Schwiegervater hüllte sich während der Fahrt in finsteres Schweigen. Baron Akiro hatte sich mit dem japanischen Talent zur Resignation und zur gespielten Fröhlichkeit in wenigen Monaten mit vielem abgefunden; aber daß seine miserable Tochter, die der edlen, unglücklichen Lady Tatsue – bis auf das Hinken – glich, sich zum Spielzeug für einen amerikanischen Offizier machen wollte, das ging, bei allen entthronten Shintogöttern, zu weit! Akiro bemühte sich zwar eifrig, herauszubekommen, wieso man mit Hilfe der Demokratie einen Weltkrieg gewinnen konnte; aber wenn jemand noch unnachsichtiger gegen »Verbrüderungsversuche« zwischen Besatzung und japanischer Bevölkerung war als die Herren in Washington – deren Anordnungen in Tokio und Umgebung häufig ignoriert wurden –, dann war es Baron Matsubara. In seinem Innern war ein dumpfes, unterirdisches Grollen, wie es manchmal die Krater im Hakone-Gebiet von sich geben; dies Grollen rührte teils von seiner rasenden Wut und teils von seinen Magenkrämpfen her. Sein Gesicht mit den finsterglühenden Augen und der kühnen Nase sah unheimlich aus, während er und sein Schwiegersohn schweigend dahinsausten. Als der unselige Herr Yasuda, der immer noch dazu neigte, Bemerkungen zu machen, die seinem geehrten Herrn Schwiegervater stark auf die Nerven gingen, diesem arglos mitteilte, daß die Gäste des Fujiya-Hotels auch an einem echten »Sukiyaki-Abend« in dem beschlagnahmten Palast des Prinzen Takamatsu, des jüngsten Bruders des *Tenno*, teilnehmen könnten, da lachte der ehemalige Tiger der Kempetai so schrill und höhnisch, daß es Herrn Yasuda kalt über den Rücken lief. Und dabei war es doch ein hübscher Palast in märchenhafter Gegend; die Kellnerinnen trugen Kimonos und zeigten den Ausländern, wie man ein Gemüse-Fleischgericht mit den Eß-Stäbchen zu sich nimmt, ohne der Dame einen Teil der Mahlzeit aufs Abendkleid zu werfen. Herr Yasuda war ganz stolz gewesen, wieviel die geehrten Langnasen von den Japanern noch zu lernen hatten. Er duckte sich angstvoll vor den Blicken seines Schwiegervaters. Der Baron sah aus, als

hätte er am liebsten aus seiner ganzen Familie – zu der Yasuda-san nun bald zu gehören die Ehre haben würde – über einer kleinen Flamme »Sukiyaki« gemacht. In Akiros Mantel steckte ein Brief, den Sadako nach ihrer Flucht »wegen bedauerlicher Liebestragödie« an Cousin Kenzo geschrieben hatte. Sie war eine Gans, wie es leider ihre hochgeehrte Mutter auch gewesen war. Nur hatte Lady Tatsue bedeutend bessere Manieren gehabt.
Während Yasuda-san seinen Geschäften nachging, betrat Baron Akiro das altvertraute Hotel, das die berühmte Hotel-Dynastie Yamaguchi im Jahre 1878 erbaut hatte. Er mußte drei Stunden an diesem jetzt hassenswerten Ort zubringen, erst dann würde er mit der ungeratenen Tochter nach Tokio zurückfahren können. In drei Stunden konnte der Tiger der Kempetai ganze Wagenladungen von Töchtern auf die Knie zwingen und auch einem amerikanischen Offizier mit seinem Lachen einen Erinnerungs-Schauer über den Rücken jagen... Captain Donelly würde sich nicht noch einmal an die Töchter des japanischen Adels heranmachen! Allerdings wußte Akiro nicht, daß Sadako sich, außer auf ihrem Anmeldeschein, mit Hartnäckigkeit »Miss Matsu« genannt hatte und Captain Donelly daher nicht ahnen konnte, welch einen freundlichen Vater seine kleine Miss Nippon besaß. Fast alle Beziehungen zwischen Japanern und der Besatzung litten unter Mißverständnissen; das begann mit der vieldeutigen japanischen Sprache und Geste – wenn man abwinkt, bedeutet es für Japaner näher treten – und endete mit dem Zusammenprall zweier Welten. Dennoch nahmen die Japanerinnen, wie Miss Murphy treffend bemerkte, den USA-Mädchen, die sich um Miss Nippons Hygiene, Freiheit und Aufklärung bemühten, die geehrten Männer weg. Miss Murphy sollte leider niemals erfahren, daß »Miss Matsus« Vater mindestens so heftig wie sie selbst gegen Captain Donellys Romanze eingenommen war.
Aber das Mißverständnis ging noch etwas weiter. Sadako war nämlich so wenig eine »Gans«, wie ihre scheue Mutter es gewesen war. Sie hatte nur nicht Eikos Schönheit und Charme. In aller Stille hatte Sadako die Beziehung zu *Captain Tom* dorthin gelenkt, wo sie sie haben wollte. Sobald sie einen Eilbrief aus Tokio von ihrer Freundin Sumiko erhalten hatte – das war fünf Tage vor ihres Vaters Fahrt nach Myanoshita –, waren sie und Captain Donelly nach Tokio zurückgeeilt und hatten dort geheiratet. Die Papiere und Erlaubnisscheine waren längst beschafft. Tom hatte

nur noch gezögert, seine Jugendliebe Elizabeth Murphy so sehr zu verletzen. Das hatte Sadako mit der »bedauerlichen Liebestragödie« in ihrem Brief an das neue Oberhaupt der Matsubaras gemeint. Es war *Lady Murphys* Tragödie, keineswegs ihre eigene.
Als Baron Akiro im Hotel eintraf, erwartete ihn ein Brief von Cousin Kenzo, der ihm so schonend wie möglich mitteilte, daß Jüngste Tochter ohne Abschied und Hochzeitsfeier mit amerikanischem Ehemann im Flugzeug nach San Francisco aufgebrochen sei. Sadako verstand es, fast so raffiniert und korrekt in der Stille zu planen, wie ihr geehrter Vater; aber Miss Murphy Seite an Seite mit »neuem USA-Ehemann« gegenüberzutreten – *das* konnte Sadako nicht. Dazu war sie viel zu scheu und hilflos.
Baron Akiro faltete Kenzos Schreiben sorgfältig zusammen und steckte es ein. Der japanische Portier, der die Angehörigen der »Zwölf Familien« seit Menschengedenken in diesem Märchenhotel hatte ankommen und abfahren sehen, blickte den Tiger der Kempetai angstvoll an.
»Gute Nachrichten, Herr Baron?« fragte er düster und verneigte sich wie in der schlechten alten Zeit.
»Wie man es nehmen will«, erwiderte Matsubara Akiro mit einem frostigen Lächeln. »Meine jüngere Tochter hat einen Unfall erlitten: Sie hat sich mit einem Amerikaner verheiratet.«

\*

Da Baron Akiro noch zwei Stunden auf seinen Schwiegersohn warten mußte, schritt er durch das von Japanern gereinigte Hotel in die kleine Felsenlandschaft des Gartens. Er schien die Ausländer nicht zu sehen, die im Bademantel aus ihrem Zimmer zu den heilkräftigen heißen Quellbädern oder ins Dampfbad eilten – riesige rotbackige Mikroben, wie die hochgeehrte Großmama mit Recht meinte.
Daß dies Hotelparadies am Eingang zum »Fuji-Hakone-Nationalpark« eine Duzfreundschaft mit dem schlafenden Vulkan unterhielt, kam den Fremden kaum in den Sinn. Während des großen Erdbebens im Jahre 1923, als der junge Herr Matsubara noch niemals im Ausland gewesen war, geriet der Hakone-See ins Kochen. Das war ein Jahr vor der gesetzlich verordneten Beschränkung der japanischen Einwanderer nach den USA gewesen und zwei

Jahre vor Konsul Wergelands Abendgesellschaft in Shanghai, wo Matsubara Akiro von einem Mr. Bailey (Clifford Motors, USA) unaussprechlich beleidigt worden war. Baron Akiros phänomenales Gedächtnis schlug eine merkwürdige Brücke von Shanghai zu seinem amerikanischen Schwiegersohn, den er hoffentlich nie zu Gesicht bekommen würde... Als junger Mann hatte Akiro die Fremden »durch Weisheit und Großmut beschämen« wollen – in den letzten fünfundzwanzig Jahren war er dann zu anderen Methoden übergegangen. Er schritt hochmütig aufgerichtet durch die milde Februarluft zu den Wasserfällen, den Seen und Fischteichen seiner Jugend.

An einem Miniatursee lag in einem Liegestuhl, von einer weißen Wolldecke umhüllt, ein Mädchen in einer lichtgrünen Jacke. Seine langen goldblonden Locken fielen in das bildschöne Gesicht, was dem Mädchen einen Anstrich leichter und hinreißender Verwilderung gab. Es sah aus halbgeschlossenen Augen einen auffallend großen eleganten Japaner auf sich zukommen und runzelte die kindlich gewölbte Stirn.

Der Japaner kam auf den verborgenen Miniatur-See zu, als ob er ihn genau kenne; dann ließ er sich mit geschmeidiger Anmut in knapper Entfernung von dem Mädchen nieder. Irgend etwas an dieser disziplinierten und dabei schwebenden Anmut erinnerte das Mädchen im Liegestuhl an seine verschüttete Vergangenheit. Vivica sah unter halbgeschlossenen Lidern einen Raum der Lebenskunst und der geistigen Tortur in Shanghai: Auch ein Chrysanthemenzimmer, wie sie es im Fujiya-Hotel bewohnte, Blumen von starrer Pracht in der *tokonoma*... Ein hochgewachsener Japaner in einem dunklen Kimono fragt mit großer Höflichkeit und einem Unterton von Hohn nach den Wünschen der geehrten Gefangenen... Laut, als sähe sie ihres Käfigs Stäbe nicht, singt die Nachtigall... Warum trinken Sie nicht, Mademoiselle? Sterben ist zu schön für Sie, Mademoiselle... glühende Blicke, die jede Linie ihres Körpers erforschen... ein grausamer, wollüstiger und doch asketischer Mund... oh... dies vergiftende Gefühl...!

Vivica hatte die Augen geschlossen. Eine entsetzliche Schwäche hatte sie in ihrem Liegestuhl befallen. Ihren Händen entglitt unbemerkt ein Blatt Papier... eine zarte, phantastische Skizze, wie sie sie gelegentlich hinwarf, wenn die Langeweile sie plagte; sehr eigenartig, aber nichts Vollendetes. Zur Vollendung gehörte Fleiß.

Die Zeichnung war dem Japaner durch einen Luftzug vor die Füße geweht. Sofort stand er auf und brachte das Blatt seiner Besitzerin zurück.
»Ihre Skizze, Mademoiselle«, sagte er mit einer zeremoniellen Verbeugung, »darf ich sie Ihnen zurückgeben?«
Vivica hatte die Nymphenaugen weit aufgerissen und vergaß sich zu bedanken.
»Major Kimura?« Ihre Stimme war nur ein Hauch.
Der Fremde lächelte.
»Sie müssen mich verwechseln, Mademoiselle«, sagte er in seinem Pariser Tonfall. »Ich bin Baron Matsubara aus Tokio.«
»Haben wir uns nicht ... in Shanghai getroffen?«
»Shanghai?« Baron Matsubara, der eine gespenstische Ähnlichkeit mit Major-san hatte, schien angestrengt nachzudenken. Es sah aus, als hätte nicht viel gefehlt, und er hätte gefragt, wo auf der Landkarte Shanghai zu finden sei. Er blickte versonnen und dabei ein wenig verschlagen vor sich hin: Dies war recht reizvoll nach der Gesellschaft des braven Herrn Yasuda! Er musterte Vivica verstohlen und so gründlich, als ob er sogar ihre Gedanken, die ihn niemals interessiert hatten, erforschen wollte. Fleisch, dachte er, Stupidität, Schönheit. Sie war noch schöner geworden, obwohl eine Wolke tödlichen Überdrusses um ihre Stirn lag.
»Als junger Mann war ich einmal in Shanghai«, erwiderte er mit unbewegtem Gesicht. »Im Jahre 1925. Da waren Sie bestimmt noch nicht auf der Welt, Mademoiselle.«
Seine Berechnung stimmte auch diesmal, wie immer. Im Jahre 1925 hatte der blutjunge Herr Matsubara Borghild Lillesand zu einem japanischen Essen in ein Chrysanthemenzimmer eingeladen. Jetzt war er achtundvierzig. Das bildschöne Morgengesicht im Liegestuhl hätte seine Tochter sein können. Bei dem Gedanken an Töchter meldete sich ein unangenehmes Gefühl. – Sadako ... diese Gans, die alle Traditionen vergessen hatte!
Vivica hatte sich von ihrer Schwäche erholt. Eine zarte Röte war in ihr Gesicht gestiegen. Jeder Nerv in ihrem Körper war lebendig. Sie blickte dem Fremden direkt ins Gesicht und fragte nachlässig:
»Lügen Sie die Wahrheit, Monsieur?«
»Würden Sie vorziehen, daß ich eine Lüge bekenne, Mademoiselle?« fragte Major-san sanft. Sie war nicht mehr so stupide wie

in Shanghai – damals hatte die Angst sie jeder logischen Fähigkeit beraubt. Etwas wie Bewunderung zeigte sich in Akiros Augen. Keine Japanerin hätte ihm die Tatsache, daß sie ihn erkannt hatte, anmutiger und hinterlistiger servieren können.
»Wohnen Sie ständig hier oben, Madame?« fragte er sodann, da er Vivicas Ehering bemerkt hatte.
»Leider fahren wir Montag nach Tokio zurück. Aber wenn die Hitze beginnt, fahre ich für den ganzen Sommer nach Karuizawa. Kennen Sie den Ort, Baron? Bis auf den Lärm in den beiden großen Hotels ist es sehr schön dort.«
Baron Matsubara dachte so gründlich über die Reize von Karuizawa nach, wie er über Shanghais geographische Lage nachgegrübelt hatte. Er war nicht weiter verwundert, daß er Vivica an »seinem« See getroffen hatte. Nach japanischer Sitte hatte er sich die Wartezeit seit 1945 mit vorbildlicher Geduld – und neuerdings mit dem Studium der Demokratie – vertrieben. Er warf seiner *asagao* (Morgengesicht, Stundenblume, deren Blüte sich nur einen Morgen lang öffnet) einen mittleren Vulkanblick zu. Der Überdruß auf ihrer Kinderstirn und der müde und doch rebellische Zug um ihre zart geschwungenen Lippen verrieten ihm die Geschichte ihrer Ehe. Als Japaner verstand er sich auf das Entziffern der Wolkenschrift. Wahrscheinlich war sie mit einem Amerikaner verheiratet – wie käme sie auch sonst ins Fujiya-Hotel?
Ein Windzug hatte sich in dem abgeschiedenen Seewinkel erhoben und entführte die Wolljacke, die Vivica nachlässig um ihre Schultern geschlungen hatte. Major-san lief der Jacke nach – mit einer tänzerischen Anmut wie ein junger Japaner im Spiel. Er entstammte einem unverwüstlichen Geschlecht; auch sein liebenswürdiger und verschlagener Vater in der Einsiedlerhütte wirkte zehn bis fünfzehn Jahre jünger als er war.
Der Baron schwenkte die Jacke wie eine Fahne im Winde und legte sie sehr zart und respektvoll um Vivica. Dabei bemerkte er, daß die Wolldecke vom Winde gebläht wie ein Segel über dem Liegestuhl schwebte. Er beugte sich ein wenig zu Morgengesicht hinunter, wobei er sekundenlang seine glühenden Blicke auf ihre Locken heftete: ein zauberhaftes Traumgespinst, wie es nur der hohe Norden seinen Nymphen um die Stirnen wand... Als er sorgsam und achtungsvoll die Wolldecke um Vivica schlang, berührten seine Hände die Spitzen ihrer Brüste. Es mußte versehentlich geschehen sein, denn Baron Matsubara trat seelenruhig zu-

rück und betrachtete mit echtem Interesse Vivicas Zeichnung. In einer japanischen Landschaft, die ein weicher Radiergummi nach bester japanischer Tradition in den Konturen verwischt hatte, wandelte eine Gestalt im Kimono auf einer schwankenden Bambusbrücke. Die Gestalt war winzig, aber in der Hand hielt sie einen großen, runden Fächer, der seltsame Kreaturen und Pflanzen zeigte. Die anmutige Gestalt war bei aller Kleinheit realistisch gezeichnet – der Fächer jedoch war ein Spiel der Phantasie. Und wenn man die Skizze genau studierte, bemerkte man, daß die Bambusbrücke frei in der Luft über einem verwischten Abgrund schwebte. In dem Abgrund ahnte man verschlungene Gestalten – wie in einer nachlässigen Höllenvision alter europäischer Meister. In der Ecke stand halb von einem Fettfleck verwischt spielerisch hingekritzelt: »Les Rêves de Vivienne.«
»Ein merkwürdiges Bild«, murmelte Baron Matsubara. »Und wie wahr!«
Vivica wahr glühend rot geworden und riß ihm ungezogen die Skizze aus der Hand. Sie zitterte unter ihrer weißen Wolldecke noch von seiner Berührung und ärgerte sich darüber. Sie zerriß die Skizze und warf die Schnitzel in alle Winde, was Matsubara Akiro außerordentlich mißfiel. Ordnung und Schönheit waren identisch in einem japanischen Seegarten.
»Es ist sehr weise von Ihnen, daß Sie Ihre Skizze zerrissen haben, Madame.«
»Warum?«
»Sie war leider ganz dilettantisch. Verzeihen Sie mir tausendmal diese respektlose Kritik! Aber Sie haben Begabung, Madame! Sie haben sogar Ideen. Das ist zwar nicht ganz normal bei jungen Damen, aber Sie sollten doch Malstunden nehmen! Nur werden Sie es nicht tun.«
»Wie wollen Sie das wissen, Baron?« sagte Vivica, die sich allmählich von dem Schreck der Begegnung zu erholen begann. »Sie kennen mich doch überhaupt nicht!« Sie warf Major-san in ihrem Liegestuhl unter halbgeschlossenen Lidern einen koketten und rätselhaften Blick zu, der ihr wahrscheinlich noch heute eine Ohrfeige von Tante Helene eingetragen hätte.
»Zu meinem Bedauern muß ich wiederum einen Irrtum berichtigen, Madame«, sagte Gedankenpolizist Matsubara mit dämonischer Sanftheit. »Durch unsere kleinen Plaudereien in Shanghai habe ich Sie ein wenig kennengelernt. Ich glaube, daß ich Sie trotz

meiner abgrundtiefen Stupidität besser kenne als irgend jemand anders.«
»Ich habe noch niemals so etwas Lächerliches gehört!« Vivica lachte plötzlich sehr fröhlich, aber ein wenig zu schrill. Der Baron stimmte gedämpft in ihr Gelächter ein.
»Selbstverständlich wird Ihr Mann Sie beträchtlich besser kennen«, sagte er noch sanfter und niederträchtiger. »Aber wir Japaner lesen nun einmal einen ganzen Roman aus Andeutungen. Ich möchte behaupten, daß unsere bescheidenen dreizeiligen Gedichte manchmal mehr sagen als ein dreibändiger Roman des Westens.«
Da Vivica niemals Romane oder Gedichte las und alle Gespräche, die sich nicht um sie selbst drehten, langweilig fand, sagte sie abrupt:
»Warum nahmen Sie an, daß ich keine Malstunden nehmen werde?«
»Ich bin untröstlich, Madame, ich habe den Grund vergessen.«
Baron Matsubara blickte auf seine Uhr und machte eine formelle Verbeugung.
»Ist es nicht fatal, daß die Plauderstunden, die wir alle fünf Jahre miteinander halten, immer unterbrochen werden?« fragte er sinnend. »Aber vielleicht besuchen Sie mich im Sommer in unserem kleinen Familienhause in Karuizawa, Madame? Ich würde es mir zur hohen Ehre anrechnen, Ihnen einen zeremoniellen Tee zu servieren. Das heißt: wenn Sie ihn nicht schon in dem früheren Palais Seiner Hoheit, des Prinzen Takamatsu, serviert bekamen?«
Akiros Augen hatten sich verengt; ein kaltes und gefährliches Warnungssignal war in den schwarzen Tiefen aufgeblitzt. Aber Vivica erwiderte harmlos, sie besuche niemals das Palais, da dort zuviel Amerikaner zeremoniellen Tee tränken.
Baron Matsubara zog die Augenbrauen in die Höhe: »Ist Ihr geehrter Gatte nicht auch Amerikaner, Madame?«
Vivica wurde sehr rot und hätte sich am liebsten geohrfeigt.
»Ich meine, ich bin gern allein«, sagte sie verlegen, sprang dann auf und warf die weiße Wolldecke achtlos zu Boden. Baron Matsubara hob sie sofort auf, faltete sie mit bemerkenswerter Pedanterie zusammen und deponierte sie auf dem Liegestuhl. Er schenkte dabei Vivica keinen Blick, wenigstens keinen, den sie bemerkte. Plötzlich trat er näher an sie heran.

»Werden Sie mich besuchen, Madame?«
»Wenn Sie versprechen, mich nicht wieder soviel zu fragen, mit Vergnügen, Monsieur!«
»*Ich* sollte *Sie* etwas fragen?« Baron Matsubara hob beide Hände geradezu entsetzt in die Höhe. Er praktizierte in diesem Augenblick eine japanische Spezialität: *naibun*, geheuchelte Unschuld, wobei das Heucheln mit Ironie gesättigt ist. Viele Amerikaner in Japan konnten von *naibun* ein Lied singen; es war wie eine Wolke um den Partner, etwas, was ein Gespräch oder eine Verständigung endgültig unmöglich machte...
Da Vivica nicht recht wußte, wie sie auf *naibun* reagieren sollte, fragte sie Major-san nach seiner Adresse in Karuizawa. Sie würde ihn selbstverständlich nicht besuchen; das konnte sie Tim und der Demokratie wahrhaftig nicht antun! Aber Major-san sollte denken, daß sie käme, und sich ärgern... Das sollte ihre Rache für alles sein, was er ihr angetan hatte. Sie lächelte reizend und ein wenig verschlagen bei diesem Gedanken.
»Fragen Sie einfach nach dem Landhaus der alten Baronin Matsubara von Itoh, Madame«, schlug der Baron vor.
»Ja, aber... wissen die Leute dann Bescheid? Die Villen liegen so versteckt.«
»Wir bewohnen das Haus seit 1880, Madame«, erwiderte Matsubara Akiro milde. »Haben Sie keine Sorge – man kennt uns dort.«
Er fügte freundlich lächelnd hinzu: »Man kennt uns in Karuizawa auf jeden Fall besser als im Fujiya-Hotel, wo man uns nach dem letzten Erdbeben überhaupt nicht mehr kennt.«
»Meinen Sie das Erdbeben von 1923, das den Hakone-See zum Kochen brachte?«
Vivie hatte vor lauter Langeweile den Hotelprospekt durchstudiert und wollte zeigen, daß sie über Japan mitreden konnte.
»Ich meinte das Erdbeben von 1945, Madame«, berichtete Baron Matsubara. »Aber das langweilt Sie, wie ich deutlich sehe. Ich bitte ergebenst um Verzeihung. Es war mir entfallen, daß Sie politische Gespräche nicht sonderlich lieben. Wir werden in Karuizawa über angenehmere Dinge plaudern, Madame.«
»Zum Beispiel?« Vivie freute sich insgeheim, wie enttäuscht Major-san über ihr Fortbleiben sein würde. Er hatte sie in Dr. Yamatos Hospital geküßt. Sie hatte getan, als ob sie die schwerelosen Liebkosungen im Schlaf empfinge. »Ich wüßte nicht, was wir uns zu sagen hätten«, fügte sie schnippisch hinzu und warf

dem besiegten Tiger einen triumphierenden Blick zu. Die Zeiten hatten sich gewandelt: *sie* war jetzt auf der Siegerseite.
»Offen gestanden weiß ich es auch nicht«, sagte Matsubara Akiro lächelnd. »Aber wenn mir bis dahin nichts einfallen sollte, schlage ich ein Thema vor, das uns beide angenehm unterhalten wird.«
»Und das wäre, Baron?« Vivie spitzte die Ohren.
»Les Rêves de Vivienne«, flüsterte Baron Matsubara und verschwand mitsamt seinem Lächeln und seinem *naibun*.
Vivica starrte ihm nach und lächelte abwesend. Nie würde sie diesen Satan besuchen! Sie haßte ihn doch und freute sich, daß er sie vergeblich erwarten würde. Eigentlich schade, dachte sie dann mit halbgeschlossenen Augen. Major-san war jetzt viel netter und lustiger als in Shanghai... Ein Schäferspiel am Rande des Abgrunds wäre ganz nach ihrem Geschmack gewesen.
Major-san freute sich ebenfalls, während er mit Herrn Yasuda, zu dessen Erstaunen liebenswürdig plaudernd, nach Tokio zurückfuhr. Dieses Mal würde er nur fünf Monate auf eine Plauderei mit »Morgengesicht« zu warten haben.

VIERTES KAPITEL

# Baron Matsubaras Teezeremonie

Vivica hätte nicht mit Major-san Tee getrunken, wenn sie sich nicht auf Colonel Hunters Gartenfest in Karuizawa gelangweilt und später so geärgert hätte. Sie war stets die Jüngste auf diesen Parties und überdies die einzige, die mit Genuß faulenzte. Die Amerikanerinnen widmeten sich in Japan mit oder ohne Gehalt der Um-Erziehung der Bevölkerung, wozu Vivie weder Eignung noch Neigung besaß. Die zerstreuten Komplimente, welche die Männer ihrer auffallenden Schönheit zollten – schließlich befanden die Herren sich die ganze Zeit unter den wachsamen Augen der Ehefrauen –, diese Komplimente langweilten oder ärgerten sie. Das war nicht erstaunlich. Aphrodite wird sich stets beleidigt fühlen, wenn man sie ein »hübsches Mädchen« nennt. Baron Matsubara wäre bei aller Hinterlist niemals auf den Gedanken verfallen, Vivica »hübsch« oder »verflucht hübsch« zu nennen. Er erkannte Schönheit, wo immer und in welcher Form er sie antraf – in einer Karuizawa-Lilie, in einem alten Tempeltor, in einer jungen Nymphe aus dem hohen Norden Europas. Aber es war nicht nur gekränkte Eitelkeit oder das Gefühl der Leere, das Vivica auf diesen Parties quälte. Ihr europäisches Bedürfnis nach isolierten Freuden und Leiden blieb in der amerikanischen Gesellschaft unbefriedigt; ihre Melancholie während und nach einer Party in Tokio oder Karuizawa entsprang hilfloser Auflehnung gegen die entpersönlichte und unerotische Atmosphäre der »Neuen Welt« im alten Nippon. Nicht, als ob diese Männer und Frauen die Abgründe der Liebe nicht kannten – Miss Murphy durchschritt gerade zur selben Zeit diverse Höllen, und Major Tantalus Williams hatte das Wunder der Intimität in den vier Jahren seiner Ehe mit Vivica nicht erleben dürfen – aber dieses Privatleben wurde sowohl von der Gemeinschaft, die manches darüber wußte, wie von den Betroffenen selbst erfolgreich ignoriert. Auch die Japaner ringsum verbargen ihre Leiden unter einem strahlenden Lächeln, aber aus einem sehr verschiedenen Grunde. Ihre pathologische Empfindsamkeit, die durch verwundeten Stolz noch gesteigert worden war, schreckte davor zurück, einem Gesprächs- oder Teepartner durch den eigenen Kummer die Stimmung zu verderben, während die Amerikaner an einer pathologischen Angst anderer Art litten: sie wollten vor einer befreundeten *crowd* in keinem Falle als »Mißerfolg« erscheinen, ganz gleich, ob es sich um Geschäfte oder Liebe handelte. Beider Bestreben, private Wunden zu ignorieren, war Vivica wesensfremd: die vagabundierende Aphrodite kennt keine soziale Rücksichtnahme.

Tim hatte von Vivica verlangt, daß sie das Gartenfest besuchte, weil die Hunters wichtige Persönlichkeiten in der amerikanischen Gesellschaft in Tokio waren und Vivicas Fortbleiben übel vermerkt hätten. Sie liebten es, die *crowd* vollzählig um sich zu sehen; dann erst war es wirklich lustig, unpersönlich und entspannend. Timothy schwitzte in Tokio; er wollte Vivie und den kleinen Halvard in den nächsten Tagen besuchen und dann drei Wochen in Karuizawa und seiner erregenden Atmosphäre von Vulkannähe und betäubendem Lilienduft verbringen.

Als Vivica in finsterer Laune in dem entzückenden Abendkleid, das Astrid für sie entworfen und genäht hatte, in ihr kleines Chalet zurückkam, war es mit ihrer Beherrschung zu Ende. Sie warf sich auf ihr Bett und schluchzte hemmungslos. Danach setzte sie sich kerzengerade vor ihren Toilettenspiegel und faßte Entschlüsse. Wenn Vivica vor dem Spiegel saß und Entschlüsse faßte, hatte Fräulein Wergeland stets die Stirn gerunzelt und für Ablenkung gesorgt.

An diesem Sommerabend beschloß Vivica, bei Baron Matsubara einen zeremoniellen Tee einzunehmen. Sie verfolgte mancherlei Zwecke mit diesem Streich: einmal wollte sie sich beweisen, daß sie ein Recht auf isolierte Freuden und Leiden hatte; dann interessierte sie das Sommerhaus der Matsubaras, und sie wollte es mit Hilfe von Überraschungstaktik erobern. Vor allem aber reizte es sie, ihr Schäferspiel am Rande des Abgrunds weiterzuspielen – fern von Fräulein Wergelands strengem Blick, fern von der *crowd* und fern von Timothy Williams, der zu wenig Zeit für sie und ihr Traumleben hatte.

Da sie Baron Matsubara verabscheute, könne ihr ja nichts passie-

ren, beruhigte sie sich, als sie ihn in seinem bezaubernd gepflegten Garten erblickte.
»Ich habe Sie schon erwartet, Madame!« Akiro wandte sich langsam von seinen Lilien seinem »Morgengesicht« zu.
»Ich komme nur auf einen Augenblick, Baron! Ist es nicht lustig, daß ich durch Zufall Ihr Sommerhaus fand?«
Baron Matsubara lächelte diesmal beinahe aufrichtig über diese naive Flucht in die Würde.
»Es könnte nicht lustiger sein, Madame«, bestätigte er ernsthaft und bat sie in die »Teehütte«. Eine entzückende, aber traurig blickende Japanerin erschien und brachte mit einer anmutigen Verneigung die Geräte zur Teezeremonie. Vivica blickte sie an und zuckte ein wenig zusammen. Wo hatte sie diese Dame nur gesehen? In Shanghai... am Rande der Morphiumwiese.
»Madame Yamato?« stammelte sie und wurde sehr blaß. Aber die zierliche Japanerin mit dem traurigen Lächeln war bereits hinausgehuscht. Sie hatte bei Major-san für sich und ihren Sohn eine Zuflucht vor Hunger und Wohnungselend in Tokio gefunden. Es gab in diesem versteckten Sommerhaus noch mehr Schiffbrüchige aus Shanghai, die der Tiger der Kempetai brüderlich aufgenommen hatte. Bis auf Madame Yamato, die in christlicher Ergebenheit darauf wartete, mit ihrem kleinen Helden im Cutaway, der Vivica der Kempetai entrissen hatte, im Himmel vereint zu werden, warteten alle Bewohner dieses verborgenen Sommerhauses auf den Herbst. Auch jener Leutnant, der seinerzeit mit »Major Kimura« bei Fräulein Wergeland erschienen war, um ihr Vivicas Verhaftung mitzuteilen. Akiro hatte ihn im weißen Gewande der verachteten Kriegsinvaliden auf den Straßen von Tokio aufgelesen, wo er Samurai-Legenden vor einem Café sang und die Bettelschale in die mitleidlose Abendluft reckte. Sie alle hatten im Sommerhaus der Fürsten Itoh »einen guten Platz im Dunkeln« gefunden, wo sie auf den Herbst warteten. Der Herbst ist in Nippon die Zeit der Chrysanthemen.

\*

Baron Matsubaras Teehütte (*Sukiya*) war ein einfaches Häuschen, das von Blumen und hohen Sträuchern umwuchert, abseits vom Sommerhaus im Garten lag. Für gewöhnlich diente die Teehütte der Meditation und durfte von niemand mehr betreten werden,

wenn der Hausherr die Teegeräte und das kochende Wasser beisammen hatte. Es war eine der Stille und der verfeinerten Lebenskunst geweihte Einsiedelei in diesem vom Vulkan *Asama-Yama*, dem größten aktiven Vulkan des Landes, beschatteten Höhenkurort. Der heilige Asama war der Lieblingsvulkan der »Selbstmord-Clubs«, der schon manches Liebespaar und manchen in seiner Ehre gekränkten Studenten oder Samurai verschlungen hatte. Der Vulkan war immer in den Gedanken der Japaner – ob er nun rauchte oder schlief. Er erfüllte die Luft von Karuizawa mit unterdrückter Erregung und einer geheimen Lockung, sich ganz und gar dem Feuer zu ergeben, das hinter dem strahlenden Lächeln, der Höflichkeit und dem *naibun* der Japaner von Zeit zu Zeit zum Ausbruch drängt.
Baron Matsubara hatte geraume Zeit nicht mehr Feuer gespien, als er Vivica zeremoniellen Tee zu servieren begann. Dieser einfache, abgeschiedene Raum war seine Oase in der Wüste der »De-mo-kra-tie«. Hier gab es immer noch »Diamanten-Tau« (den reinsten Tee), die Blumen und den Trost der Malerei.
Akiro kniete mit gewohnter Anmut auf seinem Kissen und betätigte sich als charmanter Gastgeber. Er schenkte Vivie nicht einen einzigen seiner glühenden Blicke. Wie sehr sie auf diese Blicke gewartet hatte, wußte sie erst jetzt, wo Major-san sie mit bescheiden gesenktem Blick mit »Diamanten-Tau« bediente und mit Blumenlegenden unterhielt. Eine einsame Orchidee aus den Wäldern von Karuizawa lag »lautlos« in einer moosbedeckten Schale vor dem Rollbild in der *tokonoma*. »Laute« Blumen waren aus der Teehütte verbannt – genau wie laute Reden. Baron Akiro, der »Morgengesicht« tatsächlich sehr gut kannte, bemerkte die Unmutswolke auf der Kinderstirn und lächelte verstohlen in sich hinein. Wenn ausnahmsweise in der Teehütte ein Schäferspiel aufgeführt werden sollte, dann führte er die Regie. Er hatte die *Shoji* (Papierwände) zugeschoben; gedämpftes Sonnenlicht fiel durch die mit gelbem Ölpapier bespannten Fensterrahmen. Die geschlossenen, zart bemalten Papiertüten zeigten an, daß der Hausherr für Besucher nicht zu sprechen war. Das einzig Glühende in diesem Raum war das Kohlenbecken für das kochende Teewasser, das Akiro mit einer langen Schöpfkelle auf das grüne Teepulver in kostbaren Schalen goß und mit einem Bambusbesen schaumig rührte.
»Ich bin enttäuscht, Madame«, bemerkte er nach der zweiten

Schale zeremoniellen Tees und gab Morgengesicht einen blitzschnellen Seitenblick. Sie saßen sich steif gegenüber, so wie es sich bei dieser Gelegenheit gehörte. Akiro beugte sich ein wenig vor und fragte im Flüsterton:
»Warum haben Sie mir eigentlich keine Zeichnung mitgebracht?«
»Ich wußte doch nicht, daß ich mich verirren und hier bei Ihnen landen würde.«
»Natürlich. Ich bitte tausendmal um Verzeihung, Madame! Übrigens bin ich überzeugt, daß Sie, falls Sie mich hätten besuchen wollen, eine andere Farbe gewählt hätten.«
»Ich verstehe Sie nicht!«
»Dies ist der einzige Punkt, in dem sich zwischen uns nicht das geringste geändert hat, Madame«, erwiderte Major-san mit unverschämter Sanftmut. »Woher sollten Sie auch einen stupiden Japaner verstehen? Er lebt verborgen wie ein Regenrockinsekt; er züchtet Blumen statt Demokraten – pardon, Madame! – er ist eben zu einfach für Europäer. Ist es nicht so, Madame?«
»Sie machen sich wohl über uns lustig, Baron?«
Major-san hob entsetzt die Hände. »Da haben wir es. Sie mißtrauen mir. Ich bin untröstlich.«
»Sie sehen aber sehr vergnügt aus, Monsieur!«
»Eine japanische Eigentümlichkeit, Madame! Je trostloser wir sind, desto vergnügter sehen wir aus. Was ich sagen wollte: Sie hätten eine andere Kleiderfarbe wählen sollen. Grün bin ich bei Ihnen gewohnt. Ich hänge an meinen Gewohnheiten.«
»Dies ist ein Kleid aus Paris. Es könnte nicht schöner sein«, sagte Vivie beleidigt.
»*Sie* könnten auch nicht schöner sein. Madame!« Baron Matsubara hatte sich erhoben und ließ sich mit schwereloser Anmut neben Vivica nieder. Seine Hand griff in Vivicas Locken, die sie ausnahmsweise sorgfältig gekämmt und geordnet hatte, und schuf in einer Sekunde eine schimmernde Verwahrlosung. Es war eine Geste von unerhörter Intimität und so überraschend, daß Vivica der Atem stockte.
»Sie wissen doch, daß ich Sie anbete«, murmele Matsubara Akiro.
»Sie sind ein Bild für meine Wandnische.«
»Was fällt Ihnen ein?«
Vivica ordnete ihre Locken. Sie zitterte am ganzen Körper. Majorsans Blicke senkten sich; er legte einen Arm um Vivicas Schul-

tern und sagte nichts. Vivica rutschte auf ihrem Kissen ein wenig weiter. Ein brutaler Griff riß sie zurück. »Ich hänge an meinen Gewohnheiten«, flüsterte Matsubara Akiro.
»Lassen Sie mich! Oh, bitte ... nicht ...«
»Lügen Sie die Wahrheit?« fragte Vivicas Todfeind unendlich sanft und blickte sie an. »Haben Sie immer noch Angst vor mir?«
»Ich ... ich habe niemals Angst vor Ihnen gehabt.« Vivica wollte aufspringen, sank aber kraftlos zurück. Das vergiftende Gefühl, das ihr diese Blicke gaben, lähmte ihren Willen zum Widerstand.
»Armes Kind«, murmelte ihr Todfeind mit seiner Hand um ihre Schulter. »Wissen Sie noch nicht einmal, daß zum Genuß der Liebe die Angst gehört? Oder soll ich vielleicht auch noch anfangen, Sie zu verstehen?«
Major-san lachte leise. Vivica konnte nicht mehr antworten. Die Maske aus Goldbronze mit den glühenden Augen war über ihrem Gesicht, als sie einen leichten Schrei ausstieß: einen Vogellaut, der einem weniger grausamen Liebhaber das Herz angerührt hätte. Aber Vivicas Todfeind begann, sie mit sanfter Wildheit zu liebkosen. Morgengesicht! Eine fremde Blüte, die nur eine einzige Stunde ihre Pracht verschwendet! Ein Medaillon an einer dünnen Kette lag zwischen ihren Brüsten. Er sah es, als er die kleinen Silberknöpfe des Pariser Kleidchens öffnete. Vivica machte eine so heftige Bewegung, daß die Kette riß und das Medaillon aufsprang. Wie ein Tiger stürzte Matsubara Akiro sich auf den Schmuck. Wenn das Medaillon das Bild eines Liebhabers enthielt, würde er das Bündel Schönheit, Angst und Neugierde prügeln und dann mit höflicher Verbeugung verabschieden.
»Wer ist es?« fragte er heiser und hastig keuchend. Vivica versuchte, ihm das Medaillon zu entreißen, aber da kannte sie Major-san schlecht. Das Medaillon enthielt ein Foto, wie er geargwöhnt hatte. Dann erstarrte er, als er das Bildchen näher betrachtete: Ein *Mann-Kind*, ein argloses rundes Babygesicht mit Vivicas Stirn, umgeben von einem Kranz heller, seidiger Locken. Eine eingravierte Inschrift besagte, daß dies »Halvard Lillesand Williams« wäre.
Major-sans Gesicht verzerrte sich in einem Schmerz, den nur eine Japanerin begriffen hätte. Dies Bündel Schönheit und scheue Sinnlichkeit hatte einem anderen Manne etwas gegeben, wonach

Matsubara Akiro sein Leben lang gehungert hatte – *einen Sohn!* Denn nur ein Sohn erfüllte den Käfig der tausend Pflichten mit Glanz; er verehrte den Vater im Leben und im Tod, ob er ihn persönlich liebte oder nicht; und nur der Sohn konnte einer Frau *Ehre* in der Familie geben.

Durch einen Abgrund von Vivica getrennt, betrachtete Akiro Bildchen und Inschrift und gab es der zitternden jungen Frau wortlos zurück. Vivica konnte kaum atmen, so sehr hatte die Leidenschaft sie gepackt. Tränen standen in ihren Nymphenaugen; sie unterdrückte mit letzter Kraft den irrsinnigen Impuls, sich diesem dämonischen Liebhaber, der unvermutet glühte und erstarrte, zu Füßen zu werfen und um Liebkosungen zu betteln – Liebkosungen, die wie Winde in der Wüste der unerfüllten Begierde waren, die wie Mohnblätter die bebende Haut streiften, die wie ein schneidender Blitz in den Schlaf der Sinne fuhren; Peitsche, vulkanische Glut und dann wieder sanft wie ein verschleierter Mond und sterbender Blumenduft.

Aber dieser Rausch war nicht für eine junge Mutter, die von jedem Manne Respekt und Bewunderung verlangen durfte. Von einer Schicksalsminute zur anderen hatte sich das Klima in dem schönen, reinen Raum grundlegend verändert. Aus einem leidenschaftlichen Liebhaber war ohne Übergang und in tiefstem Stillschweigen ein japanischer Moralist geworden. Matsubara Akiro hatte ja nicht geahnt, daß dieses blumenhafte Trostmädchen, das er seit Jahren abwechselnd angebetet und zu zerstören versucht hatte, bereits im goldenen Garten der Mutterschaft wandelte – eine pflichtvergessene Träumerin. Sie ging ihn nichts an.

»Ich bitte um Vergebung«, murmelte Baron Matsubara zum ersten Male vollkommen aufrichtig. »Darf ich Sie jetzt ins Haus geleiten, Madame? Ich möchte Ihnen die Bilder eines japanischen Meisters zeigen.«

Ohne ein Wort der Erklärung, ohne die geringste Geste der Fürsorge oder des Verständnisses, zeigte Baron Matsubara der erstarrten Vivica etwas später im Empfangsraum seines Sommerhauses ein Wandbild aus dem Ende des 17. Jahrhunderts: »Chrysanthemen und Ahorn am Bach«. In einer Mattgold-Landschaft saß ein Japaner im zeremoniellen Kimono und zeichnete mit strengem Gesicht *»Les Rêves de Vivienne«.*

Vivica unterdrückte ein wildes Schluchzen; sie fühlte sich unaussprechlich genarrt und gedemütigt. Ihr Gastgeber machte sie entgegenkommend auf die Feinheiten der Komposition aufmerksam; er zwang sie sanft und grausam, die »Romanze« in der Teehütte aus ihrem Gedächtnis auszuradieren. Es war ihm völlig gleichgültig, was dies einsame, verspielte Kind, das er in den Strudel der Leidenschaft gerissen hatte, durch seinen jähen, ihr völlig unverständlichen Stimmungsumschwang empfand. Madame Williams hatte ihn – wie immer – belogen und betrogen. Er hatte sie für eine Frühlingsblume gehalten; in Wahrheit war sie eine Sohnesmutter. Sie stand bereits im Sommer ihres Lebens; sie hatte Frucht empfangen und ausgetragen. Die süßen und schrecklichen Spiele der Liebe waren nicht länger für sie. Aus der Boulevard-Komödie war ein japanisches Drama der Pflicht geworden. Zu den Pflichten gehörte der Respekt vor der Frau, die ein Mannkind in die Welt gesetzt hatte. Und das ererbte und hochgezüchtete Pflichtgefühl des Japaners aus großem Hause war bindender als Liebe zu Frauen und Blumen. Außerdem interessiert sich ein japanischer Liebhaber grundsätzlich nur für zwei Jahreszeiten. Sie beflügeln automatisch seine Leidenschaft und seinen Sinn für Poesie: Frühling und Herbst, Kirschblütenwonne und Mondscheinromanze am dämmrigen Fluß. Der Sommer der Frau gehörte den Pflichten: Gehorsam gegen die Schwiegermutter, Bereitung des Mahles, Anfertigung der Familiengarderobe und das Gebären von Söhnen. Für ein solches Nutzgeschöpf veranstaltet kein verwöhnter Japaner einen Tee mit oder ohne Zeremonie. Wie hätte Vivica das alles wissen und mit ihrem elementaren Gefühl dem Umschwung folgen sollen? Sie war ja kein Kabuki Spieler auf der Drehbühne.

Baron Matsubara hatte das Schäferspiel aus seinem Gedächtnis gestrichen und wartete mit vorbildlicher Geduld darauf, daß Madame sich verabschieden würde. Sein feines Ohr hatte Geräusche vernommen: Schritte näherten sich dem hochgelegenen Hause. Vielleicht war es sein Onkel, Fürst Itoh? Er blickte Vivica forschend an und erschrak doch ein wenig über ihre tödliche Blässe und die Leere in ihren Augen. Er überlegte, wie er ihr taktvoll den Abschied erleichtern konnte: sie war nicht in der Verfassung, anderen Gästen gegenüberzutreten. Aber es war zu spät. Ein hochgewachsener amerikanischer Offizier stürmte im Laufschritt die Steinstufen zum Sommerhaus empor.

»Was machst du hier?« fragte Major Timothy Williams in einem Ton, den Vivica niemals zuvor gehört hatte. Er hatte unverhofft eine Vertretung im hitzebrodelnden Tokio bekommen und war sofort zu Vivie und seinem Sohn nach Karuizawa geeilt. Der Chauffeur, der Madame den Weg zur Villa Matsubara gezeigt hatte – jedes Kind in Karuizawa kannte das alte, berühmte Sommerhaus –, hatte Major Williams in aller Unschuld hergefahren. Er war gewohnt, daß die ausländischen Damen allein Besuche machten und die Ehemänner nach der Arbeit zu Cocktails nachkamen. Der Chauffeur fand, daß die Familie Williams aus Concord viel Ansehen durch den zeremoniellen Tee bei einem Mitglied der Familie Matsubara von Itoh gewonnen hatte. Es war nur eins der vielen komischen Mißverständnisse im besetzten Japan.

Timothy Williams stand in der Schiebetür des Empfangsraums, als ob er dort angeleimt worden wäre. Vivica starrte ihn wie ein Schreckgespenst an. *Les Rêves de Vivienne* wurden von Minute zu Minute gräßlicher. Nur Baron Matsubara hatte endgültig ausgeträumt, während Tim noch gegen alle Hoffnung hoffte, daß dies einer seiner üblichen, qualvollen Eifersuchtsträume wäre.

Baron Matsubara hieß den geehrten Gast mit einer Verbeugung willkommen und erläuterte die Situation nach der bewährten Lamm-Methode der Kempetai. Madame hatte sich in den Wäldern von Karuizawa verirrt; es war eine stupide Gegend, zu wenig Wegweiser! Er hatte der geehrten Gattin des Herrn Majors natürlich zeremoniellen Tee gegeben, natürlich, ganz natürlich! Dann berichtete er dem unmanierlichen Gast, der nicht einmal seine Schuhe ausgezogen hatte, bevor der den Empfangsraum betrat, daß er Madame gerade eben einige Werke alter japanischer Meister erläutert hätte. Jedes Wort war wahr und in einem tieferen Sinne unwahr – Baron Matsubara gab eine Galavorstellung von *naibun*, die jeden Kenner entzückt hätte. Er lehnte sich anmutig und diszipliniert gegen eine Truhe, die weitere Kostbarkeiten japanischer Kunst enthielt. – Er würde morgens das Wandbild und die Gäste wechseln. – Er blickte Vivica nicht mehr an. Diese Söhnegebärerin war hilfloser und in Liebesdingen unerfahrener als eine vierzehnjährige Japanerin! Wie hatte er ihr einen Sohn zutrauen sollen? Und wenn Morgengesicht die Ehepflichten in den Wind zu schlagen beliebte, so war es wirklich nicht an ihm, sie in seiner Teehütte daran zu erinnern. War er etwa der Erzieher der Ausländer? Soweit er die Situation seit seiner Austreibung aus dem Chrysanthemengarten des *Tenno* er-

faßt hatte, wurde er doch zur Zeit von den Amerikanern erzogen!
Alles das und noch einiges mehr lag in den kalten und gefährlichen Blicken, mit denen Major-san den beschuhten Eindringling musterte. Major Williams war ihm zu dieser Stunde schon deswegen unterlegen, weil er seine Beherrschung verloren und seine Manieren zu Hause vergessen hatte. Baron Matsubara bot Tee an und harrte in ironischer Demut der weiteren Höflichkeitssünden von Major Williams.
Er sollte nicht vergeblich warten. Der langbeinige, in stumme Raserei verfallene Amerikaner ignorierte den Hausherrn so vollständig, als ob er allein mit seiner Frau wäre. Natürlich bedankte er sich nicht für das Angebot einer landesüblichen Erfrischung, was Matsubara Akiro nicht weiter erstaunte. Seit 1925 war er es von der Familie Wergeland und ihrem Anhang gewohnt, daß man ihm zu danken vergaß.
»Komm sofort nach Haus«, fuhr Major Williams seine Frau an und stürzte vorwärts, um Vivica nötigenfalls mit Gewalt aus dem Sommerhaus eines notorischen Kriegsverbrechers zu zerren. Der Name Matsubara hatte einige Assoziationen in ihm geweckt. Hatte nicht eine Nippes-Figur dieses Namens seiner Freundin Elizabeth Murphy den Verlobten gestohlen? Und war dieser Bursche nicht ein Kempetai-Tiger gewesen? Das konnte Vivica natürlich nicht wissen; aber was hatte sie hier zu suchen? Es war ein Skandal, ein Alptraum, ein Todesstoß in sein Vivica blind ergebenes Herz.
Als er zu ihr hinstürzte, stieß er – wie es leider seine Gewohnheit war – etwas um. Es war eine große, matt glasierte Vase, die vor der Wandnische stand. Die Scherben und zwei Lilien bildeten ein entartetes Stilleben auf den von den Stiefeln des Majors befleckten Matten. Baron Matsubara verzog keine Miene, obwohl ihn der Verlust der Vase aus einem bestimmten Grunde erschütterte.
»Sorry ...«, sagte Major Williams schroff, »senden Sie mir die Rechnung für das Ding in den *Medical Council* nach Tokio.«
Matsubara Akiro richtete sich hoch auf und erwiderte mit der unbeschreiblichen Arroganz seiner Kaste:
»Eine Rechnung, Sir? Diese Vase war ein Geschenk der Kaiserlichen Familie an meinen Urgroßvater. Sie war über hundert Jahre in unserem Besitze. Sie ist unbezahlbar.«
Timothy Williams sprach auf der Heimfahrt kein Wort mit Vi-

vica, die benommen in die Polster des Autos gesunken war. Nur als sie durchs Gartentor einfuhren, sagte er rauh:
»Streiche dir das Haar aus der Stirn. Du siehst wie eine Vagabundin aus! Hast du nicht gehört?« Er rüttelte Vivica rauh am Arm. Sie fuhr aus ihrer Betäubung empor:
»Du tust mir weh, Tim!«
»Es ist das letztemal, daß ich dich angerührt habe. Darauf kannst du dich verlassen.«
Vivica begann lautlos zu weinen. Große Tränen liefen über ihr schönes, bleiches Gesicht mit den entsetzten Augen und der reinen gewölbten Kinderstirn, die sie im vergeblichen Bemühen nachzudenken und aufzuwachen, in Falten gezogen hatte.
»Sei mir nicht böse, Tim«, bat sie. »Es ist nichts passiert.« Sie begann lauter zu schluchzen und erhielt einen Puff von ihrem Mann.
»Nimm dich zusammen. Der Chauffeur...«
Das Auto hielt.
»Steig aus! In zwei Stunden müssen wir zu einer Party gehen.«
»Bitte, laß mich zu Hause, Tim!«
Er verhärtete sein Ohr gegen den Ton hilfloser Klage.
»Du kommst mit zu der Party, und wenn ich dich hinschleifen muß. Jetzt ist Schluß mit deinem Getue.«
Vivica schritt seltsam steif die Stufen zur Mondveranda hinauf. Sie sah den fremden Mann, der so schreckliche Dinge in einer fremden Stimme zu ihr sagte, flehend an.
»Glaube mir doch, es ist nichts geschehen!«
»Möchtest du nicht freundlichst die Knöpfe an deinem Kleid schließen?« sagte Major Williams.

\*

»Was war denn mit unserer jungen Schönheit heute abend los?« fragte Mrs. Hunter ihren Mann, als sie sich nach der Party von Generalmajor Hopkins zur Ruhe begaben. Mrs. Hunter nannte Vivica prinzipiell »unsere junge Schönheit«. Mit dieser gutartigen Ironie bekämpfte sie den erregenden Einfluß der nordischen Aphrodite auf die *boys*, zu denen sie auch ihren grauhaarigen Mann, einen im Kampfe um den Pacific mit Auszeichnungen überhäuften Kriegshelden, zählte. Sie war der Ansicht, daß Männer trotz ihrer Orden und Männergeschäfte nie ganz erwachsen würden und daher beständig überwacht und geleitet werden müßten.

»Was soll denn los sein?« fragte Colonel Hunter und unterdrückte ein Gähnen. Die Parties, von denen die Damen nicht genug bekommen konnten, ermüdeten ihn mehr, als ein netter kleiner Dschungelkrieg es getan hätte.

»Ich weiß nicht«, erwiderte Mrs. Hunter nachdenklich, »aber bei den jungen Williams stimmt etwas nicht. Vivie saß fast die ganze Zeit bei mir, anstatt den *boys* die Köpfe zu verdrehen.«

»Sie ist wohl zur Vernunft gekommen. Gute Nacht, meine Liebe!«

»Eduard«, sagte Mrs. Hunter energisch. »Ich habe das Gefühl, als müsse ich mich mehr um unsere junge Schönheit kümmern.«

»Um Himmels willen, misch dich nicht ein!« Colonel Hunter hatte lauter als gewöhnlich gesprochen.

»Hast du Timothy beobachtet?« fragte Mrs. Hunter. »Er sah entsetzlich aus. Sie müssen schweren Krach gehabt haben. Ich muß das in Ordnung bringen.«

»Wir haben als junges Ehepaar auch unsere Krachs gehabt und haben uns wieder versöhnt. Stimmt's, *honey*?«

Mrs. Hunter lächelte nachsichtig. Sie waren trotz ihrer grauen Haare und ihrer drei beinahe erwachsenen Kinder in den Staaten immer noch milde ineinander verliebt. Und sie waren immer die besten Freunde.

»Ich muß dir noch etwas erzählen«, sagte Mrs. Hunter. Ihr freundliches, mütterliches Gesicht drückte echte Besorgnis aus; sie fühlte sich auf Grund ihrer Jahre und ihrer gesellschaftlichen Stellung für das Wohlergehen der *crowd* verantwortlich.

»Fiel dir nicht auf, daß ich eine Zeitlang mit Vivica verschwunden war?« Es war Colonel Hunter nicht aufgefallen.

»Tims junge Frau hatte eine Art Anfall. Sie bekam einen grauenhaften Schluckauf, der in Schluchzen überging.«

»Die Kleine ist hysterisch! Sie langweilt sich. Sie sollte dir in der ›Bräuteschule‹ helfen, die vielen Japanerinnen für das Leben in den Staaten vorzubereiten.«

»Davon weiß sie selbst nichts. Aber hör weiter: ich wollte sofort Timothy holen – er ist doch immer wie eine Glucke um unsere junge Schönheit besorgt – es geht sogar schon fast zu weit –, aber Vivie klammerte sich an mich und flehte mich an, Tim nicht zu holen. Wie findest du das?«

»Rücksichtsvoll. Sie wollte ihm seinen Spaß nicht verderben.«
»Sie tat mir zum ersten Male richtig leid! Sie war ganz... hilflos. Da ist etwas Ernstes vorgefallen. Morgen werde ich Timothy ins Gebet nehmen.«
»Tu das bitte nicht, Catherine!« – Wenn Colonel Hunter »Catherine« sagte, war es ernst. – »Du darfst dich in diese Sache nicht hineinmischen. Williams sagte mir heute abend beim Whisky, daß er sofortigen Urlaub beantragen und nach Concord zurück will.«
»Ich bin sprachlos«, sagte Mrs. Hunter und redete weiter. »Tim ist hier unentbehrlich. Er leistet großartige Arbeit und...« – sie holte Luft – »warum plötzlich dieser Entschluß? Er wollte doch weitere drei Jahre in Tokio bleiben.«
»Er ist Herr seiner Entschlüsse, meine Liebe! Außerdem hat er jahrelang keinen Urlaub gehabt und immer noch die Aussicht, die größte Praxis in Concord zu übernehmen. Mutter und Schwester üben wohl einen Druck aus. Wir tun ja schließlich alle, was *ihr* sagt.«
»Zu eurem Besten«, erwiderte Mrs. Hunter würdevoll. Sie dachte einen Augenblick an Vivies trostloses Gesichtchen. Sie war nicht mehr die »junge Schönheit« gewesen, sondern ein Kind, das Schläge bekommen hat und noch mehr erwartet... Was für einen Streich hatte die Kleine ihrem Mann wohl gespielt, daß er ihre Strafversetzung nach Concord beschlossen hatte? »Sie ist eben viel zuviel allein. Das hat noch keinem gutgetan.«
Colonel Hunter war mit seinen Gedanken abgeschweift: »Von wem sprichst du jetzt?«
»Du weißt genau, von wem ich spreche, mein Lieber! Glaubst du wirklich, daß man in der Sache nicht helfen kann?« sagte Mrs. Hunter mit der ganzen warmherzigen Hilfsbereitschaft der Amerikanerin.
»Ich habe das Gefühl, als ließest du besser die Finger davon. Timothy Williams ist ein stilles Wasser. Er hat irgendwo eine große Härte. Der Vater war Prediger, kam aus Schottland nach den Staaten, ein gestrenger aber ungerechter Herr. Tim hat mir mal von ihm erzählt. Es wird sich wieder einrenken mit den beiden!«
»Ich hoffe es von Herzen. Es wäre schade um die beiden netten jungen Menschen! Außerdem sind sie so dekorativ!«
»Vivie ist verdammt hübsch – Verzeihung – aber launisch wie

der April und ... so eine Art Einsiedlerin. Kommt sie jetzt manchmal zu deinen Tees?«
»Nie. Sie ist noch ziemlich kontaktschwach; aber sie wird schon lernen, sich in der *crowd* einzuleben. Wir geben uns alle Mühe.«
Nichts war wahrer und nichts war vergeblicher.
»Mein Fall ist die kleine Williams nicht«, bemerkte Colonel Hunter abschließend.
»Das wollte ich mir auch ausgebeten haben«, sagte Mrs. Hunter mit großer Energie und legte sich auf ihre Schlafseite.

\*

Um Mitternacht saß Major Timothy Williams aus Concord in seinem Schlafzimmer und hatte die Hände vors Gesicht geschlagen. Er mußte immerfort darüber nachdenken, was Vivica dazu getrieben haben mochte, mit einem Japaner ... Er stöhnte.
Vivica stand im Schlafanzug in der Tür seines Zimmers. Er fuhr zusammen und fragte mit der neuen, harten Stimme, die Vivie so maßlos erschreckte: »Was willst du?«
»Tim ...« Lautes Schluchzen.
Dr. Williams mischte ein starkes Schlafpulver mit dem abgekochten Wasser aus der Thermosflasche. »Trink! Du mußt dich jetzt beruhigen.«
Vivica trank. Jeder Schluck tat ihr weh, aber sie paßte auf, daß sie nichts vergoß. Tim haßte Flecke auf den *tatamis* (japanische Matten). Er hatte ihr den Rücken zugedreht; sie sollte nicht sehen, wie er litt.
Vivica stand immer noch da und starrte den zuverlässigen Rücken in dem seidenen Schlafanzug an. Sie hatte Tim den Schlafanzug geschenkt; er hatte damals warm und gerührt gelächelt; weil Vivie sich soviel Mühe gegeben und soviel nachgedacht hatte, um ihm eine Freude zu machen! Tims Lächeln, das ihm alle Herzen gewann, schien Vivica in dieser Stunde das wunderbarste Geschenk, das ein Mädchen erhalten kann. Sie war unverantwortlich leichtsinnig mit diesem Geschenk umgegangen. Sie wußte es nun, wo sie in Finsternis und Kälte verbannt war.
»Tim! – hör mich doch an!«
Major Williams drehte sich um und fragte, was Vivica noch wünsche. Vivie hatte immer geargwöhnt, daß ihre Inneneinrich-

tung aus Glas wäre. Jetzt hörte sie es splittern; es tat weh. Sie verstand nicht mehr, warum sie bei Major-san »zeremoniellen Tee« hatte trinken wollen. Er war ihr fremder als der Berg Fuji in der Ferne von Myanoshita, wo sie Matsubara Akiro nach Jahren wiedergesehen hatte. Sie hatte ihn doch gehaßt. Noch nie war jemand so brutal zu ihr gewesen. Das Feuer, das seine Liebkosungen in ihr entfacht hatten, war zu Asche verbrannt – wie alles in ihrem Leben.
Endlich wandte Tim ihr seine Aufmerksamkeit zu. »Willst du dich nicht setzen?« fragte er und schob ihr einen Sessel hin. »Da du dich durchaus mit mir unterhalten willst, kannst du mir einige Fragen beantworten.«
Vivie sah ihn erschreckt an. Jeder Muskel in seinem männlichen Gesicht mit den Lachfalten um die Augen und dem energischen Kinn war gespannt. Dunkle Ringe lagen um seine Augen. Zwei tiefe Furchen zogen sich von der Nasenwurzel zu seinem verkrampften Mund. Der dreiunddreißigjährige Mann sah um Jahre älter aus.
»Wie lange betrügst du mich schon mit diesem ... diesem Herrn?«
»Was ... was sagst du da?«
»Verstehst du kein Englisch? Ich habe dich gefragt, wie lange du mich schon mit diesem Burschen betrügst?«
»Ich habe dich nicht betrogen.«
Er sah in Gedanken die geöffneten Knöpfe der Bluse, das wirre Haar, das ganze bebende Bündel Schönheit und Verkommenheit – nie würde er dieses Bild aus seinem Gedächtnis tilgen können! Vivica hatte bei Tim das dem Amerikaner eigene Bedürfnis verletzt, zu respektieren, was er gleichzeitig romantisch liebt. Es war völlig anders als bei einem Japaner, der seine Unterhaltung bei einer Geisha findet, sinnliche Befriedigung bei einer *joro* (Prostituierte im Rot-Licht-Distrikt unter Polizeiaufsicht) und die Befriedigung seines Familiensinnes bei einer söhnegebärenden Gattin, wobei die letztere von der Familie nach sozialen und wirtschaftlichen Gesichtspunkten ausgewählt wird. – Das alles gab es nicht im Liebesbezirk eines Amerikaners: er heiratete ohne Rücksicht auf Geld und soziale Position, weil er die Romantik mit in die Ehe nahm, bis sie Familienglück, Resignation oder ein Stachel im Fleisch wurde.
»Du lügst so gut wie die Japse«, erwiderte Major Williams auf

Vivicas Beteuerung. »Aber meinetwegen. Ich habe zufällig heute abend von einem früheren Shanghai-Mann erfahren, daß du dich schon vor fünf Monaten mit Matsubara im Fujiya-Hotel verabredet hattest.«
»Das ist nicht wahr, Tim! Ich zeichnete und schlief ein bißchen... und...«
»Und...?«
»Plötzlich stand er vor mir«, stotterte Vivica. Es war alles so entsetzlich verkehrt, und sie konnte es Tim nicht erklären, denn es war gar nicht Tim, der fragte, sondern ein wildfremder Predigersohn aus Concord.
»Seit wann kennst du diesen Matsubara?«
Schweigen. –
»... zeichnete... schlief ein bißchen... und plötzlich stand er vor mir«, wiederholte Major Williams. »Das erinnert mich an ›Alice im Wunderland‹. Für wie dumm hältst du mich eigentlich?«
»Sieh mich nicht so an! Es ist alles ganz anders als du denkst. Ich bin schrecklich müde. Morgen...«
»Morgen hast du dir dann neue Lügen ausgedacht, nicht wahr?«
Timothy Williams drehte Vivica wieder den Rücken zu. »Du hast Pech, mein Kind«, sagte er mit eisiger Ruhe. »John Baily ist im Kriege in Shanghai von der Kempetai verhört worden, ungefähr zur selben Zeit wie du. Er kennt diesen Herrn Matsubara.«
»Hör auf, Tim!«
»Ich fange erst an. John Baily sagte mir, er hätte Matsubara vor einigen Monaten zufällig in deiner Gesellschaft im Fujiya-Hotel gesehen. Er meinte, du kenntest den Burschen wohl nicht näher. Ich ließ ihn in dem Glauben.«
Der Ekel würgte Tim so sehr, daß er nach Luft rang. Dann sagte er mit unheimlicher Ruhe: »Mit *diesem* Kerl, der dich in Shanghai fast um den Verstand gebracht hat, hast du dich hier – als Frau eines amerikanischen Offiziers...« Wieder versagte ihm die Stimme.
»Vom ersten Augenblick an hast du mich belogen und betrogen«, schloß Major Williams beinahe verwundert. »Bitte fabriziere keine Ohnmacht jetzt! Ich falle nicht mehr darauf herein. Du... Japaner-Liebchen!«
Vivica hielt sich am Schrank fest, während ihr Mann weitersprach.

»Wir werden alles regeln. Den Jungen behalte ich natürlich. Eine Scheidung kommt nicht in Frage. Halvard soll die Illusion eines Elternhauses behalten. Du kannst in Japan oder Norwegen oder sonstwo herumvagabundieren. Geld genug hast du ja, zuviel Geld, meiner Meinung nach.«
Er wischte sich den Schweiß von der Stirn, auf der sich die Falten wie Räderspuren in feuchten Lehmboden eingegraben hatten, und sah nach der Uhr. »Wir müssen jetzt schlafen gehen.« Und nach einer Pause: »Worauf wartest du?«
Vivica schrak vor dem Ton zusammen. Sie schlug ihre merkwürdigen Augen weit auf und murmelte: »Ich ... suche ... dich!«
Dieser harte Fremdling war nicht ihr Tim. Den würde sie irgendwo finden, wenn der Schreck-Traum zu Ende war.
Timothy Williams hatte den Ausruf absichtlich überhört. Er durfte nicht weich werden vor dieser Komödiantin, die mit seinem Herzen Ball gespielt hatte. Er war ausgeleert und fühlte im Augenblick nicht einmal mehr Haß. Morgen in aller Frühe würden sie nach Tokio zurückreisen. Er mußte noch einen kurzen Brief an Oberst Hunter schreiben, daß Vivica krank geworden wäre und er sie erst einmal in Tokio in die Klinik bringen müßte. Die *crowd* durfte nichts merken.
»Ich muß dir noch etwas sagen, Tim!« Wieder die flehende, gebrochene Mädchenstimme. »Bitte, Tim, bitte ...«
»Das hat doch wohl bis morgen Zeit! Verzeih, Vivica, aber im Augenblick kann ich deinen Anblick nicht ertragen.«
Er öffnete die Tür, und Vivica ging in ihr Zimmer.

\*

Im Morgengrauen schrieb Vivica unter strömenden Tränen einen Brief:
*Mein einziger Tim!*
*Ich kann nicht weiterleben, weil Du mich nicht mehr lieb hast. Es sollte alles nur ein wenig Spaß sein – die Teezeremonie und so weiter – ich war so sehr allein. Ich weiß nicht, wieso alles so ausgelaufen ist. Ich wollte Dir gestern nacht sagen, daß ich Dich nicht betrogen habe, wie Du denkst. Aber Du willst mir nicht glauben, und vielleicht kannst Du es nicht, armer Liebling!*
*Von jetzt an wollte ich Dir i m m e r nur Freude machen, auch Mrs. Hunters Nachmittagstees besuchen und gräßliche Vorträge*

*bei Mrs. Brent anhören und in der »YWCA« in Tokio kochen lernen – Apple-Pie und Pfannkuchen und alles für Concord. Ich wollte ja fort von Japan – niemals mehr wollte ich einen Japaner auch nur anschauen!*
*Ich bin so verwirrt von dem Unglück, und daß Du mir nicht verzeihen kannst. Ich sprach nie von Major-san, weil ich alles vergessen wollte. Plötzlich stand er vor mir – in Myanoshita, meine ich. Kannst Du es mir absolut nicht glauben?*
*Du warst immer so gut zu mir, Tim! Und ich war so stolz auf Dich. Alle finden Dich so wundervoll, die ganze c r o w d. Entschuldige die vielen Flecke, ich muß so weinen. Du sagtest so schreckliche Sachen zu mir — ich kann nicht glauben, daß Du sie meintest.*
*Mir ist kalt, Liebling. Es splittert in meinen Ohren. Sei nicht böse, daß ich das Auto nehme; ich lasse es bei dem alten Buddhisten-Tempel stehen und gehe zu Fuß weiter.*
*Ich danke Dir für alles. Ich gehe fort, weil es das einzige ist, was ich jetzt noch für Dich tun kann. Vielleicht glaubst Du mir dann, daß ich ... ach, Tim ... ich kann mich nicht so ausdrücken wie Astrid oder Miss Murphy ... und ich bin so müde und leergeweint. Du sollst später wieder heiraten. Eine nette, fleißige ... gesellige Dame, die auch den Kleinen erzieht. Ich war immer ein Nichtsnutz, und Astrid sagte früher, ich wäre die Tochter einer Vagabundin. Nur Tante Helene hatte mich trotzdem ein wenig gern. Nun weiß ich natürlich, daß das Leben kein Picknick ist; aber es ist zu spät. Du darfst Tante Helene niemals sagen, daß ich ...*
*Ich wollte jetzt versuchen, keine Vagabundin mehr zu sein und ... in Amerika ...*
*Leb wohl, liebster Tim! Es tut mir leid, daß Du an mich geraten mußtest! Aber nun wird noch alles gut ... und ... vielleicht denkst Du später wieder besser über mich? – Küsse den Kleinen von mir. In meinem Nachttisch liegt der Jadeschmuck von meiner Schwester Mailin; gib ihn ihr bitte wieder.*
*Ich liebe Dich ... n u r Dich. Es klingt albern, das immer wieder zu sagen. Leb wohl!*

*Deine Vivica.*

Vivica legte den mit Tränen und Tintenflecken verschmierten Brief auf ihr unberührtes Bett. Sie hatte die wenigen Nachtstunden

auf der *tatami* am Boden verbracht, weil sie zu müde gewesen war, ins Bett zu gehen. Dazu hätte sie auch ihr Make-up abwischen müssen: Tim haßte Lippenstift und Rouge auf ihrem Kopfkissen. Sie wollte ihm nicht noch mehr Ärger bereiten. Er würde sich vielleicht ein wenig freuen, wenn er das ordentliche Zimmer sah, dachte Vivie verschwommen. Sie hatte alles fortgelegt, was sonst in wüstem Durcheinander auf Sesseln und Fußmatten lag, bis die Dienerinnen es forträumten. Selbst ihr Abendkleid hatte sie auf den Bügel in den Schrank gehängt. Einen Augenblick betrachtete sie sich, nachdem sie das helle Sportkleid mit dem breiten Ledergürtel angezogen hatte: so ein großes, kräftiges Mädchen, und innen ganz aus Glas ...
Sie öffnete ihren Schmuckkasten – ein japanisches Lackkästchen mit vielen geheimen Schubfächern, die nahtlos ineinandergingen – und steckte das Medaillon mit dem Bilde ihres Söhnchens in die Tasche ihres Kleides. Der kleine Gefährte, den sie sich im Militärgefängnis in Shanghai ausgedacht hatte und der dann lebendige Wirklichkeit geworden war, sollte sie begleiten. Tim behielt ja das Original ...
Sie fröstelte und bekämpfte den Schluckauf, während sie zur Garage schlich.
Sie fuhr vorsichtig durch das Gartentor und lenkte den Wagen in die Richtung von Baron Matsubaras Sommerhaus. Es lag nicht weit von dem Buddha-Tempel, wo sie das Auto lassen wollte. Von dort aus führte ein Weg zum Gipfel des heiligen Vulkans Asama.
Timothy Williams lag durch die Wirkung starker Tabletten in tiefem Schlaf, als Vivica davonfuhr. Die Kinderfrau Sumi vermeinte ein Geräusch zu hören, stand aber nicht auf. Die Fremden taten stets so verrückte Sachen; wenn Herr oder Herrin im Morgengrauen geehrtes Auto bestiegen, dann taten sie es eben. *Shikato ga nai* – da konnte man nichts machen.
Es war fünf Uhr morgens.

FÜNFTES KAPITEL

# Ein Augenblick des Glanzes

EINE halbe Stunde später klingelte das Telefon am Bett von Oberst Hunter. Eine sanfte japanische Stimme bat ihn herunterzukommen, Major Williams warte in der Halle. Nein, Sir – der geehrte Freund spräche so schnell und laut, daß stupider Japaner leider kein Wort verstehe. Es knackte im Telefon. Dann kam Tims Stimme:
»Verzeihung, Sir! Es ist ein Unglück geschehen!«
Colonel und Mrs. Hunter wußten später nicht mehr, wie sie so schnell in ihre Kleider gekommen waren. Unten in der dämmrigen Hotelhalle stand der Prachtbursche der *crowd*, oder vielmehr sein Schatten. Vivica sei mit dem Auto irgendwann gegen Morgen in Richtung des Vulkans Asama gefahren – und er, Timothy Williams, habe sie wohl in den Tod getrieben.
Das war der Tatbestand. Mrs. Hunter hatte Tränen in den Augen. Sie erhob sich mit schwachen Knien aus dem Sessel und sagte:
»Ich fahre sofort in Ihr Chalet, Tim! Der Kleine darf nicht allein mit der guten Sumi bleiben. In einer Krise verlieren diese kleinen Frauen vollständig den Kopf.«
Sie drückte Tim die Hand und verschwand. Oberst Hunter blickte ihr nach: Catherine war schon eine Ausnahmefrau. Sie sagte nicht – und würde es auch später nicht sagen –, sie habe sofort gewußt, daß etwas bei dem jungen Paar nicht stimmte... Außerdem war sie so schnell im Hotelgarten verschwunden, weil ihr Mann ja sicherlich den jungen Freund fragen wollte, was, um Himmels willen, vor der gestrigen Abendgesellschaft passiert sei. Auf die Frage brachte Tim stoßweise die ganze Geschichte zusammen. Er schonte sich nicht. Mit wilden Augen stieß er hervor, daß er auch Schluß machen müsse, falls Vivica... Seinen Sohn, den er vor Vivicas Einfluß hatte schützen wollen, mußte er in diesem Augenblick vergessen haben.

Oberst Hunter war ein Mann der Tat. Er dachte schnell und scharf und brauchte nicht ganz soviel Aufsicht und Ratschläge, wie seine Frau annahm. Das war eine schlimme Sache! Und nicht viel Hoffnung! Der Vulkan hatte sich zwar in der letzten Zeit ganz ordentlich betragen, aber die Kleine hatte sich wahrscheinlich unter allen Umständen hinuntergestürzt, und es blieb nur die Leiche zu bergen ... armes Kind!
»Wir fahren sofort zu Baron Matsubara«, sagte er ohne Timothy anzublicken. »Er kennt die Wege und das ganze Asama-Gebiet. Sitzt lange genug in der Gegend.«
»Ausgeschlossen, Sir! Der Lump ist an allem schuld.«
»Seien Sie nicht kindisch, Williams!« Der Ton des älteren Offiziers hatte plötzlich etwas Stählernes. Er ging mit Riesenschritten zu seinem Wagen: »Los, Williams! Wir haben keine Minute zu verlieren.«
Als sie das Sommerhaus erreicht hatten, schwand Colonel Hunters letzte Hoffnung. Niemand öffnete auf ihr Rufen und Klopfen. Nur ein halbwüchsiger Diener schlich hinter der von Kiefern und Magnolien verborgenen Teehütte hervor und verschwand wie ein Geist im Walddickicht, nachdem der Oberst ihm gewinkt hatte. »Verdammt«, brummte er. Er hatte in der Aufregung den Jungen nach westlicher Weise herangewinkt. Das bedeutete für den Japaner, daß er verschwinden solle.
Sie fuhren stumm zum Tempel, aber das Auto stand nicht dort. Timothy legte die Hand vor die Augen. Der Oberst klopfte ihm auf die Schulter. »Ruhig Blut, mein Junge«, murmelte er.
Sie stiegen aus und begannen den Aufstieg. Weit und breit keine Spur. Es war gespenstisch. Selbst Oberst Hunter mußte sich wiederholt klarmachen, daß er nicht träume. Aber ein Blick auf Tims Gesicht genügte, um ihn von der Wirklichkeit zu überzeugen.
Immer wieder mußte er an die kleine Norwegerin denken. Sie hatte den *boys* mit ihren Blicken ja tüchtig eingeheizt, aber dann hatte sie wieder tagelang allein gehockt. Dabei kam eben verdammter Unsinn heraus. Und nun hatte sie mutterseelenallein den Tod im Krater gesucht. Verdammt ..., dachte Oberst Hunter, weil ihm ganz elend vor Kummer war. Aber Catherine mit ihrem feinen Instinkt und ihrem warmen Herzen hätte ja auch nicht mehr helfen können. Vivica war ihnen allen entwischt.
Timothy Williams dachte nichts mehr, aber er blickte verzweifelt umher. Irgendwo mußte Vivicas goldenes Haar doch auftauchen.

Irgendwo mußte sie doch warten, daß er sie in die Arme nahm und nach Hause trug. Es konnte doch nicht sein, daß Vivie ihn endgültig verlassen hatte! Herr im Himmel, so sehr konnte Gott ihn doch nicht bestrafen! – Aber es schien eben doch so zu sein, daß ein Mann für seine Härte lebenslänglich bestraft wurde. Timothy unterdrückte ein Stöhnen, das aus der Tiefe seiner Seele aufstieg, von ganz unten, wo der Dünkel aufhört und der Zorn auf sich selbst langsam, langsam aus einem Prachtburschen einen Christenmenschen macht.

Sie hatten schon lange die Ebene, die kleinen Dörfer mit den Silberflüssen und winzigen Häusern hinter sich gelassen. Sie waren in einsamer Höhe und näherten sich dem Dämon, der dies Land beherrschte – dem Vulkan Asama. Plötzlich machte Oberst Hunter halt. Sie standen vor einer Tafel, die einen grinsenden Schädel und die Inschrift: »Nicht weitergehen!« trug. Von hier gingen nur noch todessüchtige Liebende, in ihrem Ehrgeiz verwundete Studenten und »herrenlose Samurais« weiter. Von nun an ging es über den lockeren Vulkanboden der flammenden Ewigkeit des Kraters entgegen.

Oberst Hunter überblickte die Situation und klopfte dem hochgewachsenen jungen Mann aus New Hampshire auf die Schulter.

»Wir müssen umkehren, mein Junge! Tut mir verdammt leid.«

»Danke Ihnen, Sir! Sie kehren selbstverständlich um. Ich suche Vivica.«

»Machen Sie keinen Unsinn, Williams!«

»Ich gehe, Sir!«

»Es ist Selbstmord, Williams! Haben Sie Ihren Sohn vergessen?«

Colonel Hunter packte den jungen Freund, der sich losreißen wollte: »Es nützt nichts, Mann! Kommen Sie zurück! Ich verspreche Ihnen ...«

Oberst Hunter kam nicht mehr dazu, seinen Satz zu beenden. Seine scharfen Soldatenaugen hatten etwas entdeckt. Er ließ Timothy Williams los und zeigte stumm mit ausgestrecktem Arm auf einen Zug von Menschen, der mit unendlicher Langsamkeit von irgendwoher aus dem Herzen des Kraters zu der Tafel mit dem Totenschädel und den beiden Amerikanern geschwankt kam.

»Wir warten hier.« Oberst Hunters Stimme klang erstickt. Timothy Williams nickte. Es war ihm gleich, an welcher Stelle Gott ihn für die Todsünde der Lieblosigkeit zusammenschlug.

Es mußten Ewigkeiten – oder nur eine Viertelstunde – vergangen sein, als die Menschengruppe, die wie ein Zug dunkler Ameisen langsam heranzukriechen schien, endlich deutlicher erkennbar wurde. Erst unterschieden die beiden wartenden Männer nur zwei Gestalten, die eine verhüllte Bahre trugen, doch dann sahen sie weitere Menschen. War es vielleicht eine Selbstmord-Party von Japanern, die nichts auf der Welt mit Timothys Frau zu tun hatte? Es kam häufig vor, daß ganze Gruppen den Weg zum Flammengrab einschlugen und durch einen plötzlichen, typisch japanischen Gesinnungswechsel geschlossen – oder nahezu geschlossen – den Weg ins Leben zurückwanderten.

Erst als die Gruppe von Japanern dicht vor ihnen stand, erkannte Timothy Williams in dem Anführer des Zuges Baron Matsubara Akiro. Er trug zusammen mit dem jüngsten Baron Matsubara (geborenem Yasuda) die verhüllte Bahre. Alle Angehörigen seines Haushalts schienen mit ihm auf die lebensgefährliche und anscheinend vergebliche Rettungsexpedition ausgezogen zu sein.

Matsubara Akiro verbeugte sich steif vor den beiden Amerikanern und wischte sich mit einem seidenen Tuche den Schweiß von der hohen Stirn. Er starrte dabei auf die mit einem Tuch verhüllte Tragbahre.

Timothy war zur Bahre gestürzt, um das Tuch zu lüften. Eine schmale aber eiserne Hand hielt ihn zurück.

»Wir bringen die Leiche in mein Haus, Sir«, sagte Matsubara mit unbewegtem Gesicht. »Wir müssen sofort nach Tokio fahren, um die Trauerfeierlichkeiten zu arrangieren.«

War Baron Matsubara verrückt geworden? Man las oft in den Tageszeitungen, daß Japaner aus Liebesschmerz den Verstand verloren.

»Rühren Sie die Bahre nicht an«, schrie Akiro plötzlich. Sein Gesicht verzerrte sich wie in der guten alten Zeit in der Kempetai. Dann strich er sich wieder über die Stirn und murmelte in die Richtung von Oberst Hunter:

»Verzeihung, Sir! Wir bargen soeben die Leiche meines geehrten Vetters und Familienoberhauptes: Baron Kenzo Matsubara.«

Baron Akiro strich sich nochmals mit dem seidenen Tuche über die schweißbedeckte Stirn und wandte sich dann, als erwache er, abermals an Oberst Hunter: »Madame Williams wurde von einem meiner Diener nach Hause gebracht, Sir! Madame Yamato, meine geehrte Wirtschaftsdame, kam im Morgengrauen von einem

Krankenbesuch aus dem Dorf zurück und sah Madame im Auto den Weg zum Asama einschlagen.«
Er schwieg erschöpft. Die beiden Amerikaner hielten den Atem an. Trotz der unerträglichen Spannung lebten sie zu lange im Orient, um einen Japaner zu unterbrechen.
»Glücklicherweise hatten wir einen Wagen zur Verfügung. Mein Cousin und mein Schwiegersohn waren gestern abend aus Tokio zu Besuch gekommen. Wir fanden Madame Williams in einer Ohnmacht vor dem Buddhistentempel.«
»Lebt sie?« fragte Oberst Hunter rauh.
Matsubara blickte in eine private Traumgegend.
»Wir mußten sie wecken. Ich fürchte, wir mußten dann die Höflichkeit außer acht lassen, Sir! Die junge Dame lief uns davon und wollte durchaus weiter promenieren.«
Baron Matsubara hatte die Höflichkeit soweit außer acht lassen müssen, die tobende Vivica nach bewährter Methode lahmzulegen und wie ein Bündel im Auto zu verladen. Es war nicht die Lamm-Methode gewesen, denn Madame hatte trotz ihrer jahrelangen Bekanntschaft mit Major-san keinen Geschmack an den Wonnen des Gehorsams entwickelt. Morgengesicht war und blieb ihm ein Rätsel: Frauen suchten den Flammentod, wenn sie keine Söhne hatten.
»Sie entschuldigen mich wohl jetzt, Sir?« wandte Matsubara Akiro sich sanft an Colonel Hunter und verbeugte sich mit exquisiter Höflichkeit: »Meine Familienpflichten dulden leider keinen Aufschub.« Er streifte Major Williams mit keinem Blick, als er zu seiner Gruppe, die mit der Bahre wartete, zurückging.
Er verabscheut mich und will daher nicht, daß ich ihm danke, dachte Tim bedrückt.
Aber Matsubara Akiro, das neue Oberhaupt der Familie, verabscheute den baumlangen Amerikaner keineswegs. Dazu war er ihm viel zu gleichgültig. Er hatte sich aus japanischem Zartgefühl nicht an Major Williams gewandt, da er ihm nicht die drückende Last der »Dankesverpflichtung« aufladen wollte. Er hatte die dunkle Empfindung, daß kein Mann des Westens dieses *on*, dieses Bleigewicht des Dankes, mit Fassung und Anmut tragen könnte. Deswegen hatte er Timothy Williams vollständig ignoriert. Auch das war nur wieder eines der vielen Mißverständnisse zwischen Siegern und Besiegten.
Baron Kenzo hatte sich unbemerkt von der Rettungsexpedition

entfernt und sich auf den Weg zum Asama begeben. Akiros geehrter Vater war plötzlich in der Einsiedlerhütte gestorben, ohne sein Testament zugunsten seines einzigen Sohnes abgeändert zu haben. Kenzo, der Sohn der Reiswitwe, war und blieb das Familienoberhaupt. So hatte Kenzo den nagelneuen Baron Matsubara (geborenen Yasuda) gebeten, ihn zu einer Unterredung zu Cousin Akiro nach Karuizawa zu fahren. Eikos junger Ehemann hatte sofort sein geschäftliches Benzin nachgerechnet und war dann mit Familienoberhaupt Kenzo, den er sehr gern leiden mochte, losgesaust. Sie waren zwei Stunden nach Vivicas Abtransport aus Baron Akiros Teehütte im Sommerhaus angekommen.
Kenzo hatte Cousin Akiro demütig sein Anliegen unterbreitet und war schroff abgewiesen worden. Er hatte Akiro wieder in die ihm zukommenden Rechte einsetzen wollen; aber Akiro, der ein pflichttreuer Sohn war – was immer er auch privat über den geehrten Vater denken mochte – hatte ablehnen müssen. Der Wille seines verstorbenen Vaters war ihm heilig. So hatte der arme Kenzo obendrein einen verwunderten Blick von Cousin Akiro einstecken müssen. Wenn Kenzos Mutter auch nicht ganz das Richtige für die Familie gewesen sein mochte, er selbst war doch mit Cousin Akiro und dem verstorbenen Heldenflieger im Käfig der Pflichten aufgewachsen und mußte wissen, wie unmöglich sein Vorschlag war.
Baron Kenzo hatte alles stillschweigend eingesehen und die Konsequenzen gezogen. Er war nicht annähernd bis zum Gipfel des Asama gekommen; bescheiden wie stets hatte er sich auf halbem Wege hinuntergestürzt und war mit gebrochenem Rückgrat von seinen Verwandten gefunden worden. Nun ruhte er unter einem Tuch im Landhaus von Karuizawa. Ein zufriedenes Lächeln lag auf seinem runden Gesicht mit dem zaghaften Kinn. Baron Kenzo hatte allen Grund, zufrieden zu sein. Er hatte seinem entsetzlichen Schicksal, Cousin Akiro befehlen zu müssen, auf ehrenhafte Weise ein Ende bereitet.

\*

Timothy saß reglos an Vivicas Bett. Sie schlief ruhig wie ein Kind. Ihre blonden Locken waren von Mrs. Hunter mit einem blauen Bande gebändigt worden und ließen die reine, gewölbte Stirn frei.

Timothy war ganz allein mit Vivica. Mrs. Hunter und Madame Yamato, die Vivica zusammen mit dem Kriegsinvaliden ins Chalet gebracht und zum Schlaf gebettet hatten, waren spurlos verschwunden, nachdem sie an diesem Morgen einige Werke der Nächstenliebe gemeinsam verrichtet hatten. Der kleine Halvard war mit seiner Kinderfrau im Garten und krähte melodisch. Er war ein sehr musikalisches Kind, wie es seine Großmutter Borghild Lillesand gewesen war. Wenn die Kinderfrau Sumi ihm ein Liedchen vorsummte, saß Halvard großäugig da, und alle Wildheit und der Eigensinn der Williams-Familie fielen von ihm ab.
Timothy blickte Vivie an, als ob er sich nicht sattsehen könne. Er war immer noch überwältigt von Gottes unendlicher Nachsicht. Aber in der großen Stille und Nachdenklichkeit dieser Stunde begann Timothy Williams die Trümmer der Illusionen fortzuräumen und den Grundstein zu einer echten Ehe zu legen. Dabei ließ es sich nicht vermeiden, daß er in die Vergangenheit zurückwanderte; denn nur sie gab ihm den Schlüssel zu Vivicas Wesen und Handlungen. Er stand noch einmal nach Kriegsende in der Villa Chou in Shanghai, und Fräulein Wergeland sagte ihm schroff, daß Vivica »keine Frau für ihn wäre«. Sie sprach von Borghild Lillesand und ihrem Ende; und er, Timothy, erwiderte, solche Dinge brauchten sich nicht zu wiederholen. Sie würden sich nicht wiederholen ... Er sah sein wunderschönes Mädchen in der ehemaligen »Weißen Chrysantheme« und erlebte nochmals ihre Verstörtheit und den Schluckauf, das schauerliche Lachen und das erlösende Weinen in seinen Armen. Vivica hatte damals in einem Wandbild »Major-san« erkannt, den sie doch vergessen wollte. Und Tim hatte ihr versprochen, daß er sie hüten und bewahren und lieben wollte – im Glück und im Unglück, in gesunden und in kranken Tagen.
Dann kam die Märchenhochzeit in Trondheim, und danach der Alltag, der mißglückte Alltag von Concord und das ungesunde Traumleben in Japan, vor dem Fräulein Wergeland und seine Schwester Margaret immer von neuem gewarnt hatten. Alle hatten sie mehr von Vivica verstanden als er. Alle hatten sie geahnt, daß Vivica mit dem Erlebnis ihrer Haft noch nicht fertig war, und er hatte ihr in seiner stürmischen Verliebtheit keine Zeit zum Fertigwerden gelassen. Wie eine verirrte Träumerin war sie in Neu-England. Nach der Geburt des Kindes folgte Alleinsein; denn er, Timothy Williams, sah sich im besetzten Japan von tau-

send Aufgaben bedrängt und hatte begonnen, Vivica sich selbst zu überlassen – jede Woche ein wenig mehr – jeden Monat ein wenig sorgloser – jedes Jahr ein wenig ungeduldiger. Ihre Schönheit berauschte ihn immer noch, aber nur von Zeit zu Zeit. Es wurde allmählich eine Wochenend-Ehe. Er hatte weiter sein eigenes Leben geführt, und sich manchmal intensiv nach dem Wunder der Intimität gesehnt, aber er hatte nichts unternommen, um dieses Wunder herbeizuführen. Er war stolz auf seine bildschöne Frau gewesen, hatte sich aber nicht einmal für Vivicas Maltalent interessiert. Zu Beginn ihrer Ehe hatte sie ihm scheu einige Versuche gezeigt und dann nie wieder. Jetzt kam ihm zum ersten Male die Ahnung, daß vielleicht nicht nur Vivicas Lust an verderblichen Schäferspielen sie zu Baron Matsubara getrieben hatte. Japaner liebten die Malerei. – Der Baron war in der Tat der einzige gewesen, der Vivicas Skizze mit echtem Interesse betrachtet und trotz der amateurhaften Ausführung etwas Ungewöhnliches darin entdeckt hatte. Davon wußte Tim natürlich nichts, wie er denn eigentlich überhaupt nur wußte, daß Vivie in einem Alter, wo andere Mädchen Tennis spielten und sich aufs praktische Leben vorbereiteten, mit einem Vulkan geflirtet und mit dem Globus Ball gespielt hatte. Und bei diesem Wissen ließ er es sein Bewenden haben.

Während Timothy mit diesem reinigenden Zorn auf sich selbst, der unvermutet zu einer höheren Form der Liebe führen kann, Vivicas Antlitz betrachtete, begriff er blitzartig, daß »sein wunderschönes Mädchen«, wie er sie zu nennen pflegte, von Anbeginn ihres Lebens doppelt gefährdet gewesen war – eben durch ihre Schönheit und dann durch die zerbrechliche Inneneinrichtung, die sie von ihren Eltern geerbt hatte. Konsul Wergelands Neigung, die Realität für eine minderwertige Nachahmung seiner Träume zu halten, war von seiner jüngsten Tochter konsequent weiter entwickelt worden. Schließlich waren die von Borghild ererbte Schwermut und Kontaktschwäche mit Timothys *crowd* zusammengeprallt, bis es Scherben und Lebensflucht gegeben hatte. Timothy stand auf und holte sich eine Zigarette, denn er mußte jetzt einer Erkenntnis ins Auge sehen, die er brennend gern in den Tiefen seines Bewußtseins vergraben hätte. Die Zigarette war tröstlich und legte einen feinen Nebel zwischen ihn und das »Morgengesicht« auf den Kissen, welche die liebevolle Mailin hauchzart bestickt hatte. Timothy Williams mußte sich eingeste-

hen, warum er einen so mörderischen Haß gegen Vivicas Gastgeber in Karuizawa empfunden hatte, einen Haß, der auch Vivica eingeschlossen und beinahe vernichtet hatte. Timothy wurde klar, daß er in tiefster Seele schockiert gewesen war, weil seine Frau sich mit einem Japaner eingelassen hatte. Er gestand sich in dieser Stunde mit dem moralischen Mut des Neu-Engländers ein, daß es Rassenhaß gewesen war – jenes unchristliche, irrationale Unkraut der Seele, das manche Gebiete des blühenden heimischen Kontinents überwucherte und von jedem anständigen Amerikaner energisch bekämpft wurde. Und doch war es gerade puritanische Tradition, die »Menschenwürde« des Nachbarn zu respektieren, durch welche Hautfarbe, welche Sprache und welche Gebräuche er sich auch von einem Mitbürger aus Concord unterscheiden mochte. Tim hatte Vivica gestern nicht verstehen können, und gerade darauf kam es jetzt und in Zukunft an. Er machte sich klar, daß seine junge Frau ihre nordische Heimat zum ersten Male als Braut gesehen hatte; daß sie unter Asiaten aufgewachsen war und sie alle – wie ihre Halbschwester Mailin und den apostolischen Dr. Yamato – in jeder Weise als ihresgleichen betrachtete. Diese moralisch einwandfreie Haltung, diese völlig natürliche und schuldfreie Beziehung zu den Menschen des Fernen Ostens hatte Vivica den amerikanischen Erziehern in Japan voraus. Ihr Schäferspiel am Rande des Abgrunds war sträflich leichtsinnig gewesen, aber Timothy versuchte in diesem Augenblick zu verstehen, daß japanische Menschen große Anziehungskraft ausüben können; davon zeugten ja genug Ehen von Amerikanern mit Japanerinnen.
Es wurde Timothy klar, daß Vivica auch in ihrer blindesten Not immer noch mehr von ihm verstanden hatte als er von ihr. In ihrem Abschiedsbrief, der ihn mitten ins Herz getroffen hatte, nannte sie ihn »Armer Liebling«. Sie hatte mit ihm mitzuleiden versucht, während er ... Vivica schlug die Augen auf und betrachtete den dunklen Haarschopf ihres Mannes. Tim kniete an ihrem Bett und hatte seinen Kopf in den Händen vergraben. Die Zigarette lag halb ausgeraucht auf dem Aschbecher: eine Gewohnheit, die er stets gerügt hatte. Vivica richtete sich mühsam auf und ergriff Tims rechte Hand. Mit kindlichem Vertrauen legte sie ihr Gesichtchen in diese Schale der Kraft und Geborgenheit. Es war ihre Heimkehr in die Wärme, die der große Preis im Rennen um das Eheglück ist.

Timothy beugte sich über Vivica und flüsterte mit erstickter Stimme: »Was machst du mir für Sachen, Baby?«
Er hielt sie fest an sein wild schlagendes Herz gedrückt, das ihr vom ersten Augenblick in der Villa Chou in Shanghai gehört hatte. Aber vor fünf Jahren war sein Herz noch unerfahren gewesen. Jetzt war es plötzlich gereift. Vivies Freuden mußten seine Freuden werden und ihre rätselhaften Leiden seine Leiden, bis ihre Tage und Nächte vom Glanze der Gemeinsamkeit leuchten würden. Vor diesem Glanz, geboren aus Intimität und Mit-Leiden, verblaßte die konventionelle amerikanische Eheromantik, das Feuerwerk der Sinne und die Fata Morgana der Träumer.
Tim legte seine Stirn in so tiefe Falten, daß Vivica sie sachte mit ihrem Zeigefinger zu glätten versuchte. Ihm war, als ob Libellenflügel seine Stirn streiften. Dann küßte er sorgfältig Vivies Fingerspitzen. Sie benutzte keinen Nagellack, da Tim das rote Zeug haßte. Seine Mutter und Margaret hatten es auch nie benutzt.
»Woran denkst du?« fragte Vivie scheu, weil Tims Stirnfalten sich zusehends vertieften.
»Ich überlege, wohin wir unsere Hochzeitsreise machen.« Major Timothy Williams spielte mit Vivicas hellblauem Haarband. »Wie denken Sie darüber, Mrs. Williams? Ist es nicht vielleicht Zeit, daß wir uns etwas näher kennenlernen?«
Ein köstlicher Duft von frischem Kaffee, gebratenen Schinkeneiern und Pfannkuchen mit Ahorn-Sirup durchzog plötzlich das Chalet. Im Türrahmen erschien Mrs. Hunter, die sie längst zu Hause geglaubt hatten, und rief fröhlich:
»Frühstück, Kinder! Es steht alles im Eßzimmer. Ihr jungen Leute scheint von der Luft und der Liebe zu leben!«
»Wollen Sie nicht mit uns essen?« fragte Tim lahm.
»Ja ... bitte, Mrs. Hunter«, bat Vivie noch lahmer.
»Ein anderes Mal«, erwiderte Mrs. Hunter ernsthaft. »Mein alter Knabe möchte auch frühstücken.«
Sie blickte Vivie lächelnd an und sagte: »Das Rezept für die Pfannkuchen liegt auf dem Küchentisch, junge Dame!«
Als Mrs. Hunter endlich ihrem Mann beim Frühstück gegenübersaß, berichtete sie ihm von der ersten »Einladung«, die Vivica vorgebracht hatte.
»Das hat sie doch nicht gemeint!«
»Natürlich nicht«, sagte Mrs. Hunter milde. »Aber sie hat doch einen Versuch gemacht.«

Sie schwieg einen Augenblick und sagte dann leise: »Sie hielten sich an den Händen und sahen sich an, als ich mich endlich wegen des Frühstücks ins Zimmer wagte. Vivie sah mit ihrer Haarschleife wie ein amerikanisches Mädel aus – richtig lieb und süß und ordentlich.«
»Von außen, meine Liebe, von außen! Und wie geht es Tim?«
Mrs. Hunter blickte aus dem Fenster, wo das Landleben von Karuizawa so still und sanft begann wie in Japan seit Jahrhunderten. Ein ruhiger Morgen, Blumen, Früchte und im Hintergrunde der Vulkan. – »Timothy?« fragte Catherine Hunter gedankenverloren. »Ich konnte ihn gar nicht ansehen, *honey*! Er sah so ... so schrecklich glücklich aus, daß ich am liebsten geweint hätte.«
»Sieh mich an«, erwiderte Oberst Hunter, »da hast du was zu lachen!«

\*

Baron Matsubara Akiro saß zwei Monate später tatenlos in der Einsiedlerhütte seines verstorbenen Vaters und wartete. Sein Gesicht war von Anspannung fast verzerrt, aber er erlaubte sich keine Regung der Ungeduld. Drüben, im Palais Matsubara, lag seine Tochter Eiko in den Wehen. Sie hatten gegen Morgen begonnen, und Eiko gab trotz der reißenden Schmerzen in ihrem schmalen Mädchenleib keinen Laut von sich. Sie benahm sich eben, wie man es von einer vornehmen Japanerin erwartete. Baron Matsubara Toshiyuki, geborener Yasuda, zeigte nicht ganz die gewünschte Fassung; er war ja kein Samurai, sondern Textilfabrikant im Adelsstande. Er weinte vor Eikos Tür lautlos in sich hinein, weil sie sich so quälen mußte und keinen Laut von sich gab. Die alte Kikue lief von den Räumen der uralten Baronin ununterbrochen zum Familienoberhaupt in die Einsiedlerhütte und spendete mit ihrer ergebenen Ruhe und dem Lächeln auf dem verwitterten Nußknackergesichtchen Trost und Hoffnung. Sie fand, daß Baron Toshiyuki noch allerhand von den Matsubaras zu lernen hatte. In diesem Hause hatte noch niemals jemand eine werdende Mutter wegen ihrer Schmerzen bedauert. Sie war nur bedauert worden, wenn sie – wie Eikos unglückliche Mutter – zwei Mädchenkinder zur Welt gebracht hatte.
Genau daran dachte Matsubara Akiro, der versuchte, sich in der

Einsiedlerhütte auf einen neuen Schicksalsschlag vorzubereiten. Er war der letzte, echte Sohn im Palais. Seine Familie starb wie Nippons Weltreich, falls Eiko nach dem Vorbilde ihrer Mutter Tatsue wiederum nur Töchter zur Welt brachte.
Die Dämmerstunde war gekommen. Matsubara Akiro saß immer noch unbeweglich in der Einsiedlerhütte. Er hatte natürlich Magenkrämpfe. Kikue hatte ein heißes Bad bereitet; es war erkaltet wie Matsubara Akiros Hoffnung. Zwei Ärzte standen an Eikos Bett: ein japanischer Geburtshelfer und ein amerikanischer Chirurg, der gerade den Kaiserschnitt gegen alle Proteste der alten Baronin und Kikues vornahm.
Akiro wußte nicht, wie lange er so gewartet hatte. Plötzlich stand die alte Kikue, die einzige Vertraute der uralten Baronin, wie ein Geist vor ihm. Sie bewegte die vertrockneten Lippen und versuchte vergeblich, einen Ton herauszubringen. Akiro war aufgesprungen. Er vergaß die gewohnte zarte Rücksicht gegen die alte Getreue und rüttelte die mageren Schultern der Greisin. Seine Eingeweide brannten wie der Vulkan Asama vor einem todbringenden Ausbruch, aber sein Hirn war eiskalt wie ein Wasserfall in winterlicher Dämmerung. Er sah die Tränen in den Augen der alten Kikue, ihre zitternden Hände, ihre Kiefer, die sich in hilfloser Anstrengung bewegten.
»Sag es schon«, schrie er außer sich, »es ist eine Tochter!«
Die Alte stand immer noch hilflos da. Die starren Blicke ihres Herrn gemahnten sie jedoch an den schuldigen Gehorsam und gaben ihr die Sprache zurück. Sie kniete demütig nieder und flüsterte:
»Ein Enkelsohn, Herr! Ein wunderschönes, kräftiges Mann-Kind.«
Matsubara Akiro stand in stummem Triumph in dem klösterlichen Raum, den Kikue verlassen hatte, um zu der erschöpften jungen Mutter zu eilen. Nur einen einzigen verstohlenen Blick hatte die alte Dienerin auf das kühne, geliebte Antlitz des ehemaligen »Jungen Barons« geworfen. Es leuchtete in einem solchen Glanz, als sei Nippons mystische Chrysantheme plötzlich in der amerikanisierten Trümmerwüste von Nachkriegs-Tokio aufgeblüht.
Später legte Matsubara Akiro der geehrten Großmutter den Ur-Enkel in die Arme. Die winzige Greisin, die ihren Vater, ihren Mann, ihren Sohn und ihren Enkelsohn – den heroischen

»Todesflieger« des Zweiten Weltkrieges – begraben hatte, betrachtete stumm den untadeligen Körper und die klaren Augen des Mann-Kindes und nickte stolz und todmüde.
Für diesen Augenblick des Glanzes hatte sie sich in einer Welt, die ihr nichts mehr zu sagen hatte, zäh und geduldig am Leben erhalten.

SECHSTES KAPITEL

# Familientag in Norwegen

WÄHREND der letzten Maiwoche trafen unentwegt Besucher aus aller Welt zu Fräulein Wergelands siebzigstem Geburtstag in Trondheim ein. Astrid mit ihrer Familie aus Paris; Mailin mit ihren Söhnen aus Singapore; Vivica und Timothy mit Halvard und Dr. Margaret Williams aus Concord in New Hampshire, USA. Und es war immer noch kein Ende, denn man erwartete Familie Chou Tso-ling aus China, Herrn von Zabelsdorf mit Frau und Kindern aus West-Berlin, und Madame Yamato, die irgendwie immer anwesend gewesen war, wenn Vivica am Leben krankte, sollte aus Tokio kommen. Helene hatte über die Jahre hinweg mit allen ihren Freunden die Verbindung aufrechterhalten.
Die Villa Wergeland war festlich geschmückt, was Fräulein Wergeland unnötig fand. Ein Teil der Gäste wohnte in ihrem Privatflügel; der große Speiseraum im Mütterheim, wo Helene vor ihrer Fahrt in den Fernen Osten Rahmgrütze und Fisch ausgeteilt hatte, war zum Kinderzimmer für die jungen Gäste aus Osten und Westen geworden. Die Kinder waren Helenes Geburtstagsgeschenk, wie sie brummend zu der Witwe aus Aalesund sagte. Laura flatterte natürlich wie ein kopfloses Huhn umher.
Am Vorabend des Festes saß Fräulein Wergeland nach dem Abendessen allein auf ihrer Terrasse und blickte wie in alten Zeiten den wandernden Wolken nach. Sie war immer noch ungebeugt und ein wenig streng. Drinnen, in der riesigen Empfangshalle schwirrten Stimmen in allen möglichen Sprachen durcheinander: Norwegisch, Englisch, Französisch, Chinesisch und Japanisch. Das letztere sprach Vivica mit Madame Yamato, die von Baron Matsubara in Marseille an Bord gebracht worden war. Seit dem Frieden von San Francisco im Jahre 1951 reiste Matsubara Akiro wie in seinen jungen Jahren im Auftrage seiner Regierung

in der Welt herum. Er war augenblicklich mit einer Wirtschafts-Mission in Paris und würde von dort aus nach Peking und Shanghai fahren. Diese Neuigkeiten wisperte Madame Yamato der schönen Mrs. Williams zu. Madame Yamato blickte voll Verehrung zu Baron Matsubara auf. Sie hielt ihn für einen sehr gütigen Menschen. Er bezahlte sogar die Ausbildung ihres einzigen Sohnes zum katholischen Priester.
Fräulein Wergeland blickte den Wolken nach. In den fünf Jahren, seit Vivica Japan verlassen hatte, war ihre Sorge um dies gefährdete Kind fast ganz geschwunden. Es war die einzige angenehme Überraschung ihres Lebens, daß Vivie zur Vernunft gekommen war. Sie hatte überdies ein Jahr bei Astrid in Paris bei einem bedeutenden Maler gearbeitet – Timothy hatte sich mittlerweile »Europa angesehen«. Ja – und nun hatte Vivie, der Nichtsnutz, von allen verwöhnt und faul wie eine asiatische Prinzessin, ihre erste Ausstellung in Paris, wohin sie alle nach Helenes Geburtstag fahren wollten. Diese Ausstellung hatte Astrid mit gewohnter Kompetenz arrangiert, und Vivicas Aquarelle und Skizzen schienen Furore zu machen.
»Man wird ihr nur den Kopf verdrehen«, brummte Helene, welche die Fotos von Vivicas Aquarellen kopfschüttelnd betrachtet hatte. Es war kaum etwas auf den Bildern drauf.
Helene stand auf und ging in das Zimmer der Kinder. Mit Jubelgeschrei stürzten ihr der junge Halvard und der elfjährige Karl Friedrich von Zabelsdorf, der schon lange nicht mehr »das Kasperle« hieß, entgegen. Astrids Zwillinge Antoine und Hélène – achtjährig und beängstigend wohlerzogen – wisperten in einer Ecke in schnellem Französisch. Helene konnte mit Astrids »kleinem Monsieur« und der zierlichen Großnichte mit dem *Parlez-vous*, das ihr wie ein Wasserfall entströmte, nicht viel anfangen, gestand sich das in ihrer eigensinnigen Loyalität aber nicht ein. Sie schritt auf Mailins ältesten Sohn zu, der mit Hanna Chous Jüngstem auf chinesisch die merkwürdigen Verwandten diskutierte. – Sie waren keineswegs weniger zungengewandt als die französischen Vettern. – Beide Knaben lächelten über die kleinen Franzosen und den großen rotbackigen Cousin Halvard aus Amerika. Halvard und der junge Berliner balgten sich und klopften sich danach lachend auf die Schulter – wie unaussprechlich unhöflich!
Helene betrachtete die westöstliche Kinderschar in tiefem Sinnen.

Ihre stahlblauen Augen suchten die Kinder zu ergründen, die eine neue, hoffentlich bessere Welt bauen sollten. Aber wenn sie sich auch streng verbot, den achtjährigen Halvard als ihren Liebling zu erklären – irgend etwas rührte an ihr Herz, als der wilde Junge plötzlich sanft flüsterte:
»Großtante, darf ich dir etwas vorspielen?«
Sein silberblondes Haar fiel ihm ins Gesicht; Borghilds verschleierter Blick suchte den ihren, und Halvards Hände – die schlanken, sensitiven Hände des geborenen Geigers – streichelten scheu und zärtlich Fräulein Wergelands große, kräftige, von den Adern des Alters durchzogene Hand.
»Morgen, Halvard – an meinem Geburtstag.« Dann blickte sie ihren geheimen Liebling scharf an und sagte: »Aber ich bitte mir aus, daß du mit sauberen Händen spielst!«

\*

Das große Geburtstagsmahl war vorüber, und die Gäste hatten sich zum Ausruhen zurückgezogen. Helene hatte Hunderten von Besuchern aus Trondheim und Tröndelag die Hand gedrückt und ihre Geschenke kopfschüttelnd entgegengenommen. Wie viel Windeln und Skier hätte man für das artistische Zeug kaufen können! Aber die Schneehühner, die Drückeberger und die Söhne und Enkel der Drückeberger hatten monatelang gespart, um Fröken Wergeland ein »feines« Geschenk zu machen. Es freute Helene im geheimen doch, daß ihre Schützlinge – alte und junge so ausgiebig nachgedacht hatten, und sie bedankte sich mit ungewöhnlicher Höflichkeit. Nicht einem einzigen Besucher warf sie die Wahrheit wie einen nassen Lappen ins Gesicht – dazu waren zuviel Gäste aus dem Fernen Osten anwesend.
Endlich war sie dann mit der Familie und den Freunden allein. Der Kaffeetisch war von den Jungens und kleinen Mädchen leergeräumt worden – selbst Antoine und Hélène hatten sich erstaunlich eifrig an der endgültigen Tortenschlacht beteiligt –, und nun gingen sie alle in die getäfelte Halle, um Halvard Lillesand Williams spielen zu hören. Fräulein Wergeland mußte trotz ihres Protestes auf dem blumengeschmückten, reichgeschnitzten Sessel sitzen, der wie ein chinesischer Ehrensessel allein stand, gegenüber dem Ölbilde des »Alten Olaf«, der ein Waldbauer aus Tröndelag gewesen war.

Als Halvard die Geige ans Kinn setzte, verstummten alle Gespräche. Der langbeinige Achtjährige mit den kindlichen roten Backen und dem wirren Haarschopf stand isoliert in der Mitte der Halle und spielte norwegische Volksweisen, die sein amerikanischer Lehrer ihm für dieses Fest eingeübt hatte. Fräulein Wergeland saß regungslos; ihre scharfen Augen erforschten Halvards Knabengesicht. Seine Augen waren nicht länger verschleiert, sondern leuchteten wie Borghilds Augen geleuchtet hatten, wenn sie spielte. Aber Helene sah auch das feste, energische Kinn des Jungen und die kraftvollen Hände, welche die Wirklichkeit packen würden, wenn die Kindheit vorbei war und der Kampf um Kunst und Liebe begann.
Die Erwachsenen saßen reglos. Timothy hielt die Hände seiner schönen, lächelnden Frau, die bald in Paris einen Vorgeschmack öffentlicher Anerkennung erhalten sollte. Dann kam Hanna Chou, stärker als in früheren Jahren, aber immer noch von anmutiger Eleganz und jener Sicherheit, die sie der Erziehung in einem feudalen, schlesischen Mädchenpensionat verdankte; und Anna von Zabelsdorf, mehr denn je ein Schulmädchen, das eigentlich eine liebliche schlesische Madonna war. Die Jahre waren spurlos an ihr vorübergegangen. Und zwischen ihnen saß Astrid und hatte die Arme um die Freundinnen geschlungen wie in den dunklen Tagen in Shanghai, als Vivie in den Kellern der Kempetai verschwunden war und Astrid bei den beiden Schlesierinnen Schutz und Trost gefunden hatte. Neben ihnen sah Helene – lieblich und gefaßt – ihre Lieblingsnichte Mailin, die ihr vor dreißig Jahren im Hafen von Trondheim den Vogel Goldpirol geschenkt hatte, weil Goldpirol das Liebste war, was die winzige Mailin besaß.
Gott hatte es gut mit ihr und ihren Nichten gemeint, dachte Helene. Sie saßen alle zusammen. Die Mädchen hatten ihren Platz im Leben, und ihre Kinder auch; und die Freunde aus dem Fernen Osten umgaben sie alle mit sanfter Bescheidenheit und lautloser Treue. Es mußte doch wohl so sein, daß die Menschen Brüder waren; wenn auch alles, was draußen im Westen und Osten seit Jahren vorging, dagegensprach. – Helene sah im Geiste die gute Yumei, die während des Krieges für Vivica gestorben war; sie blickte noch einmal in Yumeis glänzende, schwarze Augen und erinnerte sich an ihren heldenhaften und bescheidenen Starrsinn: »Dritte Schwester« sollte im Gefängnis der Kempetai ihr Lieblingsessen haben! Dann war da Sir Tso-ling, der Astrid während

der Wirren des Kriegsendes bei Yumeis Schwester versteckt hatte. Und da saß die zierliche Madame Yamato in ihrem dunklen Kimono neben der bildschönen, hochgewachsenen Vivica und verkörperte das tiefsinnige japanische Prinzip, daß die Unauffälligen die Strahlenden und die Schwachen die Starken beschützen müssen. In der gegenüberliegenden Ecke saß die Witwe aus Aalesund, die sich nach dem Tode ihres guten Dänen wieder so nett bei Fräulein Wergeland zurechtgejammert hatte. Laura hielt in jedem Arm einen kleinen chinesischen Jungen; denn Mailins und Hannas Söhne hatten sofort entdeckt, wer hier chinesisch sprach, und hingen wie die Kletten an Laura, Helene und Astrid. Es kam wohl in dieser zerrissenen Welt von 1955 nicht aufs Bücherlesen oder auf Rundfunkpropaganda und Konferenzen an, dachte Fräulein Wergeland. Man mußte nur ein Herz in der Brust und zwei Hände zum Helfen anbieten. Dann verstanden sich Westen und Ferner Osten sehr ordentlich.

Sie blickte Halvard an und sah, daß er, so jung wie er war, den Geigenbogen mit Borghilds delikater Sicherheit führte. Irgend etwas in ihrem Herzen schmerzte plötzlich; aber nicht sehr stark und auch nicht überraschend. Sie wanderte nur noch ein Stückchen weiter in die Vergangenheit zurück und sah Borghild, die ihrem Enkelsohn ihre geheime Magie vererbt hatte. Und dann sah sie Knut wieder am Hafen von Trondheim: schön, hochgewachsen und hilflos mit der blassen Astrid an der Hand – und Yumei mit Mailin und dem Vogel Goldpirol dahinter.

»Da sind wir«, hatte Knut gesagt. So einfach war es für ihn gewesen. Da »waren sie« und suchten Schutz und Trost; und den hatte Helene ihnen mit ärgerlichem Lächeln immer wieder gegeben. Und sie war immer reicher dabei geworden, je mehr sie gegeben hatte. »Die unverheiratete Frau ist der ganzen Welt eine Mutter«, sagten die Chinesen. In ihrer Welt, die von Trondheim bis Ostasien und den USA reichte, hatte sie das wohl ein wenig wahrgemacht. Und der Schmerz, der beim Spiel des kleinen Halvard ihr Herz bedrängte, war nur die lebenslängliche Trauer um Knut; daß er heute nicht dabeisein und sich mit Töchtern und Enkelkindern freuen konnte. Aber Helene war mit ihren siebzig Jahren an den Schmerz der Trennung von Knut gewöhnt; sie wußte, daß man mit Schmerzen genau wie mit Freuden leben und sich an sie gewöhnen kann, weil das Leben nun einmal aus beidem besteht. Sie hatten es alle erfahren – Helene und ihre drei

Mädchen und die Freunde, die zu ihrem Ehrentag aus aller Welt in die feierliche, saubere Stadt im hohen Norden Europas geeilt waren. Nicht einer unter ihnen war dem Leid entgangen, aber alle waren sie auf ihre Weise damit fertiggeworden.
Halvard ließ seine Kindergeige sinken. Er hatte sein erstes Konzert in Trondheim gegeben... Fräulein Wergeland stand auf und ging zu einer geschnitzten Truhe. Ihre Hände zitterten ein wenig, als sie der Truhe einen Gegenstand entnahm. Sie befreite ihn von den seidenen Hüllen.
»Dies ist die Geige deiner Großmutter, Kleiner! Eine Amati! Wenn du fleißig arbeitest, wird Daddy sie dir zu deinem sechzehnten Geburtstag geben.«
»Was ist eine Amati, Großtante?«
»Ein recht ordentliches Instrument«, sagte Fräulein Wergeland trocken. Es war das Geschenk ihrer Familie zu Borghilds Hochzeit gewesen. – Sie gab sich einen Ruck:
»Halvard«, sagte sie streng, »an deiner Jacke fehlt ein Knopf! Kannst du dem Jungen nicht seine Knöpfe annähen, Vivie?«
»Ich bitte um Entschuldigung«, sagte Dr. Timothy Williams augenzwinkernd. »Ich weiß nicht, wie mir das passieren konnte. *Ich* bin das Nähmädchen in unserer Familie.«
Nur Fräulein Wergeland sah inmitten des allgemeinen Gelächters, daß Vivie verstohlen den Ärmel ihres Mannes streichelte. Die Geste war ein kleines Wunder der Intimität. Tim wurde rot wie ein Tanzstundenjüngling. Dann stand er sachte auf, um sich die Amati näher zu betrachten.
»Ist sie nicht zu kostbar für den Burschen?« fragte er Fräulein Wergeland. Die Frage war verständlich: Er hatte Borghild Lillesand nicht spielen hören.

\*

Die Gäste saßen noch bis spät in die Nacht in der großen getäfelten Halle. Sie waren lange voneinander getrennt gewesen und wußten nicht, ob und wann sie sich wiedersehen würden.
Die Kinder waren nun in den Schlafzimmern. Fräulein Wergeland hatte noch eine kleine Überraschung mit Astrids Töchterchen erlebt. Hélène hatte sie beim Gutenachtsagen gefragt, ob sie Cousin Halvard *viel* lieber hätte als sie und Antoine. Hélène war beruhigt worden, worauf sie hochbefriedigt Großtante Helene im

Wisperton ein »Geheimnis« mitteilte: Antoine spiele *auch* mit Puppen, aber Papa dürfe es nicht wissen! Fräulein Wergeland hatte das zarte Kind an sich gedrückt; es war nicht mehr eine fremde kleine Dame aus Paris, sondern eben Astrids Tochter.
Kurz vor Abschluß des Festes gab es noch eine Neuigkeit für die Gäste. Mailin hatte in Singapore ein Waisenhaus gegründet, das den Namen ihres verstorbenen Mannes trug. Fräulein Wergeland wollte im »Waisenhaus James Chou« ein Jahr oder länger mithelfen. Das bedeutete für sie eine Tätigkeit, die sie von Bangkok her kannte, und außerdem hatte sie dort den Vogel Goldpirol.
»Das ist doch nicht dein Ernst, Tante Helene?« fragte Astrid.
»Hast du etwas dagegen?«
Die »Herzogin« hatte allerhand dagegen und erklärte ihrer Tante, daß sie nach der Besichtigung von Vivies Ausstellung – in einer kleinen vornehmen Privatgalerie von Saint-Germain-des-Prés – mindestens ein halbes Jahr in Paris bleiben müsse. Astrid hätte sie schon so lange um ihren Besuch gebeten. Außerdem wären die Tropen Tante Helene doch niemals bekommen!
»Nanu!« sagte Fräulein Wergeland sehr laut. Bei Astrid schien es zu piepen!
»Das alles ist viel zu ermüdend für dich, Tante Helene!«
Astrid ließ sich nicht irre machen; selbst Pierre tat eben zum Schluß fast immer, was sie ihm riet, obwohl er Ratschläge im Grunde genausosehr verabscheute wie Fräulein Wergeland. Aber Astrid war so perfekt, daß dieser kleine Fehler sie reizvoll machte – fand Herr de Maury.
Astrid war ehrlich um ihre Tante besorgt, allerdings auch ein klein wenig eifersüchtig auf Mailin.
»Überlege es dir bitte, Tante Helene«, schloß sie würdevoll. »Mailin ist wundervoll tüchtig und wird auch ohne dich fertig, und schließlich bist du doch nicht mehr die Jüngste!«
»Dummes Zeug«, sagte Fräulein Wergeland mit gewohnter Liebenswürdigkeit, »ich bin doch *eben erst siebzig geworden!*«

EPILOG

# Ein Japaner in Paris

BARON MATSUBARA AKIRO hatte seine Pariser Ferien genossen. Er hatte alle die Stätten wieder besucht, die er im Jahre 1925 staunend und mißtrauisch kennengelernt hatte: – die Oper, den Faubourg Saint-Germain, den Louvre, Montparnasse und den Parc Monceau. Damals war er zum ersten Male in Europa – ein gehorsamer Sohn, ein Regenrockinsekt in der Stadt des Lichtes, einer der vielen jungen Japaner, die auf Befehl des gestrengen Vaters »Europa lernten«, während sie vor Schüchternheit Magenkrämpfe hatten und sich in Mondnächten nach Nippon sehnten. Akiro hatte alles überstanden. Er war zur Zeit ein Welteroberer im Ruhestand und arbeitete im Interesse seiner Enkelsöhne, die eine neue Blüte der kaiserlichen Chrysantheme erleben würden. Die Chancen waren gar nicht so gering, wenn man in genügend großen Zeiträumen dachte.

Der Baron hatte sich in den letzten fünf Jahren äußerlich verändert. Mit seinen dreiundfünfzig Jahren war er eine distinguierte Respektsperson. Sein Gesicht zeigte Falten und die ersten Höhlungen des Alters – es war streng und asketisch. Wenn Matsubara Akiro lächelte, tat er es wie in seiner Jugend aus Zweckgründen. Die Zeit der Romanzen war endgültig vorbei.

Seine Zeit war seit zwei Jahren sehr ausgefüllt. Er stellte seine bescheidenen Erfahrungen in der Wirtschaftspolitik der Regierung seines Landes zur Verfügung. Japan war industriell trotz der Niederlage immer noch das höchstentwickelte Land im Osten, aber es brauchte mehr denn je Absatzgebiete. Und Rotchina lag vor seiner Tür. Die Zeit würde bald vorbei sein, da man in Tokio von solchen Möglichkeiten nur flüsterte. Der Baron hielt Japaner und Chinesen nach wie vor für nahe Verwandte, deren Machtpositionen sich allerdings verschoben hatten. Man müßte dem taktvoll Rechnung tragen und die kleinen Mißverständnisse zwischen 1937 und 1945 vergessen.

Es war Akiros letzter Tag in Paris. Er wollte noch ein oder zwei Bildergalerien besuchen und dann im Bois de Boulogne soupieren. Seine eigene Gesellschaft genügte ihm heute wie gestern. Er er-

innerte sich an das Angenehme und vergaß die Dunkelheit nach dem Feuerwerk. Paris war immer noch ein Zentrum der Kultur; und er hatte es ja immer mit der Kultur gehalten... In Saint-Germain-des-Prés hatte es eine kleine Galerie gegeben, die Akiro als Student besucht hatte. Man zeigte dort die Bilder von Unbekannten. Paris hat für dergleichen eine Schwäche. Die Unbekannten wurden manchmal später berühmt. Entdecken ist eine Freude, und man gab sich an der Seine die kleine Mühe des Suchens.
Er war der letzte Besucher in einem Seitensaal mit ausgezeichnetem Licht. Dort waren eine Anzahl Aquarelle ausgestellt, unter dem Sammeltitel *»Les Rêves de Vivienne«*. Die Malerin sei Vivica Williams, eine Norwegerin, die einige Jahre in Asien zugebracht habe, hatte ihm im Parterre irgend jemand mitgeteilt.
Baron Matsubara betrachtete mit unbewegtem Gesicht die Bilder, die etwas Neues für ihn waren. Hier hatten westliche Phantasie und japanisch orientiertes Formgefühl etwas hervorgebracht, das ihn sehr erstaunte. Nippons kollektive Intuition und das individualistische Temperament Europas hatten sich auf Seide und Papier versöhnt. Baron Matsubara stand reglos vor diesen Arbeiten, die er inspiriert hatte. Mit allen Mitteln des Terrors und der Liebesleidenschaft hatte er »Morgengesicht« so nachhaltig beeindruckt, daß aus der Erschütterung des Gefühls nach Jahren Visionen sparsamer Schönheit erwachsen waren. Da war die singende Nachtigall im Gefängnis – die Morphiumwiese – der Traum-See von Myanoshita mit dem Berg Fuji in Wolken. Und da war »die Teehütte«, eine Wandrolle, welche die Tragödie von Karuizawa hintergründig sublimiert spiegelte. Es war Akiros Teehütte, aber in ihr saß ein buddhistischer Mönch, und die Stille lebte in »Chrysanthemen und Ahorn am Bach«.
In diesen Bildrollen und Skizzen war ein schwermütig-heiteres Spiel mit den malerischen Möglichkeiten, das die traditions- und formgebundenen japanischen Meister nicht kannten. Es waren klassische »Arrangements«, die aber durch eine westliche Phantasie zum Abenteuer erhöht wurden. Das letzte Wandbild zeigte sogar die Kunst des *bonkei* (Miniatur-Landschaftsgarten), den der Japaner kunstvoll in einer flachen Schale oder auf einem Porzellanbrett anlegt. Aber Vivica hatte ihn in eine Landschaft des hohen Nordens hineinkomponiert, den Matsubara Akiro niemals gesehen hatte. Wildromantische Felsen umgaben das japanische

Blumenwunder – Chrysanthemen mit zartem Grün, Moos und Steinen. »Lautlose« Schönheit des Ostens am Ufer eines Fjords. Eine solche Synthese von Kunst und Natur zweier Welten konnte nur ein junges Geschöpf schaffen, das Asien genauer, schrecklicher und beglückender als andere Europäer kennengelernt hatte.
Vor diesem Bild fühlte Matsubara Akiro eine tiefe Erschütterung. Zum ersten Male in seinem Leben, dessen Frühling und Sommer er dem Ruhm Nippons geopfert hatte, empfand er die dynamische westliche Kultur als etwas Gleichberechtigtes neben den uralten statischen Vollendungen des Ostens. Sein starrer japanischer Hochmut erlitt einen Stoß durch die Erkenntnis, daß die Welt außerhalb Nippons nicht nur eine technische Hochschule, ein Absatzmarkt für Ideen und Waren oder eine Dollarquelle war, sondern ein Spielplatz ungeheurer kultureller und menschlicher Kräfte. Zum ersten Mal sah er die Möglichkeit einer Verständigung von Person zu Person, von Kunst zu Kunst und von Volk zu Volk. Das *bonkei* am Fjord war in all seiner Verhaltenheit ein Symbol der Hoffnung, eine Geste der Völkerversöhnung.

»Gefallen Ihnen die Bilder, Monsieur?«
Baron Matsubara fuhr aus seinem Sinnen auf. Eine blutjunge Pariserin hatte sich zwanglos zu ihm gesellt. Sie trug dreiviertellange, enge, schwarze Hosen, welche die Hüften unbescheiden betonten, einen altrosa Pullover mit einem zärtlichen Halstüchlein und eine existentialistische Haarmähne. Aber ein reizendes Kind trotz der Aufmachung, dachte Baron Matsubara nachsichtig. Wohin war es mit den jungen Damen von Paris gekommen? Wollten sie keinem Manne mehr gefallen? Die junge Dame sah nicht einmal so aus, als ob sie sich kein elegantes Frühjahrs-Arrangement leisten konnte. Sie trug echten Schmuck zu ihrem anmaßenden Pullover. Die ganze Verpackung war aus erstklassigem Material. Auch in Tokio gab es keine wahre Eleganz und Bescheidenheit mehr: seine Tochter Eiko hatte ihn am Neujahrstage 1950 in einem ähnlichen Pullover empfangen.
»Ich finde diese Aquarelle bezaubernd«, bemerkte die junge Dame, die offenbar der Meinung war, daß es in der Kunst und auch sonst auf weibliche Urteile ankam. »Auf diesen Skizzen ist soviel fortgelassen, daß die eigene Phantasie zu neuen Leistungen angeregt wird.«

»Halten Sie das für einen Vorteil, Mademoiselle?« Die junge Kunstfreundin antwortete nicht, sondern besichtigte Vivicas Arrangements mit merklichem Interesse.

»Ich liebe China«, murmelte sie. »Darf ich fragen, aus welcher Stadt sie nach Paris gekommen sind, Monsieur?«

»Aus Tokio«, erwiderte Baron Matsubara milde. »Haben Sie zufällig von dieser Stadt gehört, Mademoiselle? Sie war früher ein Zentrum der Blumenzucht. Jetzt ist sie ein beliebtes Ausflugsziel der Amerikaner.«

»Pardon, Monsieur! Ich hielt Sie für einen Chinesen.«

»Ein charmantes Kompliment heutzutage, Mademoiselle! Wir sind nur die armen Verwandten.«

»Sie sind sehr amüsant, Monsieur«, sagte die junge Dame ein wenig unsicher. »Sind Sie zum ersten Mal in Paris?«

»Unsere Unterhaltung war mir ein auserlesenes Vergnügen. Darf ich meinen Dank sagen, Mademoiselle?« Baron Matsubara verbeugte sich mit gewohnter Anmut. Kein existentialistisches Kätzchen konnte ihm eine Antwort entlocken.

Er verließ den Saal: ein älterer, vornehmer Japaner voll sichtbarer Höflichkeit und unsichtbarem *naibun*.

Seine Gedanken wanderten in die Ausstellung zurück. Dabei fiel ihm ein, daß »Morgengesicht« das einzige Mitglied der Familie Wergeland war, das sich jemals für seine bescheidenen Dienste bei ihm bedankt hatte.

Lächelnd betrat er die Straße. Der Pariser Mai gab ihm wie vor Jahrzehnten ein stilles Glücksgefühl, als er den Boulevard hinunterschlenderte. Die Dämmerung verwischte die Konturen der Häuser und Bäume. Baron Matsubara bog in die Rue Bonaparte ein und wurde eins mit der ironischen Sehnsucht in der Luft und der silbernen Dämmerung. Diese Stadt war die Teehütte des Westens. Der *Bois de Boulogne*, wo er soupieren wollte – jener durch Gartenkunst korrigierte Wald –, war für japanische Gäste wie geschaffen: eine elegante Idylle am Rande der Weltstadt. Diese Nacht gehörte ihm und Vivienne. Seine Leidenschaft für sie war ein Augenblick des Glanzes zwischen Erwachen und Einschlafen, zwischen Geburt und Tod gewesen. Vorher und nachher hatte es nur die vom Shintoismus und dem Familiensystem haargenau festgelegten Pflichten und Verpflichtungen gegeben. Wie die kaiserliche Chrysantheme waren die Pflichten dem Wandel der Zeiten nicht unterworfen. Matsubara Akiro war in diese Ord-

nung hineingeboren worden und fand nichts an ihr auszusetzen.
Morgen früh ging sein Flugzeug nach Peking.